W0032629

Sabine Weigand

Das Perlenmedaillon

Roman

Krüger Verlag

Erschienen bei Krüger,
einem Verlag der S. Fischer Verlag GmbH,
Frankfurt am Main

Die Abbildung auf dem Vorsatz stammt vom Stadtarchiv Nürnberg (A41):
Ansicht der Stadt Nürnberg aus der Schedelschen Weltchronik 1493
Satz: Pinkuin Satz und Datentechnik, Berlin
Druck und Einband: Clausen & Bosse, Leck
Printed in Germany 2005
ISBN 3-8105-2660-6

Schwabach, August 2004

Die segnende Hand Christi ragte aus den züngelnden Flammen. Zwei Finger wiesen anklagend nach oben auf die musizierenden Engelchen, die pausbackig an der Decke über dem Speisealtar schwebten. Es rauchte, knackte und zischte.

»Ey, holt noch mehr Gebetbücher!«

Der schlaksige Halbwüchsige mit dem Pickelgesicht und der knallrot gefärbten Igelfrisur kippte sich den Rest seiner Bierdose in den Mund, während er mit schwankenden Schritten das Feuerchen umrundete, das im Mittelgang zwischen den Bankreihen flackerte. Einer seiner Kumpane rüttelte am übrig gebliebenen Arm des hölzernen Heilands auf dem Palmesel, der trotz der Tatsache, dass das Kunstwerk aus der Zeit um 1500 stammte, nicht nachgab.

»Fuck!«

Ein wütender Tritt sorgte dafür, dass Grautier und Reiter krachend umfielen, wobei der Esel seine morschen Ohren und der Heiland fast alle Finger seiner rechten Hand verlor.

Der dritte Eindringling, ein dicklicher Baseballkappenträger mit Augenbrauenpiercing und einem Ninja-Tattoo auf der Schulter, schleppte einen Arm voller Gesangbücher und Kirchenprospekte durchs Langschiff, sichtlich behindert durch das bis in die Kniekehlen herunterschlabbernde Gesäß seiner Jeans. Unter beifälligem Gejohle der beiden anderen schmiss er alles in die Flammen, dass die Funken bis zur Decke stoben.

In einer Nische des Sakramentshäuschens stöberten die Jugendlichen zwei silberne Messpokale auf. Während zwei der Kids grölend durch die Stadtkirche turnten und mit den Pokalen Fangen spielten, holte ihr Anführer aus dem mitgebrachten Rucksack eine Spraydose. Auf der vordersten rechten Säule entstand ein grinsendes neongrünes Strichmännchen, auf der linken Säule ein umlaufendes Band mit dem beliebten Sponti-Spruch »Alle Bullen sind Schweine«. Danach fläzten sich die drei auf die Stufen vor dem spätgotischen Hochaltar – einem grandiosen Gemeinschaftswerk der weltberühmten Meister Wolgemut und Stoß –, rauchten selbst gedrehte Zigaretten und soffen billigen Wodka aus den inzwischen völlig verbeulten Silberkelchen. Schließlich, als die Glocken vom Kirchturm längst Mitternacht geläutet hatten, rafften sich die sturzbetrunkenen Halbstarken auf, kickten noch ein paar Blumenständer um und verließen die Kirche unbehelligt im Schutz der Nacht durch das Fornikantenpförtchen. Das aufgebrochene Schloss schepperte blechern, als die Holztür hinter ihnen zufiel.

Als der Messner am Morgen seinen Dienst antrat, traf ihn beinahe der Schlag.

Einen Tag später. Paul Möbius, Leiter des Schwabacher Stadtmuseums, lehnte sich in seinem Bürosessel zurück, blies mit dem Rauch seiner Zigarette Kringel in die Luft und beobachtete, wie diese gemächlich an seinen überfüllten Aktenregalen vorbeiwaberten. Möbius war Kunsthistoriker und begeisterter Sixties-Freak; tief in seinem Innern litt er unter der unabänderlichen Tatsache, dass er die wilden sechziger Jahre aufgrund zu später Geburt nicht hatte persönlich erleben dürfen. Er trug die Haare etwas zu lang und die Hosen etwas zu kurz; seine Hemden wiesen stets entweder das obligatorische Paisleymuster oder irgendwelche Op-Art-Dekors auf.

Den ganzen Vormittag hatte Möbius damit verbracht, ein Konzept für die nächste Sonderausstellung zu entwerfen. Jetzt hatte er sich einen Kaffee und die erste Zigarette des Tages verdient, bevor er sich daran machen wollte, die neuesten Auktionskataloge nach Schnäppchen durchzugehen. Möbius tat noch einen tiefen Zug. Gott sei Dank Freitag. Spätestens um halb zwei Uhr würde er im Museum alles erledigt haben und nach Hause fahren können. Dann hatte er noch Zeit für ein Schläfchen, sein obligatorisches freitägliches Entspannungsbad und ein schönes Glas Whisky, bevor er seine Freundin abholen und mit ihr in den Star Club gehen würde, das Mekka der fränkischen Sixties-Anhänger. Für heute Abend war eine englische Live-Band namens »The Psychedelic Bell-Bottoms« direkt aus London angekündigt, für Insider der Szene ein echter Leckerbissen.

Ein Klopfen riss Möbius aus seinen Gedanken. Monika Herbst, seine Halbtagssekretärin, steckte den Kopf zur Tür herein.

»'Tschuldigung, Chef, aber der Herr Dekan Müller hätte Sie gern gesprochen.«

Schon öffnete sich die Tür ganz, und der oberste Schwabacher Kirchenmann trat ins Zimmer, in der Hand eine unförmige neongelbe Sporttasche. Möbius nahm hastig die Füße vom Schreibtisch und drückte den Glimmstängel aus. Mit beiden Händen wedelte er den Rauch über dem Schreibtisch weg, während er den Dekan entschuldigend anlächelte und dabei verzweifelt überlegte, ob er diesen Termin heute wohl verschlafen hatte.

»Störe ich etwa Ihre Zigarettenpause, mein Lieber?«

Dekan Müller, dank einiger Jugendjahre als Amateurboxer ein außergewöhnlich athletischer Sechzigjähriger mit ergrautem Haarkranz, Brille und Kinnbart, stellte vorsichtig die Sporttasche ab und schüttelte Möbius über den Schreibtisch hinweg die Hand.

»Tut mir Leid, dass ich Sie so überfalle, aber es handelt sich um eine recht dringliche Sache.« Er nahm umständlich auf dem Besuchersessel Platz, rückte seinen Kragen zurecht und setzte eine düstere Miene auf. »Haben Sie heute schon Zeitung gelesen?«

Möbius schüttelte den Kopf. »Ist was passiert?«

»Das kann man wohl sagen.« Der Dekan raufte sich die spärlichen Löckchen auf seinem Hinterkopf. »Gestern Nacht waren Vandalen in der Stadtkirche! Haben mit Gesangbüchern ein Feuer gelegt, Wände beschmiert, Messgerät beschädigt, all so was. In der Kirche sieht's aus wie auf einem Schlachtfeld. Stellen Sie sich vor, sogar dem Jesus auf dem Palmesel haben sie einen Arm abgerissen! Blasphemie ist das, reine Blasphemie!« Müller schnaubte grimmig durch die Nase, sein Doppelkinn bebte vor Empörung.

Möbius, der nicht besonders religiös war, nickte mitfühlend. »Ist ja unerhört, so was. Weiß man denn schon, wer's war?«

»Die Polizei meint, es handelt sich um Jugendliche, die sich einen bösen Scherz erlaubt haben. Man hat einen Rucksack, etliche Bierdosen und eine kaputte Wodkaflasche gefunden. Wahrscheinlich haben die da drin eine kleine Orgie gefeiert. Scherz, pah! Mein Gott, ich darf gar nicht dran denken! Das ganze Dekanat ist in Aufruhr!«

Der Dekan zog ein Taschentuch und tupfte sich über die schweißfeuchte Stirn. »Ja, und deshalb bin ich hier«, fuhr er fort. »Wir haben ja noch Glück im Unglück gehabt. Denken Sie bloß – wenn diese Kirchenschänder auch noch die Tür zur Sakristei aufgebrochen hätten, wäre ihnen der gesamte Kirchenschatz in die Hände gefallen. Wissen Sie, das wertvolle antike Messgerät wird nämlich schon seit jeher dort in einem einfachen Holzschrank aufbewahrt. Kein Safe, keine Sicherheitsvorkehrungen – für so was ist nun mal kein Geld da, leider! Und wer hätte denn geglaubt, dass mal so was passieren würde? Heute Morgen haben wir nun im Kirchenvorstand beschlossen, alles Messgeschirr, das älter ist als hundert Jahre, als Dauerleihgabe ins Museum zu geben. Die Sachen werden ohnehin nicht mehr im Gottesdienst benutzt, und hier bei Ihnen sind sie wenigstens alarmgesichert. Schauen Sie nur, was für schöne Stücke dabei sind.«

Der Geistliche öffnete den Reißverschluss der Sporttasche, holte ein Teil nach dem anderen hervor und baute alles vor dem Museumsleiter auf. Goldene Kelche mit getriebenen Patenen, Silberpokale, Kerzenleuchter, Monstranzen und Hostienschalen verliehen Möbius' Schreibtisch auf einmal einen nie gekannten Glanz.

Der Museumsleiter war sichtlich beeindruckt von so viel klerikaler Pracht. Er überschlug sofort mit Kennerblick den Versicherungswert der einzelnen Teile und besprach dann mit Müller noch einige Formalitäten wie Leihgabenbestätigung und eventuelle Ausstellungsmöglichkeiten. Nachdem sich der Dekan mit einem unangenehm kräftigen Händedruck verabschiedet hatte, machte sich Möbius sofort daran, die unverhofften Neuerwerbungen knapp zu inventarisieren und ins Eingangsbuch einzutragen.

»Inv. Nr. N 8742. Kelch, Silber vergoldet. Höhe 18,3 cm, Fußdurchmesser 14,8 cm. Mit Marke (Kleeblatt). Sechspassförmiger Fuß mit durchbrochenem Maßwerkrändchen. Ein aufgelegter Ring mit einem Engel hält zwei leere Wappentartschen. Am Buckelnodus sechs Einfassungen mit gepressten Glaspasten.

Inv. Nr. N 8743. Abendmahlskanne, Silber vergoldet. Höhe 22 cm, Fußdurchmesser 11,5 cm. Auf der Fußunterseite die Meistermarke I H im Queroval, daneben die Nürnberger Beschau mit Tremolierstich. Wappen an der Wandung der Kanne: in 1 der Löwe, in 2 und 3 Brandenburg, in 4 das Schwabacher Stadtwappen (Bierschöpfen). Überschrift SCHWOBACH, Unterschrift ANNO 1664.«

Möbius arbeitete konzentriert und zügig. Nach anderthalb Stunden hatte er fünf Kelche, drei dazugehörige Patenen, zwei Messkannen, eine Monstranz und eine Hostienbüchse inventarisiert. Als Nächstes folgte das kleinste Objekt des Konvoluts, ein unscheinbares braunes Ledersäckchen mit Inhalt. Möbius schnürte das abgewetzte Band auf, zog das Leder auseinander und ließ den Inhalt langsam auf seine Schreibtischunterlage gleiten. Dann besah er verblüfft, was er vor sich hatte: Es war ein silbernes Medaillon in Form eines bauchigen Fläschchens, das an einer dicken Gliederkette hing. Oben hatte das Gefäß einen Stöpsel, der offenbar früher mit einem Schmuckstein besetzt gewesen war, den man jedoch irgendwann einmal herausgebrochen hatte. Auch in der Mitte des Fläschchens befand sich eine Fassung, deren Stein fehlte. Möbius überlegte, was dieser Anhänger wohl mit dem Schwabacher Kirchenschatz zu tun haben könnte. Schmuckstück eines Geistlichen? Er verwarf den Gedanken wieder. Er klemmte sich seine Juwelierslupe ins rechte Auge und untersuchte das Stück näher. Die Gravuren waren von guter Qualität und zeigten vor allem florale Motive: Blumen, die von beinahe jugendstilähnlichem Rankengeflecht umgeben waren, dazwischen verdrehte Silberbänder mit aufgetropften Noppen und Kügelchen. An den Bändern und Seiten entlang zogen sich mehrere Reihen von winzigen Perlen, von denen ein Großteil schon ausgebrochen war. Das Schmuckstück musste einmal mit Perlen geradezu übersät gewesen sein. Zur Mitte des abgeflachten Fläschchens wies eine goldene Korona, deren Strahlen sich an der leeren Fassung trafen, die einmal einen Edelstein von beträchtlicher Größe gehalten haben musste. Links und rechts am Flaschenkörper befanden sich zwei kleeblattförmige Ösen, durch die die Kette lief. Unter einer der Ösen bemerkte Möbius ein kleines Silberscharnier. Vorsichtig schob er den Fingernagel seines Daumens auf der gegenüberliegenden

Seite zwischen die Randwülste und drückte die Teile auseinander. Mit leichtem Klacken sprang das Medaillon auf – doch zu Möbius' Enttäuschung war es innen leer.

Der Museumsleiter machte sich daran, die Ergebnisse seiner Untersuchung unter der Inventarnummer N 8753 und der Bezeichnung »Perlenmedaillon« ins Eingangsbuch einzutragen. Als er zum Schluss noch das Säckchen untersuchte und es dabei nach außen stülpte, fiel ihm ein Zettel entgegen. Es handelte sich um ein Stück grauffleckiges Pergament, das sich beim Auseinanderfalten sofort in vier Teile auflöste. Die Schrift war durch die vielen Stockflecken so gut wie unleserlich. Möbius konnte zunächst nichts entziffern außer einer Jahreszahl am Anfang des kurzen Textes: »1687«. Mit Lupe und viel Kombinationsgabe identifizierte er noch die Wörter »Schloss Oberwolckersdorff« und »Seelgerät«. Das war alles.

»Hm. Das bringt nicht gerade viel«, brummte Möbius unzufrieden. Er stopfte alles zurück in den Lederbeutel. Mit einem Blick auf die Uhr stellte er gleichzeitig fest, dass es schon Viertel vor zwei war. Seufzend verstaute er den kompletten Kirchenschatz in dem alten Gründerzeit-Banktresor, der in einer Ecke seines Büros stand, schaltete die Alarmanlage scharf und machte sich auf den Heimweg.

Pfeifend fuhr Möbius mit seinem alten Golf Richtung Nürnberg, wo er in der Südstadt ein Zweizimmerappartement mit Balkon bewohnte. Es war ein angenehm warmer Tag, die Sonne schien aus einem makellos blauen Himmel, über den puffige kleine Wölkchen zogen. Möbius' Stimmung hob sich mit jedem Kilometer, während er immer noch über das Perlenmedaillon sinnierte. Soviel war klar: Der auf dem Zettel erwähnte Ortsname Oberwolkersdorf bezog sich mit Sicherheit auf das heutige Wolkersdorf, eine 4000-Seelen-Gemeinde, die direkt auf Möbius' Heimweg an der B 2 lag. Und er erinnerte sich, dass es in dem Ort tatsächlich ein Wasserschloss gab, in dessen Innenhof die Wolkersdorfer Laienspielgruppe manchmal Theaterstücke aufführte. Hatte nicht unlängst in der Zeitung gestanden, dass das alte Gemäuer nun schon seit längerem leer stand und per Zwangsversteigerung an die Sparkasse gefallen war?

Möbius war sich nicht sicher. Einer plötzlichen Eingebung folgend beschloss er, den kleinen Umweg zu machen und das Schlösschen in Augenschein zu nehmen. Mit quietschenden Reifen bog er von der Wolkersdorfer Hauptstraße in einen Nebenweg ab, der zunächst an der Kirche und einigen alten Bauernhöfen vorbeiführte. Schließlich entdeckte er etwas versteckt neben einem Ententeich eine alte Mauer mit hölzernem Doppeltor. Dahinter erhob sich ein kleines burgähnliches Gebäude mit Satteldach, fränkisch rot-weiß gestrichenen Fensterläden und drei niedrigen Türmchen an der Seite. Das musste es sein.

Neugierig stieg Möbius aus. Das Anwesen wirkte verlassen. Außer dem Gequake der Enten und fernem Pferdegewieher war kein Laut zu hören. Über den gepflasterten Weg, der zum Tor führte, kroch eine fette Weinbergschnecke und zog eine glitzernde Schleimspur hinter sich her. Möbius stieg über das Tierchen hinweg und besah sich den Eingang. Ein Namensschild, das neben dem Tor an der Mauer gehangen hatte, war offenbar erst kürzlich abmontiert worden. Der Museumsleiter fasste sich ein Herz und drückte probeweise die gusseiserne Klinke – ganz wider Erwarten ging das Tor auf.

Drinnen im Hof stieß er zunächst auf einen Haufen Gerümpel. Alte Matratzen gaben sich ein chaotisches Stelldichein mit kaputten Möbeln, Autoreifen, Brettern und sonstigem Hausrat. Eine bunte Katze sonnte sich auf einem zerfransten Abstreifer, schrak aber auf, buckelte und lief davon, als sich der Museumsleiter näherte. Eine Wildnis, die einmal ein Barockgarten gewesen sein musste, umgab das Gebäude. Das Schloss selber war auf der Ostseite überwuchert von Blauregen und Efeu. Bis zum Dach hangelten sich die Triebe und Ranken, sodass Möbius unwillkürlich an das Grimmsche Märchen vom Dornröschen denken musste, mit dem ihn seine Oma früher so oft in den Mittagsschlaf gezwungen hatte. Er ging die breite Außentreppe hoch und inspizierte das quadratische Gebäude, nicht ohne versuchsweise an den beiden Türen zu rütteln, die er fand. Diesmal hatte er weniger Glück. Nur ein Fenster, dessen Glas zu Bruch gegangen war, erlaubte einen kleinen Blick in einen der Innenräume. Alles war leer bis auf einen alten Ölofen und mehrere heruntergerissene Vorhangstangen. Ein Teil der hölzernen Bodendielen war durchgebrochen, und von der Wand, die ein aufgetünchtes grünes Rankenmuster zierte, blätterte großflächig der Putz.

Möbius ging weiter durch den sonnigen Schlosshof, in dem über buckligen alten Steinen Gras und Blumen wuchsen. In einer gemauerten Rinne gluckerte Wasser, in dem ruhig und gemessen eine einsame Forelle schwamm. Daneben, im Schatten eines alten Holunderbusches, glotzte ein fetter steinerner Karpfen von einer halbhohen Säule, auf dem ein zipfelbemütztes Männlein ritt und fröhlich grinsend eine Angel schwang. Möbius ließ sich von der verwunschenen Stimmung einfangen, die das Wasserschlösschen ausstrahlte. Er setzte sich ins Gras, lehnte den Rücken gegen die warme Rinde eines knorrigen Apfelbaums und genoss blinzelnd die Wärme des Nachmittags. Eine Biene summte um ihn herum, während vor seinen Füßen geschäftig eine Karawane rotbrauner Ameisen krabbelte. Vom Apfelbaum aus flog eine Amsel auf das ziegelgedeckte Türmchen neben dem Eingangstor, beobachtet von der bunt gefleckten Katze, die wieder aufgetaucht war, und Möbius hatte plötzlich das wohlige Gefühl, als sei die hektische Welt dort außerhalb der Mauern Meilen weit weg. Sein Körper entspannte sich. Mit einem Lächeln auf den Lippen schloss er die Augen und begann zu dösen ...

Erstes Buch

Auszug aus dem Kirchenbuch der Pfarrei Schwabach

In pagis.

Item Geburten, Ehschließungen, Tauffen & Sterbefäll so vorkommen in der Familia des Bartholomeus Schwab, Bauer aufm Buckgütlein; villa Regelspach bei Schwobach.

Anno 1469, Sonntag Misericordia Domini. An dißem Tag sind erschinen vor mir der Bauersmann Bart. Swab von Regelsbach, im 29. Jar, mit der Barb Oetterin von Kammerstein, im 18. jar, die wollten umb Gots willen den Segen für iren Bundt. Dieweiln die Frau mit Leibs Frucht schwanger schon weit gediehn, hab ich die Eh gesloszen vorm Fornicantenpförtlein im Kirchhof. Iesus + Maria + Amen.

Anno 1469, Dienstag Jacobi. Item heut bin ich gerittten übern Pfaffensteig zu tauffen dasz Kindlein der Ehleut Schwabn zu Regelspach auf den Namen Bartel der Jünger. Got sei lob und Danck.

Anno 1470, Montag nach Exurge. Also sind heut gekomen die Ehleut Barth. Schwab mit irm todten Kindlein Bartele, das am Lungenfieber verstorben, es zu begraben in geweihtem Boden. Iesus + Maria + Amen

Anno 1471, Mittwoch nach Sanct Martinus episc. Geriten nach Regelzbach zum Buckgütlein, dorten die hl. Tauff volzogen an eim neugeborn Kindlein, genant Joannes Schwab. Gots lieb ist ewig und imerdar.

Anno 1471, Samstag nach Sanct Martinus. Den Säugling Joannes Swab, kaum vier Tag alt, zu seim Brüderlein beerdigt. Der Herr gibts & der Herr nimbts.

Anno 1474, sechster Sonntag nach Trinitatis. In villam Regelspach bei Sturm und Wetter geritten, zu tauffen das dritt Kind aufm Buckgut, ein Buben, auf den Namen Michel Antoni. Laus deo.

Anno 1476, Tag vor Epiphania dom. Item geriten durch den Schnee übern Pfaffensteig zum Buckguetlein bei Regelzbach, allda getauffet ein neugeborns Maidlein auff den Namen Anna Margretha. Kirie eleysson.

Anno 1480, Dienstag nach Egidi. Zu Regelzbach nott getaufet ein Kintlein mit eim ze grosz Kopf, dasz es nit leben kunnt. Bartolome und Bärbel Schwabin sowie dem Buben Michel und der klein Anna das Sacrament gespendt, dieweil die vier allsamt kranck vom Hunger undt mit der umlaufend Pestilenz geschlagen. Die Zeitläufte suchen das Lant derzeit schwer mit Kranckheit und Mißernte heim, Got schütz die Pauern. Das Kint Anna hat ein gar seltzsams Angesicht – ein Aug blau, das ander braun. Soll diße Merckwürdigkeit ein götlichs oder teuflisch Zeichen sein? Lebt wol eh nit mer lang, ist dürr und fiebert gar starck. Das todt misgestalt Kint hab ich mit nach Schwobach genommen, es dort zu seinen Geswistern zu versammeln. Gloria in exc. Dei.

Anno 1482, Samstag Urbani. Heut hab ich zu iren drei Kindtlein beerdiget Barbara, Ehwirtin des Buckbauern Bartel Schwap zu Regelspach, mit Todt abgangen in Gepurts wehn vor zwei Tagen, so es Gots Wille war. Dasz Kintlein, das sie getragen, ist in ir plieben und hab ichs auch mit ir begraben. Got erbarms.

Katzwang bei Nürnberg, Mai 1490

»Da drüben ist die Mühle!«

Anna beschattete die Augen mit der Hand und spähte über die träge fließenden Wasser der Rednitz. Ein Stück weit weg am anderen Flussufer stand eine Ansammlung von Bäumen und kleineren Fachwerkgebäuden, die sich um ein stattliches Sandsteinhaus gruppierten. Dies musste sie sein, die Rennmühle von Katzwang, seit alters her genutzt als Mehl- und Walkmühle für den Ort selber und seine Nachbardörfer. Mühlen waren die Fabriken der damaligen Zeit; nur hier konnte man sich eine andere als die menschliche oder tierische Antriebskraft nutzbar machen. Große Wasserräder trieben komplizierte, ganz aus Holz konstruierte Mahl- und Hammerwerke an, mit denen nicht nur Getreide zerkleinert, sondern auch Tuche gewalkt oder Metallprodukte wie Messer oder Nadeln geschliffen und poliert werden konnten.

Die Katzwanger Mühle besaß zwei Mühlräder; eines davon drehte sich schnell, als das kleine Grüppchen sich dem Fluss näherte, und man konnte das Klopfen des Walkhammers weit über den Wiesengrund hören. Die Rennmüller waren schon immer wohlhabende Leute gewesen. Ihnen gehörten neben der Mühle mit dem Wasserrecht noch Wiesen, Weiher, Obstgärten und Wälder, und wie fast alle Mitglieder ihres Berufsstandes betrieben sie als Nebenerwerb noch eine lukrative Schweinezucht.

Anna, ihr Vater und ihr älterer Bruder Michel überquerten den Fluss auf einem Holzsteg nahe beim Wehr. Michel war ein hoch aufgeschossener, dunkelhaariger Sechzehnjähriger mit dem ersten Flaum auf Oberlippe und Wangen. Er zog einen wackeligen Karren hinter sich her, der die gesamte Habe der Familie barg: Zwei irdene Töpfe, eine Eisenpfanne, Decken und Leintücher, drei rupfene Säcke, ein paar Lederstiefel und eine Kiste mit sonstigem Hausrat. Obenauf war ein Stall aus Korbgeflecht gebunden, in dem zwei magere Hühner aufgeregt gackerten. Hinter dem Jungen lief sein Vater, ein hagerer, ältlicher Mann mit schütterem grauem Haar, gelblicher Gesichtsfarbe und eingefallenen Zügen. Dass er nicht gesund war, konnte jeder sehen. Sein Gang war unsicher, und er blieb oft stehen, um zu verschnaufen. Die vierzehnjährige Anna, ein schlankes, dunkelhaariges Kind, folgte den beiden über das Brücklein. Sie trug ein Bündel auf dem Rücken, das all ihre Schätze enthielt: einen schwarzen Sonntagsgoller, eine zweite Schürze, ein Zopfband, eine billige Ansteckfibel, die einmal ihrer Mutter gehört hatte, und einen Satz alter Haarnadeln aus Messingdraht.

Zögernd betraten die drei Neuankömmlinge den Mühlenhof. Unter der großen Linde, die einer gemütlichen Bank Schatten spendete, hielten sie inne. Es war Mittag, und der Duft von Kraut und gebratenen Zwiebeln ließ ihnen das Wasser im Mund zusammenlaufen. Seit Wochen hatten sie nichts anderes mehr gegessen als trocken Brot und Grünzeug.

Die Tür des Hauptgebäudes öffnete sich, und ein vierschrötiger Mann mittleren Alters trat in den Hof. Das konnte nur der Rennmüller sein. Anna hatte noch nie eine Achtung gebietendere Erscheinung gesehen: Der selbstbewusst vorgeschobene Bauch, das mit zinnernen Knöpfen besetzte Leibchen, das blütenreine Hemd aus feinem Leinen – alles wies Endres Preißler als reichen Mann aus. Nach seinem Großvater und Vater war er der dritte Preißler auf der Rennmühle, die er nun schon seit über zehn Jahren bewirtschaftete. Dabei war ihm seine Frau Maria in den ersten Jahren eine große Stütze gewesen, ein kräftiges, gesundes Weib, das anpacken konnte wie ein Mann. Dann hatte der liebe Gott sie mit Krankheit geschlagen – heute war sie trübsinnig und mager, sprach nicht mehr, aß kaum und brütete meist dumpf vor sich hin. Weder gutes Zureden noch Prügel, ja nicht einmal der aus der Stadt zugezogene teure Arzt hatten geholfen. Stattdessen hatte der Müller notgedrungen zu seinem ersten noch einen zweiten Knecht anstellen müssen, und der war ihm vor einem Monat auf und davon gegangen. Da kam es gerade recht, dass der junge Michel Schwab um Arbeit nachgefragt hatte. Der Bub war für sein Alter groß, und er machte einen willigen Eindruck. Außerdem brachte er seinen Vater mit, der zwar nicht recht gesund, aber bereit war, nur für Speis und Trank Hilfsarbeiten zu verrichten. Und die Kleine konnte der dicken Lisbeth, die immer mehr mit der Pflege der kranken Müllerin zu tun hatte, in Haus und Küche helfen.

Der Müller baute sich vor den drei ärmlich gekleideten, schüchternen Gestalten auf, verschränkte die Arme vor der Brust und musterte das Grüppchen mit zusammengekniffenen Augen.

»Seid ihr endlich da? Zeit wird's!«, brummte er. Mit seiner fleischigen Hand deutete er auf den armseligen Karren und grunzte. »Ist das alles, was ihr dabei habt?«

Plötzlich wurde sein Blick von einer Bewegung bei der Linde abgelenkt. Er kniff die Augen zusammen, um sicherzugehen, dass er sich mit dem, was er da gesehen hatte, nicht täuschte. Nein, Teufel noch eins, das war ein leibhaftiger Wolfshund, der sich da unter der Bank duckte und ihn aufmerksam fixierte. Preißler fluchte.

»Gehört das Vieh da zu euch? Himmelherrgott, ihr traut euch was! Damit eins klar ist, der Hund kommt mir nicht auf den Hof.«

Anna nahm all ihren Mut zusammen und trat einen Schritt vor. »Ich bitt recht schön, Herr, Grimm gehört mir. Ich hab sie als verlassnes Junges im Wald gefunden, vor drei Jahren, und mit Ziegenmilch aufgezogen. Sie ist bräver als der brävste Hund, ich schwör's bei der heiligen Muttergottes.«

Der Müller glaubte, nicht recht gehört zu haben. Er riss die Augen weit auf und deutete mit spitzem Zeigefinger auf das Mädchen. »Du willst mir doch nicht etwa sagen, dass das gar kein Wolfshund ist, sondern ein echter Wolf?«

Annas Stimme zitterte. »Doch«, flüsterte sie fast unhörbar. Dann straffte sich ihr Rücken. Sie hing mit jeder Faser ihres Herzens an der Wölfin und war bereit, um das Tier zu kämpfen. »Aber, Herr, schaut doch, wie zahm sie ist! Grimm, komm her, komm!«

Das Tier kroch unter der Bank vor, trabte schwanzwedelnd zu ihr hin und setzte sich erwartungsvoll auf die Hinterpfoten. Jetzt war es unverkennbar: Graues Fell, kleine Ohren, der schnürende Gang, die gelblichen Augen! Anna streichelte die Wölfin über den Kopf und sah den Müller flehentlich an. »Grimm fängt mehr Ratten und Mäuse als zwei Katzen zusammen. Und sie ist die beste Wach- und Hütehündin, die Ihr je gesehen habt, Herr. Sie kann's Euch beweisen.«

Und bevor der Müller abwehren konnte, hatte sie schon das Kommando gegeben und in die Hände geklatscht. »Bring die Petzen, Grimm, los, bring!«

Auf der anderen Seite des Wegs grasten einige Schafe friedlich auf einer blühenden Wiese. Der Wolf lief tatsächlich hinüber, kreiste die erschrockenen Tiere ein und trieb sie unter Kläffen und Zwicken eng zusammen. Innerhalb kürzester Zeit drängten sich die Schafe aufgeregt blökend im Hof, und der Wolf sprang hechelnd an seiner Besitzerin hoch.

»Braveliebegute.« Anna lachte übers ganze Gesicht.

Der Müller hatte die Vierzehnjährige die ganze Zeit über beobachtet. Sie war schlank, ein bisschen zu mager für seinen Geschmack. Aber unter ihrem gegürteten Kittel zeichneten sich schon frauliche Formen ab, kleine spitze Brüste und runde Hüften. Sie hatte langes, glattes, in der Mitte gescheiteltes Haar von der Farbe dunkler Kastanien, und ihre Züge waren ebenmäßig, mit einer hübschen Stupsnase über erdbeerroten Lippen, die beim Lachen zwei Reihen makellos blitzender Zähne freigaben. Als Anna den Blick des Müllers spürte und zu ihm aufsah, bemerkte er zum ersten Mal ihre Augen und zuckte überrascht zurück: Ein Auge des Mädchens war leuchtend blau, das andere hingegen braun – eine Laune der Natur, die ihrem Gesicht einen eigenartigen Reiz verlieh.

Die meisten Leute, denen Anna bisher begegnet war, hielten ihre verschiedenfarbigen Augen für ein unglückbringendes Zeichen. Das Mädchen hatte deshalb ein freudloses Dasein als Außenseiterin geführt, vor allem seit dem Tod der Mutter, den irgendwelche böse Zungen ihrem Blick anlasteten. Die Nachbarn mieden sie seitdem und kreuzten heimlich die Finger hinter dem Rücken, wenn sie ihr doch über den Weg liefen. Manche raunten gar von Teufelswerk und Hexerei. Doch der Müller war nicht abergläubisch. Zumindest nicht so sehr, als dass sich beim Anblick des Mädchens nicht ein gewisser, seit Marias Siechtum stets unterbeschäftigter Körperteil geregt hätte, was all seine Bedenken hinwegfegte. Zum Kuckuck! Blau oder braun, braun oder blau – das hier war ein Happen, den er sich nicht entgehen lassen würde. Die Sache mit dem Wolf konnte man zunächst einmal abwarten – schließlich gab's Mäuse und Ratten grad genug in der Mühle.

»Alsdann.« Preißler wies mit dem Kinn in Richtung eines Schuppens am Flussufer. »Ihr zwei Männer könnt euch drüben im Stadel einrichten. Lisbeth!«

Eine alte Magd in Schürze und Kopftuch erschien in der Haustür.

»Führ die da ins Haus und zeig ihr ihren Schlafplatz in der Kammer unterm Dach. Sie wird dir von heut an in der Küche helfen.«

»Hast Hunger?«

Anna nickte heftig. Die Magd schöpfte Kraut aus einem großen Kessel, der über dem Feuer hing, und schnitt einen Kanten Brot ab. »Da. Setz dich und iss.«

Das Mädchen ließ sich auf einem dreibeinigen Schemel am Tisch nieder und schlang gierig. Die alte Lisbeth werkelte derweil in der Küche herum.

»Bist ja ganz mager«, versetzte sie, »ihr habt wohl in letzter Zeit nicht viel zum Beißen gehabt, wie?«

Anna wischte mit dem letzten Stückchen Brot die Schüssel aus. »Mein Vater war lang und oft krank, und der Michel und ich haben den Hof nicht allein geschafft. Die letzte Ernte hat's uns verhagelt, und dann ist auch noch die Kuh gestorben. Wer soll da noch den Zehnten und die Pacht bezahlen? An Ostern hat uns der Grundherr gesagt, dass wir gehen müssen.« Ihre Augen füllten sich mit Tränen.

»Na, brauchst nicht gleich greinen.« Die Alte tätschelte Annas Rücken. »Hier habt ihr's nicht schlecht, wirst schon sehen. Mit Essen will ich euch schon aufpäppeln, und wenn du brav arbeitest, kommen wir gut miteinander aus.«

Anna schniefte und putzte sich mit einem Rockzipfel die Nase. »Wenigstens darf ich Grimm behalten.«

»Den Wolf?« Lisbeth verzog das Gesicht. »So was hab ich mein Lebtag noch nicht gesehen. Folgt aufs Wort wie ein Hund! Aber geheuer ist mir das Vieh nicht, ich will's nicht in meiner Küche haben, hörst du?«

Anna lächelte. »Schon recht. Sie bleibt draußen, wenn ich's sage. Der Müller ist ein guter Mensch, dass er sie mir lässt.«

Die alte Magd zuckte die Schultern, knurrte etwas Unverständliches und begann, mit Hingabe einen kupfernen Tiegel zu scheuern.

»Nimm dich bloß vor dem Müller in Acht«, brummte sie nach einiger Zeit warnend über die Schulter. »Der Endres lässt keinen Weiberrock ungeschoren, und so junge Dinger wie dich hat er besonders gern.«

Anna trat neben die Alte, griff sich einen irdenen Rührkübel und fing an, ihn mit Sand sauber zu schrubben. »Aber er hat doch eine Frau, der Michel hat's erzählt.«

Lisbeth ließ ihren Tiegel sinken und seufzte. »Ach ja, das ist ein Kreuz mit der Maria. Ein Trumm Weibsbild war das – früher, als er sie geheiratet hat. Die hat hinlangen können! Geschafft hat die für zwei, und dabei immer ein freundliches Wort auf den Lippen. Aber dann ist ihr erstes Kind nach zwei Monaten am Friesel gestorben, und seitdem war sie nie mehr die Alte.« Die Magd brachte ihren Mund ganz nah an Annas Ohr. »Die schwarze Milch ist ihr zu Kopf gestiegen«, raunte sie. »Und es wird immer schlimmer mit ihr. Liegt nur noch im Bett und sagt zu niemandem ein Wort. Drum sucht sich der Müller seine Unterhaltung woanders«, schloss sie, »und du halt dich von ihm fern, wo's geht ... wenn du gescheit bist!«

Den ganzen Nachmittag dachte Anna über Lisbeths Warnung nach. Ihre anfängliche Freude über die neue Bleibe war einem unangenehmen Gefühl der Verwirrung gewichen. Sie war auf dem Land aufgewachsen und wusste recht gut, worauf Lisbeth mit ihrer Warnung angespielt hatte. Aber bisher hatte sie sich immer als Kind gefühlt – dass ein Mann in ihr etwas anderes sehen könnte, war ihr noch nie in den Sinn gekommen. Verstohlen tastete sie nach ihren sprießenden Jungmädchenbrüsten und fand, dass da nicht viel war, was einem Mann gefallen könnte. Außerdem war sie doch überhaupt nicht hübsch, viel zu dünn und knochig. Und das Schlimmste – ihre Augen! So wie sie war, würde sie sowieso nie einer nehmen, das hatte sogar der Pfarrer gesagt. Anna beschloss trotzdem, Endres Preißler möglichst aus dem Weg zu gehen. Und beim Abendvesper, als sich das ganze Gesinde mit dem Müller um den großen Tisch versammelte und Milchsuppe mit eingebrocktem Brot aß, sah das Mädchen die Erleichterung in den

Augen ihres Vaters und war zum ersten Mal seit langer Zeit wieder glücklich.

Die ersten Wochen auf der Rennmühle vergingen wie im Flug, und die Familie lebte sich allmählich ein. Michel ging dem Müller und seinem Knecht beim Mahlen und Säckeschleppen zur Hand und stellte sich dabei ganz gut an, vor allem weil er durch das regelmäßige Essen immer besser zu Kräften kam. Man hörte den stets gut gelaunten Jungen schon in aller Frühe singen und pfeifen, wenn er das Mahlwerk in Gang setzte und die Getreidekörner in die großen Trichter schüttete. Bartel Schwab hingegen blieb schweigsam und verschlossen. Seit dem Tod seiner Frau vor acht Jahren war er vor der Zeit gealtert, und eine Krankheit nach der anderen hatte ihn aufs Siechenlager geworfen. Dennoch mühte er sich nach Kräften. An guten Tagen hackte er Holz, kümmerte sich um die Schweine, reparierte hier einen Zaun und dort ein Werkzeug und machte sich auch sonst nützlich, wo er konnte. Doch zuweilen hatten der Müller und sein Gesinde den Eindruck, der alte Bartel sei irgendwie nicht ganz richtig im Kopf – manchmal hörte man ihn seltsames Zeug murmeln, sah ihn vor sich hin gestikulierend oder fand ihn, wie er mitten im Weg stand und nicht mehr wusste, wo er hin wollte. Aber auch wenn der Bartel ein komischer Kauz war, für das bisschen, was er aß und trank, war's gut genug.

Anna arbeitete wie ihr Bruder fleißig und mit Freude. Zum ersten Mal seit dem frühen Tod ihrer Mutter lastete nicht mehr die gesamte Verantwortung des Haushalts auf ihr, und es tat ihr sichtlich gut, nicht jeden Tag rätseln zu müssen, wie sie ihre kleine Familie mit dem Wenigen, was sie hatte, satt bekommen sollte. In der Lisbeth hatte sie eine gutmütige Lehrmeisterin und immer redselige Gesellschaft. Zu des Mädchens großer Erleichterung hatte sich die Wölfin Grimm tatsächlich als unermüdliche Ratten- und Mäusefängerin bewiesen und durfte seitdem sogar nachts im Haus bleiben, auch wenn ihr Anblick den anderen immer noch Unbehagen einjagte. Das schönste Geschenk für die Vierzehnjährige war jedoch die winzige Kammer unter der Treppe zum Dach – ein eigenes Reich, in das sie sich jeden Abend zurückziehen konnte.

Dennoch war Annas Dasein in der Mühle nicht ungetrübt, denn Lisbeths Prophezeihung hatte sich bestätigt. Erst hatte das Mädchen gedacht, die Berührungen des Müllers seien zufällig, unabsichtlich. Aber irgendwann war es nicht mehr zu übersehen, dass Preißlers Hände ganz vorsätzlich ihren Weg zu Annas Körper fanden. Am Anfang war es nur ein leichtes Streifen am Rücken oder an der Schulter, wenn der Müller eng an ihr vorbeiging. Dann eine Berührung an den Schenkeln, als Anna gerade auf einem Schemel stand, um Schmalz aus dem Regal zu holen. Und einmal glitten die Finger des Müllers wie zufällig über ihre Brust, als er ihr ein schweres Wasserschaff abnahm. Bei jeder Gelegenheit fasste er sie an, und dabei war er freundlich und tat so, als ob gar nichts gewesen sei. Anna versuchte, ihm auszuweichen, aber es gelang ihr selten. Manchmal hatte sie das Gefühl, als ob er ihr regelrecht auflauerte. Sie wusste sich nicht zu helfen und sagte deshalb lieber gar nichts. Dabei wurde es immer schlimmer. Ihr graute schon beim Aufstehen vor dem feisten, grinsenden Gesicht des Müllers und seinen tastenden Händen.

Schließlich kam die Mittsommernacht. Der uralte Brauch aus heidnischen Zeiten, in dieser Nacht mit dem Tanz um das Feuer um Fruchtbarkeit und den Segen der Götter zu bitten, war auch in christlicher Zeit nicht verloren gegangen. So versammelten sich die Bewohner der kleinen Ortschaft Katzwang, zu der nur wenige Höfe gehörten, bei Sonnenuntergang um den großen Holzstoß auf der gemähten Allmende. Auch die Mühlenbewohner gesellten sich zu der abendlichen Festgesellschaft. Die Leute waren ausgelassen, denn der Frühsommer war gut gewesen und die nächsten Monate versprachen reiche Ernte. Der Katzwanger Wirt hatte auf einem Karren ein großes Fass Bier an den Rand der Wiese kutschiert, die Bäuerinnen stapelten in flachen Körben die traditionellen, mit Sauerrahm, Zwiebeln und Speck gebackenen Roggenfladen, und der Müller hatte aus seiner kleinen Forellenzucht beim Wehr die fettesten Fische geräuchert und mitgebracht. Als das von der Dorfjugend entzündete Johannisfeuer hell aufloderte, waren alle in Hochstimmung. Das hochprozentig gebraute Bier tat seine Wirkung, und schon packte jemand eine Flöte aus und spielte lustige Melodien. Die ersten jungen Leute sprangen auf, und kurze Zeit später tanzte das ganze Dorf. Auch Anna, ihr Bruder und ihr Vater reihten sich in den fröhlichen Reigen ein, der die züngelnden Flammen umkreiste. Hie und da stob ein Funkenregen über die Tanzenden, deren Gestalten sich als schwarze Schatten vom Feuerschein abhoben.

Plötzlich stolperte Annas Vater, von zu viel Bier aus dem Gleichgewicht gebracht, über seine eigenen Füße und stürzte heftig gegen seinen Vordermann, den Katzwanger Schmied. Der, ebenfalls nicht mehr nüchtern, drehte sich um und ging sofort in Kampfstellung. Der Reigen kam ins Stocken, als der verdutzte Bartel Schwab einen ersten Haken in die Magengegend kassierte. Er versuchte, den Angreifer abzuwehren, doch der packte ihn und begann, mit ihm zu ringen. Die Flöte verstummte, und um die beiden Streithähne bildete sich ein Kreis.

»Los, Anna, schnapp dir den Vater und dann verschwinden wir!« Michel versuchte, die beiden Betrunkenen zu trennen; er hielt den Schmied zurück, während Anna ihren Vater wegzog. Doch Bartel riss sich von Anna los, taumelte wieder auf seinen Kontrahenten zu und steckte erneut einen Schlag ein. Michel kämpfte verzweifelt, um die beiden Männer auseinander zu halten, als plötzlich etwas völlig Unvorhergesehenes passierte: Bartel Schwab brach wie vom Blitz gefällt zusammen und wälzte sich zuckend auf dem Boden. Vor Mund und Nase bildete sich weißlich blasiger Schaum. Die Wölfin, die sich bisher vom Feuer fern gehalten hatte, lief aufgeregt herbei und stimmte ein lang gezogenes, klagendes Geheul an.

Anna war sofort bei ihrem Vater, riss sich das Tuch von den Schultern und schob ihm ein zusammengeknülltes Stück davon zwischen die Zähne. »So helft mir doch«, schrie sie die Gaffer an, »haltet ihn fest, damit er sich nichts tut. Es geht bald vorbei.«

Zupackende Hände hielten den Tobenden fest, bis der Anfall vorüber war und Bartel erschöpft und halb bewusstlos dalag. Anna richtete sich auf und strich sich schwer atmend eine Strähne aus der schweißnassen Stirn. Sie war plötzlich todmüde und froh, dass es vorüber war. Auf einmal hörte sie hinter sich die zornige Stimme des

Müllers, der sich einen Weg durch die Menge gebahnt hatte. Mit wutverzerrtem Gesicht stand er da und fluchte, was das Zeug hielt.

»Der hat ja die Fraiß! Das habt ihr mir verschwiegen, ihr zwei Hinterfotze! Darum kann er kein ordentliches Tagwerk leisten und benimmt sich manchmal so merkwürdig, dass ich schon gedacht hab, er ist nicht ganz richtig im Kopf.«

»Der hat den Teufel im Leib«, raunte einer. Die Umstehenden schlugen angstvoll das Kreuz.

»Das wird mit jedem Hinfallen schlimmer, ich kenn das von meinem Vetter«, mischte sich ein Nachbar ein. »Der war am End ganz blöd, wie ein kleines Kind, und zu nichts mehr zu gebrauchen.«

»Ich hab gehört, man soll die mit Weihwasser besprengen! Die Fraiß ist eine Strafe des Herrgotts für irgendwas Schlimmes, was die verbrochen haben, ganz bestimmt!«, mutmaßte ein altes Weib, zog ihre Rise fest um den Kopf und schaute mit einem Ausdruck, in dem sich Angst und Verachtung paarten, auf die zusammengekrümmte Gestalt auf dem Boden.

Anna richtete sich hoch auf. »Mein Vater hat nichts verbrochen. Er kann nichts dafür, dass er die hinfallenden Siechtage hat. Vor drei Jahren ist er beim Beschneiden vom Apfelbaum gefallen und mit dem Kopf gegen einen Stein geschlagen. Zwei Tage haben wir gebetet, bis er wieder aufgewacht ist. Seitdem steht's so um ihn.«

Die Leute redeten aufgeregt durcheinander, während Anna mit blitzenden Augen dastand, bereit ihren Vater weiter zu verteidigen.

»Sakramentkruzifix!«, murmelte der Müller halblaut vor sich hin. Anders als seine Nachbarn glaubte er zwar nicht an Teufelswerk, aber einen Hausknecht mit einem Anfallsleiden konnte er weiß Gott auch nicht brauchen. Er griff sich seinen Großknecht und Michel und schubste die beiden zu dem immer noch reglos daliegenden Bartel. »Haltet keine Maulaffen feil, ihr zwei! Packt an und tragt ihn heim. Heut ist Schluss mit Feiern!«

Stumm und betreten gingen die Mühlenbewohner nach Hause.

Von diesem Vorfall an wurde Annas Leben in der Rennmühle immer unerträglicher. Gleich am nächsten Tag, als sie im Waschhaus beim

Fluss schmutzige Laken und Tücher in Seifenwasser einweichte, hatte sie wieder einmal das Gefühl, beobachtet zu werden. Sie richtete sich auf und sah den Müller mit verschränkten Armen im Türrahmen lehnen. Sein mehlbestäubtes Hemd hing ihm aus der Hose, und er hatte den abgebrochenen Stiel einer Axt unter der Achsel klemmen. Er musste ihr schon eine ganze Zeit zugesehen haben. Jetzt grinste er, trat ganz in den Schuppen und stellte sich dicht vor sie hin.

»Na, bist schon wieder fleißig?«

Seine Stimme klang harmlos und freundlich, und er zog spielerisch an einer feuchten Haarsträhne, die unter Annas Kopftuch hervorlugte. Anna begann, vor ihm zurückzuweichen, aber er drängte nach, bis sie mit dem Rücken an den steinernen Waschtisch stieß.

»Ich … ich hab viel Arbeit heut, Müller«, wehrte sie ab. »Die ganze Wäsche …«

»Wirst doch wohl ein bisschen Zeit für deinen Herrn übrig haben?« Sein bemehlter Zeigefinger glitt an ihrem Hals entlang bis an die Spitze ihres Hemdausschnitts.

»Bitte«, flüsterte Anna und drehte den Kopf zur Seite, »lasst mich doch …«

Panisch überlegte sie, was sie tun könnte, um ihn wieder loszuwerden. Der Müller kam ihr immer näher, und sie roch seinen ranzigen, säuerlichen Schweiß.

»Warum so spröd, Mädelchen? Wirst sehen, dir gefällt's auch.« Er versuchte, mit seinen dicken, feuchten Lippen ihr Gesicht zu erreichen, doch Anna beugte den Oberkörper so weit zurück, wie es ging. Sie schob seine Hand fort, die sich zu ihrem Busen vorgetastet hatte.

Preißler gab nicht nach. »Könntest ruhig ein bisschen lieb zu mir sein, du kleines Unschuldslämmchen. Vielleicht, aber nur vielleicht, lass ich dann deinen Vater dableiben.« Er nahm ihre Hand und presste sie auf sein hartes Geschlecht.

In diesem Moment stand die alte Lisbeth mit einem Korb voll Wäsche in der Tür. Preißler ließ Anna los und trat einen Schritt zurück. Er atmete schwer.

»Lass doch in Gotts Namen das Kind in Ruhe, Müller.« Die Magd erkannte sofort die Situation. »Schämst dich gar nicht, Endres Preißler, wo drüben dein krankes Weib liegt?«

»Kümmer du dich um deinen eigenen Kram, alte Krähe! Und pass auf, dass du dir nicht eine Schelln einfängst!« Preißler drehte sich um und stapfte wütend aus dem Schuppen.

Lisbeth setzte ihren Korb ab und schüttelte traurig den Kopf. »Es ist eine rechte Plag mit den Mannsbildern. Haben immer nur eins im Schädel. Ach, wenn bloß die Maria noch alle sieben Sinne beieinander hätte ...«

Anna ließ sich auf einen wackligen Dreifuß sinken und versuchte, das Zittern ihrer Hände unter Kontrolle zu bringen.

»Ich kann nichts dafür, Lisbeth, wirklich nicht!«, beteuerte sie. »Er lässt mich einfach nicht in Frieden. Dauernd fasst er mich an, dabei graus ich mich so vor ihm!«

Die alte Magd überlegte. »Vielleicht wär's das Beste, wenn du dir woanders was suchen würdest. Drüben in Reichelsdorf oder in Limbach gibt's ein paar größere Höfe, die bestimmt eine Hilfe brauchen könnten. Oder gar in Nürnberg – da gehen viele hin und finden Arbeit bei reichen Leuten. Geh, schau halt nicht so unglücklich!« Sie nahm das Mädchen in den Arm und streichelte ihr beruhigend den Rücken.

»Aber der Vater ...« Vor Wut und Verzweiflung begann Anna zu weinen. »Er hat gesagt, er schickt den Vater weg ...«

»Scht, scht. Hör auf zu heulen, Kind, das hilft nichts. Weißt du was? Du überlegst dir das mit dem Weggehen in Ruhe und besprichst dich mit deinem Bruder. Ich frag am Sonntag den Pfarrer, ob er irgendwo eine Stelle für dich weiß. Und in der nächsten Zeit bleibst du den ganzen Tag bei mir und rührst dich nicht vom Fleck. Dann sehen wir weiter.«

In den nächsten Wochen wich Anna nicht von Lisbeths Seite, wodurch der Müller keine rechte Gelegenheit für Annäherungsversuche hatte und die Dinge etwas erträglicher wurden. Nachts nahm sie die Wölfin mit zu sich in die Kammer – wenn Grimm bei ihr schlief, fühlte sie sich sicher. Der Vater hatte sich überraschend schnell von dem schweren Anfall erholt, und dieses Mal sah es nicht so aus, als ob sich sein geistiger Zustand durch die Attacke verschlechtert hätte. Er nahm seine Arbeit nach zwei Tagen Ruhe wieder auf, und der Müller war's offenbar zufrieden. Anna schob die Entscheidung, sich anderswo Arbeit zu suchen, erleichtert auf. Vielleicht würde sich alles von selbst finden und der Müller sich mit der Zeit an sie gewöhnen und sie in Ruhe lassen. Jeden Abend betete sie mit Inbrunst zur Mutter Maria. Lass alles gut werden, flüsterte sie dann, hilf mir und dem Vater und dem Michel wie du schon so vielen geholfen hast, Gloria Amen.

So kam der August, genau wie der Juli trocken und heiß. Die Rednitz führte Niedrigwasser, gerade noch genug, um die Mühle nicht stillstehen zu lassen. Roggen, Hirse und Hafer auf den Feldern ließen die Ähren hängen, das Gras verdorrte auf den Wiesen. Die Sonne brannte unerbittlich aus dem flimmernden Himmel, und die tägliche Hitze wurde den Menschen immer unerträglicher. Sogar nachts kühlte es nicht mehr ab. Der Pfarrer ließ die Katzwanger Gemeinde in der kleinen Wehrkirche jeden Sonntag eine Stunde länger dableiben und um Regen beten. Und endlich, am Abend nach Decollatio Johannis türmten sich hohe schwarze Wolken am Horizont und schoben sich von Westen her über den Rednitzgrund. Von fern war Donnergrollen zu hören, erste Windstöße fuhren in das trockene Laub der Bäume und fernes Wetterleuchten erhellte den Himmel. Anna war mit Grimm nach dem gemeinsamen Abendvesper in den kleinen Schuppen gelaufen, um noch eine kleine Weile mit ihrem Vater und Michel zusammenzusitzen. Als das Gewitter immer näher kam und die Windböen schon bedrohlich an den Wipfeln der alten Föhren drüben am Kappelberg zerrten, beeilte sie sich, noch vor dem einsetzenden Regen zum Haus zurückzulaufen. Sie legte sich das Schultertuch über den Kopf und hielt es mit beiden Händen fest, während sie gegen den Wind ankämpfte. Es war beinahe schon nachtfinster. Ein zuckender Blitz tauchte das Waschhaus und den alten Heuschober daneben in geisterhaft helles Licht. Die ersten schweren Tropfen begannen zu fallen. Anna senkte den Kopf und rannte. Ihr Lauf wurde jäh von einem festen Widerstand gestoppt, als sie um die Ecke der Scheune bog. Eine Hand packte sie, und ein massiger Körper drängte sie durch das offene

Scheunentor: Endres Preißler war noch einmal herumgegangen, um zu kontrollieren, ob alles sturmsicher war.

»Diese Verabredung war von Anfang an fällig, Liebchen.« Seine Stimme war ein heiseres Flüstern.

Der Müller ließ Anna los und stellte seine Laterne auf die hölzerne Werkbank. Dann verschloss er mit bedächtigen Bewegungen das Doppeltor von innen mit dem langen Querbalken. Langsamen Schritts kam er auf das Mädchen zu, das mit angstgeweiteten Augen bis in die Ecke des Schobers vor ihm zurückwich. Grinsend hob er die Hand, griff in den Halsausschnitt ihres flächsernen Hemds und riss es mit einem Ruck in Fetzen. Anna schrie.

»Das Schreien kannst dir sparen, dummes Ding. Bei dem Regen und dem Donner hört dich sowieso keiner. Komm, sei nicht so störrisch.«

Preißlers gierige Blicke saugten sich an Annas kindlichen Brüsten fest, die im Schein der Lampe rötlich schimmerten. Er drängte das Mädchen mit seinem Körper gegen die Wand. Die groben Hände wanderten überallhin, und sein Schnaufen klang in ihren Ohren. Er roch ekelhaft, nach einer Mischung aus Mehl und Schweiß und Bier, und Anna musste würgen. Ich will nicht, dachte sie, ich will nicht ich will nicht ich will nicht. Sie wehrte sich verzweifelt und versuchte, unter ihm durchzuschlüpfen. Aber er zwang sie zu Boden und warf sich auf sie. Sie spürte, wie sich seine Hände um ihre Hinterbacken legten, seine Lippen auf ihre pressten und seine glitschige, widerliche Zunge in ihren Mund drang. Panik stieg in ihr auf. Angst und Ekel trieben ihr die Tränen in die Augen, und sie weinte, weil er ihr mit seinem Gewicht wehtat. Trotzdem gelang es ihr, zur Seite zu rollen und von ihm wegzukriechen, aber der Müller erwischte sie am Knöchel und zog sie mit einem Ruck wieder zu sich her. Sie wehrte sich blind, kratzte und versuchte, ihn mit ihren kleinen Fäusten zu treffen.

Schließlich versetzte er ihr eine kräftige Ohrfeige und schlug ihren Kopf zweimal hart und schmerzhaft auf den Boden, bis es ihr wie Sterne vor den Augen flimmerte. Er bringt mich um, schoss es ihr durch den Kopf, heilige Muttergottes hilf.

»Bitte«, flehte Anna, »bitte ...«

Dann bekam er beide Hände des Mädchens in seiner Linken zu

fassen. Er hielt sie in eisernem Griff, während er versuchte, mit der Rechten ihren Rock hochzustreifen. Lieber Gott, wo bist du? Anna strampelte, weinte und schrie. Sie hatte keine Kraft mehr, konnte nicht mehr denken, war nur noch ein hilfloses Bündel Verzweiflung. Er zwang ihre Beine auseinander. Dann kniete er sich dazwischen und machte sich mit einer Hand an seinem Hosenlatz zu schaffen.

»Halt endlich still, du Biest!«

Der Müller drückte sie keuchend mit seinem ganzen Gewicht nach unten. Etwas Hartes drängte sich gegen ihren Unterleib, stieß und drückte, jedoch ohne in die enge Öffnung zwischen ihren Beinen eindringen zu können. Anna gab auf, hörte auf, sich zu wehren und weinte nur noch lautlos, als sie jäh einen erstickten, überraschten Schrei aus Preißlers Kehle hörte und die schwere Last von ihr wich.

Die Wölfin hatte mit gefletschtem Gebiss knurrend und fauchend den Müller angesprungen. Sie hatte draußen gespürt, dass ihr Mensch in Gefahr war, und wie wild den lockeren Boden zwischen zwei weit auseinander stehenden Brettern aufgegraben, bis sie sich durch das enge Loch hindurchzwängen konnte. Preißler ließ sofort von Anna ab, und begann nach einem Moment der Überraschung mit Händen und Füßen gegen die Wölfin zu kämpfen. Doch Grimm hatte sich fest in seinen Unterarm verbissen, aus dem das Blut tropfte, und ließ nicht locker, bis ihr Gegner nachgab. Der Müller lag schließlich mit Kopf und Rücken auf einem Häckselhaufen, die Wölfin zähnefletschend über sich. Er wagte nicht mehr, sich zu bewegen, und schrie stattdessen das Mädchen an, das zitternd, die Arme wie zum Schutz fest um sich geschlungen, in der Ecke saß und einfach nur mit stumpfen Augen zusah.

»Ruf das Vieh zurück, du Miststück, wird's bald! Die bringt einen ja um!«

Die Wölfin grollte aus tiefer Kehle und bewegte sich keinen Millimeter.

»Los, mach schon, ruf den Wolf zurück. Verdammt, ich tu dir nichts mehr.« Der Müller wand sich, aber sofort waren die Fänge des Tieres an seiner Kehle.

Anna erwachte wie aus einem Traum und hob den Kopf. In ihren Ohren rauschte es. Sie erkannte die Wölfin, sah ihren Peiniger daliegen. Auf einmal stieg Hass in ihr auf, grenzenloser, unbändiger Hass, ein Gefühl, das sie mit Wucht erfasste. Sie fühlte sich unendlich beschmutzt, gedemütigt und missbraucht. Für einen Moment schien die Zeit stillzustehen. Dann kam wieder Leben in Annas Blick. Sie straffte den Rücken und sah dem Müller in die Augen. Dann flüsterte sie mit heiserer Stimme nur ein einziges Wort:

»Beiß!«

Die Wölfin schlug ihre Fänge in das weiche Fleisch an der Halsbeuge des Mannes. Ihre Zähne zerfetzten Muskeln, Sehnen und Adern. Preißler gab einen ungläubigen, angstvollen, tierischen Laut aus tiefster Kehle von sich, seine Augäpfel quollen aus den Höhlen. Dann schrie er, und sein Schrei erstarb in einem glucksenden Gurgeln. Hellrotes Blut spritzte rhythmisch und in hohem Bogen auf die Sägespäne am Boden.

Noch zweimal setzte die Wölfin den Todesbiss, zermalmte Kehlkopf, Stimmbänder und Luftröhre; dann zog sie sich mit bluttriefender Schnauze zurück und legte sich dicht neben Anna.

Der Müller lag da und röchelte dumpf; sein Hals war nur noch eine zerfetzte Masse, aus der immer mehr Blut quoll. Endlich begannen seine Arme und Beine zu zucken, und sein massiger Körper bäumte sich schwerfällig ein letztes Mal auf. Dann war er tot.

Nach einer Ewigkeit war Anna fähig, aufzustehen. Alles tat ihr weh, ihr eines Auge war zugeschwollen, ein Knöchel war dick, und im Mund schmeckte sie metallenes Blut. Draußen prasselte noch immer der Regen, aber das Gewitter war inzwischen vorbei.

»Komm, Grimm.«

Mit der Wölfin dicht neben sich verließ sie die Scheune und humpelte durch den Regen zum Waschhaus. In dem großen Weidenkorb mit schmutzigen Sachen fand sie eine Bluse, die sie statt des zerrissenen Hemds anzog. Danach ging sie zum Stadel, wo ihr Vater mit Michel schlief. Von drinnen ertönte gleichmäßiges Schnarchen, als sie die Hand auf den Türgriff legte. Doch dann hielt sie inne. Sie schämte sich so sehr. Und Grimm hatte den Müller totgebissen. Anna wurde klar, dass sie nicht hier bleiben konnte. Spätestens morgen früh würde man nach dem Müller suchen. Und selbst wenn Anna hätte erklären können, dass die Wölfin sie nur verteidigt hatte – die Katzwanger würden Grimm nicht am Leben lassen. Und ob sie ihr überhaupt glauben würden? Schließlich war Preißler ein angesehener Mann ... Das Mädchen beugte sich zu dem Tier hinunter und umhalste es stürmisch.

»Ich lass nicht zu, dass sie dich erschlagen«, raunte sie, und ein verzweifelter Trotz stieg in ihr hoch. »Keiner darf dir was tun. Wir zwei gehen einfach fort, dahin, wo uns niemand kennt.«

Sie erinnerte sich daran, was die alte Lisbeth über Nürnberg gesagt hatte. Viele suchten sich dort ein Auskommen. In den anderen Dörfern würde sie mit der Wölfin auffallen, aber die Stadt war groß. Und sie lag nur zwei Tagesmärsche weit weg. Wenn sie aufpasste und die breite Landstraße mied, konnte sie es schaffen. Es war der einzige Ausweg.

Die beiden wanderten die ganze Nacht durch, die Rednitz entlang in Richtung Norden. Anna fühlte sich zerschunden und grenzenlos niedergedrückt, und ihr Knöchel schmerzte noch immer. Innerhalb kürzester Zeit hatte sie alles verloren: ihre Heimat, ihr Auskommen und ihre Familie. Sie war zum ersten Mal in ihrem Leben völlig auf sich allein gestellt; nur die Wölfin war ihr geblieben. In den ersten Stunden ihres Marsches weinte sie, bis keine Tränen mehr kamen. Die Wölfin, die ihre Verzweiflung spürte, hielt sich dicht bei ihr. Als der Morgen graute und sich der weiße Nebel über den Kopfweiden am Fluss lichtete, versteckten sie sich in einem Birkenwäldchen, und Anna fiel vor Erschöpfung in einen tiefen Schlaf bis zum Mittag. Im Traum begegnete sie immer wieder dem Müller, der gierig die Hände nach ihr ausstreckte. Jedes Mal, wenn er bei ihr war und sie packte, fuhr sie schweißgebadet hoch. Dann war die Wölfin bei ihr, stupfte sie mit der Pfote an oder fuhr ihr mit rauer Zunge über Gesicht und Hals.

Nach dem Erwachen fühlte sich Anna wie gerädert, aber immerhin forderte ihr Körper sein Recht – ihr Magen knurrte laut und vernehmlich. Sie sammelte beinahe reifes Korn, auf dem sie kaute, suchte sich Beeren und aß ein paar rohe Pilze, während Grimm ihren Hunger an einem jungen Feldhasen stillte. In der Nacht gingen sie weiter, der Fluss wies ihnen immer noch den Weg. Mehr als einmal fiel Anna hin, stolperte über Wurzeln oder trat in ein Rattenloch. Aber sie blieb nicht stehen, angetrieben von dem Gedanken, dass man inzwischen vielleicht schon nach ihr und der Wölfin suchte. Am zweiten Morgen schliefen sie vor lauter Erschöpfung am Rande eines Rübenackers ein. Diesmal war Annas Schlaf tief und traumlos, und sie erwachte erst, als die Sonne schon hoch am Nachmittagshimmel stand. Sie blieben an einer unzugänglichen Stelle am Fluss, bis der Abend heraufdämmerte, und wanderten dann auf direktem Weg weiter nach Norden.

Und endlich, in aller Frühe, sah Anna das Ziel ihrer Flucht im Morgenrot vor sich auftauchen: Dort drüben, mitten in der Ebene, lag die eindrucksvolle Silhouette der mächtigen alten Reichsstadt mit ihren spitzen Kirchtürmen und der hoch oben thronenden Kaiserburg. Anna war überwältigt. Nie hatte sie etwas so Großartiges gesehen. Eine hohe, turmbewehrte Mauer umschloss ein Meer aus Stein, riesig, uneinnehmbar. Dach grenzte an Dach, Haus an Haus. Wie unglaublich viele Menschen mochten hier leben? Majestätisch über allem erhob sich der steile Burgberg mit der Festungsanlage, wo Kaiser und Könige sich ein Stelldichein gaben, Fürsten und Bischöfe! Einen Augenblick schwankte Anna, wurde unsicher vor dem Anblick der Stadt. Sie war doch nur ein einfaches Bauernmädchen, wie sollte sie sich da jemals zurechtfinden? Aber dann straffte sich ihr Rücken.

»Da geh'n wir hin, Grimm!«

Anna vergaß ihren nagenden Hunger und schritt zügig aus.

Reichsstadt Nürnberg, August, die Woche nach Laurentii anno 1494

Heinrich Brandauer, Goldschmied, Schmelzherr, Kaufmann und Bergbauunternehmer und einer der reichsten Männer der Stadt, saß in seinem Privatkontor im ersten Stock des großen Brandauerschen Hauses am Obstmarkt. Es war ein warmer Sommernachmittag, durch ein geöffnetes Fenster wehten die verlockenden Essensdüfte aus der nahen Garküche, und die Stimmen der Menschen, die drunten auf dem Obstmarkt ihren Geschäften und Einkäufen nachgingen, klangen herein. Sonnenstrahlen drangen durch das grünliche Glas der Butzenscheiben und ließen Staubkörnchen durchs Zimmer tanzen. Das Gesinde werkelte geschäftig in den Wirtschaftsräumen, das Küchenpersonal kochte und briet und bereitete alles für den abendlichen Empfang vor, während Brandauer beschlossen hatte, heute sei der rechte Tag, um endlich einmal Ordnung unter seinen alten Papieren zu schaffen. Er holte stapelweise Briefe, Verträge und Rechnungen aus Kisten und Truhen und warf den ganzen Wust auf den geschnitzten Arbeitstisch, der die rechteckige Ausbuchtung des Chörleins ausfüllte – eines ganz aus Holz gebauten großen Erkers, der wie ein geschlossener Balkon aus der Fassade ragte und dessen Fenster von drei Seiten das Licht einließen. Dann stellte er Tintenfass, Feder und Sandbüchse dazu und ließ sich schwer auf den dick gepolsterten Lehnstuhl vor dem Tisch fallen.

Der Kaufmann sortierte ruhig und konzentriert, trennte Altes von Neuem, legte Rechnungen auf den einen, Urkunden und Geschäftsbriefe auf den anderen Stapel. Manchmal, dachte er, war es fast beängstigend, wie gut die Dinge liefen. Brandauer entfaltete ein vergilbtes Blatt, an dem ein riesiges hellbraunes Siegel hing, und strich es beinahe liebevoll glatt: Der erste kaiserliche Auftrag, eine Bestellung über einen Zwölfersatz silberner Tafelbecher vom Jahr 1480. Nein, den würde er nicht wegwerfen. Genauso wenig wie den Handelsvertrag mit der Bürgerschaft von Brügge, der dort drüben lag, oder das Dankschreiben des spanischen Kardinals, wie hieß er doch noch gleich …

Das Brandauersche Imperium spannte sich über ganz Europa. Was Heinrichs Vater und Großvater begonnen hatten, setzte er mit glänzendem Erfolg fort. Mit jedem Schreiben, das er entfaltete und durchlas, wuchs sein Stolz auf das, was er geleistet hatte. Zufrieden schaute er aus dem Mittelfenster des Chörleins. Da draußen lag Nürnberg, eine der wenigen echten Weltstädte nördlich der Alpen und die bedeutendste deutsche Handelsstadt. Über achttausend Haushalte gab es in der Reichsstadt an der Pegnitz, mit insgesamt dreißig- bis vierzigtausend Menschen, wer wusste das schon so genau. Hier pulsierte das Leben, wurde Handel mit der ganzen Welt getrieben von einer modernen Kaufmannschaft, die sich weder von Kaiser noch Papst Vorschriften machen ließ.

Nürnbergs Kontore bestimmten zusammen mit denen Venedigs die europäische Wirtschaft, hier liefen die bedeutendsten Handelsrouten nördlich der Alpen zusammen, zwölf an der Zahl. Aber nicht nur Wirtschaft und Handel waren hier zu Hause, nein, die Stadt war fruchtbarer Nährboden für Bildung, Künste und Wissenschaften, war Wiege der Technik, war Heimat neuer Erfindungen. Die hellsten Köpfe der Zeit lebten hier, die angesehensten Maler, Architekten, Schnitzer und Steinmetze. Und über all das herrschte eine Clique von 42 Familien, ein stolzes, untereinander verwandtes und verschwägertes Netz von reichen Handelsherren und gebildeten, mit allen Wassern gewaschenen Politikern: die Patrizier. Sie allein waren »ratsfähig« und durften die Geschicke der Stadt lenken. Brandauer gehörte nicht dazu, obwohl er es an Reichtum mit den besten dieser herrschenden Klasse leicht aufnehmen konnte – aber seine Familie war noch nicht alteingesessen und deshalb nicht vornehm genug für den Stadtadel. Noch nicht, dachte Brandauer, aber das wird bald kommen, wartet's nur ab!

Brandauer griff sich den nächsten Stapel Papiere. Obenauf lagen etliche Besitzurkunden über Schürfrechte im böhmischen Annaberg, die neueste geschäftliche Entwicklung der Firma. Die Ausbeutung der Silbervorkommen im Erzgebirge hatte sich in den letzten Jahren als äußerst gewinnträchtig erwiesen.

Mit den Erlösen hatte Brandauer einen lang gehegten Wunsch seiner Frau erfüllt und das neue, prächtige Haus am Obstmarkt mit Blick auf die Kirche »Unsere liebe Frau« gebaut. Natürlich war dies eine der besten Wohngegenden der Stadt, nicht direkt am Fluss, wo einen die Mücken plagten, sondern ein Stück den Berg hinauf hinter dem neuen Hauptmarkt, der an der Stelle errichtet worden war, wo sich früher das Judenviertel befand. Zum Hauptmarkt und zum Rathaus waren es nur ein paar Schritte, und aus dem nördlichen Dachfenster sah man direkt zur Kaiserburg hinauf. Brandauer kramte in seinen Unterlagen – da war sie ja, die Urkunde über den Grundstückskauf, ein Schnäppchen, das ihm damals nur aufgrund seiner guten Beziehungen zum Inneren Rat gelungen war. Er legte das Blatt auf die Seite zu den privaten Papieren.

Der nächste Brief, den der Kaufmann in die Hand nahm, wies krakelige Buchstaben auf hellem Pergament auf und weckte alte Familienerinnerungen. Brandauer nahm einen Schluck Wein aus dem dickwandigen gläsernen Buckelpokal auf dem Fensterbrett, lehnte sich in den Polstern zurück und begann zu lesen.

Augsburg, den Freytag vor Jubilate, anno 1482

Libster und bester Vetter, mein freuntlich Gruß an dich, dein Hausfrau und die Kinder. Ein lange Zeit ist ins Lant gangen, die wir einander nit mer von Angesicht gesehen haben. Viel Dinge sind geschehn, bös und gut, seit ich vor Jar und Tag zu meim herzliben Gemahl nach Augsburg gezogen. Du hast ja schon erfarn, dass uns, dem Hergott sei Lob und Preis, ein Söhnlein geschenkt worden ist, mein gantzer Stoltz und Freud und unser groszes Glück. Aber das Schicksal hat nicht nur Guts an uns gethan: Erst ist uns das Geschäfft banca rott gangen, weil die aus Brüssel ein großen Auftrag abzogen haben, für den wir uns hoch verschulden haben müssen, und zur selben Zeit ist ein Schiff vor Hispanien gesunken, in das wir viel Gelds gesteckt haben. Der Jakob, mein gelibter Mann hat das nicht überleben mögen und sich vom Fenster in die Tief zu Todt gestürtzet. Gott sei seiner armen Seel gnedig. Seit zwei Jarn nun bin ich mit meim Sönlein allein und arm wie am Betelstab, das ist schwer. Die Verwantschaft meins Jacob hilfft uns mitnichten, dieweiln die mit einem, der sündig selbst Hand an sich geleget, und mit seinen Leutten, nicht zu schaffen haben wollen.

Nun bin ich seit dem Winter kranck und siech worden; mich vertzeret das heisse trockne Feur von innen und meins Pleibens in dieser Welt wird wol nicht merh lang sein. Ich zürn dem Schiksal nit und hab meinen Frieden mit Got und allem gemacht. Aber ich kann nicht gehn, solang ich nicht weiß, wer für mein unmündigs Söhnlein sorgen wird. Es heißet Nicklas nach seinem Vater, und ist mir trotz seiner Jugent die größte Stütz gewesen. Der Bub ist wol ertzogen und gescheit, und ähnelt mir gar sehr. Nun bitt ich dich, lieber Heinrich, auch wenn wir nur entfernte Verwandtschaft mitteinander und auch wenig Umbgangs gepflegt haben, um der Liebe Gots willen dich des Kinds anzunehmen, wenn ich nit mer bin. Ich weiß niemds anders, der's thun könnt. Das Leben ist mir eine Last worden und meines Leibs Schmertzen werden teglich ärger. Lieber Vetter, ich will frölich sterben wenn ich nur weiß, dass mein Kint es bei dir guthaben wird. Gots Lohn wird dir und den deinen gewiss sein immerdar.

Elisabet Linckin von Augspurg, Jesus Maria Amen.

Brandauer ließ die Hand mit dem Brief sinken. Er war damals sofort nach Augsburg gereist, erinnerte er sich, und war gerade noch rechtzeitig gekommen, um zu verhindern, dass seine Base Elisabeth in einem Armengrab verscharrt wurde. Den Buben Niklas sah er bei der Beerdigung zum ersten Mal, einen stillen, dunkelhaarigen Sechsjährigen mit traurigen Augen. Als er sich am Grab neben das Kind stellte, hatte es vertrauensvoll seine Hand genommen. Schweigend waren sie danach zu Brandauers Kutsche gegangen, die sie nach Nürnberg brachte.

Zu Anfang war der Junge stumm wie ein Fisch gewesen, und Brandauer hatte mit seiner Frau darüber nachgedacht, ob man ihn nicht besser zu den Schottenmönchen ins Egidienkloster stecken sollte. Aber irgendwann, Brandauer hatte das Bild noch genau vor Augen, hatte Niklas zur Überraschung aller bei Tisch über ein Ungeschick der kleinen Helena laut losgelacht. Und ab da war alles ganz einfach. Niklas und Brandauers gleichaltrige Tochter verstanden sich prächtig, steckten fast dauernd zusammen und heckten täglich neuen Unsinn aus. Und nach einiger Zeit entdeckte der Bub die Goldschmiede – ab da fand man ihn jeden Tag in der Werkstatt. Zum Leidwesen von Brandauers Lehrjungen und Gesellen steckte Niklas seine neugierige Nase in jede Arbeit, war dabei vom Schmelzen des Metalls bis zum Ausziehen, Formen, Gießen und Schlagen. Einzig Helena war in der Lage, ihn aus der Werkstatt wegzulocken, wenn es Essenszeit war oder irgendwelche Dinge erledigt werden mussten. Bald erwischte ihn Brandauer, wie er mit den Stumpen alter Kohlestifte kindliche Entwürfe für Pokale oder Prunkteller auf die Rückseiten der wichtigsten Rechnungen malte, und schließlich erlaubte er ihm, mit einem eigenen Hämmerchen Goldabfall platt zu klopfen oder Ringe auszuschlagen. Mit zwölf Jahren wurde Niklas Brandauers jüngster Lehrling.

Erst hatte der Goldschmied Bedenken gehabt, mit Niklas' Aufnahme in die Werkstatt seinen Sohn Philipp vor den Kopf zu stoßen. Philipp war ein Melancholiker, ein wortkarger Denker und sanfter Grübler, selten mit einem Lachen auf den Lippen und immer zum Träumen bereit. Er hatte den frühen Tod seines jüngeren Bruders Martin und den seiner Mutter bald darauf nie verwunden, und Brandauer hatte den Verdacht, dass ihm sein Sohn die zweite Heirat mit Helenas Mutter im Grunde seines Herzens immer noch übel nahm. Nun ja, der Philipp war einfach lebensfremd geworden, herzensgut, aber eben irgendwie kein rechter Brandauer. Ganz im Gegensatz zu den Befürchtungen seines Vaters war er froh gewesen, von dem Druck befreit zu sein, in die Fußstapfen seiner Vorfahren zu treten. Ein paar Jahre, nachdem Niklas seine Lehre begonnen hatte, war er eines Tages aus dem Haus verschwunden. Nur einen kurzen Brief hatte er zurückgelassen. Brandauer stand auf und kramte in einer Schublade seines Schreibtisches, bis er den vom häufigen Lesen zerknitterten Zettel gefunden hatte.

»Libster Vater, lib Swesterlein und gute Stief mutter, wollet nicht altzu betrübt sein wenn ir diß leset. Nemlich ich will eintreten bei den Barfüßern, dort mein Leben dem allmechtigen Got zu widmen. Mein Wunsch und Streben gehen schon lang da hin, doch Vater ich habs bishero nit gethan deinetwegen. Jetzo aber, da der jung Nicklas dir ein

bessrer Sohn sein kann alß ich bin, und so Got will auch in der Werkstat nachfolgen wird, ist mir das Hertze leichter und ich kan meins Weges gehn. Got schütz euch alle immerdar, meine Gedanken sint allzeit bei euch.

Philipp, ab heut Novitz im Kloster.

Brandauer seufzte und fuhr sich über die feucht gewordenen Augen. So hatte er damals nach seinem Jüngsten auch seinen ältesten Sohn verloren. Manchmal sah er ihn, wenn er vom Franziskanerkloster aus die Armenspeisung verteilte oder in irgendeiner Mission durch die Straßen der Stadt ging, und sie nickten einander zu. Das waren jedes Mal schlimme Momente, die ihm tagelang zu schaffen machten. Nicht nur, dass der Verlust des Sohnes ein schwerer Schlag fürs Geschäft war – nein, dies ließe sich noch verkraften. Aber die tief sitzende Enttäuschung, die tat weh. Sein Sohn, ein Versager, ein Betbruder, der lieber Weihrauchkessel schwenkte als ordentlich Geld verdiente, das war ein harter Brocken, an dem Brandauer immer noch kaute.

Der alte Kaufmann nahm einen weiteren tiefen Schluck aus dem Weinpokal. Gott sei Dank hatte sich wenigstens der Niklas gut entwickelt. Aus dem Buben würde einmal ein hervorragender Goldschmied werden, und Geschäftssinn hatte er auch, das war sicher. In ein paar Jahren konnte man überlegen, ihn neben Helena als Erben einzusetzen, wenn alles gut ging. Überhaupt Helena. Die Achtzehnjährige war Brandauers ganzer Stolz. Ein Bild von einem Mädchen, mit den dicken blonden Zöpfen und den braunen Augen, hübsch von Gestalt und gescheit dazu. Wie immer, wenn der Alte an sie dachte, warf er sich unbewusst vor lauter Vaterstolz in die Brust und schmunzelte beinahe selbstgefällig.

Es würde nicht mehr lang dauern, und die angesehensten jungen Männer der Stadt würden sich um das Mädchen reißen. Helena würde endlich das schaffen, was ihm trotz aller Erfolge bisher verwehrt geblieben war: den Aufstieg ins Patriziertum. Das war Brandauers Lieblingsgedanke, dem er fast täglich nachhing. Denn dafür würde er schon sorgen, dass seine Tochter den Richtigen heiratete. Den jungen Pirckheimer zum Beispiel, der neigte zwar zur Fettleibigkeit und war auch sonst nicht gerade eine Schönheit, aber die Familie war reich und hatte enormen Einfluss. Oder vielleicht den Anton Tucher, dem vor kurzem die Frau gestorben war, der war zwar nicht mehr der Jüngste, aber ein Kaufmann mit einem Riecher fürs Geschäft wie kein Zweiter und mit bedeutendem Grundbesitz. Manchmal war ein älterer Ehemann ja grade gut für so junge Fohlen wie die Helena eins war. Brandauer atmete tief durch. Man würde sehen, die Zeit drängte ja nicht.

Das Schlagwerk der Frauenkirche läutete dröhnend zur fünften Nachmittagsstunde und riss den Kaufmann aus seinen Gedanken. Herrje, schon so spät! Der Besuch würde gleich kommen. Brandauer hatte einige Freunde und Bekannte aus den führenden Kreisen der Stadt eingeladen, um seinen neu an den Ostflügel des Hauses angebauten Festsaal einzuweihen, der, was Größe und Ausstattung betraf, in ganz Süddeutschland seinesgleichen suchte. Natürlich würde dabei angelegentlich seine Tochter präsentiert werden – es war langsam an der Zeit, öffentlich zu machen, dass man einen Heiratskandidaten für sie suchte. Brandauer schob noch sorgfältig die Papierstapel zusammen, erhob sich dann schwerfällig und ging nach unten.

In der Küche fand er seine zweite Frau Sophia, die mit knappen Anweisungen das Personal herumscheuchte. Sie war eine gebürtige Rösslein aus Schwäbisch Hall, einzige Tochter und Erbin eines vermögenden Salzherrn und Textilhändlers. Brandauer hatte die hochgewachsene, hellhaarige Schwäbin bald nach dem Tod seiner ersten Frau geheiratet. Schließlich war ihm nur ein einziger Sohn aus erster Ehe geblieben, und zur sicheren Fortführung der Dynastie Brandauer brauchte es mehr Kinder, vor allem weitere Söhne. Doch nach Helenas Geburt hatte sich einfach kein Nachwuchs mehr einstellen wollen. Nun, man musste sich Gottes Ratschluss beugen. Jetzt hieß es, das Beste aus der Situation machen und Helena gut unter die Haube zu bringen.

Sophia hatte ihren Gatten bemerkt. Sie fächelte sich mit einem Taschentuch Luft ins erhitzte Gesicht und atmete erleichtert auf. »Ach, Heinrich, gut dass du da bist. Ich muss jetzt unbedingt in die Schlafkammer und mich herrichten. Könntest du den Wein prüfen und nachschauen, ob im Saal die frischen Binsen schon auf dem Boden verteilt sind? Die Kräuter zum Aufstreuen liegen in der Speis, Kamille und Melisse, ach ja, und die Rosenblätter nicht vergessen! Und die Magdalena soll noch schnell zum Bäcker und die Zuckerringlein holen, die ich bestellt habe.« Mit diesen Worten eilte sie davon, ohne auf Antwort zu warten, und wickelte schon im Laufen die Bänder ihrer Haube auf. Brandauer rollte mit den Augen und schnaufte unwillig, tat aber, was sie ihm aufgetragen hatte. Schließlich sollte der Abend gelingen.

Pünktlich um sechs Uhr trafen die ersten Gäste ein und wurden vom Hausherrn schon im Innenhof unter den gedrechselten Holzarkaden begrüßt. Es waren Anton Tucher – einer der reichsten Patrizier Nürnbergs und vertrauter Geschäftspartner Brandauers – und die Brüder Bernhardin und Lienhard Hirschvogel, tonangebend im Spezereien-, Textil- und Edelmetallhandel, samt ihren beiden Ehefrauen. Kurz darauf erschienen die restlichen Gäste, darunter das befreundete Ehepaar Frey und die extravaganten Oelhafens, die auf keinem Fest fehlen durften. Hartmann Schedel, der Arzt und Humanist, und der Maler Michel Wolgemut trafen kurz nacheinander ein. Letzterer hatte den exzentrischen Holzschnitzer Veit Stoß im Schlepptau, der gerade das viel bewunderte Epitaph für Paulus Volckamer im Ostchor der Sebalduskirche fertig gestellt und sich dank der großzügigen Bezahlung ein schönes Haus in der Prechtelsgasse gekauft hatte. Außer diesem illustren Kreis hatten die Brandauers noch mehrere fränkische Adelige geladen, um der Gesellschaft höchsten Glanz zu verleihen. Es waren die Brüder von Nothelff, die in Diensten des Markgrafen von Ansbach standen und in seinem Namen Geschäfte mit Brandauer tätigten, der junge, aber ziemlich mittellose Siegmund von Dürrenfels, der gerade dringend einen Kredit brauchte und deshalb bei Brandauer angeklopft hatte, und der alte Haudegen Heinrich von Wernstein mit seiner mondgesichtigen Gattin, die froh waren, sich wieder einmal den Bauch mit edlem Essen und guten Weinen füllen zu können, was sie sich daheim nicht leisten konnten.

Im Saal nahm Sophia die Besucher in Empfang. Anton Tucher, mit seiner Größe von einem Meter achtzig und den dichten grau melierten Haaren eine eindrucksvolle Erscheinung, wurde von ihr besonders herzlich begrüßt – er war einer der wenigen Patrizier, der die nicht ratsfähigen Brandauers wie seinesgleichen behandelte.

»Wunderschön ist er geworden, Euer neuer Saal.« Anerkennend sah sich Tucher die Deckenmalereien an, die hoch über den Köpfen der Anwesenden schwebten. Da tummelte sich der gesamte griechische Götterhimmel von Ares bis Zeus, lauter halbnackte, üppige Gestalten auf pastellblauem Grund zwischen weißen Wölkchen.

»Wer hat denn die Planungen und Entwürfe gemacht?«, wollte Tucher wissen.

Sophia war stolz und glücklich; sie strahlte über beide Backen. »Die gesamte Ausstattung stammt von Meister Jörg Wollschläger; ich finde, niemand hat so ein Gefühl für die moderne italienische Formengebung wie er.«

»Wohl wahr«, nickte Lienhard Hirschvogel, der dazugetreten war, »er ist zwar nicht billig, aber einfach der Beste. Wunderbar, die Ornamente auf den Säulen, und erst die Reliefs, ganz einmalig. So ein Saal könnt mir für daheim auch gefallen.«

Die beiden Männer machten eine Runde durch das Zimmer, während Lienhards Frau, eine triefäugige, dickliche Matrone mit üppiger Oberweite und ausladenden Hüften, stehen blieb.

»Ach, Brandauerin, ich muss Euer Kleid bewundern. Prachtvoll, dieser Faltenwurf! Ist das wohl ein neuer Schnitt?«

Sophia lächelte. »Ich hab es beim Schneider Porlein anfertigen lassen, Ihr wisst schon, der in der Nähe des Spittlertors. Er näht auch die Kleider für die Töchter des Ansbacher Markgrafen. Ich habe einen Entwurf bei ihm gesehen, der für eine von ihnen bestimmt war, allerdings in Grün und mit einfachem Damast. Natürlich habe ich ihn das gleiche Kleid in graublauem Atlas machen lassen – meine Haut ist ja so empfindlich, und manche Damaststoffe kratzen furchtbar. Außerdem wollte ich auch aufgestickte Perlen und Silberfäden, damit der Stoff schön glänzt und glitzert. Sollen doch die Frauen vom Adel die einfachen Sachen tragen, nicht wahr?«

Die Hirschvoglin nickte zustimmend und kicherte. »Mich wundert sowieso, dass der alte Friedrich von Brandenburg-Ansbach noch Geld für Weibersachen ausgeben kann. Der Lienhard hat ihm erst neulich gegen Verpfändung irgendwelcher Landgüter tausend Gulden leihen müssen.«

Ein kleines Grüppchen, bestehend aus den Oelhafens und den beiden Künstlern Stoß und Wolgemut, hatte sich derweil beim riesigen, säulenbewehrten Kamin zusammengefunden. Susanna Oelhafen, eine hoch aufgeschossene, dürre Person, die eine der neuartigen Entenschnabelhauben aus den Niederlanden trug, die unter den Nürnberger Damen als letzter Schrei in Sachen Mode galten, schaute mit scheelem Blick auf die offene Feuerstelle.

»Da hast du's«, bemerkte sie bissig zu ihrem Mann, der ihr knapp bis zur Schulter ging, »jetzt steht der erste offene Kamin der Stadt bei den Brandauers. Seit letztem Jahr lieg ich dir in den Ohren, dass du einen bauen lassen sollst, aber nein, du warst ja der Meinung, Kamine seien nur etwas für den Adel.« Sie warf ihre Schleppe herum und ging zu den Damen auf der Stirnseite des Saals. Gott sei Dank hörte sie die Antwort ihres Gatten nicht mehr, der etwas wie »Rutsch mir doch den Buckel runter« in seinen Bart brotzelte.

In diesem Moment klatschte Heinrich Brandauer kurz in die Hände. »Meine lieben, verehrten Gäste, darf ich Euch nun mein Töchterlein Helena vorstellen, meine ganze Freude und mein größter Stolz!«

Das Mädchen hatte, bisher von den Gästen unbemerkt, mit unsicheren Schritten den Saal betreten und knickste nun mit gesenktem Kopf nach allen Seiten. Alle waren beeindruckt. Die knapp Achtzehnjährige war tatsächlich eine Schönheit ganz nach dem Geschmack der Zeit: dichte rotblonde Locken, die über der hohen Stirn von einem Goldnetz gehalten wurden, große rehbraune Augen, eine gerade, schmale Nase und ein herzförmiger Mund. Ihre Mutter hatte sie prächtig eingekleidet; das veilchenblaue Kleid aus schimmernder Seide ließ ihr Gesicht zwar ungewöhnlich blass aussehen, ihre Augen aber leuchteten dafür umso mehr. Ein weißes Leinenhemd mit eingearbeiteten Spitzen über dem Ausschnitt betonte die noch jungmädchenhaften Brüste, und ein Paar teure perlenbesetzte Ohrringe ließen den Hals lang und schlank erscheinen. Natürlich hatte man sie reichlich mit Ketten und Juwelen behängt – schließlich war ihr Vater der beste Goldschmied der Stadt. Auffälligster Schmuck des Mädchens war dabei ein silbernes Medaillon in Form eines bauchigen Fläschchens mit einer riesigen Perle in der Mitte, das sie an einer langen Erbskette trug.

Das Eintreten der Brandauertocher wurde mit beifälligem Murmeln der Gäste aufgenommen. Brandauer selbst platzte fast vor Stolz. Müsste doch mit dem Teufel zugehen, wenn sich für die Lene nicht eine großartige Partie fände, dachte er bei sich.

»Komm, Helena, und sag grüß Gott zu den Herren.« Er winkte das Mädchen lächelnd zu sich und legte den Arm um ihre Schulter. »Na, mein lieber Bernhardin, wär das nichts für einen deiner Söhne?« Helena lief dunkelrot an. Der Angesprochene, glatzköpfiges Oberhaupt der Hirschvogel-Dynastie, winkte jedoch ab. »Ach weißt du, mein Lieber, den Hans schicken wir im Frühjahr erst einmal für zwei Jahre in unsere Antwerpener Niederlassung, und der Wilhelm, tja, der möchte sich mit einer der Löffelholz-Töchter verloben, da will ich ihm nicht dreinreden. Aber frag doch einmal den alten Schürstab – der will seinem Sohn schon seit letztem Jahr eine Braut schaffen.«

Obwohl ihr der Zweck des Abends durchaus bewusst war, konnte Helena die Situation kaum ertragen; sie fühlte sich wie ein Stück Vieh, das verschachert werden sollte. So beschämend hatte sie sich das Anbahnen einer Ehe nicht vorgestellt. Dabei war eine Verlobung das Letzte, was sie derzeit wollte. Vor Verlegenheit wäre sie am liebsten im Boden versunken. Sie spürte, wie Übelkeit in ihr aufstieg. Gott sei Dank wurde die peinliche Situation durch die Enthüllung eines Porträts von Sophia beendet, das Meister Wolgemut kürzlich gemalt hatte. Alle bewunderten lautstark die lebensechte Abbildung und klopften dem Künstler, den jeder wegen seiner Bescheidenheit gern mochte, beifällig auf den Rücken.

»Mein lieber Wolgemut«, bemerkte Anton Tucher zu dem alternden Maler, »keiner kommt Euch gleich. Was soll wohl aus der Malerei werden, wenn Ihr einmal nicht mehr seid?«

Wolgemut lächelte. »Oh, macht Euch bloß keine Sorgen, Tucher. Einer meiner ehemaligen Schüler hat ein ganz besonderes Talent, der braucht vielleicht noch ein paar Jahre, aber dann …«

Die Gesellschaft begann, über Malerei zu disputieren, während Helena die Gelegenheit benutzte, um sich in eine Ecke zurückzuziehen. Hilfesuchend sah sie zu ihrem gleichaltrigen Cousin und Ziehbruder Niklas hinüber, der eben den Saal betreten hatte. Er trat an ihre Seite, nahm ihre Hand und drückte sie kurz.

Wie sie so nebeneinander standen, bildeten die beiden ein interessantes Paar. Anders als die engelsgleiche Helena war Niklas dunkeläugig und hatte glattes, fast schwarzes Haar, das ihm in vorwitzigen Strähnen in die Stirn fiel. Er war einen halben Kopf größer als sie, und seine schlanke, noch jugendlich-schmale Figur wurde durch knöchellange Hosen und ein enges Wams betont. Ein leichter Schimmer von dunklem Bartwuchs lag auf seiner Oberlippe, der seinem hübschen Jünglingsgesicht einen beinahe erwachsenen Ausdruck verlieh. Wie Helena wirkte auch er an diesem Abend bleicher als sonst, und das spitzbübische Lächeln, das sonst eigentlich immer seine Lippen umspielte, fehlte.

»Zu Tisch!« Sophias Stimme hallte fröhlich durch den Saal. Die Gäste nahmen bereitwillig an der prunkvoll mit Tischsilber ausgestatteten Tafel Platz und jeder holte das Futteral mit seinem Essmesser hervor. Die Aufwarter begannen einzuschenken.

»Das ist ein ausgezeichneter Roter von der Insel Zypern«, bemerkte Brandauer zu seinem Nachbarn, Anton Tucher. »Ich bin gespannt, was Ihr dazu sagt.«

»Ja, man hört, dass die Winzer auf Zypern inzwischen recht angenehme Kredenzen zustande bringen.« Tucher probierte bedächtig, ließ den Wein über die Zunge rollen und zog dann die Brauen hoch. »Tatsächlich, mein Lieber, da kommt so mancher Franzose nicht mit. Wo hast du den her?«

»Oh, ursprünglich eine Lieferung an den Fürstbischof zu Bamberg, der aber derzeit kein rechtes Essen mehr verträgt, wie man berichtet, und deshalb nur Wasser und Mehlsuppe zu sich nimmt. Ich hab das ganze Kontingent Wein übernommen.«

»Das erinnert mich an etwas.« Tucher zog ein kleines Döschen aus der Tasche und schüttete daraus ein feines weißes Pulver in sein Weinglas. »Mein Magen macht mir in letzter Zeit wieder zu schaffen. Der

Schedel hat mir gegen die Schmerzen täglich eine Viertelunze Pulver aus zerstoßenen Perlen vor dem Abendessen verordnet.«

»Eine äußerst wirksame Medizin«, fiel Susanna Oelhafen ein, die rechts neben Tucher Platz genommen hatte. »Meine Schwester hat nach der Geburt ihres elften Kindes lange an Essunlust und Schwächeanfällen gelitten. Eine Kur mit gemahlenen Perlen hat ihr sehr gut getan. Gestoßener Beryll und Citrin sollen übrigens auch helfen.«

Während die Gäste plauderten, trugen die Bediensteten die ersten Gerichte auf: Pasteten mit Wildschweinschinken, Fasanentörtchen, geschmorte Hirschleber, alles auf riesigen silbernen Platten, dazu dicken Agraz aus Weichselkirschen, gelbe Safrantunke und süße weiße Soße mit Mandelmilch und Feigen. Als Hauptgang folgte ein im Ganzen gebratenes Milchlamm, das am Spieß hereingetragen wurde, und ein Auerhahn, in dessen Bauchhöhle mit Austern gefüllte Lerchen und Wachteln eingenäht waren. Gesottene Neunaugen in Soße mit Muskatblüte und Kümmel, Flusskrebse in Aspik, Karpfen in heller Brühe und kleine, süßsauer eingelegte Aale bildeten den Fischgang. Natürlich war alles großzügig mit den teuersten Gewürzen zubereitet. Großen Beifall fand ein neuartiges Gemüse aus dem Süden, das im Ganzen hereingetragen wurde und aussah wie große grüngraue Blüten. Zur Enttäuschung aller waren die Blätter jedoch zäh und holzig und das Innere der Blütenköpfe faserig wie Stroh. So viel man auch herumschnitt und fieselte, es war nicht viel Essbares daran zu finden. Man beschloss allgemein, dass dieses merkwürdige Grünzeug sein Geld nicht wert sei.

Helena saß zwischen ihrer Mutter und einer der Hirschvogelinnen. Sie fühlte sich sichtlich unwohl, pickte an ihrem Essen herum wie ein Vögelchen und beteiligte sich nur einsilbig an den Gesprächen. Den Blick hielt sie auf ihren Teller gesenkt; nur manchmal suchten ihre Augen verstohlen Niklas, der schräg gegenüber am unteren Ende der Tafel platziert war. Wenn nur dieser Abend bald vorüber wäre!

»Was ist los mit dir?«, flüsterte Sophia Brandauer ärgerlich. »Du sitzt da wie ein Trauerkloß. Was glaubst du, für wen wir diese Einladung veranstaltet haben? Alle sollen einen guten Eindruck von dir bekommen, und du bläst Trübsal und sagst kein Wort! Schaust aus wie die Heilige Kümmernis, dir fehlt bloß noch der Bart! Also manchmal weiß ich wirklich nicht, was in deinem Kopf vorgeht. Reiß dich ein bisschen zusammen: Rücken gerade und lächeln!«

Das Mädchen schluckte mühsam und brachte ein gequältes Lächeln zustande. Wieder trafen sich Niklas' und ihre Blicke, was die Brandauerin mit nachdenklichem Stirnrunzeln quittierte.

»Was glotzt du dauernd den Niklas an?«, zischte sie. »Den hast du doch jeden Tag! Du drehst dich jetzt sofort um und legst dem Anton Tucher vom Fisch vor. Himmelherrgott, der Mann ist Witwer und in den besten Jahren, kümmer dich gefälligst um ihn!«

Das Mädchen griff folgsam nach dem Vorlegbesteck und bugsierte ein paar Krebse und etwas Karpfenfilet auf Tuchers Teller.

»Ach, Jungfer Helena, darf ich Euch noch um die Augen und die Ohrenbäckchen des Karpfens bitten? Das ist nämlich das Beste vom Fisch!« Tucher war als Gourmet in der ganzen Stadt bekannt.

Helena bohrte ungeschickt mit einem Löffelchen an dem glasigen Fischauge herum. Als sich das gallertartige Ding zu lösen begann, revoltierte ihr Magen. Sie legte hastig den Löffel hin und suchte nach ihrem Taschentuch.

»Verzeiht, Herr Tucher, aber mir ist plötzlich nicht wohl. Entschuldigt mich.« Sie erhob sich und flüchtete aus dem Saal, das weiße Fazenettlein vor den Mund gepresst.

Tucher sah ihr verdutzt nach. »Ach du lieber Gott, Brandauerin, das ist meine Schuld, ich hätte die Fischaugen nicht verlangen sollen. Die jungen Dinger sind heutzutage für so was zu zart besaitet.«

Sophia ging ihrer Tochter nach, kehrte aber bald an die Tafel zurück und verwickelte Tucher sofort wieder in ein munteres Gespräch. Der Abend verging in fröhlicher Unterhaltung, bis es von der Marienkirche zur Sperrstunde schlug und sich alle verabschiedeten.

Die Oelhafens waren die Letzten an der Haustür und bedankten sich überschwänglich. »Da habt Ihr's denen vom Adel wieder mal gezeigt, Brandauer. Der Nothelff hat Augen gemacht, so groß wie ein Wagenrad! Und der Dürrenfels, der alte Angeber, ist bei dem Essen ganz still geworden! Recht so, die sollen nur merken, was bürgerlicher Wohlstand ist. Haben die Nase so weit oben, dass es hineinregnet, die

Kerle, aber daheim auf ihren zugigen Burgen müssen sie noch in die Ecken scheißen! Na, jedenfalls, gute Nacht!«

Brandauer schloss das Hoftor. Er war mit dem Verlauf des Abends nicht zufrieden. Der Hirschvogel hatte eine Verbindung abgelehnt, und mit dem Tucher zu handeln hatte sich keine gute Gelegenheit ergeben. Das ganze Getöse umsonst! Brandauer seufzte. Er wusste, dass er jetzt noch nicht gleich würde schlafen können, also beschloss er, noch einmal für ein halbes Stündchen ins Kontor zu gehen, um sich von seiner Enttäuschung abzulenken. Er hatte sich gerade wieder ans Lesen und Sortieren seiner Papiere gemacht, als es laut und ungeduldig an die Tür klopfte. Brandauer runzelte ärgerlich die Stirn; er hasste es, bei der Arbeit gestört zu werden.

»Jetzt nicht«, grantelte er vernehmlich. Aber da wurde die Tür schon aufgerissen und herein kam Sophia, noch im Festkleid und völlig außer sich. Sie hatte ihre Tochter am Handgelenk gepackt und zog das widerstrebende Mädchen hinter sich ins Zimmer.

»Doch, Heinrich Brandauer, du hast jetzt Zeit«, sagte sie atemlos und mit vor Aufregung bebender Stimme.

Der Kaufmann stand auf und sah mit unwillig hochgezogenen Brauen von seiner Frau zu Helena und wieder zu seiner Frau. »Und?«

Sophia holte tief Luft.

»Die Helena ist guter Hoffnung.«

Brandauer war, als habe er einen Schlag ins Gesicht bekommen. Seine Tochter, sein geliebter, gehüteter Schatz, entehrt? Das konnte, durfte nicht wahr sein. Aber ein Blick in das schuldbewusste Gesicht seiner Tochter bestätigte Sophias Worte. Er holte aus und versetzte ihr eine Ohrfeige, die sie seitwärts gegen die Wand taumeln ließ. Dann packte er das schluchzende Mädchen bei den Schultern und schüttelte sie.

»Wer?«

Helena brachte vor Weinen kein Wort heraus. Sie stand mit aufgelösten Haaren da, und die Tränen liefen ihr über das blasse Gesicht. Ihr war übel und schwindlig.

»Wer«, brüllte ihr Vater schon zum zweiten Mal, »sag's!«

Sie getraute sich nicht, hochzublicken. »Der … der Niklas«, brachte sie mit Mühe heraus.

Brandauer stand wie vom Donner gerührt. Eine ganze Welt brach in diesem Moment für ihn zusammen. Sein eigener Ziehsohn, den er liebte und in den er so große Hoffnungen gesetzt hatte!

»Hat er dich …?« Er wagte gar nicht, die Frage zu Ende zu stellen.

Helena schüttelte den Kopf. Wie sollte sie ihrem Vater erklären, dass die Kinderfreundschaft, die sie von Anfang an mit dem gleichaltrigen Jungen verbunden hatte, sich irgendwann verändert hatte? Sie erinnerte sich an einen lauen Nachmittag im Frühling, als sie wie jedes Jahr zusammen die ersten Palmkätzchen am Pegnitzufer geschnitten hatten. Sie war auf einen Baumstumpf gestiegen und Niklas hatte sie am Arm gefasst, um ihr herunterzuhelfen. Übermütig hatte sie die Röcke gerafft und war ins Gras gesprungen. Und dann hatten sie sich angesehen, lachend und unbeschwert, aber plötzlich, als sich ihr Blick traf, war es beiden ganz merkwürdig geworden. Von diesem Augenblick an war nichts mehr so wie vorher. Sie waren keine Kinder mehr. Alles war von selbst so gekommen, ohne ihr beider Zutun: Irgendwann hatten sie begonnen, einander zu begehren, erst verschämt und kaum spürbar, dann immer stärker, immer mehr. Und dann war es einfach passiert, dass sie eines Tages ganz selbstverständlich nicht mehr wie früher die Lagerräume im Hof mit den herrlichen Wundern aus aller Welt erforscht hatten, sondern sich selbst. Den Geruch seiner Haut, den Duft seines Haares, den Geschmack seiner Lippen, die Form seiner Schultern – all das war Helena noch in dieser Sekunde gegenwärtig. Ihre Körper hatten ganz von selbst zueinander gefunden, als ob sie all die Jahre nur aufeinander gewartet hätten, und es fühlte sich richtig an und gut, was sie taten. Später hatte Niklas ihre Hände genommen und ihr seine Liebe geschworen.

»Vater, es ist nicht so, wie du denkst«, begann sie schließlich. »Er hat mir nichts getan. Wir sind uns gut, und …«

Eine zweite Ohrfeige beendete ihren Erklärungsversuch.

»Hure! Du bist eine Hure!« Brandauer brüllte, er war fuchsteufelswild. Helena flüchtete sich hinter ein Stehpult, während ihr Vater mit großen, polternden Schritten an ihr vorbeilief. Die beiden folgten ihm durch den dunklen Flur in den Seitenflügel des Hauses zu Niklas' Kammer. Der Kaufmann stieß die Tür mit einem wütenden Tritt auf, packte den verdutzten Jungen am Kragen und zerrte ihn heraus. Fluchend trat und prügelte er auf seinen Ziehsohn ein, der sich duckte und mit beiden Armen zu schützen versuchte.

»Hurenbock! Undankbarer Saukerl, du! So dankst du's mir, dass ich dich aus der Gosse geholt hab! Da, und da, und da! Bringst meine Tochter in Schimpf und Schande! Erschlagen könnt ich dich.«

Schließlich ließ er schwer atmend die Arme sinken. Niklas stand mit hängenden Schultern da, ein Auge lief bereits blau an.

»Es tut mir so Leid, Onkel.«

»Leid, Leid!« Brandauer ballte schon wieder die Fäuste. »Das nützt jetzt nichts mehr, du Lump, du elender! Die Lene ist entehrt, für immer!«

»Die Lene kann nichts dafür. Ich bin an allem schuld.« Niklas sah seinem Ziehonkel in die Augen. »Ich liebe sie, wirklich und wahrhaftig! Und ich will sie heiraten, wenn du uns deinen Segen gibst.«

Brandauer schnappte nach Luft. »Dich soll die Helena heiraten? Dich, einen Habenichts, einen dahergelaufenen? Einen brünstigen, geilen Schandbuben, der schamlos das Vertrauen seiner Verwandtschaft missbraucht?« Er lachte schrill auf. Dann ging er wieder auf den Jungen los, bis ihm seine Frau und Helena in den Arm fielen.

»Mach dich nicht unglücklich, Heinrich!« Sophia versuchte, ihren tobenden Gatten zu beschwichtigen. »Beruhig dich. Schau, er wehrt sich doch gar nicht. Du brauchst jetzt einen klaren Kopf, damit wir überlegen können, was zu tun ist. Komm wieder ins Kontor. Bitte.«

Brandauer nickte widerstrebend, griff Helena, die bei Niklas stand, am Oberarm und zog die Widerstrebende mit sich. Im Gehen wandte er sich noch einmal zu Niklas um.

»Du packst jetzt sofort deine Sachen. In einer Stunde bist du weg. Und lass dich nie wieder hier blicken!«

Helena schluchzte laut auf und stürzte in die Arme ihrer Mutter.

Zurück im Kontor sank Brandauer in seinen Lehnstuhl, während Sophia ihrer Tochter bittere Vorwürfe machte.

»In die höchsten Kreise hättest du einheiraten können, dummes

Ding. Schlange gestanden wären sie vor unserem Haus, die reichen Patriziersöhnchen, der Pfinzing, der Pirckheimer und wie sie alle heißen. Ein Leben in Saus und Braus wär dir bevorgestanden, und was machst du? Wirfst dich weg an den da!« Sie machte eine verächtliche Handbewegung zur offenen Tür hin in die Richtung von Niklas' Zimmer.

»Vater, Mutter, versteht doch«, erwiderte Helena, in der Verzweiflung aufstieg. »Ich hab ihn lieb und ich will ihn auch heiraten. Euch ist das Geld so wichtig, aber ich brauch das alles nicht, ich will bloß den Niklas und sonst gar nichts.« Sie schrie auf, als sie erneut eine Ohrfeige einfing – diesmal von ihrer Mutter. »Das da.« Sophia zeigte mit anklagendem Finger auf das Perlenmedaillon, das Helena immer noch um den Hals trug. Es handelte sich um eine Reliquie der Heiligen Walburga; im Innern befand sich eine Phiole mit heilkräftigem Öl, abgesondert von der Grabplatte der Heiligen in Eichstätt. »Das hat dir die Großmutter vermacht, auf dem Sterbebett, weißt du noch? Die Reliquie von der Heiligen Walpurga! Die bringt dir Glück, wenn du sie um den Hals trägst, hat sie gesagt, sei brav und tugendsam, dann wird dir's nie schlecht ergehn. Und jetzt – jetzt hast du alles aufs Spiel gesetzt.«

»Aufs Spiel gesetzt?« Der alte Brandauer war aufgesprungen und lief jetzt wie ein gefangener Tiger im Kontor herum. »Versaut hat sie's, und zwar gründlich! Meine Tochter, ein gemeines Frauenzimmer! Herrgott, taugen denn alle meine Kinder nichts?«

Helenas Finger klammerten sich um den Anhänger. »Wenn der Niklas gehen muss, dann geh ich auch.«

Brandauer fluchte und stapfte drohend auf seine Tochter los, während seine Frau abwinkte. »Lass sie, Heinrich. Und du red keinen Unsinn, Lene. Überlegen wir lieber, wer aus einigermaßen gutem Haus dich in deinem Zustand oder später mit einem unehelichen Bankert noch nehmen könnt.«

»Es müsst einer sein«, erwägte Brandauer, »der eine ordentliche Mitgift dringend gebrauchen kann, vielleicht ...«

Helena ballte hilflos die Fäuste. »Ich will aber keinen andern als den Niklas. Mutter, hilf du mir doch! Du hast den Vater doch auch geliebt, als ihr geheiratet habt. Ihr könnt doch nicht beide mein Unglück wollen.«

»Unglück? Was weißt denn du schon!« Sophias Stimme wurde schrill. »Dein Vater und ich bestimmen, was dein Glück und Unglück ist. Du bist doch noch ein dummes Gänschen und hast keine Ahnung vom Leben!«

Helena brach erneut in heftiges Schluchzen aus und rannte aus dem Zimmer. Brandauer lief ihr nach, erwischte sie im Flur an der Schulter und schüttelte sie ordentlich durch, dass die langen Haare flogen. Ein Glied in Helenas Halskette riss, und das Medaillon fiel zu Boden, ohne dass sie es merkte.

»Auch wenn dir das letzte bisschen Hirn abhanden gekommen ist, du Matz, jetzt hörst du mir gut zu: Schlag dir den Niklas aus dem Kopf, der ist in drei Tagen schon nicht mehr in der Stadt, dafür sorg ich. Den siehst du nicht mehr wieder. Und jetzt geh ins Bett und denk über deine eigene Dummheit nach. Deine Mutter und ich besprechen, was zu tun ist, und das wird dann auch gemacht. Herrgott, sag wenigstens, dass es dir Leid tut, du dummes Weibstück!«, grollte er am Ende.

»Es tut mir ja Leid, aber bitte, bitte, lasst doch den Niklas dableiben. Ich will keinen andern heiraten, und das Kind will ich auch behalten!« Helena heulte hemmungslos. Jetzt war ihr schon alles egal.

»Verschwind, du billiges Frauenzimmer, und komm mir vor morgen früh nicht unter die Augen!« Brandauer holte aus, doch bevor Helena die vierte Ohrfeige traf, duckte sie sich und lief in ihre Schlafkammer, wo sie sich verzweifelt auf ihr Himmelbett warf. Sie hörte noch, wie sich ihre Eltern wieder ins Arbeitszimmer zurückzogen und die Tür ins Schloss fiel. Dann weinte sie, bis sie keine Tränen mehr hatte.

Im Flur war alles dunkel und still geworden, nur aus dem Kontor klangen noch gedämpfte Stimmen. Die junge Frau mit dem feuerroten Hurentuch um Kopf und Schultern lugte aus der Ecke hinter dem riesigen Wandschrank vor. Sie hatte sich geistesgegenwärtig hierher geflüchtet, als die Hausleute plötzlich aus der Schreibstube gekommen waren. Die ganze Zeit hatte sie in der Nische eingezwängt gestanden und kaum zu atmen gewagt. Es war den Hübschlerinnen zwar offiziell gestattet, ihr Gewerbe auch in privaten Wohnstätten auszuüben – Hausbesuche waren sogar gang und gäbe –, aber sie wollte sich nach ihrem Aufenthalt bei Brandauers Sekretär, der eine Kammer im zweiten Stock des großen Herrenhauses bewohnte, nicht gern erwischen lassen. Im Haus von reichen Leuten gab es in so einem Fall meistens Ärger. Deshalb hatte sie sich auch lange nicht aus ihrem Versteck getraut und war unfreiwillig Zeugin der Auseinandersetzung geworden. Vorsichtig, um auf keine knarzende Diele zu treten, schlich die Hübschlerin jetzt an der Wand entlang auf die untere Treppe zu, als sie im Schein des Lichtes, das durch die breite Ritze unter der Tür des Kontors drang, etwas glitzern sah. Ein Schmuckstück! Sie bückte sich und hob es auf. Ein silbernes Fläschchen an einer Kette, besetzt mit kostbaren Perlen – mein Gott, wie wertvoll musste so etwas sein! Einen Moment lang hielt die Hübschlerin inne und kämpfte mit sich. Das konnte nur diese Reliquie sein, von der die Frau gesprochen hatte. Sie überlegte noch, ob sie das Medaillon einstecken oder wieder hinlegen sollte, als sie hörte, wie im oberen Stockwerk eine Tür geöffnet wurde. Eilig schob sie ihren Fund in den Ausschnitt, raffte dann die Röcke und lief leichtfüßig die Treppe hinunter und zur Hintertür hinaus. Draußen verschluckte sie die Nacht.

Die Menschen würden sich an diesen Abend als den letzten vor Ausbruch des entsetzlichsten Unheils erinnern, das die Stadt jemals heimgesucht hatte.

Reichsstadt Nürnberg, Bartholomei und die Zeit danach, August 1494

Die Ratte, ein fettes, spitznasiges Weibchen, lief am Flussufer entlang, hielt immer wieder inne und schnupperte. Weil sie alt und erfahren und eine gute Läuferin war, hatte sie die Vorhut der Sippe übernommen. Die Tiere waren auf Wanderschaft, auf der

Suche nach neuer Nahrung und neuem Lebensraum. In den Dörfern westlich der Stadt gab es nichts mehr, weshalb es sich gelohnt hätte, zu bleiben. Die Vorräte waren aufgebraucht, keiner hatte heuer die Ernte eingebracht, das üble Miasma von Tod und Verwesung lastete wie ein Fluch auf dem Land. Als schließlich die ersten Ratten verendet waren, hatte den überlebenden Tieren ihr Instinkt gesagt, dass sie flüchten mussten. Ein lautloser Exodus hatte begonnen.

Der Vorhut folgten bis zu dreißig Tiere, viele davon aus dem letzten Wurf, kaum ein paar Wochen alt, darunter auch der eigene Nachwuchs des Weibchens. Sie alle trugen in sich den grauenhaften, tödlichen Keim, nährten ihn mit ihrem Blut. Tagelang war die Gruppe nun schon unterwegs, ohne auf ergiebiges Fressen zu stoßen. Aber dann wurden die Trippelschritte des alten Weibchens zielstrebiger, denn seit einiger Zeit hatte sie einen neuen Duft aufgenommen, der ihr sofort tief ins Hirn fuhr, angenehm, verführerisch, verlockend, immer intensiver. Es war eine verheißungsvolle Mischung aus Menschen- und Tiergeruch, Essen, Feuer, Abfall, einfach allem. Sie wurde immer schneller, und die anderen folgten ihr in einigem Abstand, neugierig und aufgeregt, denn auch sie hatten es inzwischen gerochen. Der Duft wurde immer dichter, aromatischer, bis das Weibchen an ein Hindernis aus Steinen stieß, das so hoch war, dass sie es nicht überwinden konnte. Sie lief erst in die eine, dann in die andere Richtung an der Mauer entlang, bis sie wieder an den Fluss stieß. Da war kein Durchkommen. Aber hinter der Mauer lag der Ursprung dieses Dufts, und dort musste sie hin. Instinktiv ließ sie sich schließlich ins Wasser gleiten und schwamm.

Auf der anderen Seite des Stadtmauerdurchflusses verließ das Weibchen die Pegnitz. Am Rand schüttelte und putzte sie sich erst einmal, dann richtete sie sich auf den Hinterpfoten auf, spreizte ihre Barthaare und schnupperte ausgiebig. Schließlich verschwand sie in einem der Gässchen, die vom Fluss zur Burg hinaufführten.

Kaum eine Woche später hörten die Totenglocken der Nürnberger Kirchen nicht mehr auf zu läuten. Stummes, entsetzliches, grausames Sterben war über die Stadt gekommen. Der schwarze Tod machte vor keiner Tür Halt, Patrizier und Bettelmann waren gleich vor der Sense des schaurigen Schnitters. Wer den Keim in sich trug, galt als verloren. Vom Fieber geschüttelt, mit schwarzen Beulen und Flecken behaftet, würgten die Kranken grüne Galle aus. Die schmerzenden Knoten brachen bald auf wie faulige Früchte und verbreiteten widerlichen Gestank, dann kam grauenvolles Delirium und schließlich, entsetzlich, das Ende. Ob ein Pestarzt die Beulen aufstach und ausbrannte, ein Priester tagelang über den Kranken betete, die Familie ihre Zimmer ausräucherte oder gar nichts tat – nichts half. Die Schreie verzweifelter Mütter, die Rufe verlassener Kinder zerrissen nachts die Stille der Stadt. Man zerrte die Leichen mit langen Haken aus den Häusern. Totenkarren rumpelten durch die Gassen, jeden Tag höher beladen. Die Menschen wurden entweder panisch vor Angst, hysterisch, religiös oder apathisch. Die einen glaubten, die Pest sei eine Strafe Gottes für ihre Sünden, die anderen hielten sie für die Ausgeburt eines schlechten Dunstes, wieder andere für die Folge einer unglückbringenden Konstellation von Sternen oder für alles zusammen. Manche gar sahen sie nachts kommen als flackerndes, blaues Flämmchen, das in den Häusern der Toten spukte und in den Gassen der Stadt tanzte.

Wer es sich leisten konnte, flüchtete aufs Land.

Im Hof des Brandauerschen Hauses wartete schon der Reisewagen, hoch beladen mit den Dingen, die der Familie kostbar waren. Der alte Brandauer selber prüfte, ob die beiden Kaltblüter richtig angeschirrt waren, musterte dann noch einmal die Kisten, Bündel und Truhen, die seine Knechte hinten und auf dem Dach des Wagens festgezurrt hatten. Er trug seine wertvollste Schaube mit Biberpelzbesatz über dem linken Arm und die schwarzsamtene Ohrenkappe in der Hand. An seinem Gürtel hing ein Lederbeutel von eindrucksvollem Umfang, in dem ein größerer Betrag an Goldgulden klimperte.

»Sophia, Helena, macht hin! Wir müssen heut noch vor der Nacht bis nach Oberwolkersdorf kommen!«

Brandauers Stimme schallte über den Hof, als auch schon die zwei Frauen herbeieilten. Beide waren in leichte Reisemäntel gehüllt, und während ihre Mutter eine elegante ballonförmige Haube trug, die Augen, Nase und Mund frei ließ, hatte Helena nur die Kapuze über ihr geflochtenes Haar gezogen. Die drei beeilten sich, in den geschlossenen Wagen einzusteigen, der Kutscher schnalzte mit der Zunge, und die Pferde zogen an. Knirschend rollten die hölzernen Räder über das Kopfsteinpflaster, und der Wagen verließ den Innenhof durch den geschwungenen Torbogen, über dem das Hauszeichen der Brandauers prangte: ein goldener Ring auf rotem Grund.

Der Wagen fuhr durch fast menschenleere Gassen. Kaum einer wagte sich noch aus dem Haus, nur die Furchtlosesten gingen ihrem Gewerbe nach, zusammen mit denjenigen, die um das Überleben der Menschen kämpften. So passierte die Kutsche der Brandauers auf dem Hauptmarkt einen Bäcker, der sein Brot auf langen Stangen zu den Fenstern der Häuser hineinreichte, und auf der Brücke über die Pegnitz überholten sie einen der tief vermummten Pestärzte, der mit Räucherwaren und Chirurgenbesteck zum Beulenaufstechen unterwegs war. Vor der Lorenzkirche hatten sich ein paar Bußfertige versammelt, die Oberkörper entblößt. Sie knieten im Kreis, schlugen sich gegenseitig mit kurzen Geißeln die Rücken blutig und sangen dazu mit erbärmlich zitternden Stimmen Kirchenlieder. Brandauer, der aus dem Wagenfenster sah, knurrte verächtlich und rümpfte die Nase über das jämmerliche Schauspiel.

Ein Stück weiter hielt der Wagen vor dem Kloster Sankt Klara an, und die drei Insassen stiegen aus. Heinrich Brandauer sah sich um und war froh, dass niemand in der Nähe war – niemand außer einem dieser öffentlichen Weiber vom Frauenhaus im Maukental, die offenbar selbst in diesen Zeiten noch Kundschaft in der Stadt fanden. Brandauer schüttelte angewidert den Kopf und klopfte an eine kleine Nebenpforte, während die beiden Frauen bei der Kutsche warteten. Eine Nonne öffnete, wechselte ein paar Worte mit dem Kaufmann, nahm den Beutel mit Gold in Empfang und streckte dann auffordernd die Hand nach Helena aus.

Sophia schloss ihre Tochter noch einmal in die Arme. »Geh jetzt, Kind, und mögen die Heilige Muttergottes und alle vierzehn Nothelfer mit dir sein. Wenn es Gottes Wille ist, sehen wir uns im Frühjahr wieder.« Sie unterdrückte einen Schluchzer und schob Helena sanft zu ihrem Vater, der mit abgewandtem Gesicht dabeistand. Er hatte seiner Tochter noch nicht verziehen.

»Heinrich, ich bitt dich!«

Brandauer atmete einmal kurz durch und machte dann widerstrebend eine segnende Bewegung über Helenas Kopf. »Die Klarissinnen sorgen für dich, Lene. Bleib da und mach uns nicht noch mehr Schande. Und wenn alles vorbei ist, sehen wir weiter.«

Das Mädchen umarmte auch ihn und ging dann zögernden Schrittes und mit gesenktem Kopf auf die geöffnete Pforte zu. Für lange Zeit würde ihr ab heute die Welt draußen verschlossen bleiben, und ihr graute vor den endlosen Wochen, die sie fernab von allem bei den Nonnen zubringen würde. Ob ihr Vater sein Wort halten und sie nach der Geburt des Kindes wieder heimholen würde? Lieber Gott, betete sie lautlos, ich will nicht im Kloster mein Leben verbringen, bitte hilf, dass mich mein Vater wieder nach Haus kommen lässt. Angst überfiel sie. Was wäre, wenn ihre Eltern der Pest, dieser grauenvollen Krankheit, zum Opfer fielen? Würde man sie bei den Nonnen vergessen? Der Gedanke peinigte sie so sehr, dass sich ihre Brust zusammenkrampfte. Wie sollte sie Niklas, ihren geliebten Niklas, wiedersehen? Wenn ich nur wüsste, was er macht, wo er ist, dachte sie verzweifelt. Er fehlt mir so sehr. Was wird bloß aus uns?

Helena schluckte die aufsteigenden Schluchzer hinunter und ging langsam weiter zur Klosterpforte. Bevor sie im Inneren des Gemäuers verschwand, drehte sie sich mit Tränen im Blick ein letztes Mal um – und sah in ein merkwürdiges Augenpaar. Sie schlug die Hände vor den Mund, als würde ihr ihre Sünde erst jetzt richtig bewusst. Denn dies konnte nur ein von Gott geschicktes Zeichen sein: Der letzte Mensch, auf den sie vor dem Betreten des Klosters treffen sollte, war ausgerechnet ein öffentliches Frauenzimmer! Eine meretrix publica mit rotem Hurentuch, die ihr ebenso überrascht ins Gesicht starrte! Helena musste sich zwingen, den Blick von dem der anderen zu lösen. Warum hatte sie plötzlich das Gefühl, als wüsste diese Frau von ihrem Geheimnis, als läse sie irgendeine Art von Verstehen, gar so etwas wie Mitleid aus ihrer Miene? Helena senkte verwirrt den Kopf und verschwand in der dunklen Pforte. Und als sie drinnen der Nonne durch die Gänge folgte, fiel ihr ein, was ihr an diesem Gesicht so merkwürdig erschienen war: Das eine Auge der Hübschlerin war blau, das andere war braun gewesen …

Anna ging langsam und in Gedanken versunken weiter. Sie hatte das Mädchen sofort erkannt, das soeben im Armenpförtchen des Klarastifts verschwunden war. Ihre Eltern hatten sie also ins Kloster gesteckt, wie passend. Aber vielleicht ist das bei diesen furchtbaren Zeitläuften sogar das Beste, dachte sie. Womöglich war man hinter heiligen Mauern sicherer vor dem Schwarzen Tod als draußen. Anna zog das Tuch enger um die Schultern. Sie war vom Hauptmarkt, wo sie ein paar Krautsköpfe ergattert hatte, zum Kornmarkt unterwegs, um dort die Getreidevorräte des Frauenhauses aufzustocken, solange es noch etwas zu kaufen gab. Schließlich wusste man nicht, wie lange die unheimliche Krankheit noch wüten würde, und es war bereits eine Teuerung eingetreten. Bald würde es entweder gar keine Lebensmittel mehr geben, oder niemand würde sich noch etwas leisten können. Seuche und Hungersnot waren ein unzertrennliches Zwillingspaar.

Auf dem Kornmarkt fand Anna gerade noch zwei Stände von unerschrockenen Händlern vor, die zu horrenden Preisen Mehl und Getreide feilboten. Sie erstand einen kleinen Sack Roggenmehl und noch zwei Pfund Dinkelschrot; mehr konnte sie nicht tragen. Dann machte sie sich schleunigst auf den Heimweg, erst durch die Karthäusergasse und weiter an der Stadtmauer entlang.

Das Nürnberger Frauenhaus lag schon lange im Maukental, das inzwischen im Volksmund auch Frauengässchen genannt wurde. Es war ein imposantes, dreigädiges Fachwerkgebäude mit steinernem Erdgeschoss und hohem, spitzem Dach. Die Stadtväter hatten das Etablissement schon vor langer Zeit am Rande der Reichsstadt errichten lassen, direkt an der Stadtmauer und möglichst weit weg von den vornehmen Wohngegenden und den Kirchen. Immerhin wurde hier einem anrüchigen Gewerbe nachgegangen. Aber dennoch – gebraucht wurde das Bordell. Schließlich wollte man, dass die vielen unverheirateten Lehrlinge und Gesellen, die es in Nürnberg gab, die durchreisenden Händler und alle sonstigen unbeweibten Männer die ehrbaren Bürgerstöchter und -frauen in Ruhe ließen. Und das taten sie nur, wenn sie Gelegenkeit bekamen, ihr Mütchen unbehelligt anderswo zu kühlen. So handhabte man es nicht nur in Nürnberg, sondern auch in den meisten anderen Städten. Und weil Nürnberg eine Metropole von Weltrang war, besaß es, wie sollte es anders sein, das größte Frauenhaus in ganz Deutschland, worauf man dann doch auch ein bisschen stolz war. Hier lebten neben dem von der Stadt bestellten und vereidigten Frauenwirt und seinem Weib zuzeiten bis zu zwanzig Hübschlerinnen und gingen unter deren Aufsicht vorschriftsmäßig ihrem Gewerbe nach. Über alledem wachte mit Argusaugen der Rat, stets auf Recht und Ordnung bedacht.

Knapp eine Woche nach Ausbruch der Pest war das Frauenhaus per Ratsverlass geschlossen worden – aber auch schon zuvor war kaum mehr einer zu den wohlfeilen Töchtern ins Maukental gekommen. Die einen trauten sich nicht mehr aus dem Haus, die anderen wollten sich geflissentlich bußfertig und entsagungsbereit zeigen, um der Geißel Gottes zu entrinnen. Nur noch ein paar Stammkunden, die es besonders umtrieb, und ein oder zwei durchreisende Kaufleute hatten sich noch blicken lassen. Inzwischen hing neben dem leeren Vogelkäfig – dem Wahrzeichen aller Freudenhäuser – ein handbeschriebener Zettel mit dem städtischen Siegel an der Tür:

Item auf bevelch eins erbarn Rats ist niemands, wer das auch sey, gestattet, im Fraun Haus bey den Weibern zu ligen, auch nicht in der Trinckstuben zu sitzen, bey Gefahr empfintlicher Leybs Straff. Diß Gebott gilt, solang die bösartig Pestilentz in der Stadt umbgehet oder aber der Rat ein anders beschließt.

Anna zog den Riegel zurück und trat in die Gaststube, die fast das gesamte Erdgeschoss des Gebäudes ausfüllte. Es war ein großzügiger Raum mit zwei lang gezogenen Tafeln und Bänken in der Mitte und einigen runden Tischchen mit Stühlen und Hockern an den Wänden entlang. Wenige kleine Fenster ließen das Licht nur spärlich herein. Die Nordwand wurde dominiert von einem riesigen Kamin, neben dem immer ein Stapel Feuerholz lagerte – man heizte im Frauenhaus mehr als anderswo, weil die Mädchen meist leicht bekleidet herumliefen und Holz den Frauenwirt letztendlich billiger zu stehen kam als eine kranke Hure. An den getäfelten Seitenwänden hingen Gestelle mit Krügen, Tellern und Bechern, daneben einige schlüpfrige Zeichnungen, die irgendwann einmal ein eher mäßiger Malerslehrling als Bezahlung für geleistete Dienste angefertigt hatte. Über der Tür war ein Holzbrett befestigt, auf dem mit glühendem Eisen der Leitspruch aller Schankwirte eingebrannt war: »Hospes illum amat, qui vil trinkt und modice clamat«. Der Boden war mit Stroh ausgelegt; alle zwei Wochen musste der Belag ausgetauscht werden, bevor der Gestank nach verschüttetem Bier, Urin und heruntergefallenen Essensresten zu schlimm wurde.

Normalerweise war in der Trinkstube auch tagsüber immer etwas los: An den Tischen wurde diskutiert, gezecht und gestritten, meist auch Puff, Würfel oder Karten gespielt, die Frauenwirtin kochte Eintöpfe oder briet Würste am offenen Feuer und der Wirt zapfte Bier und Wein. Ein Teil der Mädchen war immer damit beschäftigt, die Gäste zum Trinken zu animieren und zu bedienen, oder aber sie widmeten sich ihren Kunden oben in den Schlafkammern.

Heute jedoch war die Stube fast leer. Ein paar Frauen saßen herum und langweilten sich, die anderen schnippelten Gemüse oder spannen Wolle. Der Frauenwirt Hans Kieser, ein fast sechzigjähriger, bulliger Mann mit rohen Gesichtszügen, dem seit einem Raufhandel vor zwei Jahren ein Ohr fehlte, reparierte in einer Ecke einen Stuhl, der gestern zu Bruch gegangen war. In seiner Nähe hielt sich keine der Frauen auf, denn den meisten von ihnen war er verhasst. Er konnte brutal und jähzornig sein, und es gab kaum eine Hausbewohnerin, die nicht schon mehrmals Prügel von ihm bezogen hatte.

Anna warf ihm einen kurzen Blick zu und ging dann in die Küche zu Gunda, der Frauenwirtin, um ihr die Einkäufe zu übergeben. Gunda war ein großes, grobschlächtiges Weib in mittleren Jahren, die ihren Beruf als Frauenwirtin ausübte, seit sie vor über fünfzehn Jahren den Frauenwirt geheiratet hatte. Ihr oblag nicht nur die Hauswirtschaft im ganzen Betrieb, sondern auch die »medizinische« Betreuung der Mädchen. Sie führte ein strenges, aber gerechtes Regiment, im Gegensatz zu ihrem Mann, der mit dem Ochsenziemer oft vorschnell bei der Hand war. Und ohne ihre Salben und Tränke wären schon viele in Kindsnöte – oder nicht heraus – gekommen.

Bei Gunda in der Küche saß die Wölfin, die nun aufsprang, sich gähnend streckte und Anna mit Schwanzwedeln begrüßte. Grimm war im Frauenhaus wohl gelitten, schon weil die Freier einen Heidenrespekt vor ihr hatten und die meisten Handgreiflichkeiten allein dadurch beendet werden konnten, dass man drohte, die Wölfin auf die Kampfhähne zu hetzen. Außerdem hielt sie das Haus mäuse- und rattenfrei, was der Frauenwirtin, die zwar sonst nicht zimperlich war, aber panische Angst vor den Nagern hatte, das Leben sehr erleichterte. Deshalb hielt Gunda, obwohl sie sonst keine Freundin von milden Gaben war, in der Küche auch immer irgendwelche Leckerbissen für Grimm bereit.

»Vier Ratten hat sie heut schon erwischt«, vermeldete die Frauenwirtin mit Triumph in der Stimme. »Ich hab ihr zur Belohnung einen Rindsknochen gegeben.«

Anna lächelte und tätschelte der Wölfin den Kopf.

»Hier, das ist alles, was ich ergattert hab.« Sie setzte ihre Last neben der gemauerten Herdstelle ab. »Wie geht's dem neuen Mädchen heute?«

Gunda grunzte. »Unverändert. Sitzt auf dem Bett und greint. Ich hab den Hans heut früh grad noch davon abhalten können, ihr die zweite Tracht Prügel zu verpassen. In nächster Zeit gibt's sowieso nichts zu arbeiten, hab ich zu ihm gesagt, da kann sie sich doch noch eine Zeit lang ausheulen. Dummes Huhn, soll froh sein, dass er sie von der Straße aufgelesen hat. Verhungert wär die doch sonst!«

»Ich red mit ihr«, versprach Anna, »komm, Grimm.« Auf dem Weg aus der Küche stibitzte sie einen Kümmelfladen aus dem Brotkorb und verbarg ihn schnell in der Rocktasche – Essen und Trinken waren für die Frauen nicht umsonst; von dem Geld, das sie verdienten, mussten sie Kost und Logis an den Frauenwirt bezahlen, und das nicht zu knapp.

Sie ging die Treppe hinauf in den ersten Stock. Hier befanden sich zwölf kleine Kammern, genauso viele wie im Stockwerk darüber, die meisten nur durch Bretterverschläge voneinander abgeteilt. Aus einer davon klang gedämpftes Schluchzen. Anna klopfte und öffnete die Tür.

»Darf ich reinkommen?« Noch lauteres Schluchzen war die Antwort.

Der Raum war nur von einem winzigen Fenster erhellt, unter dem ein Bett aus rohen Balken mit einem Strohsack und ein paar Laken und Kissen stand. Darauf saß mit angezogenen Füßen ein etwa fünfzehnjähriges Mädchen, ein mageres, sommersprossiges Ding mit dunkelblonden Locken. Sie sah Anna nicht an, als diese sich zu ihr aufs Bett setzte, ließ aber zu, dass diese ihr mitfühlend die Hand streichelte.

»Bist immer noch gram, gell? Wie viele Tage sind's jetzt schon, dass du hier bist – fünf, sechs?«

Das Mädchen gab keine Antwort. Vor einer knappen Woche hatte sie der Frauenwirt von irgendwoher mitgebracht und auch schon in der ersten Nacht an den groben Pfannenschmied verschachert. Seitdem war die Kleine verzweifelt. Kieser hatte getobt, weil er sie wegen der pausenlosen Heulerei keinem mehr anbieten konnte, aber nun war ja Gott sei Dank in der nächsten Zeit ohnehin keine Kundschaft zu erwarten. Anna überlegte, womit sie das Mädchen trösten könnte, und beschloss, einfach zu reden.

»Wein du ruhig, das hilft. Weißt du, als ich damals hergekommen bin, ging es mir genauso. Ich hab gedacht, die Welt bricht zusammen. Vor allen Männern hab ich mich gegraust, und am meisten vor mir selber. Da, wo ich herkomm, waren die Sitten nicht so locker wie hier in der Stadt. Da hat man schon heiraten müssen, bevor man einem Mann in den Schoß sitzen durft; alles andere war Sünde. Aber wie's halt so ist: Der liebe Gott und die Pfarrer haben mir nicht geholfen, als ich in Nürnberg gelandet bin, und irgendwann hat mich einer von den Ruffianen hierher gebracht und für fünf Gulden an den Frauenwirt verschachert. Eine Arbeit als Hausmagd hätt er für mich, hat er mir weisgemacht – da bin ich mitgegangen, unschuldig wie ich war. Zuerst hab ich ein paar Mal versucht, wegzulaufen, aber das hat mir jedes Mal nur eine Tracht Prügel vom Frauenwirt eingebracht. Und wo hätt ich schon hingehen können? Ich kannte ja niemanden in der Stadt. Irgendwann hab ich mich dann halt dran gewöhnt, wie all die andern auch.«

Das Mädchen schniefte. »Wie lang bist du denn schon da?«

Anna überlegte. »So ungefähr vier Jahre sind's jetzt, denk ich. Ich heiße übrigens Anna, und das da ist Grimm, meine Wölfin – keine Angst, sie tut nichts. Und wie heißt du?«

»Eva, und ich bin aus Cadolzburg.«

»Was hat dich denn nach Nürnberg verschlagen?«

Sie fing wieder an, heftig zu schluchzen. »Ich ... ich hab dem Cadolzburger Marktwirt einen Hasen aus der Küche gestohlen, weil wir so Hunger hatten – wir sind daheim acht Geschwister, und mein Vater bloß ein ganz armer Taglöhner. Es war nicht das erste Mal, dass man mich erwischt hat, und der Wirt wollt' mich anzeigen. Der Pfarrer war bei meinen Eltern und hat gesagt, jetzt ist die sündige Hand fällig, die ehrliche Leut' bestiehlt, da bin ich weggelaufen. Ich hab gedacht, in Nürnberg kennt mich keiner und ich kann eine Arbeit finden.«

Anna nickte mitfühlend. Sie zog den Kümmelfladen aus der Tasche. »Hast du denn heut schon was gegessen?«

Eva schüttelte den Kopf, nahm das Brot und biss hungrig hinein, während Anna ihren Erinnerungen nachhing. Das hatte sie damals auch vorgehabt: Arbeit finden, am besten als Dienstmagd in einem reichen Bürgerhaus. Von Tür zu Tür war sie gegangen, aber niemand konnte so ein unerfahrenes dummes Ding wie sie brauchen, noch dazu mit Grimm dabei! In der Stadt hatte man zwar schon Aufsehen erregendere Dinge gesehen als einen zahmen Wolf, aber trotzdem wollte ihn keiner im Haus haben. Und mit jeder Tür, die man Anna vor der Nase zugeschlagen hatte, war ihr Mut gesunken. In den ersten Wochen hatte sie überlebt, weil sie sich täglich zu Mittag in die Schlange vor der Almosenpforte des Barfüßerklosters einreihte, wo ein alter, weißhaariger Mönch Schüsseln mit Brot und Gemüse an die Stadtarmen austeilte. Die Wölfin hatte an der Pegnitz Ratten und Mäuse gejagt und keinen Mangel gelitten, und schlafen konnten sie beide in leeren Kellern oder unter einer Pegnitzbrücke. Es war ja noch warm gewesen. Und dann war dieser Schlepper aufgetaucht ...

»Komm, Eva. Es hat keinen Sinn, im Bett zu bleiben. Wir gehen jetzt in die Stube hinunter, trinken einen Schluck, und ich erzähl dir alles, was du über das Frauenhaus wissen musst. Dann kommt's dir vielleicht nicht mehr so schlimm vor.«

Das Mädchen schüttelte zuerst widerstrebend den Kopf, ließ sich aber dann doch überreden, aufzustehen. Unten setzten sich die beiden an einen leeren Tisch, und eine der Hübschlerinnen brachte auf Annas Bitte sogar einen Krug mit Milch.

»Die meisten von uns sind ähnlich wie du hierher gekommen«, erzählte Anna. »Da drüben, die Rothaarige, das ist die Grete, die hat am Anfang drei Tage getobt wie verrückt. Jetzt hat sie sich eingelebt und ist eine von den beliebtesten Mädchen. Neben ihr, die Dicke mit dem Wuschelkopf, das ist die Cilli. Die hat mich unter ihre Fittiche genommen, als ich neu war. Sie ist die Älteste hier und am längsten im Geschäft. Stell dir vor, sie hat mir aus Mitleid den ersten Kunden abgenommen, einen hässlichen, besoffenen, uralten Kerl mit dem Gesicht voller Warzen. Sie hat gesehen, dass ich ganz starr vor Schreck war und ihn einfach in ihre Kammer gelotst – und mir dafür einen von ihren Freiern geschickt, der wenigstens jung und freundlich zu mir war. Das vergess ich ihr nie!«

Eva druckste ein bisschen herum und fragte schließlich mit rotem Kopf: »Tut das mit den Männern immer so weh?«

Anna lächelte. »Aber wo, das ist nur beim ersten Mal. Wirst sehen, man gewöhnt sich dran. Manche können zwar grob sein, aber die meisten sind recht gut zu haben. Du darfst dich bloß nicht verkrampfen. Mir hat es anfangs immer geholfen, vorher einen Becher Bier oder Wein zu trinken. Ach, schau, wer da kommt!«

Ein ganz in einen braunen Kapuzenmantel gehüllter Mann war durch die Hintertür getreten und streifte gerade die Kopfbedeckung nach hinten. Eine Tonsur wurde sichtbar. Eva sog überrascht die Luft ein, und Anna kicherte.

»Das ist der geile Kilian von den Karthäusern, so nennen wir ihn hier. Er ist einer von unsern Stammkunden; jeden Mittwoch darf er aus dem Kloster, weil er Krankenbesuche in der Stadt macht, und schleicht sich dann heimlich zu uns herein. Er besucht immer die Ursula, das ist die üppige Dunkelhaarige dort drüben, die gerade aufsteht.«

»Aber wir haben doch geschlossen, und überhaupt ist er doch Mönch!«

»Was glaubst du, wie viele Kirchenleut sich bei uns vergnügen! Mönch oder nicht, die Männer haben immer nur eins im Kopf, das ist das Erste, was du hier bei uns lernst. Es ist Geistlichen natürlich verboten, hierher zu kommen, genauso wie verheirateten Männern. Aber daran hält sich keiner. Die dürfen sich bloß nicht vom Stadtknecht erwischen lassen, sonst wird's teuer.«

Der Mönch und seine Hure hatten sich ins obere Stockwerk verzogen, als die Tür erneut aufging und ein Bulle von einem jungen Kerl hereinstapfte. Er schleppte ein volles Bierfass vor dem Bauch, als ob es nichts wäre, und setzte es auf einem Gestell neben der Küchentür ab. Anna winkte ihn zu sich, und er kam mit unbeholfenen Schritten zu den beiden Mädchen an den Tisch.

»Das ist der Linhart, unser Stubenheizer, Fässerschlepper, Leibwächter und Helfer für alle Fälle, gell, Linhart?« Sie tätschelte dem Riesen den fleischigen Unterarm. »Sag schön Grüß Gott zur Eva und gib ihr die Hand.« Linhart lächelte selig, legte ungeschickt seine Pranke in Evas winziges Händchen und brabbelte etwas Unverständliches. Dann genierte er sich plötzlich und lief davon.

Eva schaute ihm mit gerunzelter Stirn nach. »Ist er …?«

»Ja, der Linhart ist nicht ganz richtig im Kopf. Ein Mordskerl, aber er denkt wie ein Kind. Und sprechen kann er auch nicht richtig. Aber er hat eine gute Seele und ist dankbar für jedes freundliche Wort. Er war schon hier, als ich kam, und hat als Erster mit meiner Grimm Freundschaft geschlossen. Ich glaub, er hängt inzwischen fast mehr an ihr als ich. Die anderen sagen, er ist ein Hurenkind.«

Eva kam aus der Verwunderung überhaupt nicht mehr heraus. Sie schüttelte ungläubig den Kopf. »Aber es heißt doch, Huren können keine Kinder kriegen?«

»Das alte Märchen!« Die dicke Cilli war an den Tisch getreten und tippte sich vielsagend an die Stirn. Dann ließ sie sich schwerfällig neben der Neuen auf einem Hocker nieder, der unter ihrem Gewicht gefährlich knarzte. »So blöd, dass es bloß von einem Mann kommen kann.« Sie verstellte ihre Stimme und begann zu dozieren: »Die feilen Weiber haben wegen der Häufigkeit des Koitus ein verschlammtes Gebärorgan, und die Fasern, mit denen dieses den Samen zurückhalten könnte, sind völlig bedeckt, weshalb dies Organ nach Art des fettigen Marmors alles sogleich wieder herausgibt, was immer es aufnimmt. Daher können sie nicht empfangen.« Cilli kicherte und sprach mit normaler Stimme weiter. »Das hat mir mal einer meiner Freier erklärt, ein studierter Doktor der Medizin; ich hab's aus lauter Spaß auswendig gelernt. Ja, wenn die Männer bloß halb so viel im Kopf hätten wie in der Hose! Jedenfalls, wir gescheiten Weiber binden solchen hoch gelehrten Einfaltspinseln natürlich nicht auf die Nase, dass es genügend Mittelchen gibt, die die Leibesfrucht austreiben, ich sag bloß ›Immergrün und Lebensbaum‹ ...« Sie rollte geheimnisvoll mit den Augen.

»Jetzt mach der Eva bloß keine Angst«, fiel Anna ein, die sofort bemerkt hatte, dass die Neue bei Cillis letztem Satz zusammengezuckt war. »Wir lassen's gar nicht erst drauf ankommen, weißt du. Die Frauenwirtin rührt uns Kräutersalben mit Zedernöl, Alaun und Weidensaft an, und viele von uns benutzen kleine, rund genähte Häutchen aus Schafsdarm, die den Eingang zur Gebärmutter versperren. Und außerdem: Eine Frau kann ja nur dann schwanger werden, wenn sie Wollust dabei empfindet, dass ihr ein Mann beiliegt. Und das tun wir sowieso nicht. Ob allerdings solche Amulette mit getrockneten Katzenhoden und Heliotrop, wie sie die Marga und die Kuni tragen, helfen, weiß ich nicht. Jedenfalls passiert es nicht sehr oft, dass eine von uns schwanger wird.«

Eva war dennoch kurz davor, wieder in Tränen auszubrechen. »Aber ich will das alles nicht! Gibt's denn gar keine Möglichkeit, hier wieder wegzukommen?«

Cilli schnaufte. »Glaubst du, dann wären wir alle noch hier, Lämmchen? Keine von uns hat Hurra geschrien, als sie hier gelandet ist. Aber ich hab auch noch nicht erlebt, dass der Frauenwirt freiwillig eine fortgelassen hätt'. Also probier's erst gar nicht mit Weglaufen, der Hans findet dich genauso schnell wie alle anderen. Die Anna kann ein Liedchen davon singen, gell Anna?«

Die Angesprochene nickte vielsagend, begann aber sofort wieder, zu beschwichtigen.

»Ja, am Anfang war's schrecklich. Aber dann – weißt du, ich bin wegen meiner Augen immer gemieden oder angefeindet worden, dass ich's oft verflucht hab. Sogar als Hexe haben mich manche verschrien, dabei war ich doch noch ein Kind! Im Frauenhaus war das plötzlich anders: Meine Augen sind hier was ganz Besonderes, und keiner schaut mich deswegen misstrauisch an. Im Gegenteil, manche Männer sind grad deshalb ganz wild auf mich. ›Schönäugel‹ sagen sie zu mir, stell dir vor.«

Anna war tatsächlich schnell zu einer der Attraktionen des Frauenhauses geworden. Obwohl sie keine gängige Schönheit nach dem Geschmack der Zeit war – dafür fehlte ihr das »Üppige«, die schwellenden Brüste und das pralle Hinterteil –, hatten sich die Freier bald um das zarte, schlanke Mädchen gerissen. Wegen ihrer Augen und weil sie so still war, hatte sie eine geheimnisvolle Aura um sich, einen besonderen Reiz, der so manchen Mann verrückt machte. Sie lachte nicht über derbe Scherze, biederte sich bei keinem an, versuchte nie, einen Kunden zum Trinken zu animieren. Während die meisten ihrer Kolleginnen dünne Hemdchen mit tiefem Ausschnitt und hochgeschlitzte Röcke trugen, zog sie hochgeschlossene, beinahe züchtige Kleider an, und während die anderen sich aufreizend in den Hüften wiegten und ihren Busen schwenkten, ging Anna stolz und aufrecht, als ob sie erst erobert werden wollte. Es hatte nicht lang gedauert, und der Frauenwirt konnte höhere Preise für Anna verlangen – von denen sie, wie es die Frauenhausordnung vorschrieb, einen Teil für sich bekam. Und sie sparte davon, was sie erübrigen konnte, denn eines wusste sie: Irgendwann würde sie hier herauskommen und sich eine eigene Existenz aufbauen.

Nachdem sie zusammen mit Cilli das neue Mädchen einigermaßen beruhigt hatte, ging sie nach oben in ihre eigene Kammer unter dem Dach. Weil der Raum schräge Wände hatte, war er etwas größer als die anderen Zimmerchen, und Anna hatte auch keinen direkten Nachbarn – der Raum nebenan diente als Abstellkammer. Ihr war das gerade recht, denn bei all dem Trubel, der jeden Tag im Haus herrschte, hatte sie gern zwischendurch etwas Ruhe.

Anna hockte sich aufs Bett unter der Dachgaube, nahm sich eine Näharbeit vor und setzte sorgfältig Stich um Stich. Dabei fiel ihr die Begegnung am Vormittag wieder ein: Das Mädchen beim Klarakloster. Traurig, verlassen und hilflos hatte sie ausgesehen, gar nicht wie eine selbstbewusste, stolze Bürgerstochter. Vermutlich würde sie im Kloster heimlich das Kind zur Welt bringen, es ins Findelhaus geben und dann irgendwann wieder auftauchen, als ob nichts gewesen wäre. Aber trotz allen Unglücks, das sich in dem Gesicht des Mädchens offenbart hatte – wenigstens war sie frei. Anna ließ Stoff und Nadel sinken. Dann stand sie auf, legte alles in die kleine Wäschetruhe hinter der Tür und zog das Möbel schließlich zur Seite. Sie schob eine ihrer dicken Haarnadeln zwischen zwei darunterliegende Holzdielen und lüpfte die kürzere von beiden so weit an, dass sie einen Finger hineinzwängen und das Brett anheben konnte. Darunter lag neben einigen ersparten Geldmünzen ein kleines Paket, das Anna vorsichtig herausholte. Dann setzte sie sich mit überkreuzten Beinen auf den Boden und wickelte den Stoff auf.

Zum Vorschein kam ein glitzerndes Etwas: das Perlenmedaillon, das sie aus dem Brandauerschen Haus mitgenommen hatte. Mitgenommen kann man schlecht sagen, dachte Anna voller Gewissensbisse, gestohlen ist das richtige Wort. Fast ehrfürchtig drehte und wendete Anna den glänzenden Anhänger und ließ die goldene Kette durch ihre Finger gleiten. Sie hatte nie in ihrem Leben etwas Schöneres oder Kostbareres gesehen. Wieviel es wohl wert sein mochte? Fünfzig Gulden, hundert? Sie wusste es nicht. Für reiche Leute wie die Brandauers bedeutete das vermutlich nicht besonders viel, aber in Annas Augen war es ein unglaubliches Vermögen. Sie dachte wieder an die schwangere Helena Brandauer. Bestimmt hatte sie den Verlust ihres Schmuckstücks mit der Reliquie im Innern inzwischen längst bemerkt. Anna schloss die Faust so fest um das goldene Fläschchen, dass die Knöchel weiß hervortraten. Nein, sie würde es nicht zurückgeben. Für die andere war es ein Schmuckstück unter vielen, ein Glücksbringer oder Andenken vielleicht, das sie kurz vermissen, aber sicherlich bald durch ein anderes Kleinod ersetzen würde. Für Anna jedoch würde das kostbare Medaillon der Weg in die Freiheit sein.

Von Nürnberg über Schwabach nach Weißenburg, September 1494

Niklas war nach seinem Hinauswurf zunächst ziellos durch die Gassen gewandert, ein Bündel mit seiner wenigen Habe auf dem Rücken. In seiner Verzweiflung konnte der Junge kaum vernünftig denken, nur eines war ihm schrecklich klar: An diesem Abend hatte er nicht nur seine große Liebe verloren, sondern seine Familie, sein Heim, seine Arbeit. Mittel- und heimatlos war er, ein armer Tropf, der nicht wusste, wohin. Sein ganzes Leben war wie ein morscher Steg unter ihm weggebrochen, und er fand sich in eiskaltem Wasser wieder. Auf der ganzen Welt war jetzt keiner mehr für ihn da. Wie sollte es weitergehen? Er wusste es nicht. In seinem Kopf schwirrten die Selbstvorwürfe. Was war bloß in ihn gefahren? Ein schlechter, undankbarer Mensch bin ich, dachte er und hätte sich am liebsten in ein Mauseloch verkrochen. Ich hab es meinem Ziehvater schlecht vergolten, dass er mich wie einen Sohn aufgenommen hat. Wie konnte ich ihm das nur antun? Und wie konnte ich die Lene so ins Unglück reißen?

»Heda, pass doch auf!«

Völlig in die schwärzesten Gedanken versunken, war Niklas beim Überqueren des Unschlittplatzes mit dem alten Nachtwächter zusammengestoßen, der auf der Südseite der Pegnitz stündlich seine Runden drehte.

Der hob nun die blakende Laterne und begutachtete den Jungen mit zusammengekniffenen Augen.

»Was machst du um diese Zeit noch auf der Straße, hm? Schaust gar nicht aus wie ein Herumtreiber.«

Niklas schüttelte den Kopf. »Mein Onkel hat mich rausgeworfen.«

Der Nachtwächter grinste.

»Und dir ein blaues Auge verpasst, was? Eigentlich müsst ich dich melden, nach der Sperrstunde. Naja, Bürschchen, kannst froh sein, dass ich ein gutmütiger Mensch bin. Schleich dich, du wirst doch einen Freund haben, bei dem du übernachten kannst. Oder eine Freundin, hihi. Und morgen früh, wenn sich dein Onkel beruhigt hat, gehst du wieder heim. Los, ab mit dir.«

Der Alte schlurfte weiter und ließ den Ertappten einfach stehen. Niklas lauschte noch seinem heiseren Singsang: »Bewahr das Feuer und das Licht, damit kein Unheil nit geschicht.« Dann nahm er seine Wanderung mit hängenden Schultern wieder auf. Heimgehen?, dachte er, der Alte hat gut reden! Das ist vorbei. In seiner Kehle bildete sich ein dicker Kloß. Jetzt bloß nicht heulen. Er schluckte und räusperte sich, während er in die nächste Gasse einbog. Irgendwann später landete er im Weintraubengässchen, wo ein Freund von ihm wohnte. Bei dem zwei Jahre älteren Sattlergesellen fand er vorübergehend Aufnahme.

In den nächsten Tagen, während die Pest ihren Einzug in die Stadt hielt, lungerte Niklas stundenlang in der Nähe des Brandauerschen Hauses herum, wartete und hoffte, um vielleicht einen Blick auf Helena zu erhaschen. Aber die Läden ihres Zimmerfensters blieben geschlossen. Irgendwann, in einer vorübergehenden Anwandlung von Kühnheit hatte er sich sogar getraut, an die Haustür zu klopfen, aber von drinnen durch das geschlossene Tor nur ein wütendes »Scher dich bloß weg« zu hören bekommen. Schließlich gab er es auf. Er schlich enttäuscht und hungrig über den wegen der Seuche schon ziemlich verwaisten Hauptmarkt und gab am letzten Metzgersstand einen Viertelpfennig seiner ohnehin bescheidenen Ersparnisse für einen Bratwurstweck aus. Dann setzte er sich auf die Stufen vor der buntgoldenen Pyramide des Schönen Brunnens in der Nordwestecke des großen Platzes. Beim Essen beobachtete er das emsige Beladen von vielleicht zwanzig Wagen für einen Kaufmannszug. Ein Pferdeknecht, nur wenig älter als er, schirrte vier kräftige Kaltblüter vor einen Planwagen, der offenbar Metallplatten oder Harnische geladen hatte, eines der erfolgreichen Exportprodukte der Reichsstadt. Mit ruhigen Bewegungen hob der Junge das Joch über den Kopf des letzten Tieres, als plötzlich einer der Harnische von der Ladefläche rutschte und scheppernd aufs Plaster fiel. Erschrocken fing der erste Gaul an zu steigen, der zweite bockte. Das Gespann geriet außer Kontrolle, und der Karren begann, sich vorwärts zu bewegen. Der Knecht konnte nicht schnell genug zur Seite springen. Mit einem Schrei fiel er hin, und das linke Vorderrad mit dem eisernen Radreifen überrollte sein rechtes Knie.

Niklas war sofort bei ihm und zog den Pechvogel unter dem Wagen vor. Das Bein sah furchtbar aus; spitze Knochenenden ragten aus blutigem Fleisch. Der Junge schrie wie am Spieß.

»Verflucht und zugenäht, ich hab doch gesagt, legt Keile unter alle vier Räder!«

Der Kaufmann, ein vornehm gekleideter, bärtiger Mann, der alle Hände voll zu tun gehabt hatte, um die Rösser wieder zu beruhigen, kam nun heran und beugte sich zu seinem Pferdeknecht.

»Herrgottszeiten, Hans, das schaut schlimm aus.« Er richtete sich wieder auf. »Bringt ihn zum nächsten Bader«, befahl er zwei anderen Knechten.

Der Kaufmann verzog das Gesicht und rieb sich dabei nachdenklich den Bart. »Das geht ja schon gut los«, bemerkte er zu einem jungen, braunlockigen Mann, der dazugetreten war. »Jetzt haben wir einen Mann weniger, das wird Probleme machen, vor allem auf dem Weg übers Gebirge.«

Der Braunlockige nickte. »Ich werd Euch da leider nicht von großem Nutzen sein, mein lieber Groß, ich hab eine Heidenangst vor den Viechern!«

Der Kaufmann lachte. »Schon gut. Vielleicht lässt sich unterwegs einer als Ersatz verdingen.«

Der junge Mann schlenderte weiter, während der Kaufmann nochmals das Geschirr überprüfte, den heruntergefallenen Harnisch wieder festzurrte und die Plane darüberzog.

Derweil hatte Niklas, dem das Gespräch nicht entgangen war, einen spontanen Entschluss gefasst.

»Entschuldigt, Herr.« Er zupfte den Kaufmann am Ärmel. »Mein Name ist Niklas Linck, und ich habe gehört, dass Ihr einen Pferdeknecht braucht.«

Der Kaufmann hob erstaunt die Brauen. »Du siehst nicht aus wie ein Pferdeknecht, mein Junge.«

»Bin ich auch nicht, aber ich kann mit Rössern umgehen. Ich hab schon zweimal einen Handelswagen für meinen Onkel nach Prag kutschiert, und Reiten und ein Pferd versorgen kann ich auch, wenn's sein muss. Was ich noch nicht weiß, werd ich lernen. Ich verlang auch nicht viel Bezahlung, Herr, ich bin schon zufrieden, wenn ich mit darf.«

Der Bärtige überlegte kurz. »Na, viel Auswahl hab ich wohl im Moment nicht, was? Hm, wir können's versuchen. Als Bezahlung biet ich dir neun Pfennig am Tag, dazu Kost und Logis, das ist der normale Lohn. Und wenn du dich nicht gut genug anstellst, suchen wir uns halt in Augsburg jemand anders.«

Niklas war erleichtert. »Danke.«

»Dann mach dich fertig. In spätestens einer Stunde müssen wir aus der Stadt sein, wenn wir die heutige Strecke noch schaffen wollen. Ich bin übrigens Melchior Groß, Fernhändler und Waffenschmied, und mir gehören zehn Wagen in diesem Zug. Die anderen zwölf sind von einem italienischen Kaufmann aus Padua.«

Niklas rannte schon. »Ich hol nur noch mein Bündel«, schrie er über die Schulter zurück. »Bin gleich wieder da!«

»Willst du gar nicht wissen, wo's hingeht, Junge?«, fragte Groß schmunzelnd.

Niklas blieb stehen. Er hatte völlig vergessen, danach zu fragen. »Wohin denn?«

»Venedig«, rief der Kaufmann. »Wir ziehen über den Brenner nach Venedig!«

Eine Stunde später rollte ein Wagen nach dem anderen durch das Spittlertor auf die Schwabacher Straße Richtung Süden. Die schweren, mit Strohmatten und Planen bedeckten Wagen wurden je nach Beladung von vier, sechs oder sieben kräftigen Gäulen gezogen. Jedes Fuhrwerk wurde von einem Pferdeknecht angeführt, und bei den Siebenergespannen saß zusätzlich ein Reitknecht auf einem der Rösser. Die Fuhrwerke des Italieners hatten die Spitze übernommen und schlugen eine gemächliche Gangart an. Der Padovese hatte Drahtrollen, Messingprodukte und Ballen schwäbischen Tuchs geladen, gelben Bernstein aus dem Norden und kostbare Pelze aus dem Osten, alles hochwertige Handelswaren, die er während der letzten vier Wochen in Nürnberg eingekauft hatte und mit denen in Italien guter Profit zu machen war. Er selber reiste wie Melchior Groß zu Pferd; beide ritten an der Spitze des Zuges.

Niklas hatte seinen Platz beim vorletzten Wagen gefunden, ihm fiel die Aufgabe zu, eines der Rösser zu führen. Er fühlte sich zum ersten Mal seit Tagen leicht und befreit. Gerade hatte die Zukunft noch hoffnungslos und trist ausgesehen, nun war plötzlich die Aussicht auf ein neues Leben da. Ob er wohl die richtige Entscheidung getroffen hatte? Niklas grübelte eine Zeit lang, aber dann siegte die Unbeschwertheit der Jugend. Ein Abenteuer lag vor ihm. Venedig! Die herrlichste Stadt des Abendlands, so sagte man. Mitten ins Wasser gebaut und voll der größten Wunder und Reichtümer! Die Vorfreude wog beinahe die Trauer darüber auf, dass er Helena verloren hatte und seine Gesellenzeit als Goldschmied nun nicht mehr zu Ende bringen konnte. Aber irgendwie würde es weitergehen, und zumindest in den nächsten beiden Monaten hatte Niklas eine Aufgabe. Er schritt zügig aus, immer mit der Hand am Backenriemen seines Pferdes.

Gegen Abend erreichten sie das kleine Städtchen Schwabach, ihr erstes Etappenziel. Der Wagenzug fuhr durchs Nürnberger Tor ein, überquerte den Fluss über die steinerne Brücke beim Kappenzipfel und rollte dann an der Kirche vorbei quer über den Marktplatz. Man kam im Weißen Lamm unter, einem der großen Brau- und Gasthäuser der Stadt. Die Wagen mit der kostbarsten Ladung wurden in den Hinterhof der Herberge gebracht, die anderen blieben auf dem Marktplatz stehen. Niklas war todmüde und hatte vom ungewohnten Laufen die ersten Blasen an den Füßen. Er schirrte seine Rösser ab, versorgte sie in den Wirtschaftsstallungen mit Wasser und Heu, und trat dann schließlich in die Gaststube.

Drinnen ließ er sich auf eine noch leere Bank sinken, zog die Stiefel aus und streckte seine wundgelaufenen Füße von sich. Er war froh, den ersten Tag hinter sich zu haben. Wie alle Pferdeknechte würde er eine warme Mahlzeit, Brot und Bier bekommen, die übliche Verköstigung eben. Der Wirt stellte auch bald eine hölzerne Schüssel mit dickem Erbsenmus und Rauchfleisch vor Niklas hin, dazu einen großen Krug von dem schäumenden Rotbier, für das die Schwabacher Brauer weithin berühmt waren. Es hieß, sie tauschten ihr Gebräu im Ungarischen im Verhältnis eins zu eins gegen Wein – und dies nicht ohne Grund, was Niklas schon beim ersten Schluck genießerisch feststellte.

Weil er noch niemanden kannte, blieb Niklas auf seiner Bank allein. Er aß hungrig, dann lehnte er sich zufrieden gegen die Wand und beobachtete das Treiben in der vollen Gaststube. Bis auf die Knechte, die draußen die Wagen bewachen mussten, waren alle Teilnehmer des Handelszugs beim Abendessen versammelt. An den meisten Tischen ging es fröhlich zu, die Männer machten Witze, erzählten von vergangenen Reisen und besprachen die Route, die vor ihnen lag. Niklas' Blick fiel auf Melchior Groß, der zusammen mit dem Italiener und dessen Sohn, der ebenfalls mitreiste, an einem Seitentischchen saß. Die drei unterhielten sich lebhaft in einer Mischung aus Deutsch und Italienisch, wobei die zwei Padoveser heftig gestikulierten.

Plötzlich hatte Niklas ein unbestimmtes Gefühl, als würde er beobachtet. Er sah sich suchend um und sein Blick fiel auf den jungen Mann mit den hellbraunen Locken, den er schon bei der Abreise in Nürnberg gesehen hatte. Er hatte ein hölzernes Brett mit einem Stück Pergament oder Papier auf den Knien und zeichnete darauf mit einem kurzen schwarzen Stift. Dabei fixierte er immer wieder Niklas' ausgestreckte nackte Füße. Niklas besah sich ungläubig noch einmal seine Füße, dann schaute er wieder den jungen Mann an, der ganz offensichtlich etwas aufs Papier malte, dann wieder seine Füße, dann wieder den jungen Mann.

»Äh, entschuldigt, aber .... zeichnet Ihr da etwa meine – Füße?«

Der andere sah stirnrunzelnd von seiner Arbeit hoch. »Natürlich, warum nicht, stört's Euch?«

»Nein, nein«, beeilte sich Niklas zu sagen, »ich wundere mich nur – ich meine, schön sind sie ja nun wirklich nicht, grad jetzt, mit den Blasen und den roten Stellen. Malt Ihr die etwa auch mit?«

»Wer sagt, dass ein Maler immer nur das Schöne abbilden muss? Wichtig ist das Wirklichkeitsgetreue, das Echte. Und dazu gehören im Fall Eurer Füße eben auch die Blasen.« Er zeichnete konzentriert weiter, schraffierte und strichelte. »Könntet Ihr noch einen Moment so bleiben? Ich brauche nicht mehr lang.«

Während der andere malte, musterte Niklas ihn gründlich. Er mochte Anfang Zwanzig sein, hatte braune, sanfte Augen, die unter leicht hängenden Lidern lagen, eine etwas zu große Nase mit leichtem Höcker und einen üppigen Mund. Das Haar fiel ihm bis weit über die Schultern, und er trug einen sauber gestutzten Vollbart. Seine Hände waren weiß und zartgliedrig, beinahe wie die einer Frau. Der Maler wirkte hoch konzentriert, kniff immer wieder die Augen zusammen oder zog die Stirn in Falten, und manchmal erschien eine vorwitzige Zungenspitze eingeklemmt zwischen Ober- und Unterlippe. Man konnte den Eindruck gewinnen, die Welt sei um ihn versunken, während er zeichnete.

Schließlich ließ der junge Mann den Stift sinken und atmete tief durch. »So, das war's. Danke für Eure Geduld.«

»Darf ich mal sehen?« Niklas war neugierig geworden. Er ging zu dem Maler hinüber. Tatsächlich: Eine realistische, völlig naturgetreue Abbildung seiner Füße. Hier eine Blase am rechten großen Zeh, da noch eine seitlich an der Ferse, dort dunkle Stellen, an denen die Haut von der Reibung gerötet war. Sogar die kleine Narbe am Knöchel war da, wo ihn als Kind einmal eine angriffslustige Ratte gebissen hatte. Und die Härchen am Rist, lauter winzigfeine Strichelchen. Perfekt.

»Das ist ja meisterhaft!« Niklas war begeistert. Er streckte die Hand aus. »Niklas Linck, Goldschmiedegeselle aus Nürnberg, zur Zeit allerdings nur Pferdeknecht.«

Der andere lachte und ergriff die dargebotene Rechte. »Albrecht Dürer, Maler und Kupferstecher, ebenfalls aus Nürnberg.«

»Kommt Ihr den ganzen Weg mit nach Venedig?«

Dürer nickte. »Ich will dort den italienischen Stil in der Malerei studieren. Außerdem reise ich im Auftrag meines Paten – das ist der Buchdrucker Anton Koberger –, um dort für ihn einen Handel abzuwickeln. Und drittens hatte ich keine Lust, daheim zu sitzen und zu warten, bis mich die Pest erwischt.«

»Wär schade um Euch«, bemerkte Niklas trocken. »Ihr seid ein begnadeter Zeichner.«

»Danke«, lachte Dürer. »Sagt, wollt Ihr mit den Füßen morgen eigentlich weiterlaufen?«

Niklas zuckte mit den Schultern. »Werd ich wohl müssen, wenn mich mein Dienstherr nicht zum Kutschieren auf den Bock schickt.«

»Na, mal sehen, vielleicht lässt sich was machen.«

Der Maler schlenderte zum Tisch der Kaufleute und setzte sich dazu. Niklas trank seinen Humpen aus und verließ die Gaststube. Draußen war es noch hell, aber auf der breiten Straße vor der Herberge waren nur noch wenige Leute unterwegs. Gerade bog der Schwabacher Stadthirte um die Ecke, gefolgt von seiner Kuhherde. Er hatte die Tiere tagsüber auf der Weide beaufsichtigt und brachte sie jetzt eines nach dem anderen heim in ihre Ställe. Der kleine Viehtrieb hielt vor dem Nebenhaus des Weißen Lamms an, wo eine ältere Frau zwei Kühe in Empfang nahm und in den Hof führte. Niklas wich aus, als eines der Rindviecher zu nah an ihm vorbeilief, und musste sich vom Hütehund anbellen lassen. Jetzt erst merkte er, wie todmüde er eigentlich war, und beschloss, sich gleich in den Stall zu seinen Pferden zu legen. Nach einigem Suchen in den weiträumigen Hintergebäuden der Wirtschaft fand er endlich seine sechs Rösser, die zufrieden und Heu malmend nebeneinander angebunden waren. Er wickelte sich in eine Decke, legte sich aufs weiche warme Stroh, sog den angenehmen Stallduft in die Nase und schlief sofort ein.

Am nächsten Morgen wurde beim ersten Tageslicht angespannt. Niklas fühlte sich gut ausgeruht, und nach einem nahrhaften Frühstück in Gestalt eines dicken Graupenbreies war er bereit für die nächste Etappe, die heute bis nach Weißenburg führen sollte. Kurz vor Abmarsch winkte ihn Melchior Groß zu sich. Der Kaufmann saß bereits auf seinem Schimmel und überwachte den Aufbruch.

»Gestern Abend hat mir der Dürer seine neueste Zeichnung gezeigt. Deine Füße sehen darauf nicht sehr schön aus, Junge. Bist das Laufen noch nicht gewohnt, was? Na, das kommt schon noch. Heute tauschst du mit dem Bernhard, der den Wagen kutschiert, und ab morgen läufst du jeden Tag ein Stück. Dann wird's besser.«

Niklas war froh und stieg auf den Wagen, während der Kutscher seinen Platz neben dem vordersten Pferd einnahm. Dann zogen die Rösser an, und der Wagenzug rollte langsam zum Zöllnertor hinaus.

Niklas genoss es, den Wagen zu lenken. Er achtete darauf, in der Spur seines Vordermanns zu fahren, vermied Schlaglöcher und tiefe Pfützen, fuhr langsam und vorsichtig über dicke Wurzeln. Die Straße war in gutem Zustand; dank des einigermaßen trockenen Wetters war der Boden hart, und so kam der Zug gut voran. Während Niklas die Felder und Wiesen betrachtete, wanderten seine Gedanken immer wieder zurück zu Helena. Wie mochte es ihr jetzt gehen? Die Sehnsucht nach ihr war manchmal fast wie ein körperlicher Schmerz, der Herz, Bauch und Magen quälte. Wenn er nur einen Weg fände, um ihr eine Nachricht zukommen zu lassen. Und, Herrgott, sie trug sein Kind! Was würden ihre Eltern ihr antun? Man hörte immer wieder von Mitteln, die eine Austreibung verursachen konnten. Niklas sah wieder ihr Gesicht vor sich: Die großen Augen von der Farbe dunklen Honigs unter fein gezeichneten Brauen, die Nase, die etwas zu stupsig wirkte, die Grübchen, die entstanden, wenn sie lachte, das herzförmige kleine Kinn. Er konnte ihre Lippen noch auf seinen spüren, weich und warm. Er roch ihr Haar; seine Hände, in denen die zwei Zügelpaare lagen, fühlten statt des Leders die samtige Zartheit ihrer Brüste.

»Menschenskind, pass doch auf!«

Die Stimme seines Führers riss ihn aus der Träumerei. Er hatte die Rösser zu nahe an eine tief ausgefahrene Reifenspur gelenkt, und das rechte Vorderrad war in die Rinne geraten. Niklas nahm sich zusammen, kutschierte nun wieder konzentriert und versuchte, Helena aus seinen Gedanken zu verbannen.

Der Tag verlief ohne besondere Vorkommnisse; es war eine leichte Strecke ohne große Höhenunterschiede gewesen. Abends nach dem Essen ging Niklas zu dem Maler hinüber, der mit dem jungen Italiener zusammensaß.

»Ich muss mich dafür bedanken, dass Ihr Euch für mich verwendet habt. Meinen Füßen geht's schon viel besser, und das Kutschieren macht mehr Vergnügen als das Laufen.«

Dürer wehrte höflich ab, rutschte dann einen Hocker zurecht und machte eine einladende Handbewegung.

»Setzt Euch doch und trinkt einen Becher Wein mit uns. Messer Paresi, kennt Ihr schon Niklas Linck, den Goldschmied?«

Der Italiener, ein etwas zur Fülle neigender junger Mann mit modischem Kolbenhaarschnitt, verneinte lächelnd und deutete mit dem Kopf eine kleine Verbeugung an. »Piacere. Leoluca Paresi aus Padova.«

Niklas setzte sich mit an den Tisch, und schon bald entwickelte sich eine lebhafte Unterhaltung. Der junge Kaufmann sprach leidlich Deutsch und erzählte den beiden alles, was sie über Italien wissen wollten. Die Zeit verging wie im Flug; die drei tranken und redeten, bis sich die Gaststube langsam leerte. Schließlich rückte Dürer mit dem Anliegen heraus, das er schon den ganzen Abend hatte vorbringen wollen.

»Signor Leoluca, darf ich Euch bitten, mir während der Reise Eure wunderbare Sprache beizubringen? Ich habe vor, eine Zeit lang in Venedig zu bleiben und möchte mich verständlich machen können. Ich könnte Euch als Entschädigung für Eure Bemühungen ein Porträt oder sonst ein Bild malen, wenn Ihr möchtet. Nun, was sagt Ihr?«

Der elegante Italiener lächelte breit. »Natürlisch, amico mio. Iste kein Problem, wir werden haben gute Spaß dabei. Ganze Tag auf Pferd sitze iste langeweilig. Wenn wir komme nach Venezia, Ihr werdet spreche wie Italiano, ich gebe garantia!« Er fuchtelte mit beiden Armen und war ganz offensichtlich begeistert von der Idee.

Niklas überlegte, ob er es wagen konnte, sich Dürers Bitte anzuschließen. Er war schließlich nur ein einfacher Pferdeknecht und kein ehrbarer Bürger und Handwerker mehr. Aber es war wichtig, dass er die fremde Sprache lernte – wie sollte er sonst in Venedig Arbeit finden? Also traute er sich.

»Ich kann Euch zwar kein Bild als Belohnung anbieten, Messer Paresi, aber darf ich mich dennoch Eurem Unterricht anschließen? Ich möchte mich in Venedig niederlassen, und es wäre von großem Nutzen für mich, ein paar Sätze Italienisch zu lernen.«

Dürer und der junge Kaufmannssohn waren einverstanden, und so wurde es abgemacht, dass sich die drei in Zukunft jeden Abend eine Zeit lang zum Lernen zusammensetzen wollten.

»Jetzt müsst Ihr mir aber die Frage beantworten, Niklas Linck, warum ein Goldschmied sich als einfacher Pferdeknecht verdingt und über die Alpen zieht.« Der Maler war von Natur aus ein neugieriger Mensch.

Niklas entschied sich, bei der Wahrheit zu bleiben. »Mein Zieh-onkel – Ihr kennt ihn vielleicht: Heinrich Brandauer, der bekannte Goldschmied – hat mich aus dem Haus geworfen. Ich bin mittellos und habe sonst keine Familie. Was sollte ich machen? Dass ich gestern auf den Kaufmannszug gestoßen bin, war reiner Zufall. Da bin ich auf die Idee gekommen, einfach fortzugehen, egal wohin.«

Dürer nickte. »Und darf man wissen, warum Euch Euer Onkel hinausgeworfen hat?« Er schenkte Niklas Wein aus einem bauchigen Zinnkrug nach. Der nahm einen tiefen Schluck, bevor er weitererzählte.

»Er hat entdeckt dass ... naja, ich und meine Base Helena, wir haben ... Ihr wisst schon.«

Der Italiener lachte prustend los und schlug Niklas auf die Schulter. »Ecco! Immer die Fraue, no? Amore iste das schönste Ding im Leben, wann man iste so jung wie wir und eine richtige Mann, eh? Ah, wenn ich denke an meine schöne Freundinne in Padova, madonna, mein Hose wird eng!«

Dürer fiel in Paresis Heiterkeit mit ein, während Niklas sich eher unverstanden fühlte.

»Nein, es ist nicht so, wie ihr denkt. Wir lieben uns, das ist kein Getändel. Wir wollten heiraten.«

»Ah, nichte so schnell heirate, mein Freund.« Der Italiener war in seinem Element. »Besser erst ausprobiere viele Fraue. So jung in Ehe gehen iste nix gut. Gibte überall so schöne Mädche! Und du biste feiner junger Mann, schön mit schwarze Haar und gute Temperamente! Musst du oft Liebe mache, nichte bloß mit eine Frau, no no, mit viele!«

»Aber sie bekommt ein Kind!«

Dürer kratzte sich an der Nase. »Das macht die Sache natürlich nicht einfacher. Aber wenn ihr Vater dich nicht als Schwiegersohn haben will, dann musst du dich wohl oder übel fügen. Ohne Einwilligung der Eltern ist eine Heirat unmöglich, das weißt du doch.« Unwillkürlich war der Maler auch zum vertrauteren Du übergegangen.

Niklas seufzte. »Natürlich weiß ich das. Aber sie fehlt mir so, und ich konnte ihr nicht einmal sagen, dass ich weggehe.«

»Schreibst du ihr eine Brief, iste ganz einfach«, mischte sich Leoluca ein.

»Glaubst du, ihr Vater würde ihr einen Brief von mir geben? Lieber frisst er ihn auf, ich kenn meinen Onkel.«

Die drei überlegten. Dann schnippte Albrecht mit den Fingern. »Mir fällt da was ein. Meine Frau, die Agnes, die könnte ihr doch einen Brief zustecken. Die jungen Weiber sehen sich doch regelmäßig beim Kirchgang, oder? Wir schicken deine Nachricht an meine Agnes, und die gibt sie weiter.«

»Essattamente, bravo«, freute sich der Italiener und klatschte in die Hände. »So mache wir das!«

Niklas war glücklich. Endlich eine Möglichkeit, Kontakt mit Helena aufzunehmen. Er lieh sich von Albrecht Schreibzeug und einen Fetzen Papier und kritzelte hastig eine kurze Nachricht.

Lene, libstes Mädchen, mein einzig Schatz, ich hab gantz traurigk Nürenberg verlassen und geh mit eim Handelszugk nach Venezia, wo ich mein Glück versuchen will. Wenns möglich ist, will ich dir des öftern berichten, wie es mir ergeet, und bitt dich, mir auch zu schreiben, was dein Los ist und das unsers Kindleins. Die dir dies bringet ist Agnes Dürerin, die Frau eins guthen Reisegeferten, sie schicket auch ein Antwort von dir zu mir. Behalt mich recht lib und wert und sei getrost, daß ich dein stets gedenk. Vielleicht möcht uns der liebe Herrgot bald widerumb zusammen bringen, das hoff und glaub ich getrost. Geschriben in Eil zu Weißenburgk am Abent des Montag Egydi. Dein getreuer Niklas.

Er versiegelte den Brief, und Albrecht schrieb die Adresse seiner Frau auf die Vorderseite: Agnes Dürerin, Nürnberg, unter der Vesten. Das fertige Schreiben gaben sie dem Wirt, der versprach, den Brief bei der nächsten Möglichkeit mit nach Nürnberg zu schicken. Danach ging der Italiener nach draußen, nicht ohne vorher der drallen Küchenmagd ein verstecktes Zeichen zu geben. Albrecht und Niklas blieben noch eine Weile sitzen.

»Wie lang bist du denn schon verheiratet mit deiner Agnes?«, wollte Niklas wissen.

»So sieben Wochen dürften's jetzt sein«, meinte der Maler gleichmütig.

»Was?« Niklas war verblüfft. »Du lässt deine Frau nach nur sieben Wochen für so lange Zeit allein? Wie bringst du das fertig?«

Dürer zuckte die Schultern. »Ach weißt du, mit mir und der Agnes ist das irgendwie anders. Sie ist ein lieber Kerl, brav und gut, liest mir jeden Wunsch von den Augen ab. Aber mir ist das zu viel. Vielleicht bin ich einfach nicht für den Ehestand gemacht – nie ist man allein, immer ist der andere da. Alles ist so eng. Ja, der Agnes, der gefällt's. Bloß ich, ich fühl mich wie eingesperrt.«

»Liegt dir denn nichts an ihr?«

»Hm. Doch, schon. Aber die Agnes ist mir eher wie eine Schwester. Ich komm gut mit ihr aus, aber … mit der Liebe, das ist nicht so einfach. Irgendwie sind mir die Frauen, wie soll ich sagen, ein bisschen fremd.«

Niklas verstand nicht so recht. »Aber ein Mann braucht doch eine Frau. Ich meine, es heißt doch, dass eine Stauung der männlichen Säfte ungesund ist, und auf die Dauer ist da ein Eheweib doch nötig …«

Albrecht schaute nachdenklich in seinen Weinbecher. »Jaaa, das sagen die Pfaffen. Aber bei den alten Griechen zum Beispiel, da waren die Frauen eher, wie soll ich's sagen, nur zum Gebären da. Die Männer haben zwar aus Pflicht um die Fortführung der Familie bei ihnen gelegen, aber die wahre Liebe wurde zwischen Mann und Mann gepflogen.«

»Du meinst …«

»Genau.«

Niklas war entsetzt. »Aber heute gilt das als Sodomie!«

»Wer sagt, dass wir heute über die Liebe mehr wissen als die Menschen vor zweitausend Jahren?« Der Maler kippte den letzten Rest seines Weines und stand auf. »Ich geh jetzt schlafen. Morgen ist ein langer Tag.«

Niklas saß noch eine Weile da und dachte über die Worte des Malers nach. Wenn's nach mir ginge, überlegte er, soll doch jeder auf seine Art selig werden. Aber nach Recht und Gesetz stand auf die leibliche Vermischung unter Männern der Tod durch Verbrennen! Erst vor einiger Zeit hatte man zu Würzburg einen Handwerksburschen bei gottloser Unzucht mit einem Tuchmacher erwischt. Beide waren auf den Scheiterhaufen gesetzt und bei langsamer Flamme verbrannt worden. Niklas graute.

Brief des Niklas Linck an Helena Brandauer, Mitte Oktober 1494

Mein Helena.

Ich schreib dir und weiß doch nicht, ob dich meine Brieff wirklich erreichen. Wenn ich bloß wüßt, was mit dir geschehn ist, ob du noch daheim bist oder ob dich dein Vater aus Nürnbergk wegbracht hat? Mein Sensucht nach dir Liebchen ist gar arg und ich denck jeden Tag und wol auch des nachts an dich.

Unser Weg nach Süden währt nun schon an die sechs Wochen, und die Fahrt verläuft günstig und gefällt mir gar wohl. Wir sind zogen über Monheim und Donauwerth bis nach Augspurg, eine feine Stadt, nicht gar so schön wie unser Nurenberg mit seiner trutzigen Burgk, aber mit großen Häusern und fürnehmen Bürgersleutten. Allda sind noch einigk Pilger zu unserm Zug kommen, die über Venezia ins Heilige Landt fahren wolln. Mein Dienstherr, das ist der erbar Kaufmann Melhior Grosz, hat mich auch nach Augspurg weiter mitnemen wolln, des war ich froh. Meine Rößlein und ich verstehn uns wol, und das Wagen farn ist ein rechter Spaß, zum wenigsten solangk das Wetter trocken und die Straße wegsam ist.

Zwei Freund hab ich schon gefunden: einer ein junger Maler mit Namen Albrecht Türer – sein Weib bringt dir meine Brief, so alles gut gehet –, und der ander ein welscher Kaufman, der lehrt uns die welsche

Sprach mit gar viel Geduld. Wir sitzen offt auf meim Wagen zusammen, und lernen wolh klingend Worte wie bonasera oder amicomio oder zentiluomo. Die Lieb heißet bei den Welschen amore – bei dem Wortt denk ich an dich, meine Lene, und dann wird mir das Hertz schwer.

Der Türer ist ein angenehmer Reisegenoss, ein paar Jahr älter als ich. Stets hat er sein Zeichenzeug bei der Handt, und malt Land und Leut gar wie's ihm gefällt. Sogar meine wunden Füß hat er gezeichent! Gestern hat er ein Ross abgebildt, an dem jeds Härlein eintzeln zu sehn war! Oft sitzet er mit mir auf dem Bock und wir disputirn über alle mögklichen Dingk. Er trägt die Locken überlang, fast wie ein Geck, und putzt sich teglich für die Fahrt heraus wie für den Rathaustantz, aber zu eim Künstler wie er einer ist, mag das wol passen.

Von Augspurg sind wir gefahrn den Fluss Lech aufwärts nach Lantzberg, von da nach Schongau, Ober Amergau, Parthenkirch und Mittenwaldt, wo wir zwei Tag gelegen sind, weil ein Wagen einen Achsbruch und einer ein schadthaft Deixel gehabt hat. Zu allem Überdrus sint auch noch drei Knecht weckgeloffen, weil sie nit mer mit übers Gebirg wollten. Die Berg sehn aber auch jeden Tag bedrolicher aus, finster und mit hohen Felsen und geferlichen Wegen. Nachdem widerum drei Männer geworben waren, sind wir weiter hinein in die hohen Alpen.

Nach Mittenwaldt ging die Reis in Regen und Schlamm nach Scharniz, ab da ist der Weg fast nur noch ein Saumpfadt gewest, arg holprig und schier zu eng für unsre Furhwerck. Scharniz ist ein einzigke große Wirtschaft für Kaufleutt, wir haben allda fünf fusslahme Rösser getauscht gegen gesundte Thiere. Ein Fürer hat uns dann über den Pass bracht, mit groszer Mühen und Plag, denn der Weg war steil und voller Steine, und des Regens war viel. Gott seis gedankt, daß wir diese schlimme Streck überwunden haben, auch wenn ein Knecht hingestürtzet und sich den Arm prochen hat. Im Thal des Flusses Inn war besser Vorwertskommen, dieweil das Wetter trocken und der Wegk wieder breit war. Über die klein Dörfer Seefeld und Zirl sind wir entlich nach Innsbruck kommen, wo drei Tag Ruhe notwendig warn, für die Rösser und für uns. Darnach stieg der Zug das Flüßlein Sill ent-

langk hinauf bis nach Matrei, von wo ich dir mein liep heut schreib. Mir geht es dank Gots Hilffe gut genug, nur müd bin ich genau wie die andern. Die Tage sind langk, und die Reis kostet viel Krafft und Anstrengungk. Des Abents sint wir alle so matt, daß der Albrecht Türer, der Leoluc und ich nit mehr lernen können, aber wir reden stattdessen unter Tags zumeist in der welschen Sprach mit einander, das bringt guthen Fortschritt.

Liep Helena, sei unverzagt und nit traurigk. Ich schliß dich ein in meine Gedanken und pleib allzeit mit dir verpunden und mit dem Kintlein das du unter dem Hertzen trägst. Gott schütz euch. Schreib mir ein Antwortt, wenn du kannst, und gieb sie der Dürerin. Morgen gehts weiter auf dem grossen Pass genant Brennero übers höchste Gepirg.

Geschriben zu Matrei, den Donerstag Galli anno 1494.

Von Matrei über den Brenner nach Trient, Mitte Oktober bis Anfang November 1494

Matrei lag in dichtem Nebel und es nieselte ganz leicht, als der Zug im ersten Morgengrauen aufbrach. Man hatte einen Teil der schweren Ladung auf Esel und Maultiere gepackt, um die Wagen zu entlasten, und die Zugpferde waren teilweise durch kräftigere Ochsen ersetzt worden. Zwei ortskundige Rodleute dienten als Führer, denn es gab keine Karten, und ohne einheimische Hilfe konnte man den Übergang über den Hauptkamm der Ostalpen nicht wagen. Die härteste Strecke der ganzen Reise stand bevor, und zu allem Überfluss hatten die Einheimischen einen Wettersturz prophezeit. In der Nacht hatte es bereits leichten Frost gegeben.

Niklas saß frierend auf dem Bock; neben ihm hockte Dürer, die langen Haare unter einer dicken Mütze versteckt. Die Kaltblüter setzten schwerfällig Huf vor Huf, während das Gelände stetig anstieg.

»Was heißt kalt auf Italienisch?« Der Maler rieb sich die Hände.

»Freddo. Und warm heißt caldo. Der Leoluca hat's uns gestern erst gesagt. Kannst du dir denn gar nichts merken?« Dürer war eindeutig der schlechtere Schüler des Italieners. Es mangelte ihm an Sprachgefühl, und er brachte oft alles durcheinander. Niklas hingegen tat sich ausgesprochen leicht und unterhielt sich schon in einfachen Sätzen mit den beiden Padovesen.

Dürer brummte etwas in seinen Bart. Seit Innsbruck war er unzufrieden, weil die Herbstkälte seine Finger so klamm machte, dass er kaum malen konnte. Er hatte inzwischen eine erkleckliche Sammlung an Landschaftsaquarellen im Reisegepäck, dazu viele Musterblätter mit Detailstudien.

Der Saumpfad wurde immer steiler und holpriger, je weiter sie kamen. Links und rechts stiegen die Hänge fast senkrecht an, und der Pfad war von großen Felsbrocken gesäumt. Nachdem der Wagenzug die ersten hundert Höhenmeter geschafft hatte, fing es an zu schneien. Ein eisiger Wind fegte über Mensch und Tier hinweg. Sie durchfuhren mühsam kleine Wildbäche, passierten gefährliche Wasserstürze. Diejenigen Knechte, die auf den Wagen mitgefahren waren, mussten absteigen und zu Fuß gehen, um den Zugtieren Gewicht zu ersparen. Die Ochsen glitten immer wieder aus, weil sich eine dünne Eisschicht auf den Steinen gebildet hatte, und auch die trittsicheren Pferde hatten Mühe. Die Tiere mobilisierten die letzten Reserven, sie zogen mit Schaum vor den Mäulern und zitternden Flanken. Schließlich rutschte eines der Fuhrwerke von einem Felsbrocken ab, und trotz der Eisenbereifung brach ein Hinterrad.

»Alles Halt!« Das Kommando schallte den Saumpfad entlang, und Niklas zog erleichtert die Zügel an. Es war noch nicht Mittag, und trotzdem fühlte er eine bleierne Müdigkeit. Die Nässe drang einem durch Mark und Bein. Während die erfahrenen Wagenknechte das Rad reparierten, war Gelegenheit, ein Feuer zu machen, an einem Kanten Brot zu knabbern und sich etwas aufzuwärmen.

»Wenn ich vorher gewusst hätte, was das für eine Strapaze ist, wär ich schön daheim geblieben«, beschwerte sich der Maler verdrießlich. Dürer hatte eine Decke über Kopf und Oberkörper geschlagen und saß dicht am Feuer. »Schau, da droben liegt schon Schnee! Meine Güte, das kann ja noch heiter werden.«

Niklas sah mit kritischem Blick nach oben, wo die Flocken inzwischen dichter wirbelten. Ob das die Rösser bewältigen würden?

»Ah, amici, come state?« Leoluca war mit seinem geliehenen Maultier herangeritten, stieg ab und setzte sich mit ans Feuer. »Iste schöne Wetter, was? Aber schlimmste Weg von Strada d'Alemagna iste bald vorbei, nur noch über Sattel da obe, dann geht hinunter nach villagio Sterzing.« Er holte eine Feldflasche unter seinem Umhang hervor und reichte sie weiter. »Da. Iste gute Wein.«

»Ob wir's bei dem Wetter über den Berg schaffen, Leo?« Niklas blickte zweifelnd.

»Ich hab gehört, dass irgendwann mal sogar Papst Johannes der Zweiundzwanzigste auf dem Arlbergpass mitsamt seinem Wagen umgekippt ist«, bemerkte Dürer trübsinnig.

»Ja, und danach haben sie ihn abgesetzt, oder so«, brummte Niklas und hielt seine Hände übers Feuer, bis sie zu kribbeln anfingen.

»Mein liebe Freunde, ich sehe, ihr habt nix gutte Laune. Aber ich sage euch, Brennero iste nix große Problema. Erst in Winter wird schlimm, da sind Ochse bis zu die Bauch in Schnee. Iste vierte Mal, dass ich mit meine Vater die Strada d'Alemagna gehe, und hab jede Mal überlebt, no? Ecco!« Der Italiener hatte die Ruhe weg.

»Na, dein Wort in Gottes Ohr«, bemerkte Dürer skeptisch.

Nach einer einstündigen Pause ging es wieder voran. Der Zug erreichte schließlich den Brennersattel und begann den mühsamen Abstieg. Auf der Südseite des Jochs lag mehr Schnee, und die Steilheit des Geländes machte abwärts noch größere Schwierigkeiten als aufwärts, weil die Tiere vom Gewicht der Wagen geschoben wurden. Das Schneetreiben wurde dichter. Die beiden Frauen unter den Pilgern, zwei reiche Lübecker Schwestern, die seit Augsburg mit dem Wagenzug marschierten, waren am Ende ihrer Kräfte, aber es war völlig ausgeschlossen, sie auf einen der Karren zu setzen und damit noch zusätzlich die Zugtiere zu belasten. Doch die Rodleute wussten Rat. Man setzte die Damen auf Rinderhäute, und die beiden Tiroler zogen sie über den Schnee abwärts.

Mit dem letzten Tageslicht erreichten sie Sterzing, und Niklas sprach im Stillen ein Dankgebet. In der letzten Stunde hatte eines seiner Rösser angefangen zu lahmen, und er hatte schon befürchtet, das Tier zurücklassen zu müssen. Jetzt übernahmen Herbergsknechte die Zugtiere und führten sie in die Stallungen. Die Reisenden betraten abgekämpft, durchgefroren und hungrig die Herberge, in der ein riesiger Kamin wohlige Wärme verbreitete. Der Essensduft ließ Niklas das Wasser im Mund zusammenlaufen. Es gab eine Art Eierschmarren mit Zwiebeln, Käse und Hartwurst, dazu dünne, harte, mit Anis gewürzte Brotfladen, und ihm war, als habe er nie in seinem Leben etwas Besseres gegessen. Sofort nach dem Nachtmahl begaben sich die ausgepumpten Reisenden zur Ruhe. Niklas war zu erschöpft, um in den Ställen nach seinen Rössern zu suchen. Er rollte sich in einer Ecke der Wirtschaft auf dem strohgedeckten Boden zusammen und fiel in einen tiefen, traumlosen Schlaf.

Der nächste Tag diente der allgemeinen Erholung von Mensch und Tier, dann ging es im Nieselregen hinunter auf Brixen zu. Im Vergleich zum Steig über den Brenner war der Weg diesmal ein Kinderspiel. Die Stimmung der Leute war gut – man wusste, dass das Schlimmste hinter einem lag. Doch ungefähr auf halber Strecke zwischen Sterzing und der Bischofsstadt an der Eisack traf der Wagenzug auf ein unerwartetes Hindernis: Eine Steinmure war von einem steil abfallenden Hang abgegangen und machte das Weiterkommen unmöglich.

Alle Männer wurden nach vorn an die Spitze des Zugs kommandiert, um beim Wegschaffen der Geröllmassen zu helfen. Man bildete eine Kette zum Weiterreichen der Felstrümmer, und unter Fluchen und Zähneknirschen begann eine mühselige Arbeit. Niklas stand zwischen Melchior Groß und Dürer, dem er seine ledernen Kutscherhandschuhe geborgt hatte – der Maler fürchtete um die Unversehrtheit seiner Hände. Ein Steinbrocken nach dem anderen wanderte von Mann zu Mann. Irgendjemand stimmte ein Lied an, da ertönte plötzlich von der Wagenkolonne her lautes Geschrei.

Die Erfahrenen unter den Knechten wussten sofort, was das zu bedeuten hatte. Sie zogen ihre Messer und rannten an Niklas und dem jungen Maler vorbei zu ihren Wagen.

»Überfall! Alles zurück!« Groß stürzte auf sein Pferd zu und zog das Schwert aus der Halterung am Sattel. »Mir nach!«

Von weiter hinten, dort wo das Gelände noch flacher war, kamen mindestens dreißig Wegelagerer den Hang heruntergestürmt, alle bewaffnet mit Messern, Stöcken und Spießen. Einige der zerlumpten Gestalten fielen über die ersten Pferdeknechte her, während andere sich an der Ladung zu schaffen machten. Zwei Männer lagen schon tot oder verletzt am Boden. Ein wildes Handgemenge entstand.

Niklas hatte einen Augenblick gebraucht, um zu begreifen. Tatsächlich passierte nun das, wovon in den Wirtshäusern die schlimmsten Geschichten erzählt wurden: Ein Überfall, Räuber, die zu allem entschlossen waren, ein Kampf um Leben und Tod! Zeit zum Überlegen war nicht; Niklas versuchte, mit ein paar Blicken die Situation zu erfassen, dann musste er sich bereits gegen den ersten Angreifer zur Wehr setzen. Er und der Maler kämpften Seite an Seite im Getümmel. Sie hatten beide ihre Essmesser gezogen, und der junge Goldschmied schwang außerdem noch einen knorrigen Stock in der Linken. Letzteren drosch er mit Wucht einem der Angreifer auf den Schädel, der vor ihm auf dem regennassen Weg ausgerutscht war. Dann suchte er sich den nächsten Gegner, einen bärtigen Gebirgler, der gerade einem der Wagenknechte den Dolch an die Kehle setzen wollte. Niklas zielte mit dem Messer auf die Schulter des Bärtigen, doch der bewegte sich, und die Klinge traf den Mann seitlich am Hals. Eine Blutfontäne schoss hervor, während der tödlich Getroffene taumelte und gegen Niklas fiel. Der junge Goldschmied schüttelte ihn ab. Er nahm nichts mehr von dem Gebrüll und dem Kampfgeschrei wahr, kämpfte immer verbissener, ganz konzentriert auf das Messer und den Stock in seiner Hand. Er fiel zu Boden und rappelte sich gleich wieder hoch, als plötzlich etwas in seinem Kopf explodierte. Ein Knüppel hatte ihn über dem Ohr getroffen, und er sank wie betäubt vornüber. Für kurze Zeit sah er nur noch helle Blitze, dann schüttelte er sich, bis die Benommenheit von ihm wich und sein Blick wieder klarer wurde. Auf Hände und Knie gestützt orientierte er sich neu. Messer und Stock hatte er verloren. Überall um ihn herum wogte das Handgemenge. Leiber wälzten sich auf dem schlammigen Untergrund, Waffen blitzten, aus aufgerissenen Mündern drangen heisere Schreie. Links vor Niklas kämpfte der eher schmächtige Maler gegen einen bulligen Angreifer und wehrte sich verzweifelt dagegen, niedergerungen zu werden. Niklas sprang den Riesen von hinten an und riss ihn herum, was Dürer dazu benutzte, seinem Gegner die Klinge tief in die Schulter zu rammen.

»Danke!«, stieß der Maler schwer atmend hervor.

»Red nicht, mach lieber weiter!« Niklas hatte sich das Messer des verwundeten Riesen gegriffen und war schon mit dem nächsten Wegelagerer beschäftigt. Dürer versuchte, an seiner Seite zu bleiben, wurde jedoch bald abgedrängt. Irgendwann, Niklas kam es wie eine Ewigkeit vor, ertönte ein lang gezogener Pfiff, und die Wegelagerer zogen sich zurück.

Niklas ließ sich da, wo er gerade stand, zu Boden fallen. In seinem Kopf hämmerte es, und als er die Stelle hinter seinem linken Ohr befühlte, spürte er eine faustgroße Beule. Aus einer schmerzhaften Schnittwunde am Oberschenkel sickerte Blut, aber immerhin – er lebte. In die Erleichterung mischte sich allerdings schnell Ernüchterung: Während sich Niklas hochrappelte, wurde er sich schlagartig darüber klar, dass er gerade mindestens einen Mann getötet hatte. Zum ersten Mal in seinem Leben. Doch bevor er weiter über seine Tat nachdenken konnte, traf ihn ein jovialer Hieb auf die Schulter. Es war Melchior Groß, mit einer blutigen Schramme im Gesicht, aber wohlauf.

»Gut gekämpft, Junge. Die sind wir los. Wenn du kannst, hilf jetzt mit, die Verwundeten zusammenzutragen.«

Es stellte sich heraus, dass drei Knechte den Angriff nicht überlebt hatten; einer hatte sich das Genick gebrochen, als er den Hang hinuntergestürzt war, die beiden anderen waren ihren tödlichen Stichwunden erlegen. Fünf weitere Männer hatten Messerstiche abbekommen, davon waren zwei lebensgefährlich verletzt. Einer verlor Blut aus einer klaffenden Wunde am Hals, der andere war tief in die Niere getroffen worden. Der italienische Kaufmann hatte eine stark blutende Platzwunde am Kopf, sein Sohn war im Handgemenge von einem Pferd in die Rippen getreten worden. Ein Knecht jammerte über einen verstauchten Knöchel. Aber alle Wagen samt ihrer Ladung waren gerettet. Die Wegelagerer hatten vier Tote und acht Schwerverwundete dagelassen; alle, die noch laufen konnten, waren geflüchtet.

Niklas sah den Maler ein Stückchen abseits auf einem Felsen sitzen und ging zu ihm. Dürer war sterbensbleich und schlotterte am ganzen Leib. Mit der Linken hielt er das rechte Handgelenk umklammert und schaute fassungslos auf seine rechte Hand, die immer noch in Niklas' Lederhandschuh steckte. Der Handschuh war zerfetzt und schwarz von Blut.

»Lieber Gott, Albrecht, was ist mit dir?« Niklas sank erschrocken vor Dürer auf die Knie.

Dem anderen klapperten die Zähne. »Meine Hand! Niklas, jetzt ist alles aus! Ich kann nie mehr malen, nie mehr! Oh mein Gott, ich wollt, ich wär tot!«

»Zeig mal her.« Der junge Goldschmied nahm behutsam Dürers verletzte Hand. Mit seinem Messer schnitt er den blutigen Handschuh vollends auf und schälte jeden einzelnen Finger des Malers vorsichtig heraus. Mit einem Zipfel seines Hemds tupfte er vorsichtig das Blut ab, und zum Vorschein kam ein feiner, dünner Schnitt, der quer über die Handfläche lief, nicht viel tiefer als ein Kratzer. Niklas senkte den Kopf, damit Dürer nicht sah, wie er sich das Lachen verbiss.

»Jemineh, Albrecht, das ist furchtbar.« Er schürzte die Lippen und machte dabei ein todernstes Gesicht. »Ich schätze, da wirst du für die nächsten zwei Tage einen kleinen Verband brauchen.«

Der Maler schaute ihn entgeistert an. »Was?«

Niklas boxte Dürer gegen die Schulter und grinste. »Ein Ritzer von einem Messer, weiter nichts. Menschenskind, und ich hab schon gedacht, du bist kurz vorm Abkratzen. Bleib sitzen, ich hol ein bisschen Wasser und dann mach ich dir einen Streifen Stoff drum – auf den italienischen Wagen ist ja sauberes Tuch genug.«

Albrecht beäugte erleichtert, aber immer noch misstrauisch seine Hand, während Niklas sich auf den Weg machte.

Gegen Abend erreichte der Wagenzug die Bischofsstadt Brixen, wo man sogleich der Obrigkeit Bericht erstattete. Ein Bader kam in die Herberge, um die Verwundeten zu versorgen. Auch Dürer, der schon wieder recht obenauf war und Niklas als seinen Lebensretter pries, weil er ihm die Handschuhe geliehen hatte, erhielt nun einen fachmännischen Verband. Zusammen mit Niklas und Leoluca, dem seine gebrochene Rippe einige Schmerzen bereitete, streifte er im letzten Licht des Tages durch die kunstvoll bemalten Laubengänge des Städtchens.

Am nächsten Morgen besuchten alle Männer einen Dankgottesdienst im Brixener Dom; danach machten sich Groß und die beiden Paresis auf, um Ersatz für die verletzten Wagenknechte zu finden. Man gedachte, die Männer in einigen Wochen auf der Rückreise wieder mitzunehmen, sofern sie sich erholt hatten. Auch wurden die Rodleute mit ihren Saumtieren entlassen und die Ochsen wieder gegen Kaltblüter eingewechselt. Erst am übernächsten Morgen fuhr die Wagenkolonne weiter, immer dem Lauf der Eisack folgend bis nach Bozen. Man vermied die gefährliche Eisackschlucht, in der es wegen des schwierigen Geländes immer wieder zu schweren Unfällen kam, indem man über das Massiv des Ritten zog. Dann ging es das Etschtal abwärts nach Trient, wo man sich im Hospiz San Lorenzo einquartierte, einer belebten Herberge, die in den letzten Jahren zum Stammquartier für alle Pilger geworden war.

Das lebhafte Trient, am Kreuzungspunkt der Brennerstraße mit einer vom Gardasee her kommenden Handelsroute gelegen, war nicht nur ein bedeutender Bischofssitz, sondern auch ein blühendes Handelszentrum. Hier wurden zwei Rasttage eingelegt, um den Kaufleuten genug Zeit für die Abwicklung verschiedener Geschäfte zu lassen. Am glücklichsten über die Reisepause war Albrecht Dürer, dessen Handfläche inzwischen fast verheilt war. Er packte seine Aquarellfarben aus, bastelte sich aus Brettern eine notdürftige Staffelei und zauberte drei wunderbar farbige Ansichten der imposanten Stadt aufs Papier. Niklas machte derweil mit Leoluca den Domplatz unsicher und probierte seine neu gewonnenen Sprachkenntnisse erfolgreich an einigen italienischen Mönchen aus, die von Rom nach Santiago de Compostela wollten. Abends lag er lange wach und ließ die letzten Wochen vor seinem geistigen Auge vorbeistreichen. Was war nicht alles geschehen in dieser kurzen Zeit? Er hatte seine Heimat weit hinter sich gelassen, so viel Neues gesehen, eine fremde Sprache gelernt, gute

Freundschaften geschlossen. Und er hatte seinen ersten ernsthaften Kampf bestanden und dabei einen Menschen umgebracht. Er war erwachsen geworden, so kam es ihm vor. Jetzt würde er endgültig sein Schicksal in die eigenen Hände nehmen. Nürnberg und seinem alten Leben fühlte er sich schon sehr fern.

Schließlich kam der Tag des Abschieds. Die Padovesen würden mit ihren zwölf Wagen in ihre Heimatstadt weiterziehen, während die anderen den Weg durch das Brentatal nach Venedig nehmen mussten. Niklas und Albrecht fiel die Trennung von ihrem italienischen Freund schwerer, als sie zugeben wollten – die letzten Wochen hatten die jungen Leute zusammengeschweißt.

»Arrivederci, meine liebe beide!« Leoluca breitete theatralisch die Arme aus, zog erst Albrecht und dann Niklas in seine Arme. »Ihr ab nun immer abte eine Freund in Padova, davvero! Iste nix weit von Venezia – ihr musst komme und der Leoluca besuche, sonst iste serr traurisch. Versproche?«

Albrecht gelobte hoch und heilig, auf der Rückreise, die in einem halben Jahr geplant war, einen Abstecher nach Padua zu machen. Niklas hingegen blieb stumm. Er wusste noch nicht, was die Zukunft in der fremden Stadt bringen würde.

Venedig, Dezember 1494

Meine Lene,

die Stadt Venezia stehet inmitten der bewegten Wellen des Meeres am Rand der Tieffen wie eine Königin, mit Gebeuden wie du sie schöner nie gesehn. Sie ligt dort, wo zuerst Lagunen warn und dann, als sie wuchs und sich vergrößern wollt, war es notwendig, Land zu gewinnen, um die Balazzi und Häuser zu baun. Und man errichtete auf Pfäln mit großer Erfindungs Gabe die Fundamentt in den Salzfluthen, und das Wasser wich zurück. Item, wenn es tief steht, bleibts so trocken, daß man zu Zeiten nicht mit der Barkhe fahren kann, wohin man will. Die Stadt hat ein Gestalt wie ein grosser Fisch, und ir Umfangk erreicht sieben Meilen, und man hat keine Tore noch Mauern um die Stadt …

Niklas hielt inne und knabberte an seinem Federkiel. Es fiel ihm schwer, in Worte zu fassen, was er seit seiner Ankunft in der Serenissima täglich sah: die wunderbarste, glorreichste, unglaublichste Stadt der Welt! Auf unzähligen Inseln mitten ins Wasser gebaut, durchzogen von glitzernden Kanälen, verbunden durch hunderte von Stegen und Brücken, mit Palästen von atemberaubender Herrlichkeit, mit Menschen aus aller Herren Länder. Gegen diese Stadt kam dem jungen Goldschmied das ehrwürdige Nürnberg wie eine behäbige, fette und schwerfällige alte Dame vor, verglichen mit der exotischen Schönheit einer verführerischen Kurtisane.

Die erste Zeit verbrachte Niklas fast wie im Traum. Er hatte sich mit Albrecht und seinem bisherigen Brotherrn Melchior Groß im Fondaco dei Tedeschi eingemietet, der imposanten Handelsniederlassung der Deutschen am Rialto. Das riesige, in mehreren Stockwerken um einen quadratischen Innenhof errichtete Gebäude mit seinen Arkadengängen bot neben den Kontor- und Lagerräumen immer noch Platz für Reisende, die anderswo noch kein Quartier gefunden hatten. In dem Zentralkontor der deutschen Kaufleute an der alten, hölzernen Rialtobrücke, das gleichzeitig auch Handelstreffpunkt, Übernachtungsquartier und Warenmagazin war, wimmelte es wie in einem Ameisenhaufen.

Am ersten Tag hatte sich Niklas auf der einstigen Insel Rialto umgesehen, dem belebtesten Geschäftszentrum der Stadt, wo die Warenströme aus aller Welt zusammenliefen. Dies muss der reichste Platz auf Erden sein, dachte er, mit Warenlagern, Magazinen, Läden und Geschäften, wie er sie so groß und zahlreich noch nie gesehen hatte. Staunend lief er durch die engen Gassen, bewunderte die maßwerkgeschmückten Fassaden, wich fremdartig gekleideten Menschen aus. Bei einem der vielen Wasserverkäufer, die täglich frisch aus der Brentamündung geschöpftes Wasser in der Stadt verkauften, erstand der Junge einen frischen Trunk und kaufte dazu bei einem fliegenden Händler mit Bauchladen eine Hand voll Gebackenes, das sich zu seinem Entsetzen als lauter winzig kleine Meerungeheuer entpuppte. Doch der Hunger siegte über die Abscheu, und siehe da, es schmeckte ganz vorzüglich. Am Ufer der Weinhändler schräg gegenüber dem Fondaco beobachtete Niklas das Entladen der kleinen Schiffe, und ein Fass bester Malvasier wäre ihm beinahe über die Füße gerollt. Der Arbeiter überschüttete ihn mit einem Schwall venezianischer Schimpfwörter, von denen er zwar nicht das Geringste verstand, sich aber ganz gut vorstellen konnte, was gemeint war.

Er ging weiter am Canal Grande entlang, der großen, S-förmigen Wasserstraße, die Venedig in zwei Hälften teilte. Das Wasser wimmelte von Booten, kleinen Lastseglern und mehrrudrigen Schiffen. Der Lärm der Stadt tönte ihm in den Ohren, er konnte Wortfetzen aus allen Sprachen erhaschen. Durch die schmalen Gassen eilten in luxuriöses Schwarz gekleidete venezianische Adelige, einfach aussehende Handwerker und bunt gewandete Gecken. Orientalische Händler mit riesigen Turbanen auf den Köpfen kamen mit Sklavengefolge daher, hellhaarige Kaufleute aus dem Norden Europas in pelzgefütterten Umhängen drängten sich eilig durch die Menge, und leicht geschürzte Mädchen, deren Profession unschwer zu erraten war, lehnten lässig an Brückengeländern. Ein Weinlokal reihte sich ans andere. Wenn nicht der üble Gestank gewesen wäre, gegen den auch das überall aufgestellte Räucherwerk nicht viel half, hätte Niklas dies alles für das Paradies der Händler und Kaufleute gehalten.

Er geriet in den Sog einer Menschenmenge, ließ sich mitziehen und fand sich schließlich vor einer riesigen Fleischerei wieder, in der alles mögliche Getier an Haken unter steinernen Bögen hing: Täubchen und Fasane, kleine Singvögel, Kaninchen, Hühner, Zicklein, Schweinehälften und Rinderteile. Ein Metzger mit dunkler Schürze säbelte an einem Ochsenschwanz herum, während vor den Fleischbänken etliche Leute anstanden und dabei heftig diskutierten. Es roch süßlich-metallen nach Blut. Niklas ließ sich weitertreiben, über Brücken und Stege, durch Gassen und Gässchen. Er passierte muffig riechende, feuchte Hausdurchgänge, überquerte belebte Plätze. Er kam an einem der entsetzlich stinkenden Müllsammelplätze der Stadt vorbei, wo ein paar zerlumpte Gestalten im Unrat nach Brauchbarem wühlten. Zwei Männer im Dienste der Stadt schaufelten gerade Abfall auf einen Lastkahn, um das Zeug dann in der Lagune zu versenken. Niklas beeilte sich, dem ekligen Geruch zu entkommen. Er wanderte durch die Contrata San Niccoló, in der nur Fischer wohnten. Frauen saßen vor den Häuserreihen und flickten Netze, große Fangkörbe für Krabben und Garnelen hingen an den Fassaden, und barfüßige, schmutzige Kinder spielten mit Murmeln und Muschelschalen. Eine struppige, dreibeinige Katze schoss Niklas über den Weg, im Maul einen kleinen toten Fisch.

Der junge Goldschmied war von so viel Neuem überwältigt, manchmal stand er nur mit großen Augen wie gebannt da und staunte wie ein Kind. In all dieser Fülle wird sich doch auch für mich ein Plätzchen finden, dachte er hoffnungsvoll. Jede Gasse barg etwas noch nie Gesehenes, hinter jeder Ecke, um die er bog, erwartete ihn eine neue Überraschung. Immer weiter lief Niklas auf seinem Stadtrundgang. Irgendwann öffnete sich eine der vielen winkligen Gassen zu einem größeren Platz. Hier war, wie Niklas allein am Geruch unschwer erkannte, der Fischmarkt. Fasziniert schlenderte er an den Verkaufsständen vorbei durch die Gänge. Was es alles für Sorten an Fisch gab, die er noch nie gesehen hatte! Winzige Älchen, fast durchsichtig, nicht größer als eine Nähnadel und glitschig, mit großen schwarzen Augen. Gleich daneben ein fast mannslanger, blauschimmernder Gigant mit geöffneten Kiemen und weit aufgerissenem Maul, der ihn starr anglotzte. Muscheln in allen denkbaren Größen, Formen und Farben, weißliches Getier mit großem Schulp und langen Beinen, dann wieder kleine, rote, giftig aussehende Ungeheuer mit gezackten Flossen und spitzen Zähnchen im Maul. Hier kugelige, stachlige Dinger, dort insektenähnliche, blaugraue, kleine Krebstierchen. Es war überwältigend für jemanden, der bisher gerade einmal Karpfen, Forellen und Heringe gekannt hatte.

Niklas streunte den ganzen Tag ziellos in der Stadt umher, bis es Abend wurde und er zu frieren begann. Er beschloss, zurück zum Fondaco zu gehen. Aber wo lag der bloß? Eine Gasse kreuzte die nächste und ein Kanälchen mündete ins andere. Niklas versuchte, in diesem Labyrinth den Fischmarkt oder die Fleischerei wieder zu finden, aber vergeblich. Schließlich landete er in einer Sackgasse und musste umkehren. Der junge Goldschmied hatte keine Ahnung mehr, wo er war. Da half nichts, er musste seine Schüchternheit überwinden und jemanden fragen. Zögernd ging er zu einem Grüppchen Männer, die auf Steinstufen am Rand eines kleinen Kanals saßen, einen fiasco mit Rotwein kreisen ließen und lebhaft palaverten.

»Scusate, cerco il fondaco dei Tedeschi. Mi potete dire …«

Die vier Fischer lachten, und Niklas wurde rot. Bestimmt hatte er etwas furchtbar Falsches gesagt. Aber nein, einer der Männer stand grinsend auf und zog ihn am Ärmel ein paar Schritte weiter um die nächste Ecke. Mein Gott, da war er ja wieder, der große Kanal! Und ein Stück weiter die Brücke, dahinter der Fondaco! Niklas kam sich blöde vor und entschuldigte sich gestenreich, worauf ihm der Fischer mit seiner Pranke gutmütig auf die Schulter haute und sich wieder trollte.

Als Niklas nach einigen Minuten den Fondaco durch das Hauptportal betrat, war er doch froh, nach seinem Ausflug ins Unbekannte wieder daheim zu sein. Er aß etwas Brot und Käse in dem voll besetzten Speisesaal und setzte sich danach noch ein Stündchen in die Weinschänke. Albrecht Dürer oder Melchior Groß waren nirgends zu sehen. Schließlich ging Niklas hinauf in das billige Mehrbettzimmer, das ihn pro Tag zwei Pfennige kostete, und legte sich schlafen.

Am nächsten Tag stellte er es geschickter an. Er gesellte sich zu einem Händler aus Köln, der etliches in der Stadt zu erledigen hatte, und durchstreifte mit ihm das Häusermeer. Von dem erfahrenen Venedigkenner erfuhr er so einiges. Zum Beispiel, dass Venedig auf vielen kleinen Inseln erbaut worden war und sechs Stadtteile hatte, die man sestieri nannte: San Marco, Castello, Canareggio, San Polo, Santa Croce und Dorsoduro. Nur die großen Kanäle hießen wirklich canale, zu den kleinen sagte man rio oder riello. Überall öffneten sich Gassen und Gässchen zu kleineren Plätzen, den campi. An diesen Plätzen lagen die unzähligen kleinen Gotteshäuser der Stadt. Der Kölner führte Niklas zu San Bartolomeo, einem ganz von Buden und Geschäftshäusern umbauten, versteckt liegenden Kirchlein, in dem Deutsch gepredigt wurde. Hierher kamen alle deutschsprachigen Handelsleute, wenn sie die Messe hören wollten. Und er erzählte, dass in Venedig sicherlich Hunderte von Deutschen lebten, eine richtige kleine Kolonie. Dann kehrten die beiden in der beliebten Wirtschaft von Peter Ugelheimer ein, einem Frankfurter Bierbrauer, den es vor fünfzehn Jahren hierher verschlagen hatte und bei dem man gute deutsche Hausmannskost bekam: Kraut, heiß geräuchertes Bauchfleisch, Brüh- und Leberwürste mit Senf und Meerrettich. Das Bier allerdings war schlecht, weil der Hopfen fehlte und der stattdessen verwendete Alantzusatz das Gebräu eher verdarb.

Abends traf Niklas seinen Freund Albrecht im Hof des Fondaco. Der Maler hatte seine Sachen auf einen Esel gepackt und schickte sich an, den Handelshof zu verlassen. Er wollte Quartier im Gasthof von Peter Pender beziehen, einer renommierten Herberge, in der nur gut situierte Leute abstiegen – potenzielle Kunden für Dürer, der sich dort mit einem Porträt schnelles Geld verdienen konnte.

»Meiner Treu, Niklas, ich bin ganz schwindelig vor Freude.« Der Maler breitete überschwänglich die Arme aus, als wolle er die ganze Welt umarmen. »Diese Farben! Hast du die Farben gesehen! Und das Licht, so rosig und hell! Venedig ist göttlich! Ich hab schon sieben Bilder fertig. Hier!«

Er schlug seine große lederne Kladde auf und zeigte Niklas einige Häuseransichten, aber auch die naturgetreue Abbildung einer großen Krabbe und die Bleistiftporträts zweier gut gekleideter venezianischer Gentiluomini. Dann holte er umständlich von ganz hinten ein Blatt hervor und überreichte es dem Freund. Es war die Zeichnung von Niklas' wunden Füßen vom Anfang ihrer gemeinsamen Reise. In die rechte untere Ecke hatte er seine ineinander verschachtelten Initialen »AD« gesetzt.

»Hier, die schenk ich dir. Falls ich irgendwann mal berühmt werde, ist sie vielleicht sogar was wert.«

Niklas räusperte sich gerührt und nahm das Blatt entgegen. Dann grinste er spitzbübisch.

»Natürlich wirst du berühmt«, sagte er im Brustton der Überzeugung. »Und wenn du dann zur Abwechslung mal Hände malen willst – ich stehe jederzeit zur Verfügung!«

Albrecht lachte, nahm Niklas' Hände und begutachtete die schlanken Finger. Dann schüttelte er den Kopf.

»Die sind zu schön, mein Lieber, nicht interessant genug zu zeichnen, zu einfach. Falls ich irgendwann mal Hände male, müssen es richtig runzlige, alte, knochige Hände sein, die was vom Leben erzählen. Bis dahin genügen mir deine wund gelaufenen Treter.«

Niklas wurde ernst. »Ich wünsch dir Glück, Albrecht. Sobald ich Arbeit und Wohnung gefunden hab, melde ich mich bei dir. Vielleicht schickt ja deine Frau bald eine Nachricht aus Nürnberg.«

Niklas brannte darauf, zu erfahren, ob Helena seine Briefe erhalten hatte – vielleicht war es ihr ja sogar gelungen, eine Antwort nach Venedig abzuschicken.

Die beiden Freunde umarmten sich, und Albrecht zerwuschelte dem Jüngeren spielerisch mit der Hand das dunkle Haar. Dann führte er seinen Esel zum Tor hinaus.

Niklas verbrachte den Abend allein und fühlte sich ziemlich einsam. Später lag er in seinem Zimmer neben einem schnarchenden Kaufmannslehrling und plante den nächsten Tag. Der Kölner Händler hatte ihm eine Passage beschrieben, in der lauter Goldschmiede ihre Werkstätten und Häuser hatten. Dorthin wollte Niklas gehen und sich als Geselle verdingen. Die Aussicht, in einer so prächtigen Stadt wie Venedig leben und seinem Beruf nachgehen zu können, bescherte ihm süße Träume.

Die Gasse der Goldschmiede war vergleichsweise breit, und Niklas betrat sie von einem hölzernen Brücklein aus. Im Erdgeschoss waren Ladenportale zu erkennen, Werkstatteingänge und Arkaden, unter denen viele der Handwerker hölzerne Verkaufsbänke für die weniger wertvollen Pretiosen aufgebaut hatten. In den oberen Stockwerken flatterte an den Häuserfassaden bunte Wäsche von langen Stangen, die mit Kleidungsstücken behängt und von den Fenstern ausgeschwenkt werden konnten. Droben über den Dächern leuchtete es hellblau.

Niklas war guten Mutes. Die Nürnberger Goldschmiede genossen weltweit hohes Ansehen, und als Geselle eines bekannten Meisters, der schon für den Kaiser gearbeitet hatte, würde er sicherlich bei einem der venezianischen Handwerker Aufnahme finden. Er lief zunächst einmal in der Gasse auf und ab, um sich einen Überblick zu verschaffen, und entschloss sich, in der größten Werkstatt zuerst zu fragen.

Drinnen flackerte ein großes Feuer in der Esse, und an die zehn Männer saßen konzentriert arbeitend an kleinen Werktischen. Ein älterer Mann mit dichtem grauem Bart, der von Kleidung und Habitus her unschwer als Meister zu erkennen war, stand an einem schrägen Zeichentisch und pinselte an einem Entwurf für einen Tafelaufsatz. Niklas grüßte ihn höflich und brachte in einigermaßen verständlichen Sätzen sein Anliegen vor. Doch der Meister schüttelte bedauernd den Kopf und wies auf die vielen Mitarbeiter in seiner Werkstatt. Kein Bedarf. Magari, vielleicht bei einem seiner Kollegen ...

Niklas ließ sich von diesem ersten Rückschlag nicht entmutigen und sprach noch in sieben weiteren Werkstätten vor. Doch entweder man brauchte niemanden, oder der Meister forderte ein Zeugnis und das Gesellenstück – und beides konnte er nicht vorweisen. Sein Gesellenstück, ein wunderschön ziselierter Akeleibecher aus getriebenem Silber mit vergoldeten Blüten und Tiergestalten, stand immer noch in Nürnberg, und ein Zeugnis hatte ihm der alte Brandauer aus nahe liegenden Gründen nicht geschrieben. Niklas hatte darauf gehofft, dass in Venedig nicht so strenge Regeln herrschen würden wie daheim in Deutschland, dass es einfacher sein würde, als Fremder in einem Gewerbe unterzukommen. Jetzt wurde diese Hoffnung bitter enttäuscht. Er versuchte die Adressen weiterer Goldschmiede herauszufinden und machte hier und da noch einen Anlauf, hatte aber nirgendwo Glück. Ein schlecht gelaunter Meister warf ihn sogar unter Androhung von Prügeln aus der Werkstatt.

So verging die Zeit, ohne dass Niklas Arbeit gefunden hätte. Sein Mut sank mit jedem erneuten Versuch, und schließlich gab er es ganz auf. Eines Tages nahm ihn der Vorstand des Fondaco dei Tedeschi, ein imposanter Handelsherr aus der Nürnberger Kaufmannsdynastie Imhoff, zur Seite.

»Auf ein Wort, junger Herr Linck. Ich sag es Euch nicht gern, aber Ihr seid nun schon über drei Wochen hier, und der Fondaco ist nicht für längere Aufenthalte gedacht. Heute und gestern sind zwei Handelszüge angekommen, und ich musste schon Leute aus dem Haus weisen, weil wir voll belegt sind. Habt Ihr denn noch kein Auskommen oder eine andere Unterkunft gefunden?«

Niklas schüttelte niedergeschlagen den Kopf und versprach, in spätestens drei Tagen auszuziehen. Was er nicht sagte, war, dass er ohnehin nicht mehr genug Geld gehabt hätte, um länger zu bleiben. Es blieb ihm nun nichts mehr anderes übrig, als irgendeine Arbeit anzunehmen, ganz egal welche. Und dann würde er in einer billigen Herberge Quartier nehmen, bis man weitersehen konnte. So hatte er sich den Beginn seines neuen Lebens in der Lagunenstadt nicht vorgestellt. Traurig beschloss er, in eine der Spelunken am Rialto zu gehen und dort ein paar seiner letzten Pfennige für einen Krug Wein zu opfern. Jetzt war sowieso schon alles egal.

Der Zwerg hatte in der Nähe des Fondaco gewartet, mit dem Rücken an eine Hauswand gelehnt. Er war ein eigenartiges Geschöpf: Nicht größer als ein Kind, hatte er den Oberkörper eines Erwachsenen auf viel zu kurzen stämmigen Beinchen. Auf den breiten Schultern saß ein großer Kopf mit geringelten dunklen Locken, lebhaften schwarzen Augen wie Kohlestücken, überdimensionaler gebogener Nase und einem rotlippigen Schmollmund. An beiden Ohren baumelten goldene Ringe. Als Niklas aus dem Portal kam, folgte ihm der Kleinwüchsige mit seinem leicht watschelnden Gang in einigem Abstand.

Es wurde schon dunkel. Weißer Winternebel stieg aus den Kanälen und waberte durch die Gassen. Es war kalt, und Niklas schlang seinen Umhang enger. Eine Zeit lang wanderte er ziellos durch das abendliche Viertel, bis er schließlich an einer Kneipe vorbeikam, die von außen billig genug aussah, um sich dort eine Einkehr zu leisten.

Drinnen herrschte reger Betrieb. Eine Mischung der verschiedensten Düfte schlug Niklas entgegen: Es roch würzig nach Zwiebeln und Fisch, säuerlich nach verschüttetem Wein und herb nach menschlichen Ausdünstungen. Ein alter schwarz berußter Kamin, in dem ein Feuer flackerte, strahlte angenehme Hitze ab. Um ein Fass in der Ecke lümmelten sich ein paar fremdländisch aussehende Seeleute, vor sich eine ganze Batterie von leeren Weinbechern. Die meisten Tische waren besetzt, und der Tresen war von Männern umlagert. Niklas drängte sich bis zur Wirtin durch, ließ ein Geldstück in ihre Hand fallen und nahm dafür eine Karaffe mit Rotwein und einen irdenen Becher entgegen. Müde und enttäuscht suchte er sich einen Platz und nahm einen ersten Schluck. Er besah sich den Raum: Von der Decke hingen alte Fischernetze, an den Wänden seltsam geformte Seemannswerkzeuge, alte Flaschen und Krüge. In den Ecken baumelten geflochtene Stränge mit Knoblauch und etliche Bund unappetitlich aussehendes Gemüse, das vor sich hin trocknete. Hinter dem Tresen war eine lange Schnur über die ganze Breite des Raumes gespannt, über der langarmiges Meeresgetier beinahe wie Wäsche aufgehängt war. Man kam sich vor wie auf einem Schiff.

Der Zwerg war kurz nach Niklas hereingekommen. Er drängelte sich zum Tresen, um etwas zu bestellen, kam aber nicht an den dort stehenden Gästen vorbei. Schließlich bemerkte ihn einer und versetzte ihm einen unsanften Schubs. Der Kleine prallte auf seinen Nebenmann, der sich lautstark beschwerte und ihm wiederum einen Stoß versetzte. So ging es eine Weile hin und her, bis einer den Kleinwüchsigen unter Verwünschungen packte, anhob und mit Schwung durch die halbe Wirtschaft beförderte. Der Zwerg landete wie zufällig bei Niklas und rappelte sich mit schmerzverzerrtem Gesicht direkt vor ihm auf.

»Tutto bene?«, fragte Niklas.

Der Zwerg sah den jungen Goldschmied an und zuckte mit schrägem Grinsen die Schultern. »Oh, abbastanza, grazie. Blöde Scheißkerle! Nicht mal anständig trinken kann man hier was, madonna mia! Und wer bist du überhaupt, he?«

»Niklas Linck, aus Nürnberg.« Niklas machte mit der Hand eine spielerische Reverenz.

»Ma dai, un Tudesco. Piacere, piacere. Ich bin il nano, der Zwerg, wie Ihr unschwer erkennen könnt, auf der vergeblichen Suche nach einem Schluck Wein.«

Niklas lachte und wies auf einen Hocker neben sich. »Ich hab noch was in der Karaffe. Wenn Ihr wollt, Signor Nano?«

Der Kleine kicherte vergnügt. »Nur Nano, wenn's beliebt, oder auch Nazareno, das ist mein Name, bloß dass mich keiner so nennt.« Er schnappte sich einen gebrauchten Becher vom nächsten Tisch und goss sich ein. »Wie gefällt Euch unsere wunderschöne Stadt, wenn man fragen darf?«

Die beiden unterhielten sich eine Weile, und Niklas stellte nicht ohne Stolz fest, dass seine Sprachkenntnisse ganz gut ausreichten, um ein angenehmes Gespräch zu führen. Der Zwerg, der gegen alle Erwartungen eine tiefe, klangvolle Stimme hatte, erzählte lustige Geschichten, was Niklas in seiner Niedergeschlagenheit gut tat. Und er hatte den Eindruck, dass auch der Kleine die Gesellschaft genoss. Mit einem Fingerschnippen bestellte er bei dem vorbeieilenden Schankwirt einen weiteren Krug Wein.

»Wie lange bleibst du in Venedig, mein Freund?«

Niklas zuckte die Schultern. »Eigentlich wollte ich mir hier Arbeit suchen. Aber es ist sehr schwer. Ich hab alles probiert, aber keiner will mich haben.«

Der Zwerg hob interessiert die Augenbrauen. »Was für eine Art Arbeit suchst du denn?«

»Ich bin Goldschmied, und glaub mir, bestimmt kein schlechter«, erzählte Niklas. »Mein Meister ist in Nürnberg ein bekannter Mann und hat schon für Kaiser und Bischöfe gearbeitet. Aber ohne ein Zeugnis und ohne mein Gesellenstück will es niemand mit mir versuchen. Ja, und jetzt geht mir das Geld aus. Ich kann nicht mehr wählerisch sein und werd mir wohl etwas anderes suchen müssen. Vielleicht braucht man ja Helfer beim Entladen von Schiffen oder Ähnliches. Und eine billige Unterkunft fehlt mir auch noch. In drei Tagen muss ich mein Bett im Fondaco räumen.« Er lächelte bekümmert.

»Sagtest du Goldschmied?« Der Zwerg wirkte auf einmal hellwach.

Niklas nickte.

»Kannst du auch Edelsteine fassen und so was?«

»Natürlich. Das gehört dazu.« Niklas fragte sich, worauf der Kleine hinauswollte. Der kratzte sich ausgiebig am Hinterkopf und machte ein nachdenkliches Gesicht.

»Vielleicht kann ich dir helfen, Tudesco. Ich kenne da eine Werkstatt im Castello-Viertel, für die ich hin und wieder arbeite – ein Meister, etliche Gesellen und Lehrlinge. Der Meister hat ein Problem mit den Augen, er sieht immer schlechter und kann deshalb nicht mehr alle Arbeiten machen. Vor einiger Zeit ist ihm einer seiner besten Gesellen, wie soll ich sagen, abhanden gekommen. Man hat ihn mit einem Messer im Bauch aus dem Kanal gefischt, so was passiert in Venezia öfter. Jetzt sucht der alte Noddino nach einem guten Mann, der schon Erfahrung hat und am besten gleich anfangen kann. Er hat ein paar Aufträge, die er nicht verlieren will, aber sonst nicht mehr schafft. Er macht eigene Entwürfe, fertigt aber auch viele Duplikate oder erledigt Zuarbeiten für größere Werkstätten – Steine einsetzen und so was. Meinst du, das wär was für dich?«

Niklas traute seinen Ohren kaum. »Ob das was für mich wäre? Mein Gott, ja! Das klingt großartig! Dich hat der Himmel geschickt, Nazareno!«

Ein befriedigtes Lächeln umspielte die Lippen des Zwerges, und er rieb sich die Hände. »Va bene, amico, morgen bring ich dich hin. Und jetzt trinken wir auf diesen schönen Zufall, oppure no?«

Nachdem der zweite Weinkrug bereits leer war, bestellte der Nano für jeden noch eine »ombra«, wie bei den Venezianern ein kleiner Becher Wein hieß, und dazu einen Teller Cichetti, verschiedene kleine Häppchen von Käse, Fisch, Gemüse und Brotstückchen. Gestärkt und ziemlich beschwipst ging Niklas schließlich heim ins Fondaco, erleichtert und in froher Erwartung des nächsten Tages.

Reichsstadt Nürnberg, Februar 1495

Der Schmerz fuhr ihr in den Rücken wie ein Messer, bevor er nach vorn in den Bauch wanderte. Helena krümmte sich, krampfte die Hände zu Fäusten und versuchte, regelmäßig weiterzuatmen. Vor sieben Stunden hatten die ersten Wehen eingesetzt, erst kaum spürbar, dann immer stärker. Noch war es auszuhalten. Helena wusste: Die Qualen bei der Geburt waren die Strafe, die Gott den Frauen wegen der Erbsünde auferlegt hatte; Evas Griff nach dem Apfel hatte das rächende Verdikt des Alten Testaments nach sich gezogen, das da hieß »Unter Schmerzen sollst du Kinder gebären«.

Helena hatte noch Zeit zwischen den Wehen. Sie lief im Kreuzgang auf und ab und betete dabei, wie ihr die Nonnen geraten hatten, zu den drei Nothelfern der schwangeren Mütter: dem heiligen Antonius von Padua, der heiligen Margarethe und der heiligen Dorothea. Sie sprach die vorgeschriebenen Sätze mit Hingabe, denn sie hatte Angst. Nicht nur vor den Schmerzen, die, wie sie wusste, noch viel schlimmer werden würden. Das war es nicht allein. Die Geburt eines Kindes barg immer ein hohes Risiko für das Leben der Frau. War doch jedermann bekannt, dass viele dabei einen frühen Tod fanden, und dass von hundert Müttern zwanzig im Kindbett starben. Deshalb war es auch – zumindest in vornehmen Familien – üblich, einer Schwangeren und auch ihrem noch ungeborenen Kind vorsorglich die Sakramente zu spenden.

Wieder schoss eine Wehe in Rücken und Bauch, und Helena konnte sich ein leises Stöhnen nicht verbeißen. Draußen hatte ein leichter Regen eingesetzt, und die Tropfen netzten die niedrigen Buxbaumhecken und die Kräuterstauden im Innenhof; es war viel zu warm für die Jahreszeit. Die Seitentür zur Kapelle öffnete sich, und eine großgewachsene Ordensfrau mit dunkelbraunem Habit und weißem Kopfschleier trat in den Kreuzgang. Es war Barbara Pirckheimer, die sich als Nonne Caritas nannte, eine kluge, tiefgläubige Frau mit hellen Augen unter dichten Brauen und einem kleinen, aber energischen Kinn. Sie lebte schon seit ihrem dreizehnten Lebensjahr im Kloster und genoss inzwischen in Kirchenkreisen weit über Nürnberg hinaus einen Ruf als Gelehrte, obwohl sie die Dreißig noch nicht erreicht hatte. Da sie aus ähnlichen Kreisen stammte wie Helena, hatten sich die beiden in den letzten Monaten angefreundet und viel Zeit miteinander verbracht.

»Wie steht's um dich?« Die Nonne betrachtete prüfend Helenas gewölbten Leib unter dem weiten Leinenkleid.

Das junge Mädchen seufzte. »Ich weiß nicht recht. Die Schmerzen werden zwar schlimmer, aber die Abstände zwischen den Wehen sind immer noch lang. Mindestens zehn Ave Maria.«

Caritas Pirckheimer zog die Haube um Helenas Gesicht zurecht und bemerkte die Blässe und die tiefen Augenringe des Mädchens. Helena tat ihr Leid. Sie kannte ihre Geschichte und hatte die tiefe, aufrichtige Trauer miterlebt, die das Mädchen wegen der Trennung von ihrem Liebsten empfand. Hier war nicht liederliche, gottlose Unzucht begangen worden – nein, vielmehr hatte eine unschuldige Liebe zwischen zwei jungen Menschen, die beinahe noch Kinder waren, zu diesem Unglück geführt. Selbstverständlich verurteilte Caritas die leibliche Beiwohnung vor der Ehe, aber hier wäre es überlegenswert gewesen, die beiden Fornikanten nachträglich zu verheiraten. Caritas seufzte.

»Es dauert bei Erstgebärenden meistens recht lange, sagt Schwester Hildegard. Ich soll dir von ihr ausrichten, dass du so lange es geht herumlaufen musst. Mach dir keine Sorgen. Ich bring dir gleich nach der Messe einen Kräutertrank.«

Damit ließ sie die Schwangere wieder allein. Helena nahm ihre Wanderung unter den Kreuzrippengewölben wieder auf. Fröstelnd zog sie den Umhang fester. Wenn es doch schon vorbei wäre. Sie fühlte sich schrecklich allein und wünschte, ihre Mutter könnte in diesen Stunden bei ihr sein. Aber ihre Eltern hatten seit ihrer Abreise aus Nürnberg keinen Kontakt mit ihr aufgenommen. Hätte Caritas Pirckheimer nicht Erkundigungen eingezogen, Helena hätte nicht einmal gewusst, dass ihre Eltern die Pest glücklich überlebt hatten und seit kurz nach Weihnachten wieder in der Stadt waren.

Die nächste Wehe kam, und dann wieder eine. Helena setzte sich auf die Mauerbrüstung unter einem Spitzbogenfenster und legte die Hände vorsichtig auf ihren hoch gewölbten Bauch. Niklas' Kind! Und er würde es nie sehen, dafür würde schon ihr Vater sorgen! Wie es Niklas wohl jetzt erging? Ob er noch in Nürnberg war, vielleicht bei einem anderen Goldschmied? Oder ob ihr Vater seine Drohung wirklich wahr gemacht und ihn aus der Stadt vertrieben hatte? Das Herz tat ihr immer noch weh, wenn sie an ihn dachte, an seine blitzenden Zähne, sein ansteckendes Lachen, seinen liebevollen Blick, wenn er sie ansah. Nein, sie konnte nicht wirklich bereuen, was sie getan hatte – auch wenn die Nonnen ihr die Schwere ihres Vergehens immer wieder vor Augen hielten.

»Hier, das sollst du trinken, solange es heiß ist.« Caritas Pirckheimer, die wie versprochen aus der Klosterküche einen Absud aus Schafgarbe, Sauerampfer und gelbem Enzianpulver besorgt hatte, hielt Helena einen tönernen Becher mit einer dampfenden Flüssigkeit hin. Das Mädchen schluckte folgsam, auch wenn das Zeug scheußlich bitter schmeckte.

»Wieso kennt sich eigentlich die alte Hildegard so gut aus bei Schwangeren?« Eigentlich, so dachte Helena, müsste sich die Kompetenz der Kräuterschwester doch auf die Behandlung von Krankheiten beschränken – schließlich bekamen Nonnen keine Kinder.

Caritas lächelte. »Glaubst du, du bist die erste Tochter aus gutem Hause, der so etwas passiert? Wir haben hier schon mehr Frauen in Kindsnöten geholfen als eigentlich gutzuheißen ist. Aber auch das gehört zu unseren Regeln der Barmherzigkeit, helfen, wo Hilfe gebraucht wird. Sonst würden vielleicht manche die Todsünde einer Austreibung versuchen oder gar einen Kindsmord begehen, und dies würde dann auch schwer auf unseren Gewissen lasten.«

Plötzlich ließ Helena den heißen Becher fallen. Ihre rechte Hand krallte sich in Caritas' Habit fest, und ihr Körper krampfte sich so sehr zusammen, dass sie in die Knie ging. Sie fühlte eine Flüssigkeit an ihren Beinen hinunterlaufen, aber als sie auf den Steinboden schaute, sah sie, dass es kein Blut war.

»Jetzt dürfte es Zeit sein, dass du dich niederlegst. Komm, ich stütz dich.«

Caritas nahm sie fest am Arm und ging mit ihr langsam zu der Kammer, die in den letzten Monaten Helenas Zuhause gewesen war. Dort hatte man bereits alles hergerichtet: In dem kleinen Kamin flackerte ein Feuer, zwei Kupferkessel mit Wasser standen in der Ecke, und auf einer Truhe daneben lag ein Stapel sauberer Tücher. Über dem Bett hatten die Nonnen an einem Balken ein dickes Seil befestigt.

»Du ziehst dich jetzt aus bis auf das kurze Hemd, und dann legst du dich schön aufs Bett, meine Kleine. Ich geh und hol die Hildegard, und so Gott will, haben wir es bald hinter uns.«

Caritas verschwand und kehrte nach einigen Minuten mit einer winzigen, runzligen Nonne wieder, die einen Beutel mit allerlei Utensilien zur Geburtshilfe bei sich hatte. Die alte Hildegard war zwar keine Hebamme, aber sie hatte im Laufe ihres langen Lebens schon etlichen Kindern auf die Welt geholfen und hoffte, es auch diesmal zu schaffen. Sie betastete mit kundigen Bewegungen den Leib der Schwangeren, horchte nach ihrem Herzschlag und legte schließlich noch das Ohr an Helenas Bauch, um die Herztöne des Kindes zu erlauschen. Dann fettete sie ihre Finger mit Baumöl ein und schob sie in die Vagina des Mädchens, um den Muttermund zu tasten. Er war noch nicht weit genug geöffnet; es konnte also noch ein Weilchen dauern.

Nach der alten Nonne trat Caritas Pirckheimer wieder ans Bett. Sie hielt etwas in den Händen, das sie Helena nun überreichte. Es war ein geflochtener Gürtel, in den ein hühnereigroßer Achat als Talisman eingearbeitet war. Wie jeder wusste, zog der Achat mit seiner Heilkraft unweigerlich das Kind heraus.

»Der Geburtsgürtel meiner Mutter!« Helena traten die Tränen in die Augen. Ihre Mutter hatte sie also doch nicht vergessen.

»Ich hab heute Vormittag jemand zu ihr geschickt, um ihr zu sagen, dass es so weit ist. Sie hat den Gürtel für dich mitgegeben.« Caritas half dem Mädchen, den Gürtel locker um den Leib zu legen und vorne zu verschlingen.

»Danke, Caritas, du bist so gut!« Die nächste Wehe ließ Helena das erste Mal laut aufschreien.

Derweil hatte Hildegard ein Tuch mit warmem Wasser und Kräuterextrakten getränkt und legte es nun auf Helenas Bauch. Dann hieß es warten. Die Nonnen beteten zwischen den Wehen, die nun in immer schnellerer Folge kamen, die typischen Kindbettsgebete und das Glaubensbekenntnis: quicumque vult …

Doch wie sich Helena auch quälte, nach drei Stunden sah es immer noch nicht so aus, als ob das Kind kommen wollte. Hildegard hatte den Kräuterwickel viermal gewechselt, den Bauch mit einer streng riechenden Salbe aus Schweineschmalz eingeschmiert und Vagina und Oberschenkel der Kreißenden mit Öl massiert, aber nun fiel ihr auch nichts mehr ein. Helenas Kräfte ließen nach. Sie war schweißüberströmt und hatte sich bereits vor Schmerz zweimal erbrochen. Immer wieder horchte Hildegard nach den Herztönen des Kindes. Sie begannen, schwächer zu werden – wenn dies alles noch länger dauerte, würde es nicht überleben. Die Miene der alten Nonne wurde immer finsterer.

»Ich schaff es nicht«, schluchzte Helena. »Warum dauert das so lang? Caritas, ich kann bald nicht mehr. Wenn ich bloß meine Reliquie noch hätt – ja, die würde helfen! Ein Tröpfchen von dem heiligen Öl der Walburga …« Die nächste Wehe nahm ihr den Atem.

Die beiden Nonnen sahen sich einen Augenblick lang an. Dann nickte die alte Kräuterschwester. »Versuchen wir's.«

Caritas legte der Gebärenden beruhigend die Hand an die Wange. »Warte, Kind, ich bin gleich zurück.«

Während Hildegard begann, Helenas Bauch zu massieren, verließ Caritas das Zimmer. Helena schloss erschöpft die Augen, öffnete sie aber sofort wieder als sie spürte, dass etwas auf ihren Nabel gelegt wurde. Caritas stand lächelnd neben ihr.

»Das ist eine Reliquie der heiligen Klara, meine Liebe. Sie gehört dem Kloster, und die Äbtissin hatte nichts dagegen, dass wir ihre Hilfe in Anspruch nehmen.«

Von neuer Zuversicht erfasst berührte Helena mit beiden Händen das schlichte Silberkreuz, das auf ihrem Nabel lag. In einer goldenen Fassung war ein vom Alter schwarz gewordener Zahn zu erkennen. Vorsichtig schob sie die Reliquie unter den Geburtsgürtel. Dann zerriss ihr Schrei die andächtige Stille, die sich im Zimmer ausgebreitet hatte. Die erste Presswehe war da.

Kaum eine Viertelstunde später war alles vorüber. Helena hörte noch glücklich und völlig erschöpft das erstaunlich laute Brüllen des Säuglings und sah die beiden Frauen mit dem Kind bei den Wasserkesseln und am Feuer hantieren. Dann fielen ihr vor lauter Schwäche und Mattigkeit die Augen zu.

Als sie erwachte, war sie allein. Sie sah sich im Zimmer um; das Feuer flackerte hell, aber die Wasserkessel waren fort, und auch der Strick, an dem sie sich in den Presswehen festgehalten hatte, fehlte. Nichts erinnerte mehr daran, dass in diesem Raum ein Kind zur Welt gekommen war.

Gerade als sich Helena im Bett hochrappeln wollte, ging die Tür auf, und die alte Hildegard kam mit einer Schale Brühe und ein paar Tuchbahnen über dem Arm herein.

Helenas Herz krampfte sich zusammen. »Hildegard – wo ist mein Kind?« Sie brachte die Frage kaum über die Lippen, weil sie die Antwort ahnte.

»Weg.« Die Alte zog ihr energisch das Hemd über den Kopf. »Lass die Arme oben. Wir müssen die Brust fest einbinden, damit nicht so viel Milch einschießt.«

Helena gehorchte wie betäubt und hielt still, solange Hildegard ihre Brüste mit breiten Stoffbahnen umwickelte. Dann legte sie ihre Hände flehend auf die Schultern der Nonne.

»Bitte, wo habt ihr es hingebracht? Du musst's mir sagen!«

Die Alte schüttelte den Kopf. »Das darf ich nicht. Es ist alles geregelt, und dein Kind ist wohlauf. Was mit ihm geschieht, muss nun deine Sorge nicht mehr sein. Da – du solltest jetzt etwas essen und dich beruhigen. Wenn alles gut geht, bist du in ein paar Tagen wieder daheim.«

»Ich will nicht heim. Ich will wissen, was mit meinem Kind ist. Um der Liebe der Muttergottes willen, Hildegard, sag mir, wo ihr es hingebracht habt.«

Die Nonne blieb stumm und wandte sich wieder zum Gehen.

»Hildegard, bleib! Ich weiß nicht einmal, ob es ein Bub oder ein Mädchen ist. Hildegard!«

Mit unerbittlichem Krachen schlug die Tür zu. Helena schluchzte und fegte in einer Mischung aus Wut und Verzweiflung die Suppenschüssel vom Beitisch, dann schlug sie das Laken zurück und stand auf. Sie achtete nicht auf den brennenden Schmerz zwischen ihren Beinen, als sie zur Tür lief und die Klinke niederdrückte. Es war abgeschlossen. Ich will mein Kind, schrie sie, gebt mir mein Kind! Mit beiden Fäusten hämmerte sie immer wieder gegen die hölzernen Bretter, aber niemand kam. Irgendwann wankte sie wieder zurück ins Bett und weinte sich in den Schlaf.

Auf den nassen Februar war ein noch feuchterer März gefolgt. Der schlanke, in die graue Kutte der Franziskaner gekleidete Mönch stand an einem der hohen Fenster im Refektorium und sah auf die träge fließenden Wasser der Pegnitz hinunter. Wegen des vielen Regens in den letzten Wochen führte der Fluss Hochwasser. Ein paar Enten schwammen unter den herabhängenden Ästen einer Trauerweide herum, und am Ufer standen zwei Weiber in langen Mänteln und unterhielten sich lebhaft. Drüben, wo die Insel Schütt den Fluss teilte, dümpelte ein kleines Boot, das jemand an einem Pfahl vertäut hatte. Vor den Augen des Mönchs stand jedoch ein anderes Bild. Damals, in jenem schicksalhaften Winter vor vielen Jahren, hatte der Fluss nicht so ausgesehen. Die klirrende Kälte hatte eine Eisschicht entstehen lassen, dick genug, um darauf zu gehen. Der Mönch hörte das Kinderlachen, die fröhlichen Rufe, das Wetzen der Schlittschuhkufen auf glattem Eis …

»Philipp?«

Helenas Stimme riss den Mönch aus seinen Gedanken; er drehte sich zu seiner Besucherin um und nickte. Sein schmaler Mund verzog sich zu einem beinahe schüchternen Lächeln.

»Ja, schau nur, ich bin's, Schwesterchen!«

Helena lief auf ihren Bruder zu und umarmte ihn heftig.

»Ach Philipp, wie viele Jahre sind's jetzt her, dass wir uns nicht mehr gesehen haben? Fünf? Sechs? Du hast mir gefehlt!«

Der Mönch hielt das Mädchen mit gestreckten Armen von sich.

»Groß bist du geworden, Lene. Und hübsch.« Sie hat sich verändert in der langen Zeit, dachte er. Aus dem ungelenken kleinen Mädchen, von dem er sich vor Jahren verabschiedet hatte, war eine Frau geworden. Das sanft gewellte blonde Haar, die üppigen Lippen, die Sommersprossen auf ihrer Nase, das alles war ihm noch von früher vertraut – was er noch nicht gekannt hatte, aber sofort entdeckte, war der Kummer in ihren Augen.

Sie setzten sich in eine Fensternische und plauderten über alte Zeiten, über die Familie und über das, was sich in Nürnberg zugetragen hatte, seit Philipp bei den Barfüßern eingetreten war. Aber nach einer halben Stunde konnte Helena sich nicht länger mit ihrem Anliegen zurückhalten. Sie suchte nach Worten.

»Philipp, ich weiß, dass es im Kloster nicht gern gesehen wird, wenn Besuch von der Familie kommt, aber ich brauche deine Hilfe.«

Mit stockenden Sätzen erzählte sie von ihrer Liebe zu Niklas und allem, was daraus gefolgt war. Davon, dass ihr Vater sie daheim eingesperrt hatte, bis er sicher sein konnte, dass Niklas aus der Stadt war, von ihrem Kummer um den Verlust des Liebsten, von der Schwangerschaft und schließlich der Geburt im Kloster. Und davon, dass sie ihr das Kind genommen hatten. Philipp hörte schweigend und ernst zu, in seinen Augen stand Mitgefühl. Als Helena geendet hatte, stand er auf und ging mit langen Schritten im Refektorium herum. Schließlich blieb er vor seiner Schwester stehen und tat einen tiefen Atemzug.

»Und jetzt möchtest du, dass ich unseren Vater dazu bringe, dir zu sagen, was mit deinem Kind geschehen ist, nicht wahr?«

Helena nickte mit Tränen in den Augen. »Du bist der Einzige, der mir vielleicht noch helfen kann. Im Kloster erzählen sie mir nichts. Nicht einmal meine Freundin Caritas – du kennst sie bestimmt von früher, als sie noch Barbara Pirckheimer hieß – hab ich erweichen können. Und Mutter tut wie immer das, was Vater ihr sagt. Ich hab alles bei ihm versucht, aber er gibt nicht nach. Ich will ja nur wissen, wo mein Kind ist, ob sie es ins Findelhaus gebracht haben oder in ein Kloster, oder gar …« Sie konnte nicht mehr weitersprechen. »Philipp, ich weiß noch nicht einmal, ob ich einen Sohn oder eine Tochter habe!«

Der Mönch legte tröstend eine Hand auf ihre Schulter.

»Lene, ich bin mir nicht sicher, ob es gut ist, wenn du etwas über das

Kind erfährst. Soweit ich verstehe, hat unser Vater entschieden, dass du das Kind heimlich zur Welt bringen sollst, um danach ohne den Verlust deines guten Rufs wieder zu Hause leben und später einmal heiraten zu können. Egal, ob ich diese Entscheidung gutheiße oder nicht, aber sie lässt sich nun wohl nicht mehr rückgängig machen. Und der Niklas ist offenbar aus der Stadt und kommt nicht wieder. Du hast jetzt die Möglichkeit, in Zukunft wieder ein unbescholtenes Leben zu führen. Vielleicht solltest du einfach vergessen, was war, auch das Kind. Vater hat ganz bestimmt dafür gesorgt, dass es ihm gut geht.«

»Philipp, ich werd meines Lebens nicht mehr froh! Ich bitt dich, sprich mit unserem Vater. Tu's für mich!«

Der Mönch rieb sich das bartlose Kinn und versuchte abzuwägen, was das Beste war, aber schließlich siegten Helenas flehende Augen.

»Also gut, Lene, ich versuch's. Ich seh schon, wie wichtig es dir ist. Aber rechne dir nicht allzu viel aus – du kennst ja Vater. Er kann hart sein wie Eisen.«

Die Pforte zum Refektorium öffnete sich, und einer der Mönche erschien und signalisierte, dass die Sprechzeit jetzt um sei. Helena blieb nur noch, sich hastig zu bedanken, dann ließ sie sich vom Bruder Pförtner hinausgeleiten.

Am Abend nach Vesper und Komplet wälzte sich Philipp auf seinem harten Lager in der Zelle hin und her. Die Glocke läutete schon zur Stunde vor Mitternacht, und er konnte immer noch nicht schlafen. Am Nachmittag noch hatte er um Erlaubnis gebeten, seinen Vater besuchen zu dürfen, und sie war ihm auch gewährt worden. Aber genau wie er befürchtet hatte, war der alte Brandauer stur geblieben. Das ganze Gespräch war eine Katastrophe gewesen. Und was den jungen Mönch am meisten getroffen hatte, war die Einsicht, dass er und sein Vater sich eigentlich nichts mehr zu sagen hatten. Seiner Stiefmutter war er im Haus am Obstmarkt ebenfalls begegnet, aber auch hier spürte er, dass er nach all der Zeit nicht mehr willkommen war, ein Störenfried. Es wunderte ihn, dass diese Erkenntnis so wehtat, war ihm doch von Anfang an klar gewesen, dass mit seinem Gang ins Kloster die Welt da draußen für ihn nicht mehr existieren durfte. Es war ein Fehler gewesen, ins Haus seiner Eltern zu gehen. Über den Verbleib des Kindes hatte er auch nichts erfahren; sein Vater war zu keiner Auskunft bereit gewesen. Philipp graute schon davor, es Helena sagen zu müssen.

Er horchte auf die Geräusche der Nacht: Draußen jaulte ein Hund, ein einsamer Streuner in finsteren Gassen. Die Schritte des Nachtwächters kamen langsam und gemessen näher und entfernten sich wieder. Nässe tropfte von den Dächern. Wie oft hatte Philipp schon so gelegen! Seine Hoffnung, bei den Barfüßern Ruhe und Frieden zu finden, hatte sich nicht erfüllt, auch nicht nach all den Jahren. Er hatte kläglich versagt. Mein Glaube ist einfach nicht stark genug, Herrgott, vergib mir, dachte er. Ich habe mich bemüht, Tag um Tag, und tue es noch. Aber ich bin zu schwach, ich tauge nicht als Mönch.

Fröstelnd zog er die Decken enger um sich. Die Haut seiner frisch rasierten Tonsur spannte und juckte. Natürlich, er konnte seinen Aufgaben im Kloster nachgehen, pünktlich die Gebete aufsagen, an den Messen teilnehmen, die Regeln und Fastengebote einhalten. Aber es erfüllte ihn nicht, tief im Innern war er unzufrieden und unglücklich. Und seine Unzulänglichkeit als Diener Gottes hatte ihn im Lauf der Zeit immer mehr verzweifeln lassen.

Nebenan knarrte eine Tür. Philipp wusste, was jetzt kommen würde; er drehte sich um, zog das Kissen über den Kopf und presste die Hände auf die Ohren. Trotzdem hörte er es noch durch die Bretterwand, das schwere Atmen, das rhythmische Stöhnen, das unterdrückte Keuchen. Ihn ekelte, und dennoch konnte er nicht verhindern, dass seine Männlichkeit sich regte, während die beiden Mönche nebenan den Geschlechtsakt vollzogen. Nein, er war noch nicht so tief gesunken, seine Begierde am gleichen Geschlecht stillen zu wollen. Stattdessen legte er – Gott möge ihm die Sünde vergeben – immer wieder selbst Hand an sich. Oh, er hatte es natürlich gebeichtet, sogar öfter, und er wusste, dass es vielen genauso ging. Du bist noch so jung, hatte der gütige Bruder Franziskus getröstet, kaum Dreißig, das geht vorbei. Bete zwölf Vaterunser, faste drei Tage lang und versuche es mit kalten Güssen. Aber die Beichte und die auferlegte Sühne brachten Philipps Gewissen keine Erleichterung, genauso wenig wie das eiskalte Wasser seine Triebe beschwichtigen konnte. Er begann, sich selber zu zerfleischen, nicht nur in Gedanken, sondern in den letzten Monaten auch tätig – mit der siebenschwänzigen, kurzstieligen Geißel. Sich selbst für die eigene Unzulänglichkeit zu strafen war eine Möglichkeit, das Leben zu ertragen.

Immer noch hörte Philipp die brünftigen Geräusche aus der Nachbarzelle. Es zermürbte ihn jedes Mal mehr. Manchmal half es, lateinische Gebete oder Texte zu rezitieren; auch jetzt versuchte der Mönch, sich damit zu beruhigen. Ein Kindergebet kam ihm in den Sinn, und er flüsterte es vor sich hin.

Veni sancte spiritus,
et emitte caelitus,
lucis tuae radium.
Veni pater pauperum,
veni dator munerum,
veni lumen cordium.
Sine tuo nomine
Nihil est in homine,
nihil est innoxium.
Lava quod est sordidum,

Weiter kam Philipp nicht. Lava quod est sordidum – O Heiliger Geist, reinige das, was schmutzig ist. Auch meine Seele ist beschmutzt, dachte der Mönch, voll dunkler Flecken. Ich habe die größte Schuld auf dem Gewissen, die ein Mensch nur auf sich laden kann. Und nicht einmal die Buße im Kloster gelingt mir. Ich tauge nichts, bin zu nichts gut. Es hätte mich treffen sollen, damals – warum, großer Gott, hast du anders entschieden? Er stand auf und entzündete mit Hilfe eines metallenen Schlagrings und eines Häufchens Zunder die Bienenwachskerze neben seinem Bett. Dann holte er unter dem Strohsack die Geißel hervor, zog das lange Gewand über den Kopf und kniete sich nackt auf den harten Boden. Es zischte, wenn er die kleine Peitsche links und rechts um die Schultern klatschen ließ, und die groben Bleikügelchen am Ende der dünnen Lederriemen rissen hässliche Wunden in die Haut auf seinem Rücken, dort wo alte Verletzungen noch nicht verheilt waren. Krampfhaft und verbissen rezitierte Philipp lautlos Psalmen und kämpfte gegen den Schmerz an, bis er ein Stöhnen nicht mehr unterdrücken konnte. Winzige Blutströpfchen sprühten von den Riemen und benetzten Bett und Wände. Irgendwann ließ sich Philipp bäuchlings aufs Bett sinken und fiel in einen unruhigen, erschöpften Schlaf.

Am nächsten Morgen bei der Prim entdeckte er seinen Zellennachbarn. Der junge Anselmus war blass, und tiefe Ringe lagen unter seinen Augen. Wahrscheinlich hatte er den Rest der Nacht in der Kapelle verbracht, mit ausgebreiteten Armen auf dem kalten Steinboden liegend. Ihre Blicke trafen sich; Philipp fühlte sich ertappt und sah verlegen weg. Nach dem Stundengebet traf er auf Bruder Jacobus, den Prior, einen der ältesten Mönche im Kloster. Der schaute ihn durchdringend an und bedeutete ihm dann, in seine Stube mitzukommen.

»Du hast getrocknetes Blut am Ohrläppchen, Bruder.« Der alte Jacobus deutete auf Philipps linkes Ohr. »Und ich habe vorhin bemerkt, dass du dich nicht im Kirchengestühl anlehnst.«

Philipp senkte schuldbewusst den Kopf.

»Segnet mich, Vater, denn ich habe gesündigt«, flüsterte er.

»Setz dich«, befahl der Prior und nahm seinerseits an dem großen Arbeitstisch Platz, der in der Mitte des Raumes stand. »Wie lange geht das schon?«

»Monate. Vielleicht ein halbes Jahr? Ich weiß nicht mehr genau.« Der junge Mönch verbarg das Gesicht in den Händen.«

»Und wofür bestrafst du dich, mein Sohn?«

Philipp rang um Fassung, und seine Stimme vibrierte, als er zu reden begann.

»Ich habe mich gegen die Keuschheit versündigt, immer wieder.« Ein trockener Schluchzer schüttelte den jungen Mönch. »Vater Jacobus, ich bin ein schwacher Mensch und ein schlechter Mönch. Ich bin nicht würdig, unter diesem Dach zu leben, Gott möge mir vergeben.«

Der Alte schüttelte lächelnd den Kopf. Er mochte den jungen Philipp gern – das war einer, der sich redlich mühte und es sich selbst nicht einfach machte. Schon lange hatte sich der Prior Gedanken um seinen jungen Bruder gemacht. Es gab Mönche, die wie Philipp nicht für die Kontemplation allein taugten, die eine Aufgabe brauchten, die helfend ins Leben hinaus mussten. Viele davon hatte er kennen gelernt in den Jahrzehnten, die er im Kloster verbracht hatte. Er hatte sich darüber mit dem Abt besprochen, und auch der war gleicher Meinung gewesen. Vielleicht konnte man Bruder Philipp helfen. Jacobus räusperte sich und kratzte sich an der faltigen Stirn.

»Lieber Bruder, ich und der Bruder Abt machen uns schon seit längerer Zeit Sorgen um dich. Oh nein, nein, nicht weil du gegen das Keuschheitsgebot verstößt, das tun viele, und es kann dir in der Beichte vergeben werden. Das Fleisch ist gerade in jungen Jahren oft schwach, das geht vorbei! Nein, wir glauben, du grübelst mehr, als für dich gut ist, und wir sind zu dem Schluss gelangt, dass dir eine Mission fehlt. Es gibt Brüder unter uns, mein Sohn, denen es bestimmt ist, in tätiger Nächstenliebe zu dienen, statt in klösterlicher Abgeschiedenheit zu leben. Deshalb haben wir beschlossen, dir das Amt des Seelsorgers für Sankt Peter zu übertragen, zusammen mit der Aufgabe, dich um das Seelenheil der sündigen Weiber im Frauengässlein zu kümmern. Bisher hat beides unser Bruder Zacharias getan, aber er ist in letzter Zeit recht sonderlich geworden und verdient wohl, seine letzten Jahre in Ruhe daheim zu verbringen. Der Bruder Abt und ich halten dich für den richtigen Mann, seine Pflichten zu übernehmen.«

Der Siechkobel und das Frauenhaus! Philipp wusste nicht, was er sagen sollte. Letzteres kannte er vom Hörensagen aus der Zeit, bevor er Mönch geworden war. Hier lebten liederliche Frauen, die dafür bezahlt wurden, Männern leiblich beizuwohnen. Er schämte sich fast bei dem Gedanken, dort in Zukunft ein- und ausgehen zu müssen. Jedoch, gerade diese Weiber waren des Gottesworts besonders bedürftig. Genauso wie die Menschen von Sankt Peter. Das nach dem heiligen Petrus benannte Leprosenhaus war einer der vier Nürnberger Siechkobel, die alle vor der Stadtmauer an den Hauptausfallstraßen lagen. Hier lebten die Aussätzigen isoliert von den Stadtbewohnern und bekamen die notwendige Versorgung und Pflege. Sankt Peter war die kleinste und unbedeutendste dieser Einrichtungen, bestehend aus einem großen Wohnhaus, einigen kleineren Wirtschaftsgebäuden und einer Kapelle. Während in den anderen drei Siechenhäusern ein eigener Geistlicher lebte, wurde Sankt Peter seit jeher von einem der Nürnberger Klöster beschickt. Die Betreuung der Ärmsten, die mit dem ansteckenden, unheilbaren Aussatz behaftet waren, konnte sich Philipp schon eher vorstellen. Aber es war ohnehin unerheblich, was er dachte oder sich zutraute. Man hatte ihm eine Aufgabe übertragen.

Demütig kniete er sich hin und bat den Prior um seinen Segen.

Brief des Niklas Linck an Helena Brandauer, Venedig, Februar 1495

Meine hertzliebe Lene,

nun bin ich schon so vil Tag ohne dich und mein Hertz ist immer noch schwer wie Bley. So vil schöne Dinck hab ich gesehn und hab doch nit recht drüber froh sein können. Mir gehet nit aus dem Kopff, was wol mit dir geschieht. Ich weiß ja, alles ist meine Schuldt, warumb war ich so ungestümb und hab nit vorher bedacht, was geschehn kann? Jetzo bleibt dir die Schandt, und ich kann dir nit helffen, auch wenn ich's noch so gern wöllt. Mein grosze Sorg ist, ob du mich jetzo hassest? Aber, mein Lene, ich kann und will's nit glauben. Mein Kümmerniß und Schmertz um dich und unser Kindtlein lassen mich so gar nit freuen an dem Wunder der Stadt Venezia, die über alle Maßen herrlich ist. Ich will dir aber darvon ertzeln, damit du dir vorstelln kannst, wo ich bin.

Die Stadt Venezia stehet inmitten der bewegten Wellen des Meeres am Rand der Tieffen wie eine Königin, mit Gebeuden wie du sie schöner nie gesehn. Sie ligt dort, wo zuerst Inseln warn und dann, als sie wuchs und sich vergrößern wollt, war es notwendig, Land zu gewinnen, um die Balazzi und Häuser zu baun. Und man errichtete auf Pfäln mit großer Erfindungs Gabe die Fundamentt in den Salzfluthen, und das Wasser wich zurück. Item, wenn es tief steht, bleibts so tro-

cken, daß man zu Zeiten nicht mit der Barkhe faren kann, wohin man will. Die Stadt hat ein Gestalt wie ein grosser Fisch, und ir Umfangk erreicht sieben Meilen, und man hat keine Tore noch Mauern um die Stadt, denn hier herrscht kein Furcht vor Feinden.

Hier gibt es keine Strassen wie daheim, sondern die Stadt ist gentzlich durchzogen von Kanelen, auf denen Barcken und Schiffe faren wie bei uns die Karren und Wägn. Ein gar seltzam Boot ist langk und schwartz und krum wie eine Gurcke und heißet Gondola. Gantz hinten stehet der Schiffer und rudert mit einem langen Stab, und in der mitt sitzen die vornemen Leut und lassen sich farn. Der gröste Kanal teilet die Stadt und heisset Kanal grande, ist gar breit und hat die Gestaltt wie eine Schlange.

Die edlen Veneziani gehen ohn Ausnam gantz in schwartz, sodass ich zu Anfangk gedacht hab, man trauert hier gar ser. Aber jetzt weiß ich, dass man diese Farb als die fürnemste eracht, und den Reichtumb durch feinste Tuche und durch grosze Mengen Schmuck zeiget. Manche vom Adel, so sagt man, tragen Ring und Geschmeid für tausent Dukaten spazirn. Mein Lene, du willst bestimbt wissen, wie allhier die Fraun anzusehn sind. Die im Ehstand gehen gentzlich schwartz. Die jungen unverheiratn aber gehn in köstlichem Sammet und seidnen Röcken belegt mit Perlen und anderm Edelgestein, als da Sitt ist, je köstlicher eine, als die andre. Auch auf dem Kopf sind sie fein geschmücket, und findet man seltten eine, die ir Haar natürlich schön und langk hat, so wie du mein Lieb. Sie tragen viel totes Har und machen alles schön gelb und kraus, und binden es auf den Kopf zuhauf, wie man in deutschen Landen eim Pferdt den Schwantz auffbindet, und das kraus Har lassen sie über die Orn abhangen. Vorn ist das Haar schön, hinten aber im Nacken kolschwartz. Auch tragen sie über das Haar von allerlei Farben seidne Tücher, die stecken sie unter die Gürttel und ziehen sie dann über die Köpf. Dartzu muss ich noch sagen, daß ich an Weibern kain liederlicher Klaidungk gesehn, so geschnitten, daß man hinten bis auf den halben Rücken hinab, desgleichen vorn unter die Brust sehn kann. Darzu tragen sie kein den Füßen bequemliche Kuhmäuler wie du, mein Lieb, sondern höltzern Schuh mit dicken Sohlen aus Eichenkorck, die nennet man Zockel oder auch Kothurn, sind etlich davon eine Spanne hoch, daß sie kaum darauf gehen können. Auch ist es Art der Fraun, sich das Gesicht anzustreichen und zu maln, weiß und rot, und um die Augen dunckel. Denck ich, wie schön du bist, mein Lene, gantz ohne Farb im Gesicht und falsches Gestrüpf am Kopff, so wirdt mir schwer umbs Hertz.

Zu Anfangk war ich noch recht frembt in der Stadt, hab in dem Fondack der Deutschen, die man hier Tudeski nennet, gewont und niemands gekant. Dann hab ich ein Freund gefunden mit Namen Nazzareno, ein gar seltzam Zwerglein nit gröszer als ein Kind, aber klug und liebwert. Durch ihn hab ich gute Arbeit gefunden bei eim Goldschmid, der mich gern als Geselln aufgenommen. Mein Meister ist gar alt und mit des Körpers Schwachheit beladen. Er hat wenig Haar, aber buschig Augenbraun und eine Nase wie eine Knolle Wintter-Rettich, bloß nit dunkel, sondern roth. Dieweil er langksam blindt wird vom Star, den man nit stechen kann, brauchet er geschickte Helffer, davon bin ich nun einer. Dazu hat er noch fünf Geselln und drei Lehrbuben. Die Werckstatt ist gröszer alß die deins Vaters; es werden so manche neue Dingk entworffen, viel Duplikat gemacht – mehr alß bei uns daheim – und viel Stein in fertiges Geschmeid gefasset.

Mit meim Freund Nazzareno geh ich des abends oft in ein Backaro, so nennet man hier die Weinstuben und Wirtshäuser. Da trincken wir roten Wein und sind gar lustig beisamm. Die welschen Speisen sind oft gar seltzam anzusehn aber doch zumeist schmackhaft. Zu allem nimmt man nit Schmaltz wie daheim, sondern Baumöl von zumeist grüner Farb, in das man auch das Brot tuncket. Man kochet hier viel Fisch und alle Arten von Meergetier, die du nie gesehn hast, vil wintzige Kracken mit klein Tentaceln, die Saugnepf daran haben. Sie schmecken gebraten vortzügklich. Auch gibt es ein Gericht das heißet Drippi, das sind Kuttelfleck in Soß, das ess ich oft. Am merckwürdigsten ist ein Eintopf mit Reis und groszen Sepie, welche man auch Tintenfisch nennt, weil sie am Leip einen Beutel haben darin schwartze Tintte ist. Der riso mit sepie ist ein schwartzes Zeugk, siehet garstig aus schmecket aber recht gut. Aber mir wird's bald zu vil Fisch. Wie würd ich mich über ein Stück dunkel Brot mit Schmalzfleisch freun, wie es daheim immer so gut war, oder ein saure Lungen mit eim Humpen dunkel Biers. Auch wenn ich an Butterbrezen, Lebküchlein und Krautwürst denk, läuft mir's Wasser im Mund zusamm.

Die Stadt Venezia ist um ein vielfachs größer als Nürenberg. Es solln an die dreimal hunderttausend Menschen sein, die hier wonen und arbeitten. Denk dir nur, Lene, ich hab Leut gesehn, ganz schwartz von Leib und Angesicht, mit Kräuselhaarn und dicken Lippen, das müssen die Nachfarn vom Mohrenkönigk Kaspar aus dem Morgenlandt sein, der in der Heiligk Nacht das Jesukind angebetet hat.

Item seit einigen Wochen wohn ich in einer Wirtschaft und Herberg, die da heißt nach einem groszen Fisch »Lo Sturione«. Da hab ich eine Kammer für mich, darin ein Bettstat und ein Truhen, ein Schemel und ein Tischlein, daran ich diesen Brieff schreib. Ein Fensterlein gehet hinaus auf den rio, das ist ein kleines Kanällein, in dem meistens vil Abfall schwimmt. Gegenüber wont ein alttes Weib, das immer auf Stangen die Wäsch aufhenkt und zu mir herüberschwencket. Drunten in der Herbergstube bekom ich mein Morgenessen, eine blinde saure Brüh mit Fisch und Gemüs und Brot oder einen dicken Brei aus allerlei Getreidt. Das macht satt und helt den gantzen Tag gut vor. Die Wirttin Vanoza ist ein recht ansehnlichs Weib mit Haarn nach welscher Sitte in rother Farb gebleicht. Sie ist gar freuntlich zu mir und hat mir guthe Aufnahm bereittet. Sie hat zwei folgsame Kinder, ein Bub und ein Mädchen, die offt bei mir sitzen und mir die welsche Sprach immer besser beibringen. Mit dem ältern Buben spiel ich auch offtmals Puff. Der Kindsvatter ist ein lustiger Seemann droben auß dem hohen Norden, groß und starck wie ein Bär, der zuweiln, wenn er in Venezia ist, bei ir lebt. Ich hab mit ime vil Weins getruncken, wozu er immer nastrofje brüllet. Morgen gehet sein Schiff ab mit vil Glas aus Murano, ich hab ime geholffen, die Gläßer in Fäßlein mit Butter zu packen, damit sie gantz ankommen und nit zerprechen.

Ach, meine Lene, wie sehn ich mich nach der altten Heimat Francken, wie wohl es mir auch hir gefellt. Und ich hab auch Verlangen nach dir, da helffen all die liebreitzen welschen Weiber nit. Offt träum ich des nachts, ich hätt dich im Arm, und wach dann auf und bin gantz allein. Wenn ich nur wüst, wie dir zumuth ist. Hast mich noch lieb wie ich dich? Nunmer müsst doch balt das Kindlein kommen? Ich schreib dißen Brieff und hab noch kain Nachricht von dir, mein Lieb, ist zu hoffen, daß die Agnes Dürerin dir meine Schreiben geben kann. Sag, warum hast du mir noch nicht zurück geschriben? Sind meine Brieff nit zu dir gelangt? Oder helt dich dein Vater eingesperrt? Die Dürerin schicket, sofern du ein Antwortt an mich schreiben kanst, diße an iren Mann nach dem Fondack, und der gibt sie mir. Liebchen ich bitt dich denck an mich so wie ich dein gedenck.

Geschriben den Sontag exurge von deim Nicklas, im Wirtshaus lo sturion zu Venedig.

Mandat der Stadt Nürnberg, das Frauenhaus betreffend, vom 31. Oktober 1497

Brieff und Verordnungk des hochlöblichen Rats zu Nüremberg an den Frawenwirtt Hans Kyeser im Mauckental.

So eim erbarn Rat zu Ohrn kommen, dass einigk Übel, Unfug und weidlich Unordnungk im Frawenhaus sich zutragen, wölln wir nochmals constatirn, wie man es dortten zu halten hab.

Erstlichen soll ein Fraunwirt kein Rauffhändel noch Überlauffen mit Messern, noch Fluchen noch Gotslestern in seim Haus dulden. Auch soll er falschem Spieln mit Würffel oder anderm durchaus nit Fürschub leisten.

Zum andern soll der Frawnwirtt füglich darauf achten, zu keiner Zeit under vierzehen Frawen nit zu haben, aber auch nit mer dann zwanzig, es begeb sich denn daß hoher oder gar kaiserlich Besuch in der Stat sei.

Zum dritten soll der Wirt alle sambstag, auch alle unser frawen und Zwölfbotten Abend nach der Vesper, und die karwochen ganz das Haus beschließen und dasselbig zu den Sünden nit öffnen.

Zum nechsten soll auch der Wirtt die gemeynen Töchter so in seim

Haus wonen, so sie mit ihrer weiblich Kranckheit beladen seynd, nit zur Arbeit notzwingen.

Zum fünften soll der Kyser seine Weiber zum mindsten ein mal in der Wochen ins Bad füren, und auch jedes Mal am heiligen Sontag in die Messe mit inen gehen, auf das sie Gots Wortt hören.

Zum sechsten soll ein Frawenwirt wissentlich nit herbergen Briester oder ander geweihet Person noch auch einen ehemann. Auch eim beschnittnen Juden ist kein leiplich Vermischungk mit einer gemeynen Dochter erlaupt und muss derselbig aus dem Haus gewisen werden.

Zum sibten ist Beschwerd gefüret worden der Entlonung für die vollzogne copula carnalis halben. So ein Mann mit einer gemeinen Tochter leiplich Werck gepfleget, soll er betzalen für die Fahrt nit mer dann 12 Pfennig. Zweimal gebickt tut das doppelt und muss betzalet werden, auch wenn einer es billiger haben möcht. Ein Schlafmann zalet für die gantze Nacht 30 Pfennig, muss aber zu der Frümess aus dem Haus heraußen sein.

Zum achtten ist eim Rat gemelt worden, daß im Frawnhauss offtmals gotlos und liderlich Beywonung stattfinde, alß da sey die copula a tergo oder ander practica wider die Natur. Item daß auch einig Männer sich mit geißeln und anderm molestirn lassen und je harter dies gescheh, desto besser es inen gefille und sie sich eher irer lust entschütten. Dafür solln sie dann mer betzahln als üblich. Dem sey ein Frawnwirt bey Androhung schwerer Straff entgegen.

Zum lezten beschwern sich widerumb die Leut, so umb das Frawnhaus wonen, über den vorgeplich zahmen Wolff, der seit langem schon des nachts in den Gassen gesehn wirdt und der einem der freien Weiber angehört. Das Unthier hett kürtzlich eine Mannsperson in das Bein gepissen, und soll derhalben sofortig und endgiltig vom Fraunwirt abgeschafft werden.

Item so solls gehalten werden in der freien Töchter Hauß gelegen im Fraungäßchen zu Nürenberg auf Bevelch eins erbarn Rats.

Gegeben am Tag vor Allerheiligen Anno 1497.

Reichsstadt Nürnberg, Anfang November 1497

Der Frauenwirt ließ sich das Mandat des Rats gleich zwei Mal hintereinander vom Stadtboten vorlesen, bevor er mit seinem Zeichen, einem ungelenk dahingekritzelten großen K, den Erhalt quittierte. Kieser konnte sich dabei ein Schmunzeln nicht verkneifen. Genau dieselben Räte, die das Mandat verfasst hatten, würde er vermutlich abends bei sich in der Trinkstube sehen. Natürlich waren die ehrbaren Herren allesamt verheiratet. Und Kieser wusste ganz genau, welche Art von leiblichem Umgang manche von diesen Großkotzen mit seinen Mädchen pflegten, nämlich deshalb, weil er vorher für Extrawünsche gepfeffert abkassierte. Dem Boten gegenüber spielte der Frauenwirt allerdings den Entrüsteten.

»Wenn ich keine Pfaffen und Ehemänner mehr hereinlassen darf«, schimpfte er, »dann kann ich ja gleich zumachen. Und was soll das heißen, falsches Spiel? Wenn die Männer hier nicht um Geld würfeln dürfen, dann gehn sie eben in den ›Nackenden Bauch‹ um die Ecke. Bloß mir fehlen die Einnahmen, und wie soll ich dann meine Pacht an die Stadt bezahlen, kann mir das mal einer sagen?«

Der Stadtbote, ein rotnasiger älterer Mann mit Bierbauch und grauem Bart, verdrückte sich lieber, bevor der Frauenwirt auf die Idee kommen konnte, seine Wut an ihm auszulassen.

Kieser zapfte sich einen Schluck Wein aus dem großen Fass in der Ecke und setzte sich an einen der leeren Tische. Das Einzige, was ihm an dem Ratsmandat Sorgen bereitete, war der Absatz über den Wolf. Es war nicht das erste Mal, dass ihm aufgetragen wurde, das Tier loszuwerden. Die Nachbarn beschwerten sich immer wieder über seine nächtlichen Ausflüge, und auch so mancher Freier, der durch die Drohung, man würde den Wolf auf ihn hetzen, zur Räson gebracht worden war, mochte sich beklagt haben. Allerdings hatte Grimm bisher noch nie jemanden angegriffen oder verletzt. Wenn sich das jetzt geändert hatte, würde Kieser handeln müssen. Außerdem, so dachte der Frauenwirt, sähe es nach außen hin doch recht gut aus, wenn er wenigstens eine Anordnung des Mandats befolgen würde.

»Linhart!«

Der gutmütige Riese war die ganze Zeit über auf seinem Stammplatz neben der Küchentür gesessen und hatte an einem Stück Holz herumgeschnitzt. Jetzt stapfte er fröhlich grinsend auf den Frauenwirt zu. Seine blauen Augen leuchteten, als er Kieser sein Werkstück hinhielt, das undeutlich die Form eines kleinen Pferdchens aufwies. Kieser jedoch winkte ab. Langsam und deutlich erteilte er seine Anweisung.

»Linhart, du holst dir jetzt aus der Holzlege einen großen Rupfensack. Dann steckst du die Wölfin da hinein, bindest den Sack zu und wirfst ihn in die Pegnitz. Hast du verstanden?«

Der große Junge stand da wie vom Donner gerührt, das Entsetzen war ihm ins Gesicht geschrieben. Dann schüttelte er wie wild den Kopf, raufte sich mit beiden Händen die Haare und begann zu greinen. »Nit, nit, Linat nit!«

»Menschenskind, du bist außer der Anna der Einzige, von dem sich das Vieh anfassen lässt. Der Rat hat's mir befohlen, die Leut beschwern sich, also muss der Wolf weg. Stell dich nicht so an, Herrgott noch mal!«

Linhart rutschte verzweifelt heulend vor dem Frauenwirt auf die Knie und faltete bittend die Hände. Der Rotz lief ihm übers fleischige Kinn, und die blonden Locken standen wirr nach allen Seiten ab. Er schüttelte immer noch standhaft den Kopf. Kieser zog auf, um ihm eine Ohrfeige zu verpassen, entschied aber, dass es zwecklos war, und ließ die Hand wieder sinken. Der Idiot tat seit jeher nur, was er auch von sich aus wollte.

Der Frauenwirt seufzte. Irgendwas würde er sich einfallen lassen müssen. Wichtig war nur, dass die Anna vorher nichts davon erfuhr. Die war nämlich sein bestes Pferd im Stall, und er wollte keinen Ärger mit ihr. Sie brachte ihm mindestens so viel ein wie drei andere zusammen. Und ihretwegen kamen die meisten vornehmen Herren, was Kiesers Etablissement enorm aufwertete und die Weinpreise steigen ließ. Bei dem Gedanken an seine Einnahmen, die ihn längst zu einem wohlhabenden Mann gemacht hatten, huschte ein Lächeln über das stoppelige Gesicht des Frauenwirts. Nächstes Jahr, so überlegte er, würde er sich für fünfzig Gulden eine Herrenpfründe im Pilgrimsspital kaufen, dann war für's Alter vorgesorgt – man musste schließlich an die Zukunft denken. Zufrieden stand der Frauenwirt auf und verschwand pfeifend in den Garten, wo das Aborthäuschen stand.

Es war der Abend vor Sankt Martin, und im Frauenhaus ging es hoch her. Freitags kamen ohnehin immer die meisten Kunden, da war die Arbeitswoche zu Ende, und samstags hatte das Haus Ruhetag. Viele Gesellen waren da, denen ja die Zunftgesetze das Heiraten verboten und die nur im Frauenhaus die Möglichkeit hatten, ihre Bedürfnisse zu stillen. Dazu kamen fremde Kaufleute, Fuhrknechte und etliche Stammkunden, die ihr bestimmtes Mädchen hatten und oft als Schlafmänner für ein paar Pfennige mehr die ganze Nacht blieben. Die Tische waren alle besetzt; das Feuer im Kamin loderte hoch auf, und die Luft war von der Ausdünstung der vielen Leiber zum Schneiden dick. Etliche Mädchen liefen mit hoch geschürzten Röcken und offenen Hemdchen aufreizend zwischen den Tischen herum, um zu signalisieren, dass sie gerade frei waren. Der Wein floss in Strömen. Etliche Freier, die noch auf eine von ihnen bevorzugte Hure warten mussten, vertrieben sich die Zeit derweil mit Tricktrackspielen, Karnöffeln oder Würfeln. Einer der Gäste hatte eine kleine Flöte dabei und spielte flotte Melodien, zu denen ein anderer mit zwei Blechlöffeln völlig falsch den Takt schlug. Die Frauenwirtin rannte geschäftig hin und her, sammelte leere Weinkrüge ein und teilte volle aus. Kieser zapfte, und Linhart hockte neben der Küche auf dem Boden und beäugte träge die Szene. Er wusste, dass sein Einsatz kam, falls ein Betrunkener anfing, zu randalieren oder sonst ein Streit ausbrach. Dann würde er den oder die Übeltäter mit seinen Bärenkräften am Schlawittchen packen und zur Tür hinausbefördern. Eng an seinen Oberschenkel gedrückt lag die Wölfin und döste zufrieden.

Anna saß bei einem Grüppchen Rotgerbergesellen mit am Tisch und nahm an der Unterhaltung teil. Auf der Bank gegenüber fläzte ausladend die dicke Cilli, auf dem Schoß ein schmächtiges Kerlchen, das kaum mit den Armen um sie herumlangen konnte. Das Männlein hatte das Gesicht in Cillis üppigem Ausschnitt vergraben, die Nase tief in dem Schlitz zwischen ihren riesigen Brüsten. Ab und zu hob er den Kopf, schnappte nach Luft, verdrehte begeistert die Augen und tauchte dann wieder in die verführerischen weichen Tiefen ab. Cillis dröhnendes Lachen war im ganzen Raum zu hören. Schließlich tippte ihr die Frauenwirtin im Vorbeigehen vielsagend auf die Schulter. Cilli nickte unmerklich und kitzelte dann das Männchen am Ohr.

»Süßer«, raunte sie mit ihrer tiefen, rauchigen Stimme, »ich glaub, du hast dir jetzt genug Appetit geholt. Wie wär's, wenn's dir die dicke Cilli droben so richtig schön macht? Es wär grad was frei ...«

Der Schmächtige langte ohne das Gesicht von Cillis Brüsten zu heben in seine Hosentasche und ließ ein paar Münzen auf den Tisch gleiten. Cilli nahm sich eine davon, die anderen griff sich der Frauenwirt, der schon abwartend in der Nähe gestanden hatte. Dann packte die Dicke ihren Kunden am Handgelenk und zog ihn über die Treppe nach oben.

Derweil war die Tür aufgegangen, und eine Männergestalt kam herein, ganz in einen Kapuzenmantel gehüllt, sodass man das Gesicht nicht erkennen konnte. Der Frauenwirt gab Anna ein Zeichen – das war ihr Kunde. Die junge Frau stand auf und ging nach oben in ihr Dachzimmer. Sie wusste, dass der Mann sich erst einmal in der Küche mit einem Glas Wein Mut antrinken und dann beim Frauenwirt bezahlen würde, bevor er zu ihr kam. Das gab ihr genug Zeit, sich herzurichten.

Das grobe dunkelgraue Gewand mit dem Gürtelstrick lag schon auf dem Bett bereit, Anna brauchte nur noch hineinzuschlüpfen. Dann band sie ihr offenes Haar im Nacken zusammen und zog die weiße Leinenhaube mit dem schulterlangen Schleier über den Kopf. Die kleine Eva, die sehr talentiert im Nähen war, hatte die Sachen genau nach Anweisung geschneidert. Noch die Kette mit dem blechernen Kreuz um den Hals – fertig war die Nonne. Kurz nach der gelungenen Verwandlung klopfte es.

Anna riss mit energischem Ruck die Tür auf.

»Du bist schon wieder zu spät dran, frecher Bube«, sagte sie mit schneidender Stimme.

Der Mann, ein gepflegter älterer Herr mit kurz geschnittenem grauem Haar, senkte schuldbewusst den Kopf und nickte.

»Es soll nicht wieder vorkommen, ehrwürdige Mutter.«

Anna winkte den Freier ungnädig herein und bedeutete ihm mit einer knappen Geste, den Mantel abzulegen. Darunter trug er nur dunkle Strümpfe, die an eine Art Hüftgürtel angenestelt waren, ein feines weißes Hemd mit weiten Ärmeln, das ihm bis über die Oberschenkel reichte, und ein kostbar gefüttertes grünes Wams. Um die Hüften lag ein Bandelier aus Leder mit schön gearbeiteten Metallbeschlägen, das der Mann ebenfalls abnahm und sorgfältig aufs Bett drapierte.

»Setz dich. Wir wollen sehen, ob du deine Lektion vom letzten Mal gelernt hast.« Die Nonne wies auf einen Schemel unter der Dachgaube, der neben einem Tischchen und einem geschnitzten Betstuhl stand. Der Mann nahm folgsam und mit ängstlich-erwartungsvollem Gesichtsausdruck Platz. Anna stellte sich hoch aufgerichtet dicht vor ihn und sah verächtlich auf ihn herab.

»So, Knabe, jetzt sag dein Gedicht auf. Aber ich will es fehlerfrei und ohne Stocken hören, nicht so falsch wie beim letzten Mal.«

Der Mann begann auf Lateinisch zu rezitieren, verlor aber ziemlich schnell den Faden. Anna machte ein bedauerndes Geräusch mit der Zunge. »Ich seh schon, das wird wieder nichts, du dummer Lümmel. Da werden wir wohl die Rute brauchen, nicht wahr?« Sie zog eine armlange Haselgerte hinter ihrem Rücken hervor und ließ sie schwungvoll durch die Luft zischen. Der Mann auf dem Schemel zuckte leicht zusammen und versuchte sich erneut an dem lateinischen Text.

»… et lux aeternam, domine, da, äh … dona … nein, do … ach, gnädige Mutter, straft mich, ich bin ein unwürdiger Schüler und hab die Gerte verdient!« Seine Stimme bebte vor Erwartung.

»Gut, dass du das einsiehst, du ungezogener Wicht.« Anna hob langsam den Arm und zeigte mit ausgestreckter Hand auf den Mann, der sie mit Hundeaugen ansah. »Dreh dich um und knie dich hin!«

Der Kunde folgte dem Befehl bereitwillig und stützte sich mit beiden Ellbogen auf den Schemel.

»Und hoch das Hemd!« Anna stampfte mit dem Fuß auf; ihre Stimme klang hart und böse. Der Freier lüpfte das Unterkleid, bis ein paar schneeweiße Hinterbacken zum Vorschein kamen, die er brav in die Höhe reckte. Die Gerte sauste herab, und der Mann sog hörbar die Luft durch die Zähne ein. Wieder und wieder schlug Anna zu; sie wusste genau, wie viel ihr Kunde aushielt und achtete peinlichst darauf, nicht die Haut zu verletzen.

»Zwölf Schläge für die zwölf Apostel Jesu«, erklärte sie schließlich und ließ die Rute sinken. »Und wie heißen die?«

Der Freier begann: »Petrus, Matthäus, Johannes, die zwei Jacobus, Philippus, Bartolomäus, Thomas, Simon, Judas Thaddäus, Judas Ischariot.«

»Du hast Andreas vergessen.« Die Rute sauste wieder auf das bereits stark gerötete Hinterteil. Dann hielt Anna inne, ging mit langsamen Schritten hin und her und tat so, als ob sie überlegte. »Ich glaube, ich ahne, warum du ein so schlechter Schüler bist«, sprach sie vor sich hin. »Du hast im Unterricht unkeusche Gedanken, stimmt's? Steh auf, du Dummkopf!«

Der Freier erhob sich langsam und drehte sich mit angstvollen Augen zu seiner Lehrmeisterin um. Die sah mit strengem Blick und gespielter Entrüstung auf sein steil aufgerichtetes Glied, dessen Spitze im Schein der Kerzen blaurot leuchtete.

»Lüstling, widerlicher! Glaubst du, ich weiß nicht, woran du denkst, wenn ich dich ausfrage? O doch, ich weiß es: Du stellst dir vor, wie eine Nonne nackt aussieht, nicht wahr?«

Der Angesprochene nickte verschämt. »Ja, ja, ich geb's zu, liebwürdige Mutter.«

»Du willst wissen, was ich unterm Habit habe, stimmt's? Willst du's sehen, ja?« Sie hob mit beiden Händen die Röcke hoch und zeigte ihm mit gespreizten Beinen ihre schwarz gelockte Scham. Dann zog sie das Nonnengewand weiter über den Kopf, bis sie schließlich nackt vor ihm stand. Nur noch ein großes hölzernes Kreuz baumelte zwischen ihren Brüsten. Stöhnend kam der Freier zum Höhepunkt. Die Arbeit war getan.

Hinterher lag Anna auf ihrem Bett, um kurz zu entspannen. Sie drehte und wendete den Gulden in ihrer Hand – ein mehr als großzügiges Trinkgeld, von dem der Frauenwirt nichts wissen durfte. Der Gedanke, was ihre Freier bereit waren, für sie auszugeben, entlockte ihr ein beinahe stolzes Lächeln. Die Männer zahlten nicht nur vorher einen hohen Extrapreis bei Hans Kieser, sondern sie gaben ihr selber für gute Dienste noch etwas dazu. Anna sparte jeden Pfennig in dem Versteck unter der Bodendiele, wo auch das kostbare Medaillon lag. Irgendwann würde sie genug Geld haben, um sich eine eigene Existenz aufbauen zu können. Ja, wenn nur alle so freigebig wären wie Alexius Düll, ihr bester Kunde. Als er gegangen war, hatte sie seinen dankbaren, fast glücklichen Blick gesehen und sich zum wiederholten Mal gefragt, was wohl in einem Mann wie ihm vorgehen mochte, dass er eine solche Art von Liebe suchte. Daheim in seinem schönen Haus am Burgberg war er biederer Familienvater, im Geschäft ein erfolgreicher und angesehener Handelsherr. Sein Ruf war der eines würdigen, gebildeten Humanisten, in der Nürnberger Gesellschaft der Reichen und Schönen hatte er eine hervorragende Stellung. Er war in Glaubensdingen so beflissen, dass man ihm vor einigen Jahren sogar das Amt des Kirchenmeisters von Sankt Sebald und die Betreuung der Pfarrbibliothek übertragen hatte. Und doch gab es in seinem Inneren versteckte Begierden, die, würde jemals einer davon erfahren, ihn Leib und Leben kosten konnten. Und Anna dazu. Denn was die beiden gerade getrieben hatten, war nichts anderes als Ketzerei …

Natürlich wusste die junge Hure, dass es gefährlich war, was sie tat. Aber seit sie vor über zwei Jahren zum ersten Mal einen Sonderwunsch erfüllt hatte, war alles ganz von alleine so weitergegangen. Sie musste fast lachen, als sie an damals dachte: Ein blutjunger Kaufmannssohn aus bester Familie hatte sie mit hochrotem Kopf und nach längerem Herumdrucksen gebeten, ihn doch bitte nach Art der Franzosen zu befriedigen. Zuerst war sie so verlegen gewesen, dass sie nicht wusste, was sie sagen, geschweige denn tun sollte, aber der Junge hatte sie so erwartungsvoll angesehen, dass sie es schließlich versuchte. Wider Erwarten ging es ganz leicht, und sie fand es weniger unangenehm als die einem guten Christenmenschen einzig erlaubte Art des Beischlafs, bei der die Frau unten zu liegen hatte. Das Risiko, wegen verbotener Praktiken bestraft zu werden, war sie ab da bereit gewesen zu tragen.

Mit der Zeit war sie zur teuersten Hure des Frauenhauses aufgestiegen und hatte so gut wie keine »normalen« Freier mehr. Und es machte ihr sogar Spaß, sich als strenge Nonne oder züchtige Dame in Szene zu setzen. Die Schauspielerei lag ihr, und sie erfand immer neue Varianten des gleichen Spiels. Und welche Frau außer ihr konnte schon ungestraft einen Mann nach allen Regeln der Kunst verprügeln? Über diesen Witz, der natürlich von Cilli stammte, musste Anna auch jetzt wieder lächeln. Sie stand auf, zog sich um und ging wieder hinunter in die Stube. Für später hatte sich noch einer ihrer Stammkunden angekündigt; dann war ohnehin Sperrstunde, und nur noch die zahlenden Schlafmänner würden im Haus bleiben.

Am nächsten Morgen wachte Anna spät auf, denn ihr letzter Besucher hatte sich hinterher noch unterhalten wollen und war über die Sperrstunde hinaus geblieben. Heute war Samstag, der angenehmste Tag der Woche, da frühstückten alle Mädchen am großen Tisch und putzten danach gemeinsam das Haus. Später würde der Seelsorger seinen üblichen Besuch machen und den Huren Gelegenheit zur Beichte geben. Gegen Abend gingen dann alle zusammen in die Badstube am Sand. Selbst der Frauenwirt war an diesem Tag meistens gut gelaunt.

Als Anna herunterkam, war der Hausputz schon in vollem Gange, nur Cilli saß noch an einem der Tische und verspeiste in aller Seelenruhe eine Eierbreze.

»Cilli, alte Fressluke, werd endlich fertig und komm fegen!« Die dürre Käthe, ein langes Elend mit Hakennase und dünnem Haar, stellte ihren Besen hin und stemmte die Arme in die Hüften. »Du hast jetzt zwei Schüsseln Haferbrei, ein Ei, den Rest Rübenmus aus dem Topf in der Küche und noch die Breze in dich hineingestopft. Irgendwann zerreißt's dich noch!«

Cilli zuckte ungerührt die Schultern und mampfte weiter. »Ich ess halt gern«, meinte sie. »Und es heißt, dass beleibte Weiber seltener schwanger werden. Außerdem: Die meisten Männer mögen's dick – an einer Bohnenstange wie dir holt man sich ja beim Löfern blaue Flecken!«

Die anderen kicherten. Käthe hatte ein gefürchtetes Mundwerk und war nicht sehr beliebt.

Anna griff sich einen Schrubber und begann, den Steinboden in der Küche zu bearbeiten. Dann naschte sie ein paar Löffel von dem übrig gebliebenen Morgenbrei und half der Frauenwirtin beim Ansetzen von billigem Wein mit Nelken, Zimt, Ingwer und etwas mit Knochenmehl gemischter Asche, die den Geschmack milder machen und die Säure herausziehen sollte. Linhart kam mit zwei Ledereimern voll Wasser herein und stellte sie bei der Wirtin ab.

»Sag, Linhart, hast du Grimm gesehen? Sie hat sich heut Nacht nicht bei mir blicken lassen.« Meist schlief die Wölfin entweder mit in Annas Kammer oder kam spätestens in der Frühe zu ihr, um einen Leckerbissen zu ergattern. Manchmal blieb sie aber auch bei Linhart, der neben dem großen Kamin in der Stube nächtigte, oder ging streunen.

Der große bullige Junge schüttelte den Kopf und schaute sorgenvoll drein.

»Wird schon wieder auftauchen«, meinte die Frauenwirtin und rührte die trübe Brühe kräftig mit einem Holzlöffel durch. Gleichzeitig steckte die kleine Eva den Kopf durch die Küchentür.

»Der Pater ist da, kommt!«

Draußen in der großen Stube saßen schon alle um den jungen Mönch herum, der sich einen Stuhl vor den Kamin gezogen hatte. Seit gut anderthalb Jahren hatte Bruder Philipp nun schon den alten Zacharias als Betreuer der armen Seelen im Frauenhaus abgelöst und erfreute sich – anders als sein Vorgänger, der als harter Dogmatiker wenig Sympathien geweckt hatte – bei den Frauen großer Beliebtheit. Anfangs war der neue Seelsorger kaum ernst genommen worden, hatte er doch den Huren nicht bei jedem Besuch ob ihres gottlosen Lebenswandels mit Hölle und Fegefeuer gedroht. Und er mahnte sie auch nicht jedes Mal zur reuigen Umkehr, zu einem Leben als bettelnde Sundfegerin oder zum Eintritt in eines der Reuerinnenklöster zur heiligen Magdalena, die sich auf die Aufnahme von ehemaligen Prostituierten spezialisiert hatten. Nein, der neue Mönch hatte versucht, die Frauen auf andere Art und Weise zu gewinnen: Mit Geschichten aus der Bibel und den Heiligenlegenden, mit Rat und tätiger Hilfe bei alltäglichen Problemen, mit seiner Fähigkeit, zuzuhören, wenn sie sich etwas von der Seele reden wollten. Das genossen die Frauen, die sonst niemanden hatten, dem sie ihre Sorgen erzählen konnten. Und so versammelten sich auch an diesem Tag alle und waren gespannt, was er diesmal zu erzählen hatte.

Auch für Philipp waren die Besuche im Maukental inzwischen zur angenehmen Gewohnheit geworden. Der Prior hatte Recht behalten: Die Betreuung des Siechenkobels und vor allem des Frauenhauses hatten dem jungen Mönch nur gut getan. Anfangs hatte er gefürchtet, dass ihn Abscheu und Ekel packen würden angesichts so viel Sünde und Verruchtheit unter einem Dach. Und natürlich hatte er Angst davor gehabt, dass ihn der Kontakt mit so viel Weiblichkeit in schlimmste Bedrängnis bringen würde, was seine ohnehin auf unsicheren Beinen stehende Keuschheit betraf. Doch wider Erwarten musste er mit der Zeit feststellen, dass die öffentlichen Frauen keineswegs abstoßende, männerfressende Ungeheuer waren, sondern Menschen mit ganz alltäglichen Nöten und Ängsten, die sich über ihr Schicksal und ihren sündigen Lebenswandel durchaus Gedanken machten. Und die ständige Konfrontation mit der im Frauenhaus praktizierten Sexualität ließ ihn eher die Lust verlieren – die käufliche Liebe, die hier gepflogen wurde, stieß ihn mehr ab, als dass sie ihn erregte. Seine nächtlichen Ausflüge in die Arme des Onan wurden zwar nicht weniger, aber auch nicht mehr, und dadurch, dass er nun so viel über andere Männer und deren Bedürfnisse erfuhr, schien ihm sein Vergehen auch nicht mehr so unentschuldbar wie früher. Sein Rücken war schon lange verheilt.

»Pater Philipp, wovon sprecht Ihr uns heut?« Eva saß schon zu seinen Füßen und himmelte ihn mit verklärten Blicken an. Sie war so offensichtlich in den sanften Mönch mit den Honigaugen verliebt, dass sie von allen deswegen geneckt wurde. Sogar der Frauenwirt hatte es schon lang bemerkt – der Einzige, der davon nichts wusste und auch niemals im Entferntesten auf eine solche Idee gekommen wäre, war Philipp selber.

Philipp glättete mit fünf Fingern das Haar rund um die Tonsur, räusperte sich und begann: »Meine Lieben, vor drei Tagen war Allerheiligen, ein wunderbarer Festtag, und danach der Tag Allerseelen. Ich will euch heut etwas über diese beiden Feiertage erzählen. Wer, glaubt ihr, waren wohl diese Heiligen? Das waren Menschen, die Körper und Seele ganz und gar dem allmächtigen Herrgott geweiht haben und oft sogar für ihren Glauben gestorben sind. Sie waren einst wie ihr und sind heut glücklich im Paradies, eine Schar, die niemand zählen kann, in weißen Kleidern und mit Palmwedeln in den Händen, wie es in der Apokalypse berichtet wird. Sie sind der Heiligen Dreifaltigkeit ganz nah und dürfen unserm allerhöchsten Herrn freudig ins Antlitz schauen. Und sie können vermitteln zwischen den Menschen und Gott. Vielleicht hat die eine oder andere von euch schon einen Heiligen oder eine Heilige, der sie sich besonders verbunden fühlt, das wäre schön, denn dann besitzt sie einen Fürsprech im Himmel. Keinen Fürsprech bei Gott haben dagegen all die armen Seelen, die wegen ihrer Verfehlungen im Fegefeuer unendliche Qualen leiden müssen. Für diese Geschundenen hält die Gemeinschaft der Gläubigen am Allerseelentag Fürbitte, auf dass sie bald aus der Hölle aufsteigen mögen und das ewige Licht erblicken.«

»Meine Lieblingsheilige ist die Elisabeth von Thüringen«, rief eins der Mädchen. »Ach bitte, Vater, erzählt doch etwas aus ihrem Leben.«

Auch andere meldeten sich zu Wort, und so verstrich die nächste Stunde damit, dass Philipp geduldig eine Heiligenvita nach der anderen vortrug. Danach stieg er die Treppe hoch in eine der Kammern, um den Frauen Gelegenheit zu geben, einzeln zur Beichte zu kommen.

Anna ging wie immer als Letzte hinauf. Zwischen ihr und dem Mönch hatte sich eine beinahe freundschaftliche Beziehung entwickelt, obwohl es am Anfang gar nicht danach ausgesehen hatte. Sie hatte sich nämlich zunächst jedem Gespräch verweigert und mit Wut und Ärger auf Philipps Versuche reagiert, sie davon zu überzeugen, dass sie ein sündiges Leben führte und der Beichte bedürftig sei. Er hatte sie immer wieder bedrängt, bis ihr schließlich der Kragen geplatzt war. »Ich hab mir das hier nicht ausgesucht«, hatte sie ihn angefahren, »und hätt lieber eine anständige Arbeit gehabt. Aber euer ach so gütiger Gott hat mir nicht geholfen, als man mich hierher gelockt und nicht mehr fortgelassen hat. Damals war ich fast noch ein Kind und hab mich nicht wehren können. Und ich wollte nicht verhungern. Ich weiß, dass die Kirche verachtet und verurteilt, was ich tue, aber ich bin nicht schuld, und ich lass mich nicht zur bösen Sünderin machen – von einem siebengescheiten Mönchlein, das meint, es wüsst was vom Leben!«

Philipp war von dieser mit blitzenden, verschiedenfarbigen Augen und glühenden Wangen vorgebrachten Rede völlig verblüfft gewesen. Seit er im Frauenhaus ein und aus ging, war ihm schon bewusst geworden, dass so manche Hübschlerin nicht freiwillig hierher gekommen war. Nur so deutlich hatte ihm das noch keine gesagt! Er hatte Anna sofort gefragt, ob sie ihm ihre Geschichte erzählen wolle und sie gar um Verzeihung dafür gebeten, dass er ihr Unrecht getan habe. Das verblüffte wiederum Anna, bei der sich noch nie im Leben ein Mann entschuldigt hatte. So hatte eine Beziehung ihren Anfang genommen, von der beide Seiten profitierten. Und Philipp ließ es sich gern gefallen, dass Anna ihn hin und wieder scherzhaft-respektlos Mönchlein nannte.

»Segnet mich, Vater, denn ich habe gesündigt.« Mit diesen Worten betrat Anna die Beichtkammer, wo Philipp auf einem Stuhl neben dem Strohsack saß, der als Bett diente.

»Anna, setz dich doch.« Der Mönch wies lächelnd auf die flächsernen Laken. »Erzähl mir, was es Neues bei dir gibt!«

Anna kauerte sich auf den Strohsack und umfasste die Knie mit beiden Armen. »Haben Euch die anderen schon gesagt, was gestern mit der Grete passiert ist?«

Er nickte. »Sie haben sie auf dem Marktplatz nackt auf einen hölzernen Esel gesetzt und mit Ruten geschlagen, ja ich weiß. Ich will später zu ihr hinaufgehen.«

»Das würde sie bestimmt freuen. Es geht ihr schlecht, nicht so sehr wegen der Schläge, sondern wegen der Schande und des Gespötts. Ihre ganze Familie hat zugesehen, Vater, Mutter und die zwei Brüder.«

Philipp sah betroffen aus. »Warum hat sie das nur getan?«, fragte er. »Sie weiß doch, dass es verboten ist, einen Juden zu bedienen.«

»Natürlich, das wissen wir alle. Glaubt Ihr, die Grete hätte das gern gemacht? Sie hat doch keine Wahl, die Arme. Hässlich, wie sie ist, seit sie sich in der Küche das halbe Gesicht und die Brust verbrüht hat, will sie doch kaum einer mehr. Und wenn sie nicht genügend Männer hat, dann kann sie dem Kieser das Monatsgeld nicht bezahlen und er wirft sie raus. Wo soll sie dann hin? Als Winkelhure macht sie doch erst recht kein Geschäft. Deshalb nimmt sie Juden, und der Kieser lässt das auch zu.«

Philipp dachte nach. »Die Kirche sagt, wer sich mit einem Juden fleischlich einlässt, sagt sich damit von der Gemeinschaft der Gläubigen los und begeht Ketzerei. Vermutlich kann die Grete froh sein, dass man ihr keine schlimmere Strafe auferlegt hat. Der Nürnberger Rat ist in solchen Dingen ja recht nachsichtig. Was ist eigentlich mit dem Juden passiert?«

»Grete hat erzählt, er sei zusammen mit ihr ausgestäupt worden. Er soll auf ewig der Stadt verwiesen werden, glaub ich.«

»Da hat er ja noch mal Glück gehabt.«

Anna strich nachdenklich ihren Rock glatt. »Die Grete hat gemeint, er sei ein netter Kerl. Was kann an einem Juden denn so schlimm sein, frag ich mich. Schließlich ist unser Herr Jesus als Jude auf die Welt gekommen, oder nicht?«

Der Mönch sah etwas hilflos drein. Diese Frage hatte er sich selber auch schon gestellt und weder vom Prior noch aus der Schrift eine befriedigende Antwort bekommen. So ging es ihm mit Anna öfters – ihre Ansichten brachten nicht selten eine Saite in ihm zum Klingen, deckten sich mit dem, was er manchmal nicht auszusprechen wagte. Und kaum war er zu einem Ergebnis gekommen, hatte sie schon die nächste Frage parat. So auch diesmal.

»Vater, was ich schon lange einmal wissen wollte: Was sind eigentlich Engel und wie sehen sie aus?« Anna setzte sich kerzengerade auf und heftete ihre wachen Augen auf sein Gesicht.

»Hm, lass mich mal nachdenken. Also, Engel, das sind Boten Gottes, heilige Wesen, Diener der Dreifaltigkeit. Über sie schreibt das Alte Testament. Sie sind von überirdischer Leiblichkeit, und es gibt ihrer eine große Zahl. Am unteren Ende der englischen Hierarchie stehen die sieben Erzengel, die kennst du alle: Michael, Gabriel, Raphael, Uriel, Anael, Zachariel, Samael. Ihnen ähnlich sind die unzähligen Schutzengel, von denen jeder Mensch einen besitzt. Zu den Engeln der höchsten Ordnung gehören die Seraphim, die sich in Blitzen offenbaren, und die Cherubim. Letztere erscheinen in Wolken ...«

»Ja, aber, wie sehen diese Engel aus?«

»Das weiß keiner so genau; schließlich hat noch kein Lebender einen gesehen. Der Prophet Ezechiel hat sie zuerst als unbegreifliche, schreckliche Wesen beschrieben, anzusehen wie feurige Kohlen. Sie hätten vier Angesichter, von denen nur eines dem Menschen vergleichbar sei – die anderen wären wie Tierköpfe. Außerdem hätten Engel Rinderfüße. Natürlich ist das blanker Unsinn; inzwischen teilt die Kirche die Ansicht Ezechiels über Engel nicht mehr. Man stellt sie sich menschenähnlich vor, oft sogar mit weiblichen Zügen. Viele große Kirchenmänner haben sich schon darüber gestritten, ob Engel einen Körper haben oder doch nur spirituelle Geschöpfe sind. Das ging so weit, dass sich bedeutende Gelehrte darüber die Köpfe zerbrochen haben, wie viele Engel wohl auf einer Nadelspitze Platz fänden. Ich persönlich sehe wenig Sinn in solchen Spitzfindigkeiten, aber ich glaube, man hat sich darauf geeinigt, dass es unendlich viele seien, weil Geistwesen eben keinen fassbaren Körper haben.«

Das alles war Anna zu abstrakt. Sie beharrte auf ihrer Frage. »Wie muss ich mir denn nun heute einen Engel vorstellen?«

Philipp legte die Stirn in Falten. »Na, bestimmt als wunderschönes Wesen, strahlend von Licht, umgeben von Schalmeienklängen, Hosianna singend ... so ungefähr.«

»Und was hat so ein Engel an?«

Der Mönch amüsierte sich. Dieses Mädchen wollte aber auch alles ganz genau wissen.

»Tja – manche stellen sich Engel ganz nackt vor, nur mit durchsichtigen, schleierartigen Tüchern bekleidet. Andere glauben, sie hätten lange, wallende, weiße Gewänder. Und natürlich haben sie Flügel.« Philipp war sich ganz sicher. »Sonst könnten sie ja nicht durch die Lüfte fliegen, oder?«

»Goldene Flügel?«

Philipp rollte die Augen zum Himmel. »Golden, oder welche mit Federn, Hauptsache Flügel eben. Die Seraphim haben, soviel ich weiß, sechs Flügel, die Cherubim vier, die einfachen Schutzengel nur zwei.«

»Aha.«

»Bist du jetzt zufrieden?«

Anna nickte, und Philipp hatte das Gefühl, als ob sie angestrengt über das Gesagte nachdächte. Die beiden unterhielten sich noch einige Zeit über weltlichere Themen, bis Anna sich schließlich von ihrem Strohsack erhob.

»Ich glaube, Ihr solltet jetzt zu Grete gehen, Pater. Sie hat sich vorhin nicht heruntergetraut, weil sie fürchtet, Ihr würdet sie verachten, wegen des Juden. Ich zeig Euch, in welcher Kammer sie ist.«

Sie brachte Philipp bis zu einer Tür am Ende des Ganges und wartete, bis er eingetreten war. Dann ging sie nachdenklich nach unten in die Stube. Als Allererstes würde sie sich morgen einen Sack weiße Gänsefedern und ein paar durchsichtige Tücher besorgen müssen …

Drunten war alles im Aufbruch begriffen. Die Frauen lachten und redeten aufgeregt durcheinander, während die Wirtin schon abzählte, ob alle da waren. Schließlich sollte der Befehl des Rats, dass alle Mädchen einmal wöchentlich ein Bad nehmen mussten, genau befolgt werden. Gewöhnlich ging man ins Sandbad bei der Insel Schütt, eine der dreizehn Badstuben der Stadt – wenn auch nicht gerade die am besten beleumundete.

»Also, Kinder, wir gehen!« Gerade als die Frauenwirtin die Tür öffnen wollte, ertönte von draußen ein jammervolles Geheule und die Tür wurde mit dem Fuß aufgestoßen. Herein kam Linhart, ein Bild der Verzweiflung, mit Grimm auf den Armen. Dem großen Kerl liefen die Tränen nur so übers Gesicht, er greinte mit offenem Mund und aus voller Kehle und streckte die Wölfin mit einer unbeholfenen Geste den Frauen entgegen.

Anna drängte sich nach vorn und stürzte mit angstgeweiteten Augen auf Linhart zu.

»Was ist mit ihr?«

Linhart legte das Tier vorsichtig mitten im Zimmer auf den Boden und Anna kniete sich daneben. Grimm hatte grauen, blasigen Schaum vor der Schnauze und ihr Atem ging schnell und flach. Ihre Beine zuckten unkontrolliert.

»Grimm, braveliebegute, was hast du?« Ratlos und entsetzt streichelte Anna das weiche graue Fell. Die Wölfin erkannte ihre Herrin und tapste mit einer Pfote ganz schwach an Annas Knie. Dann wurde sie von Krämpfen geschüttelt.

»Sie stirbt.« Tränen traten in Annas Augen. »Ach lieber Gott, sie stirbt!«

Linharts Weinen wurde wieder lauter. Auch er hatte sich neben der Wölfin auf dem Boden niedergelassen, während die anderen Frauen stumm im Kreis um das kleine Grüppchen standen. Eine brachte ein Schüsselchen mit Wasser und stellte es neben Grimm ab. Doch die Wölfin wollte nicht trinken. Sie lag nur kraftlos da, und immer wieder kamen die Zuckungen. Anna nahm einen Zipfel ihres Rocks, tauchte ihn ins Wasser und wischte dem sterbenden Tier den Schaum von den Lefzen, während Grimm versuchte, ihr die Hand zu lecken. Leise und beruhigend sprach Anna auf das Tier ein und streichelte es dabei unaufhörlich. Sie fühlte sich ohnmächtig, hilflos. Grimm hatte sie damals so tapfer und treu vor dem Müller gerettet, und jetzt konnte sie nichts für die Wölfin tun. Es brach ihr das Herz.

Nach einer halben Stunde hob Grimm den Kopf und versuchte, sich aufzurichten. Mit letzter Kraft kam sie wacklig und unsicher auf die Beine. Dann drehte sie sich einmal um sich selbst und brach tot zusammen.

Anna saß da wie betäubt. Der Mönch, der bisher abseits gestanden hatte, kam zu ihr, half ihr hoch und nahm sie tröstend in die Arme. Da begann sie leise zu weinen. Philipp hielt sie und strich ihr unbeholfen dabei übers Haar.

»Das war der Kieser«, zischte Cilli zornig. »Ich hab gesehen, wie er gestern Abend die Tüte mit dem Hütreich in der Hand gehabt hat. Er hat sie vergiftet!«

Anna hob den Kopf von Philipps Schulter. »Vergiftet? Aber warum?«

Eines der Mädchen wollte wissen, was Hütreich war.

Der Mönch antwortete für Cilli. »So nennen die Leute das Gift

Arsenik. Man kann es als graues Pulver beim Apotheker kaufen. Es hilft gegen die Krätze, wenn man es mit Wasser zu einem Brei verrührt und auf die Finger oder Zehen schmiert. Aber die meisten benutzen es gegen die Rattenplage. Man streut es auf Köder, und wenn die Ratten sie fressen, dann verenden sie bald darauf.«

»Genau, und zwar mit Schaum vor dem Maul und Krämpfen«, bemerkte Cilli.

Anna schluchzte auf. Auch einige der anderen Frauen kämpften mit den Tränen. Alle wussten, wie sehr Anna das Tier geliebt hatte.

»Ich könnt dem Kieser die Augen auskratzen, dem Schuft!« Cilli ließ ihrer Wut freien Lauf, und die anderen nickten beipflichtend.

»Na dann komm doch her und probier's!« Der Frauenwirt war unbemerkt die Treppe heruntergekommen und stand nun mit verschränkten Armen da. »Was ist hier überhaupt los, he? Ihr Weiber solltet längst im Bad sein.«

Die Frauen traten zur Seite und gaben den Blick auf die tote Wölfin frei. Anna wischte sich die Tränen aus den Augen und ging langsam auf den Wirt zu, bis nur noch wenig Abstand zwischen ihnen war. Sie fühlte kalten Hass in sich aufsteigen. Forschend sah sie ihm ins Gesicht.

»Hast du sie vergiftet, Hans Kieser?« Ihre Stimme klang nur mühsam beherrscht.

Kieser sah den anklagenden Blick aller auf sich ruhen. Wollte die schmutzige kleine Hure ihn vor den anderen bloßstellen? »Ha, und wenn schon«, erwiderte er herausfordernd und schaute mit zusammengekniffenen Augen in die Runde, »hat jemand was dagegen?«

Anna sagte nur ein Wort: »Warum?«

»Der Rat hat's befohlen. Das Vieh musste weg. Was regt ihr euch alle so auf, mein Gott? Es war doch bloß ein Wolf! Los, verschwindet jetzt ins Bad, bevor ich euch Beine mache!«

Kieser ging wütend an Anna vorbei in die Küche und donnerte die Tür hinter sich zu. Die anderen machten sich gesenkten Kopfs auf den Weg in die Badstube. Nur Anna, Linhart und Philipp blieben zurück.

»Lasst uns das Tier begraben«, meinte schließlich der Mönch. Anna nickte, und so gingen sie zusammen in das Gärtchen hinter dem Haus. Linhart hob heulend mit der Schaufel unter einem Haselstrauch eine kleine Grube aus, und Anna legte Grimm liebevoll und sachte hinein. Dann fiel Schaufel um Schaufel Erde auf das tote Tier, bis die Grube gefüllt war.

»Ich hab sie lieber gehabt als alle Menschen«, sagte Anna schließlich mit belegter Stimme. »Sie hat mich einmal aus großer Not gerettet, als ich noch ein Kind war.«

Sorgfältig glättete sie mit der Hand die Erde über dem Grab. Dann drehte sie sich um und ging langsam ins Haus zurück. Vor Trauer und Wut war ihr Gesicht ganz weiß. Die anderen beiden standen stumm da und sahen ihr nach.

Abends in ihrem Zimmer hob Anna einmal mehr die lose Bodendiele hoch und holte ihre heimlichen Ersparnisse heraus. Jetzt, wo der Frauenwirt Grimm vergiftet hatte, stand ihr Entschluss felsenfest: Bei der nächsten Gelegenheit würde sie das Frauenhaus verlassen. Am liebsten hätte sie Kieser vorher noch mit eigenen Händen erwürgt, aber sie war vernünftig genug, um zu wissen, dass sie ihm nichts anhaben konnte. Sie ließ die Münzen durch ihre Finger gleiten. Das Geld allein würde nicht reichen, um sich eine neue Existenz aufzubauen, aber sie hatte ja immer noch das wertvolle Medaillon, das sie damals aus dem Brandauerschen Haus mitgenommen hatte. Schon die beiden großen weißen Perlen auf dem Stöpsel und in der Mitte des Fläschchens waren sicherlich ein Vermögen wert. Anna schloss die Faust fest um das kostbare Kleinod, bis sie in ihrer Handfläche das Blut pulsieren spürte. »Gott sei Dank hab ich dich«, dachte sie. »Du wirst mir so viel Geld einbringen, dass ich mir einen Platz zum Leben suchen und auf eigenen Füßen stehen kann.« Vorher müsste sie sich ihrer Stammkunden versichern, damit sie außerhalb des Frauenhauses ihren Beruf als Hure weiter ausüben konnte. Das war zwar nicht ehrenhaft, aber es war schließlich das Einzige, was sie gut konnte. Und wenn sie sich auf Männer mit Sonderwünschen spezialisierte, würde sie genug verdienen, um ein einigermaßen sorgenfreies Leben zu führen …

In dieser Nacht schlief Anna mit dem Medaillon in der Hand ein.

Brief der Helena Brandauer an Niklas Linck zu Venedig, Nürnberg, 6. April 1498

Ach mein Niklas, was muß ich dir dieß mal schreiben. Der Genß kiel mag gar nit übers Papir. Mein Vater hats jetzo entschiden: es muß geheirat sein. Ich bin anverlobt worden dem Konrad Heller, du kenst in wol, es ist der von der Zisselgasse, nur ein par Jar älter als ich. Die Elttern sind über die Massen froh, dieweil die Heller zu den ratsfähigen Geschlechtern zehln und wir jetzo endtlich in die besten Kreis aufsteigen. Es kost den Vater ein grosze Mitgifft.

Lieb Niklas, es ist gantz bestimbt wahr: Seit ich die Medaill meiner Grosmutter verlorn, hab ich kein Glück mer im Leben. Dich hab ich am selben Abent verlorn, das Kintlein bald drauf lassen müssen. Und jetzo kommt eine Heirath mit eim Mann, den ich gar nit haben will. Ich bin traurigen Sinns. Der Konrad ist mir so gantz einerlei, auch wenn er, wie alle Leutt sagen, ein schöns Mannsbild ist, grosz und hellharig, mit guten Zähn und höflicher Art. Junck Siegfrid von Nürmberg sagen sie zu ime. Ich hab nur einmal mit im geredt, da hat er mir zur Anverlobungk ein Ringlein geben und mir schöne Augn gemacht. Die Mutter sagt, die Lieb komt mit den Jarn – die Zeit wird's wol weisen. Ach mein Niklas, so muss ich dich jetzo entbinden von alln Versprechn die wir uns geben haben, damals aus Lieb. Mir tut das Hertz so recht wehe, da ich das schreib. Du darfst nunmero nimmer wie bisher als dein Liebchen an mich dencken und auch nimmer an unser Kintlein, das so Got es behüt irgent wo zufriden aufwechst. Es tut kein gut nit, und mir brichts das Hertz. Ich bitt dich, machs mir nit zu schwer und trags mir nit nach, daß ich mich dem Ratschluß meins Vaters gefügt hab. Wenn du mir nun gar nimmer schreiben willst, so versteh ichs gut, sey die Entscheidungk bei dir. So du dich drauf versehen kannst, es doch zu thun, wär ich von Hertzen froh, sind doch deine Brieff meine größte Freud. Bestimbt findst du in der Stadt Venezia auch einmal ein bravs Weib, das vergönn ich dir von Hertzen denn ich wünsch dir nur liebs und guts dein Leben lanck. Lebwol.

Geschriben zu Nürnberck am Freitag vor Palmarum von Elena Brandauerin.

Zweites Buch

Reichsstadt Nürnberg, Mai 1498

»Hältst du jetzt endlich still, du Fräulein Quecksilber!« Sophia Brandauer versuchte verzweifelt, das Mieder des Hochzeitskleids an der Seite zu schließen, aber die Haken wollten einfach nicht in die Ösen. Helena nestelte derweil ungeduldig an den Schnüren, die das weit ausgeschnittene Bruststück vorne zusammenzogen. Der überlange Rock aus herrlich gefälteltem Brokat mit aufgestickten Rosen war bereits hinten festgezurrt, und auch das Hemd aus feinstem weißem Leinen saß perfekt unter dem Oberteil, sodass ein Stück davon mit glänzenden Goldborten besetzt im Ausschnitt hervorlugte.

Die Braut war aufgeregt und tat sich mit dem Stillhalten schwer. Schließlich war der Tag der Hochzeit der wichtigste im Leben einer Frau – auch wenn Helena sich einen anderen Bräutigam gewünscht hätte. Doch immerhin hatte sich Konrad Heller bei seinen zahlreichen Besuchen, die er den Brandauers in den letzten Wochen abgestattet hatte, als amüsanter Plauderer und höflicher Verehrer erwiesen. Er war, so schien es, ein rundum angenehmer Mensch. Helena war sich durchaus bewusst, dass dies mehr war, als so manches Bürgermädchen erwarten konnte in einer Zeit, da Ehen nicht anders als ein Geschäft von den Eltern beschlossen wurden.

»Herrje, wo ist denn jetzt schon wieder der Kamm?« Sophia lief suchend im Zimmer auf und ab, bis sie das elfenbeinerne Stück auf dem Bett entdeckte. »Setz dich, Kind, damit ich dir die Haare richten kann. Ach Gott, ach Gott, wär'n wir bloß früher aufgestanden!« Sie löste Helenas Nachtzopf und begann, die rotblonden Flechten auf dem Oberkopf zu fassen und mit vielen langen Nadeln festzustecken, damit sich auch nicht eine Strähne selbständig machen konnte. Eine verheiratete Frau zeigte schließlich kein Haar!

Nachdem die Haube, ein riesiges, ballonähnliches Ungetüm mit angenähten Seidenbändern, nach einigen Fehlversuchen im Nacken festgeknotet war, befestigte Sophia noch das Goldnetz mit den eingeknüpften Perlen so darüber, dass ein Stück davon über Helenas Stirn bis fast auf die Augenbrauen fiel. Am Schluss kam noch der rotsamtene Umhang, der links und rechts über die Schulter gezogen und am Mieder festgenestelt wurde. Zwei goldfarbene seitliche Zaddeln legte sich Helena über die Unterarme, das lange Ende hing am Rücken herunter. Helena ging ein paar Schritte vorwärts, drehte sich dann um und sah hinter sich.

»Unser Herr Pfarrer wird mir beim nächsten Beichten die Absolution verweigern, wenn ich mit dieser Schleppe ankomm! Schau nur, wie sündhaft lang sie hinten nachschleift. Ich werd bestimmt mindestens zehn Rosenkränze dafür beten müssen, dass ich die Kleiderordnung verletzt hab.«

Sophia winkte ab. »Das ist das Kleid allemal wert, Liebchen, du siehst wie eine Königin drin aus. Jetzt fehlt bloß noch das Geschmeide, wart, ich bring's dir.«

Sie lief zur Truhe unter dem Fenster und holte ein geschnitztes Ebenholzkästchen heraus.

»Da, schau, der Ring mit dem Krönlein aus Granaten, den steckst du an den linken Zeigefinger. Dann der mit der großen Perle und den Chalzedonen drumherum. Und für den kleinen Finger links nimmst du den hübschen Silberreif mit unserm Wappen drauf. An den Ringfinger kommt ja sowieso der Ehering. Ach hier, der ist auch schön mit dem großen Karneol.«

Helena steckte folgsam alles an, dabei den Mittelfinger auslassend – Ringe am Mittelfinger brachten Unglück! Sophia kramte derweil weiter in dem Schmuckkästchen.

»Wo ist es denn bloß?«, murmelte sie, »es war doch immer hier drin. Lene, hast du das Perlenmedaillon deiner Großmutter am End schon um den Hals?«

Mit einem Schlag war Helenas Vorfreude verflogen. Ihre braunen Augen verdunkelten sich. Sie hatte nie gewagt, ihren Eltern den Verlust des Fläschchens zu beichten. Jetzt allerdings blieb ihr nichts anderes übrig.

»Mutter, das Medaillon, weißt du ... ich hab's euch nie sagen trauen, aber ... na ja, es ist weg.«

Sophia traute ihren Ohren nicht. »Wie meinst du das, weg?«

»Ich hab's verloren.« Helenas Stimme wurde ganz dünn. »Damals, als wir dem Vater das mit dem Niklas erzählt haben. An dem Abend hab ich's beim Fest getragen, weißt du noch?, und als ich ins Bett ging, da war es nicht mehr da. Ich hab später überall gesucht, aber es war wie vom Erdboden verschluckt. Vielleicht hat's einer von den Dienstleuten ...«

»Heilige Maria und Josef, das Geschenk deiner Großmutter! Verloren!«, zeterte die Brandauerin und schlug die Hände über dem Kopf zusammen. »Dein Leben lang hätt's dich begleiten sollen als Glücksbringer. Und grad jetzt, zur Hochzeit, hast du's nicht mehr. Jetzt, wo du's bräuchtest, Herrjemine. Deine Ahn dreht sich im Grab um! Und dein Vater, wenn der das merkt!«

Helenas Augen füllten sich mit Tränen. »Du brauchst mich nicht zu schimpfen, Mutter, für mich ist es ja selber am schlimmsten. Die Strafe hat mich doch längst getroffen. Seit das Fläschchen weg ist, hab ich nur noch Unglück. Schau, den Niklas hab ich verloren, und mein neugebornes Kind hab ich hergeben müssen. Alles, was ich lieb, muss ich lassen. Ohne das Medaillon werd ich des Lebens nicht mehr froh, des bin ich gewiss. Ach, es ist alles meine Schuld.« Sie fing an, verzweifelt zu schluchzen. So sehr hatte sie versucht, den Gedanken an Niklas und das Kind wenigstens an ihrem Hochzeitstag aus ihrem Kopf zu verbannen, und jetzt war alles doch über sie hereingebrochen.

Sophia stand betreten neben der weinenden Braut. Das konnte man nun am wenigsten brauchen, eine Tochter, die kurz vor der Heirat dem früheren Liebhaber nachgreinte und auch noch über ein Kind lamentierte, das es nie hätte geben dürfen. Die Brautmutter rang die Hände.

»Da machst du mit dem jungen Heller die beste Partie von ganz Nürnberg und stehst da und heulst! Das ist ja nicht zu fassen. Wie kommst du überhaupt darauf, dass du ohne das Medaillon nur Unglück hast? Blühender Unsinn ist das doch! Besser kann's doch gar nicht kommen.« Sie fasste Helena bei beiden Schultern und sah ihr eindringlich in die Augen. »Du reißt dich jetzt auf der Stelle zusammen, hörst du? Vom Niklas, dem schlechten Kerl, will ich nie wieder etwas hören! Der hat dich zu Fall gebracht, der Strolch! Und ein Kind hat's nie gegeben, merk dir das! Wenn wir jetzt hinausgehen, dann zeigst du den Leuten, wie eine glückliche Braut aussieht.«

Sie schob Helena zur Tür. »Schau, Schätzlein, du bist so schön. Und der Konrad ist ein guter Mann, vornehm, reich, ansehnlich, was willst du mehr? Komm, putz dir die Nase und freu dich einfach! Hörst du, die Glocken läuten schon zur Frühmesse! Wir müssen uns beeilen.«

Helena schluchzte noch einmal auf, dann schnaubte sie sich geräuschvoll in ein Tüchlein, das sie aus ihrem Ärmel zog. Bevor sie aus dem Zimmer trat, hielt sie noch einmal inne. Eine Frage, die sie in den letzten Wochen ununterbrochen beschäftigt hatte, brannte ihr noch auf den Lippen.

»Mutter, wart noch! Ich ... wann soll ich's denn dem Konrad sagen?«

»Was?« Sophia tat so, als ob sie nicht verstand.

»Du weißt schon, das mit dem Niklas. Ich kann doch nicht ...« Helena hoffte auf guten Rat, aber vergebens.

»Du sagst überhaupt gar nichts«, erklärte die Brandauerin bestimmt. »Keinen Ton, hörst du?« Sie wedelte mit ihrem Zeigefinger vor Helenas Nase herum. »Und jetzt komm, wir haben keine Zeit mehr.«

Noch einmal tief durchgeatmet, dann ging es hinunter in den Hof, wo schon der alte Brandauer ungeduldig auf und ab ging. Unter immer lauterem Glockengeläut ging es auf die Sebalduskirche zu, Schritt für Schritt in ein neues Leben.

Vor dem Brautportal der Sebalduskirche wartete bereits die Familie Heller, umringt von einer großen Menge Schaulustiger. Die Hochzeit, die zwei der vornehmsten und reichsten Familien Nürnbergs zusammenführen sollte, war die größte bürgerliche Festlichkeit in der Stadt seit dem Ausbruch der Pest vor vier Jahren, und so waren viele Neugierige zusammengeströmt. Als sich Helena und ihre Eltern näherten, brach alles in jubelnde Hochrufe auf das Brautpaar aus. Die beiden jungen Leute passten aber auch gar zu gut zueinander: Die wunderschöne Braut in leuchtendem Rot und Gold, der Bräutigam, groß und mit stolzer Haltung, ganz in Weiß. Er hatte seine blonden Haare mit Harz gepufft und mit Hilfe von Eiweiß zur Kolbe geformt. Auf seinem Kopf saß ein schiefes Barett mit weißem Federschmuck. Jetzt nahm er mit einem gewinnenden Lächeln die Hand der Braut und trat mit ihr vor das Portal, wo schon der Geistliche in vollem Ornat wartete.

Helena erlebte die Trauung wie im Traum. Alles kam ihr unwirklich vor, die Kirche, die Menschen, der Priester, der Mann neben ihr, den sie kaum kannte und dessen Frau sie nun werden würde. Umringt von der zahlreichen Verwandtschaft und fest gehalten von ihrem zukünftigen Gatten hörte sie den Pfarrer in näselndem Singsang die Formeln sprechen, sagte fast mechanisch ihr Jawort und ließ sich dann von Konrad den Ring an den Finger schieben. Es war ein riesiger Smaragd, der kostbarste aller Edelsteine, umgeben von zehn kleinen Saphiren. Als die Umstehenden das Schmuckstück sahen, ging ein Raunen durch die Menge: So viel war dem jungen Heller seine schöne Braut wert! Der Ring war schwer und so groß, dass Helena ihn auf den Daumen umstecken musste, um ihn nicht zu verlieren.

Nach dem Vollzug der Hochzeitszeremonie ging es hinein in die Kirche. Die prächtige dreischiffige Basilika mit ihren vielen Pfeilern und dem herrlichen Gewölbe war voll besetzt, und beim Eintritt des Brautpaars erklang ein jubelndes Te Deum aus vielen hundert Kehlen. Die beiden schritten langsam zum silbern leuchtenden Sebaldusgrab, das die heiligen Gebeine des Stadtpatrons barg, und knieten ehrfürchtig vor dem Reliquienschrein nieder. Dann nahmen sie auf zwei eigens aufgestellten geschnitzten Kirchenstühlen vor dem Hochaltar Platz, um der Messe beizuwohnen.

Langsam kehrte Helena aus ihrer Versunkenheit wieder in die Wirklichkeit zurück. Sie war jetzt eine verheiratete Frau; ein neues Leben begann. Die Tränen traten ihr in die Augen, so feierlich und weihevoll war der Gottesdienst; fest drückte sie Konrads Hand und nahm sich vor, ihm eine gute Ehefrau zu sein. Was die Vergangenheit auch gebracht hatte, so schwor sie sich, sie würde es vergessen. Heilige

Muttergottes, betete sie, verzeih mir meine Irrungen und bescher uns eine Zukunft in gegenseitiger Achtung, Liebe und Freude …

Unter Glockengeläut und Hochrufen verließ das Paar die Kirche. Vor dem Portal hatten sich schon während der Messe die Stadtbettler postiert, streng beaufsichtigt vom Bettelherrn, der sich von jedem die metallene Armenmarke zeigen ließ. Kinder, Kranke und Alte rangelten immer noch um die besten Plätze. Bittend streckten sie die schmutzigen Hände aus oder hielten dem Brautpaar ihre hölzernen Bettelschalen entgegen. Konrad griff nach seinem Zugbeutel, der ihm am Gürtel baumelte, holte viele kleine Münzen heraus und warf sie lachend in die Menge. Erbittert rauften die Armen sich um die Almosen, wobei die Gesündesten und Unversehrtesten das meiste Glück hatten. Auch Helena griff sich eine Hand voll Pfennige und verteilte sie einzeln an zerlumpte Kinder und an die Kränkesten. Dann marschierte die Hochzeitsgesellschaft geschlossen zum nahe gelegenen Rathaus, denn wie alle Patrizierfamilien genossen auch die Hellers das ehrenvolle Privileg, ihre Hochzeitsfeiern im prunkvollen Rathaussaal abhalten zu dürfen. Die Nürnberger waren ungemein stolz auf diesen Saal. Er war der größte von Bürgern errichtete Hallenbau nördlich der Alpen. Die Wände waren über und über mit Skulpturen und Reliefs der berühmtesten Künstler geschmückt, und an der Stirnseite stand der prächtige Kaiserthron, auf dem schon so viele glorreiche Herrscher bei den Reichstagen Platz genommen hatten. Der Rathaussaal verkörperte alles, wofür Nürnberg stand: Macht, Tradition, Reichtum und Bürgerstolz.

Heute hatte man für die vornehme Brautgesellschaft eine breite Tafel über die ganze Länge des Saals aufgebaut, die sich an den Fenstern der Außenwand entlangzog. Der riesige Tisch war mit damastenen Tüchern verdeckt, auf denen zehn vielarmige, goldene Leuchter standen, die man mit teuren gelben Bienenwachskerzen bestückt hatte. Überall gut verteilt standen Senftöpfchen und Gewürzschälchen mit Salz, und ein pompöser Tafelaufsatz von der Gestalt eines Handelsschiffes krönte die Tischdekoration. Ihn hatte der Vater der Braut selbst angefertigt und dem Hochzeitspaar zum Geschenk gemacht.

Mit der Bewirtung war natürlich den Wirt der »Goldenen Gans« beauftragt worden, dem besten Gasthaus der ganzen Stadt. Ihm gingen noch die Köche des »Goldenen Fässleins« im Schmalzgässchen zur Hand, das den Ruf genoss, die erlesensten Gaumenfreuden der Stadt aufzutischen. Die Aufwarter hatten entlang der Wände kleine Tische aufgebaut, die dem Abstellen von Weinkrügen und Platten dienten. Auf einer Bank saßen bereits die Musiker mit ihren Instrumenten – man hatte die Ratsmusik engagiert, die beste professionelle Pfeifergruppe Nürnbergs, bestehend aus drei Schalmeienbläsern, einem Posaunisten und einem Zinkenspieler. Sie würde erst getragene Melodien zum Essen und später Heiteres zum Tanz aufspielen.

Das Menü hatte die Brautmutter höchstpersönlich zusammengestellt. Mindestens vier Gänge mit jeweils bis zu zwölf verschiedenen Gerichten mussten es sein, und natürlich gab es nichts Gutbürgerliches, sondern nur edelste Speisen, so wie sie überall an den Fürstenhöfen serviert wurden. Denn wie alle wussten, waren die Nürnberger Kaufleute und Handelsherrn längst vornehm genug, um es mit denen vom Adel aufzunehmen, und was man nicht an edlem Stammbaum hatte, machte man mit Geld leicht wett. Wen interessierte heute wohl noch der Stand, wo sich die Welt doch um das Kapital drehte?

Weit über hundertachtzig Gäste schritten nun, angeführt vom Brautpaar und der engsten Verwandtschaft, die breite Prunktreppe zum Rathaussaal hinauf. Die Musikanten begannen zu spielen und jeder suchte sich seinen Platz, der von Sophia Brandauer mit kleinen Zeichnungen der jeweiligen Familienwappen markiert worden war. Da sah man den geflügelten Adler der Hirschvogel, das Bäumchen der Groß, die Fackeln der Schürstab, die Geuderschen Sterne, die Trippen der Holzschuher, den Tucherschen Mohren, die Tierfiguren der Muffel, Tetzel und Baumgärtner. Hier die Pfinzingschen Farben, dort die der Mendel und der Ebner.

»Alle sind sie gekommen, alle zweiundvierzig Familien!« Triumph schwang in Heinrich Brandauers Stimme, als er sich zu seiner Frau hinüberneigte. »Sogar die Rieter und die Waldstromer, die mich sonst kaum in der Kirche gegrüßt haben. Und die Pirckheimer!« Der alte

Brandauer war am Ziel seiner Wünsche. Er stand auf einer Stufe mit den Ratsfähigen.

Ein ungeahnter Prunk hatte mit den Patrizierfamilien im Saal Einzug gehalten. Die schönsten und teuersten Stoffe gaben sich ein Stelldichein mit Eichhörnchenfell und Marderpelz, mit feinstem Ziegenleder und Geflecht aus Gold- und Silberfäden. Die Kleider der Damen waren aus Seide und Atlas, goldbroschiertem Pfeller und Zindel, die Herren trugen Schauben mit Fehbesatz, Hosen aus weichem Lucca-Samt und Hemden mit Hängeärmeln aus bestem Genter Scharlach. Die Nürnberger Oberschicht hatte sich das Ereignis viel kosten lassen.

Über den Honneurs und Gratulationen war es Mittag geworden, und mit dem Zwölfer-Glockenschlag erhob sich der Hochzeitslader, ein dürres altes Männlein mit vereinzelten weißen Löckchen auf einem ansonsten kahlen Schädel. Er klopfte mit seinem Stab auf und kündigte den ersten Gang an.

»Hört, ihr Leut und lieben Gäst,
jetzt wird Mag'n und Bauch gemäst.
Schmauset fein und lasst nit viel stehn,
keiner soll hungrig von dannen gehn!
Der erste Gang:
Ein ungarisch Suppen, fein abgeschmälzt
Kaldaunen in saurer Brüh
Pasteten mit Täublein, Ei und Petersiln
Ein Ochsenzungen in Aspik
Klein Waldvöglein in Ingwerschmalz gebacken
Haselhühner in gelber Soß
Kapaun mit Pilzen gefüllt, dazu ein Agraz aus Weinträublein
Jungschweinhoden, fein angericht auf Rettich und Hasenlebern
Kaninchen im Topf mit eim Deckel aus Mandelteig
Ein fette Gans mit Zaunköniglein gestopft
Ein Zugemüß aus Pastinack, gelben und ander Ruben,
Verlorne Eier in weißem Wein gefunden,
das mög euch allen trefflich munden!«

Die Aufwarter marschierten im Gänsemarsch mit ihren abgedeckten Schüsseln und Platten herein und stellten alles entlang der Mitte der langen Tafel ab. Dann bedienten sich die Gäste mit Messern und Händen. Große Pokale mit ausgezeichnetem Malvasier machten die Runde – die fränkischen Gewächse des nahen Maintals waren den Brandauers nicht gut genug erschienen.

Anschließend folgte der zweite Gang, diesmal dominiert von Fischgerichten. Befriedigt schaute Heinrich Brandauer auf die Speisenfolge: Etliche im Ganzen gesottene und gebratene Welse wurden aufgetragen, junge geräucherte Aale, Süßwasserkrebse und natürlich die beliebten heimischen Karpfen, die seit neuestem gerne mit einer weißen Tunke aus importierten Zitronen, Mandelmilch und Schmalz gegessen wurden. Krönung des Fischgangs war ein im Ganzen zubereiteter riesiger Steinbutt, den man in Eis eingepackt vom Meer hatte hertransportieren lassen. Unter vielen Ahs und Ohs wurde schließlich als Attraktion des dritten Gangs ein ganzes, am Spieß gebratenes und mit verschiedenstem Geflügel gefülltes Kalb hereingetragen, gefolgt von einem gegrillten Eber, mehreren Gänsen und einem Pfau, dem der Koch nach dem Braten die Schwanzfedern wieder angesteckt hatte. Ein Tranchiermeister, den man sich von den Augsburger Fuggern ausgeliehen hatte, besorgte mit virtuoser Grandezza das Zerlegen der Tiere.

Helena konnte kaum etwas von den Köstlichkeiten essen; ihr Mieder war viel zu eng geschnürt, als dass sie mehr als ein paar Bissen hinuntergebracht hätte. Außerdem lastete es auf ihrem Gewissen, dass sie Konrad die Geschichte mit Niklas nicht hatte beichten dürfen. Sie wünschte sich doch so sehr, dass alles gut wurde, wollte versuchen, alles richtig zu machen, und dabei musste sie ihre Ehe schon mit einer Lüge beginnen …

Konrad dagegen sprach dem Menü und vor allem dem Wein kräftig zu; er war bestens gelaunt, erzählte Witze und unterhielt den ganzen Tisch mit kleinen Anekdoten und Kunststückchen. Ab und zu richtete er das Wort an seine schöne junge Frau oder steckte ihr einen besonders leckeren Bissen in den Mund. Als ein Diener nach dem großen Fleischgang mit einem Aquamanile herumging, ließ es sich der junge Patrizier nicht nehmen, Helena selber das Wasser über die Hände zu gießen. Gerührter Beifall aus der Schar der Gäste belohnte die schöne

Szene, was Konrad auch noch dazu verleitete, ihr formvollendet die Hand zu küssen. Helena wurde bis über beide Ohren rot – das war nun wirklich unanständig, in aller Öffentlichkeit!

Plötzlich ertönte ein lautes, forderndes Klopfen an der Rathaustür. Der Hochzeitslader lief hinunter und kehrte kurze Zeit später sichtlich aufgeregt zurück. Er ging zu Konrad Heller und raunte ihm etwas ins Ohr, worauf der Bräutigam in wieherndes Gelächter ausbrach. Er stand auf, breitete die Arme aus und rief: »Öffnet das Tor den schönen Weibern, wie es seit jeher Brauch ist!«

Helena zupfte ihren Mann überrascht am Ärmel. »Aber Konrad, es ist doch schon seit ein paar Jahren verboten, bei Hochzeiten die ... diese Frauen ins Rathaus zu lassen!«

Konrad winkte nonchalant ab. »Papperlapapp. Dass die Huren zum Hochzeiten kommen, war schon immer so. Wie soll's denn sonst richtig fröhlich werden? Außerdem hat der Rat das Verbot längst notgedrungen wieder zurückgenommen, weil die Bürgerschaft dagegen aufbegehrt hat. Also keine Sorge.«

Inzwischen hatte sich schon ein buntes Häuflein leicht bekleideter Frauen die Treppe heraufgedrängelt und gesellte sich unter lautem Gekreische und Gejohle zu den Feiernden. Die Musiker spielten sofort eine schnelle Galliarde, jede Hübschlerin holte sich einen Partner aus der Reihe der Gäste, und der Tanz begann. Lustig flatterten die roten Tücher der feilen Töchter, und die Stimmung steigerte sich zu ausgelassener Fröhlichkeit. Beim nächsten Stück hatte sich einer der Tanzenden die Braut gegriffen und sie mit in den äußeren Kreis gezogen, der sich in Gegenrichtung zum inneren Reigen drehte. Lachende Gesichter schwebten an Helena vorbei, die sich im Takt drehte und wiegte und in der Schrittfolge einer Pavane vorwärtstrippelte. Eins davon gehörte Konrad, der mit weit ausgestreckten Armen hinter einer üppigen Brünetten hertanzte. Helena wurde beinahe schwindlig, und sie schloss die Augen. Als sie dann wieder um sich sah, traf ihr Blick auf ein Augenpaar, das sie aufmerksam musterte – blau und braun. Woher kannte sie diese Augen bloß? Das Gesicht, zu dem sie gehörten, war nicht schön im üblichen Sinn, aber es hatte einen ganz eigenartigen Reiz. Es gehörte zu einer schlanken jungen Frau in dunklen Röcken, die durch ihre gerade Haltung und ihre anmutigen Bewegungen auffiel. Jetzt wusste Helena es wieder: Es war die Hure vor dem Kloster gewesen! Mit einem Mal verging Helena alle Freude. War es ein schlechtes Omen, diese Frau ausgerechnet am Hochzeitsabend wiederzutreffen? Brachte es Unglück? Doch dieses Mädchen, dachte Helena, während sie weitertanzte, war anders als ihre Genossinnen, die über platte Scherze lachten und mit wiegenden Hüften die ehrbaren älteren Herrn umschwirrten. Und als ob die Hübschlerin spürte, dass Helena sie erkannt hatte, nickte sie ihr fast unmerklich zu.

Während die Festgesellschaft sich am Ende der Feier noch an den Süßspeisen gütlich tat, blieb Helena nachdenklich. Ihr ging die Frau mit den verschiedenfarbigen Augen nicht aus dem Sinn, und mit ihr waren auch wieder die Gedanken an Niklas und das Kind da. Obwohl Helena sonst bei Süßigkeiten nie nein sagen konnte, machten ihr die Granatäpfel, das bunte Marzipan, der Konkavelit aus Mandelmilch und Kirschen, die Heidnischen Küchlein mit Äpfeln und Pfeffer und der Kolris keinen Appetit mehr. Selbst ihre Lieblingstorte, ein kunstvolles Gebilde aus Eiern, Mandeln, Rosenwasser, Zucker und Korinthen, ließ sie unbeachtet. Als schließlich gegen Mitternacht der Hochzeitslader den Zapfenstreich verkündete, war sie froh, nach Hause gehen zu können.

Geführt vom Hochzeitslader und begleitet von etlichen Verwandten und Freunden ging das junge Paar zu seiner zukünftigen Wohnstatt. Die Eltern des Bräutigams hatten den beiden das schöne Haus der Hellers am Weinmarkt geschenkt, schräg gegenüber dem Westchor der Sebalduskirche. Sie selber, hatte der alte Heller am Abend verkündet, würden sich nunmehr auf einen der Herrensitze der Familie auf dem Land zurückziehen. Konrad öffnete die Eingangstür mit einem großen Bartschlüssel und überreichte seiner Braut gleich beim Hineingehen unter dem Beifall der Anwesenden einen großen Metallring, an dem alle Schlüssel des Hauses klimperten – das Sinnbild für die Schlüsselgewalt der bürgerlichen Hausfrau. Dann fiel die Tür hinter dem Brautpaar ins Schloss.

Konrad zeigte seiner Braut die Schlafkammer im ersten Stock und ließ sie dann taktvoll für einige Zeit allein. Helena sah sich in dem Zimmer um: Vor der holzgetäfelten Rückwand erhob sich ein großes Himmelbett mit grünen Vorhängen und dicken Federkissen und -betten. Davor standen zwei gepolsterte Scherenstühle, an der Seitenwand noch ein Tischchen mit einem sechsflammigen Kerzenleuchter, den irgendjemand schon angezündet hatte. Unter zwei Fenstern mit grünlichgelben Butzenscheiben entdeckte Helena eine lange Truhe, auf der einige Leintücher und ein Kamm arrangiert waren. Auf dem Boden lag – Gipfel des Luxus – ein dicker morgenländischer Teppich, in dem die Füße versanken. Helena überlief ein kurzer Schauer. Sie wusste, was nun kommen würde, und sie hatte Angst. Würde sie alles richtig machen? Würde er etwas merken? Woran erkannte ein Mann, dass eine Frau nicht mehr unberührt war? Sie hatte ihre Mutter nicht zu fragen gewagt, wie das war im Ehebett, und die hatte ihr auch nichts erzählt – schließlich schien das doch nicht mehr nötig. Damals, dieses eine Mal mit Niklas, da war es irgendwann und irgendwie passiert, einfach so, ohne dass sie es wirklich geplant oder gewollt hatten. Es war ein gegenseitiges Erforschen gewesen, vertraut und doch verlegen, voll Neugier und Verliebtheit. Es hatte wehgetan und ein bisschen geblutet, aber es war doch auch schön gewesen. Nicht so, als dass sie das jeden Tag hätte haben wollen, so wie offenbar die Männer, dachte Helena, aber auch nicht unangenehm. Aber das war lange her, und jetzt, mit Konrad, schien alles ganz anders. Wenigstens eine Dienerin hätte sie jetzt schon gerne dagehabt, und sei es auch nur, um ihr beim Ausziehen der schweren Kleider zu helfen. Aber sie war allein.

Unter Verrenkungen hakte sie ihr Mieder auf, löste die Schnüre von Rock und Hemd. Dann nahm sie die Haube ab und zog eine nach der anderen die Nadeln aus ihrer Frisur. Mit dem Kamm glättete sie die langen Haare, bis sie seidig über die Schultern fielen. Kritisch sah sie an sich herab. An ihrem Körper konnte keiner mehr eine Schwangerschaft ablesen. Nichts war geblieben, keine verräterischen Streifen, keine schlaffen, hängenden Brüste. Sie sah aus wie die Jungfrauen auf den Gemälden, die sie aus der Kirche kannte. Hoffentlich mach ich es ihm recht und alles geht gut, dachte sie, als sie nackt zwischen die Laken schlüpfte. Sie merkte, dass ihre Hände feucht wurden und leicht zitterten.

Konrad kam mit einem Kerzenleuchter in der Hand herein, den er auf einen der Stühle stellte. Dann zog er sich mit bedächtigen Bewegungen aus. Helena wagte nicht, hinzuschauen, sie schloss die Augen und wartete, bis er ins Bett gekommen war. Seine Hand wanderte zu ihr hinüber.

»Willst du nicht das Licht ausblasen?«, fragte Helena unsicher.

Konrad grunzte etwas und stand noch einmal auf, um die Kerzen zu löschen. Aus dem Augenwinkel beobachtete Helena ihren Mann – er war schlank, gut gewachsen, mit blonden Kringelhaaren auf der Brust. Noch baumelte sein Glied schlaff zwischen den Schenkeln.

Im Dunkeln kam er zurück unter die Decken und begann, an ihren Brüsten zu kneten und zu reiben. Helena umarmte ihn bereitwillig, getraute sich aber nicht, irgendetwas anderes zu tun. Sie hätte auch nicht recht gewusst was, und außerdem fürchtete sie, er würde etwas merken, wenn sie ihm zu sehr entgegenkam. Alles war ganz anders als damals. Schließlich wälzte er sich schnaufend auf sie. Was dann folgte, war für Helena ernüchternd und enttäuschend. Gott sei Dank war es schnell vorüber, und Konrad rollte sich wieder von ihr herunter. Dann hörte sie, wie er sein Kissen zurechtboxte und die Daunendecke um sich zog.

»Na«, brummte er mürrisch zu ihr hinüber, »da hab ich schon Besseres erlebt. Ein bisschen mehr hättst du dich schon anstrengen können, meine Liebe. Schließlich war's für dich ja nicht das erste Mal!«

Helena erstarrte, und es überlief sie siedendheiß. »Wie ... woher weißt du ...?« Sie setzte sich stocksteif auf.

Konrad wunderte sich. Dann lachte er leise vor sich hin und verschränkte die Hände hinter dem Kopf. »Du bist mir vielleicht eine! Wolltest mir weismachen, dass du rein und fein wie die Jungfrau Maria bist, was? Glaubst du, ich lass mir die Katz im Sack aufbinden? Dein Vater hat's mir natürlich vorher erzählt, dass schon einer sein Scheitlein in dein Ofentürl gesteckt hat. Fehltritt hat er's genannt, haha.«

Helena stöhnte leise auf und verbarg ihr Gesicht in den Händen, während Konrad weitersprach.

»Musst keine Angst haben, mir ist das grad recht. Hat mein Vater doch drum die dreifache Mitgift aushandeln können. Und die brauch ich zur Zeit dringender als ein Weib mit Jungfernkranz, weiß Gott. Außerdem hat mir dein Vater die Schulden erlassen, die ich noch von unserm gemeinsamen Geschäft im Annaberger Silberbergbau bei ihm gehabt hab. Also, ist doch alles in bester Ordnung. Mir ist's gleich, ob du vorher schon deinen Spaß gehabt hast. Und überhaupt, wer eine Hure heiratet, der tut ein gutes Werk und erhält Ablass von allen Sünden, sagt die Kirche. Das kann ich auch ganz gut brauchen.« Er gluckste. »Und jetzt schlaf, es ist schon spät und ich bin hundemüd!«

Damit drehte er sich mit einem kleinen Grunzen auf den Bauch. Kaum eine Minute später schnarchte er schon.

Helena lag da wie gelähmt. Sie fühlte sich gedemütigt und erniedrigt wie noch nie in ihrem Leben. Hure hatte er sie genannt. Allmächtiger, wie sollte sie mit diesem Mann zusammenleben, für den sie ganz offenbar nur ein Stück Dreck war und der sie nur genommen hatte, weil er Geld brauchte. Und ihr Vater hatte diesen schmutzigen Handel mitgemacht. Irgendwann spürte sie Tränen über ihre Wangen rollen. So strafst du mich immer noch für meine Liederlichkeit, lieber Gott, dachte sie, und ich hab's bestimmt verdient, dass es so gekommen ist. Kann es wirklich sein, dass ich so wenig wert bin, dass mich einer nur für Geld genommen hat? Muss ich nun mein Leben lang büßen? Ist das dein Ratschluss, deine Rache?

Still und stumm lag sie neben diesem Mann, der ihr seine Verachtung so deutlich gezeigt hatte, dass sie nicht wusste, wie sie ihm noch in die Augen schauen sollte. Ein Fremder war das neben ihr, einer, vor dem sie sich schämte und den sie gleichzeitig jetzt schon verabscheute. Vorsichtig, um ihn nicht zu wecken, rutschte Helena bis ans äußerste Ende des Ehebetts, um möglichst weit weg von ihm zu sein. Erst im Morgengrauen fielen ihr die Augen zu.

Venedig, Sommer 1498

Noddo Bottini war vor vielen Jahren einer der vielversprechendsten jungen Goldschmiede der Lagunenstadt gewesen. Sein Ruf war weit über Venedig hinausgegangen, und seit er den ersten Prunkring für die Vermählung des Dogen mit dem Meer angefertigt hatte – die höchste Ehre, die einem venezianischen Goldschmied zuteil werden konnte –, arbeitete er nicht nur für die reichsten Leute der Stadt, sondern für den gesamten oberitalienischen Adel. Seine große, modern eingerichtete Werkstatt lag in der Gasse der Goldschmiede, und er beschäftigte zuzeiten bis zu zwölf Lehrlinge und Gesellen. Er war reich genug, sich ein Sommerhaus auf der Terraferma am Ufer der Brenta zu leisten und eine Tochter des giudice del proprio zu heiraten, des venezianischen Podesta für Kriminalsachen. Sein einziger Feind war der Alkohol. Er hatte keinen Grund, übermäßig zu trinken, keinen Kummer, der ersäuft werden wollte. Dennoch ergab er sich mit den Jahren immer mehr dem Wein. Er wurde gewalttätig, wenn er betrunken war, kam jeden Tag später in die Werkstatt, war am Morgen schon ein Wrack, bis er den ersten Krug Friularo geleert hatte. Er konnte selbst dann nicht aufhören, als seine Frau drohte, ihn deswegen zu verlassen. So zog sie schließlich mit dem einzigen Sohn, den Bottini abgöttisch liebte, für immer zu Verwandten nach Bergamo. Danach war der erfolgreiche Goldschmied allein mit seiner Trunksucht. Jetzt, da er auch noch einen Grund zum Saufen hatte, ging er vollends unter. Er begann, noch hemmungsloser zu trinken, verspielte Unsummen, verlor seine Werkstatt und landete schließlich in der Gosse. Sie nannten ihn bald nur noch Noddino den Säufer. Es war ihm egal. Die Spelunken um das Arsenal, die riesige Schiffswerft Venedigs, wurden zu seinem ständigen Aufenthaltsort, und Noddo setzte alles daran, sich möglichst schnell zu Tode zu saufen. Aber es ging nicht so schnell, wie er sich das erhofft hatte. Er lebte im Dreck, hauste in winddurchpfiffenen Verschlägen und arbeitete nur dann als Gelegenheitshelfer im Arsenal, wenn er Geld für Alkohol brauchte.

Irgendwann schließlich packte ihn einer, der ihn von früher kannte, am Kragen, wusch und kleidete ihn, bis er wieder wie ein anständiger Mensch aussah, setzte ihn an einen Arbeitstisch und drückte ihm einen Krug Rotwein und Werkzeug in die Hand. Dann machte der Mann ihm ein Angebot – er nahm an, ohne viel nachzudenken. An jenem Tag begann er, in einer kleinen Werkstatt in Castello wieder seinem alten Beruf nachzugehen. Die Bedingungen, die er dafür einging, waren ihm anfangs herzlich egal. Mit der Zeit soff er nur noch so viel, wie er brauchte, um morgens das Zittern seiner Hände zu beruhigen und in der Goldschmiede zu funktionieren. Als er irgendwann den Handel mit seinem Retter aus der Gosse beenden wollte, war es zu spät. Das Geschäft florierte. Die Werkstatt, anfangs nur ein kleiner Raum, hatte sich vergrößert, und er beschäftigte wieder so viele Goldarbeiter wie früher, nur dass ein Großteil seiner Aufträge von spezieller Art war. Jetzt war Noddino alt, und die Erkenntnis, dass er sein Leben verpfuscht hatte, peinigte ihn nur dann nicht, wenn er sich durch Arbeit ablenken konnte.

»Schau, Niccó, hier siehst du eine Art der Diamantfassung, wie sie noch unter meinem Großvater üblich war.« Der alte Noddino setzte sich mit dem Prachteinband eines alten Evangeliars zu Niklas auf das Arbeitsbänkchen vor dem Werkbrett. Er mochte den jungen Deutschen gern, nicht nur weil er bei weitem das meiste Talent aller seiner Schüler hatte, sondern weil er besonders wissbegierig und ehrgeizig war. Niklas, der von dem kostbaren Buchumschlag ein Duplikat anfertigen sollte, hatte die gehämmerte Goldplatte mit den gravierten Verzierungen schon vor sich liegen und war nun dabei, die vielen Perlen und Edelsteine zu fassen, die der Vorderseite den rechten Glanz verleihen sollten. Noddino stieß mit der Nase fast an das Evangeliar, während er erklärte. »Der Spitzstein hier hat die Form einer Doppelpyramide und steckt mit seiner unteren Hälfte in einem eckigen Kasten, siehst du's? Der Kasten greift sogar weit über die breiteste Stelle des Steins in die obere Pyramide hinein und sichert damit den festen Sitz. Das hat den Nachteil, dass man nur einen Teil, vielleicht ein Viertel oder höchstens ein Drittel des gefassten Diamanten sehen kann.«

»Verstehe.« Niklas musterte die alte Arbeit genau. »Und der Rand der Fassung ist als Hohlkehle gebildet, was für die Schmuckwirkung des Steins von Bedeutung ist. Die Reflexe des Lichts sind in einer Kehlung viel intensiver als auf einer glatten, geraden Goldfläche. Und hier herum läuft ein kleiner Steg, der verhindert, dass man die Fassung größer machen muss, als der Stein selber ist.«

»Bravo.« Der alte Noddino klopfte Niklas auf den Rücken. »Natürlich sind die modernen Schüsselfassungen, wie wir sie heute verwenden, viel dekorativer. Man kann sie für alle Schliffformen hernehmen, und sie sind ein Schmuck für sich. Wenn man beispielsweise die Halbrundflächen an den Seiten verdoppelt, sodass an jeder Edelsteinkante zwei Mulden entstehen, dann ist die Fassung fast nur noch wie eine Kralle, die den Stein an den Ecken hält. Das sieht dann aus wie eine Blüte mit acht runden Blättern, in deren Mitte der Edelstein sitzt.«

Niklas sah seinen Meister bewundernd von der Seite an. Der Alte konnte mit wenigen Worten die kompliziertesten Dinge verständlich beschreiben. Er hatte ein profundes Wissen über Fassungstechniken und Methoden zur Verzierung, das er auf diese Art weitergeben konnte. Das war wichtig, denn inzwischen sah der alte Noddino so schlecht, dass es ihm kaum mehr möglich war, selber Hand anzulegen. Er war darum froh, in Niklas einen neuen Gesellen gefunden zu haben, der umzusetzen verstand, was man ihm mit Worten sagte, ohne dass man ihm die Arbeiten erst vormachen musste.

»Wann kommen denn die Steine für das Evangeliar, Maestro?« Niklas legte Zange und Pinzette zur Seite. »Ich bin mit der Goldplatte jetzt so weit fertig, dass ich anfangen könnte zu fassen.«

Noddino wackelte bedenklich mit dem Kopf, sodass die schlaffen Hautfalten unter seinem Kinn in Bewegung gerieten. »Hm, eigentlich müssten sie schon da sein. Ich lass einen der Lehrlinge noch mal beim Händler nachfragen. Du kannst ja derweil schon mit den Perlen anfangen.« Er deutete auf ein Schüsselchen mit Perlen in den verschiedensten Größen und Farben, das auf dem Arbeitstisch stand. »Gebohrt sind sie ja schon, du musst nur noch den Silberdraht für die Steigbügelfassungen ziehen.«

Niklas nickte. »Gut, dafür brauche ich bis heute Abend.«

Er ging hinüber in den Raum, wo der Muffelofen stand, und suchte sich unter den vielen Gussformen, die an der Wand aufgereiht hingen, eine längliche Stabform aus. Dann betätigte er den Blasebalg, dass die Funken stoben. Als das Feuer hoch aufloderte, schmolz er in einem gusseisernen Tiegel eine kleine Menge Bruchsilber und schüttete sie in die Form. Nach dem Erkalten löste er ein Stäbchen von der Dicke eines Federkiels aus der Vertiefung. Dann ging es ans Ziehen. Der Strang wurde durchs erste Loch des Ziehsteins gesteckt, mit einer breiten Riffelzange gepackt und durchgezogen. Dazu setzte sich Niklas auf eine Art Schaukel, die, wenn er sich mit den Füßen nach hinten abstieß, durch ihren Schwung seine Kraft verstärkte. Die Prozedur wiederholte sich ungefähr zwanzig Mal, mit immer kleineren Löchern. Bis zum Abend hatte Niklas einen Draht von ungefähr einem halben Millimeter Durchmesser und zwei Metern Länge zur Verfügung. Das genügte für die großen Perlen. Er rollte den Draht fein säuberlich auf und legte die Spirale beiseite. Nachdem in den anderen Werkstatträumen die Muffelöfen schon kalt und die meisten Gesellen schon gegangen waren, löschte auch Niklas das Feuer. Er begann, gut gelaunt ein italienisches Liedchen zu pfeifen, das er kürzlich gelernt hatte. Morgen war sein freier Tag – außer dem Sonntag hatte er auch noch den Mittwoch frei – und er freute sich auf Sonne und Meer.

Der »Stör« lag nicht weit vom löwengeschmückten Eingang zum Arsenal entfernt. Jeden Tag kamen hier tausende von Arbeitern vorbei, die auf der größten Schiffswerft des Abendlandes ihrem Beruf nachgingen. Die Wirtin brauchte sich um mangelnde Kundschaft nicht zu sorgen; die Schufterei auf den Docks machte hungrig und durstig, und der Heimweg der Männer führte am Abend viele Gäste in ihr Lokal. Außerdem hatte Vanozza noch drei Zimmer im ersten Stock, die sie zu einem anständigen Preis vermietete. Eines davon belegte nun schon seit über drei Jahren der junge Tudesco, der angenehmste Mieter, den sie je beherbergt hatte, ein Glücksfall. Er soff nicht, zahlte pünktlich, half in der Wirtschaft mit, wenn Not am Mann war, und hatte sofort dicke Freundschaft mit ihren beiden Kindern geschlossen, die inzwischen an ihm hingen wie an einem großen Bruder. Hübsch war er noch dazu; konnte er doch fast für einen Italiener gelten mit seinen schulterlangen schwarzen Haaren, blitzenden dunklen Augen und einem Lachen, das so manchem Mädchen den Verstand hätte rauben können, wenn er es darauf angelegt hätte. Aber in all der Zeit hatte Vanozza nie bemerkt, dass er ein Mädchen mit aufs Zimmer genommen hätte. Der Tudesco lebte wie ein Mönch, was für ein Verlust für die Damenwelt! Sie wusste, dass es da ein Mädchen in seiner Heimat gab, mit der er Briefe wechselte, aber war das ein Grund für einen jungen Mann, in Sack und Asche zu gehen?

Als Niklas den »Stör« betrat, war die Gaststube schon halb voll. Die beiden Kinder, der siebenjährige Matteo und die anderthalb Jahre jüngere Giuseppina, genannt Pippina, stürmten auf ihn zu, das Brettspiel schon in der Hand.

»Niccó, spielst du mit uns Mühle?« Die Kleine hing schon an seinem Arm, und er packte sie und schwenkte sie herum, bis sie vor Vergnügen quietschte. Doch Vanozza, die gerade aus der Küche kam, winkte ihn sofort zu sich.

»Kinder, lasst ihn erst einmal in Ruhe, ja? Niccó, ein Bub vom Fondaco hat wieder mal einen Brief für dich gebracht. Schau, da drüben auf dem Wandregal liegt er.«

Die Mundwinkel der Wirtin zuckten amüsiert, als sie sah, dass Niklas tatsächlich leicht errötete. Er langte nach dem Brief, setzte sich in eine Ecke und erbrach das Siegel. Dann vertiefte er sich in den kurzen Text. Vanozza, die ihn beobachtete, bemerkte, dass er das Schreiben mehrmals hintereinander durchlas und dass dabei seine Miene immer ernster wurde. Schließlich stand er auf, zapfte sich einen Becher Wein und kippte ihn noch im Stehen. Dann ging er wieder an seinen Platz und spielte gedankenverloren mit dem beschriebenen Papier.

»Bist du traurig, Niccó?« Pippina hatte sofort bemerkt, dass etwas nicht stimmte. Nachdem Niklas nicht antwortete, griff sie ihren großen Bruder am Ärmel und zog ihn weg. »Komm mit, Matté, ich glaub, er hat keine Lust mehr zum Spielen.«

»Schlechte Nachrichten?« Vanozza setzte sich kurze Zeit später zu Niklas und stellte noch einen Becher Wein vor ihn hin.

Der junge Goldschmied nickte. »Kann man wohl sagen. Mein Mädchen daheim in Nürnberg heiratet. Einen stinkreichen Schönling aus bester Familie, maledizione!« Er fegte einen Holzlöffel, der auf dem Tisch gelegen hatte, zu Boden.

Die Wirtin strich Niklas liebevoll übers Haar. »Mio povero. Bist du sehr traurig?«

Niklas nahm noch einen Schluck. »Schon. Ach weißt du, Vanozza, natürlich hab ich gewusst, dass es irgendwann so kommt, aber ich hab's mir nie eingestehen wollen. Ihre Familie hätte mich ohnehin nie akzeptiert, und jetzt haben sie eine gute Partie für sie arrangiert. Ich kann's ja verstehen, dass sie das nicht ablehnt. Mehr als drei Jahre sind eine lange Zeit, und ich bin so weit weg. Wir müssen wohl beide unser eigenes Leben leben.«

Die Wirtin zwinkerte Niklas aufmunternd zu. »Bravo, giovanotto, du siehst das sehr vernünftig. Es ist schwer, jemanden zu verlieren, den man liebt, das weiß ich nur allzu gut. Mein Ivano fehlt mir immer noch in jeder Minute, das kannst du mir glauben. Aber man muss nach vorn schauen und nicht zurück.«

Niklas nickte bekümmert. »Jetzt sind's schon fast zweieinhalb Jahre, dass er weg ist, nicht wahr?«

»Zwei Jahre, fünf Monate und zwölf Tage.« Vanozzas Brust hob und senkte sich in einem tiefen Atemzug. »Und ich weiß noch nicht einmal, ob ihm etwas passiert ist oder ob er mich und die Kinder einfach nur verlassen hat. Na ja, es kommt schließlich auf's selbe heraus, oder?«

Niklas hob seinen Becher und prostete Vanozza mit einem schiefen Grinsen zu. »Auf die verlorene Liebe, salute!«

»Nein.« Sie zog ihn scherzhaft am Ohrläppchen. »Du hast noch nichts dazugelernt, Niccó, du siehst die Dinge immer noch finster, wie die Leute im Norden eben. Wir Venezianer würden sagen: Beh, was soll's? Auf ein neues Glück! Also, Kopf hoch, Tudesco!« Dann erhob sie sich und ging wieder zurück zum Tresen, wo schon mehrere Werftarbeiter auf ihre »ombra« warteten.

»Und du hast tatsächlich wegen dieser Elena in den letzten Jahren kein Mädchen angeschaut? Ganz schön blöd, dio mio! Die muss dir ja ganz furchtbar den Kopf verdreht haben, deine kleine Jugendliebe, wenn dich nach ihr keine andere mehr interessiert.« Nazareno schüttelte verständnislos den Kopf und kratzte sich dabei an der stoppeligen Backe. Der Zwerg und Niklas saßen vor einem Bacaro am Canal Grande und schauten aufs Wasser. Eine schwarze Gondel glitt fast lautlos vorbei auf San Marco zu, die Silhouette des Gondoliere wie eine Statue am Heck. Ein Schwarm Tauben flatterte über die Dächer, während der Sonnenuntergang das Meer orangerosa färbte. Es war warm, und ein kleines Lüftchen machte den Abend angenehm.

»Du siehst das falsch, Nazareno. Es war nicht so, dass mir keine gefallen hätte. Aber ich hänge einfach noch an der Lene, und außerdem wollte ich keine Schwierigkeiten.«

»Mag schon sein, Mann, aber es gibt doch in der Stadt tausende von Kurtisanen, die tollsten Weiber, und die hätten dir keinen Ärger gemacht.«

»An der Sorte Frau liegt mir nichts.«

»Oho, ein Moralapostel, Schreck lass nach! Ich verneige mich in Ehrfurcht vor deiner reinen Gesinnung!« Der Zwerg machte eine spöttische Reverenz und hätte dabei fast den Wirt umgestoßen, der zwei dampfende Schüsseln und ein Körbchen mit Brot vor den beiden Freunden absetzte. Niklas runzelte die Brauen und fischte mit dem hölzernen Löffel in seinem Kutteleintopf herum. Die Oliven, die er entdeckte, ließ er in Nazarenos Essen plumpsen.

»Du wirst nie ein richtiger Italiener, wenn du nicht endlich lernst, Oliven zu mögen«, frotzelte der Nano und stopfte sich drei davon auf einmal in den Mund. »Sie sind köstlich, wann kapierst du das mal?« Er spuckte die Kerne in weitem Bogen ins Wasser.

Niklas grinste. »Weißt du noch, als ich das erste Mal eine dieser widerlichen Früchte des Ölbaums gegessen habe?«

»Klar«, mampfte der Zwerg. »Du hast gedacht, die eine Olive, die du erwischt hast, sei verdorben. Und du hast schier nicht glauben wollen, dass die Dinger alle so schmecken, hihi.«

»Ich begreif immer noch nicht, dass man davon solche Mengen verspeisen kann wie du!« Niklas hatte wieder solch ein grünliches Ding entdeckt und in Nazarenos Schüssel fallen lassen. Der machte eine Geste der Hoffnungslosigkeit und seufzte mitleidig.

»Ich geb's auf. Du bist und bleibst halt ein Banause, Tudesco, rozzo e gretto! Selbst an den höchsten Fürstenhöfen liebt man die Olive als kulinarische Köstlichkeit.«

Niklas rümpfte die Nase. »Was weißt du schon über Fürstenhöfe, Nano?«

Nazareno kaute mit vollen Backen. »So ziemlich alles. Ich bin an einem aufgewachsen.« Gelassen tunkte er einen Brocken Weißbrot in die Schüssel.

Der junge Goldschmied tippte sich an die Stirn. »Und ich bin der Kaiser von China.« Er zog mit zwei Fingern die Augenwinkel hoch, setzte ein breites Grinsen auf und wackelte mit dem Kopf.

»Du glaubst mir nicht, was?« Nazareno spülte das Brot mit einem Schluck Wein hinunter. »Aber was weißt du schon von mir, du und all die anderen? Soll ich dir was sagen? Mein wirklicher Name ist Giangaleazzo Ponti. Ich bin in Ferrara geboren, am Hof der Herzöge d'Este. Meine Familie und ich waren die Hofzwerge der Herzogin, sozusagen eine lebende Lustbarkeit. Oh, es ging uns wunderbar, wir schwelgten im Luxus. Im Schloss gab es eine ganze Flucht von Zimmern, die genau für unsere Größe gebaut waren, und alles darin war im Zwergenformat, Möbel, Geschirr, sogar die Nachttöpfe. Wir hatten eine eigene kleine Kutsche, gezogen von kleinen zottigen Pferdchen, die man eigens für uns von irgendeiner Insel hoch im Norden hat holen lassen. Wir Kinder durften mit dem herzoglichen Nachwuchs zusammen Unterricht nehmen, deshalb kann ich rechnen, schreiben, bin in Politik, Wirtschaft und Theologie bewandert. Abends speisten wir regelmäßig mit der fürstlichen Familie, und natürlich bei den großen Banketten. Andere mochten vielleicht grade mal einen Zwerg besitzen, die d'Este hatten gleich eine ganze Familie davon! Sollten die Sforza doch weiter Rennpferde züchten, bah, wie einfallslos – die Ferraresen züchteten Zwerge! Vor jedem hohen Besuch wurden wir hergezeigt, und alle fanden uns allerliebst. Bloß ich fand das alles zum Kotzen. Ich kam mir vor wie ein Tier im Käfig, das sich von allen bestaunen lassen musste. Und irgendwann kam dann tatsächlich ein besonders hässliches weibliches Mitglied der Familie auf die Idee, herausfinden zu wollen, wie ergötzlich sich wohl so ein niedliches Zwerglein im herzoglichen Bett machen würde. Da hat's mir endgültig gereicht. Ich bin bei Nacht und Nebel abgehauen, tja, und jetzt sitz ich hier und du glotzt mich mit offenem Mund an. Ein wirklich erbaulicher Anblick.«

»Entschuldige.« Niklas spürte, dass Nazareno ihm etwas anvertraut hatte, das sonst keiner wusste. »Ich wollte dich nicht kränken, mein Freund. Komm, trinken wir noch was. Jetzt ist mir wenigstens klar, warum du ein so genialer Buchhalter und Rechenkünstler bist. Eine Ausbildung am Hof von Ferrara, das ist schon was!«

»Womit wir wieder beim eigentlichen Sinn unseres abendlichen Treffens wären«, bemerkte Nazareno und packte ein Brett und ein Stoffsäckchen aus.

»Hier, das ist das Rechenbrett, der ›Abbacco‹. Und das«, damit schüttete er den bunten Inhalt des Säckchens auf den Tisch, »sind die Rechensteine, sie heißen ›Quarteroli‹. Das System benutzen wir in Italien schon seit langer Zeit – zu euch in den Norden ist es allerdings noch nicht gedrungen, worüber wir hier nicht besonders unglücklich sind. Schließlich waren wir der Welt im Rechnungs- und Bankwesen schon immer voraus und das soll auch so bleiben. Wo sonst gibt es ganze Lehrbücher der Rechenkunst oder schriftliche Anleitungen zur Praxis des Geschäftsverkehrs? Nur in Italien – ich hab sie im Übrigen so ziemlich alle gelesen! Also, zurück zum Abbacco. Mit Brett und Steinen lassen sich viele Fehler vermeiden, die man beim Rechnen im Kopf oder schriftlich einfach immer wieder macht. Schau her, die roten Steine stehen für die Zehner …«

Der Abend verging, während der Zwerg Niklas die Grundbegriffe des Rechenwesens und der doppelten Buchführung erläuterte. Es machte den beiden Spaß, und Niklas begriff schnell. Er hatte sofort erkannt, dass dieses Wissen für ihn von unschätzbarem Wert sein würde, wenn er einmal ein selbständiges Geschäft führen wollte. Und genau das hatte er vor: Er wollte sein eigener Herr sein. Er war beileibe nicht damit zufrieden, als Noddinos bester Geselle zu arbeiten. Er wollte nicht nur Juwelen fassen oder Duplikate anfertigen wie in den letzten Jahren, er hatte den Ehrgeiz, Neues zu schaffen, eigene Entwürfe zu machen. Aber als selbständiger Meister musste man auch rechnen und kalkulieren können, und dies gedachte Niklas sich nun anzueignen. Spätestens dann, wenn Noddinos Werkstatt zur Übergabe anstand, musste er für alles bereit und gerüstet sein. Während er so unter Nazarenos Anleitung rechnete und lernte, vergaß er beinahe seinen Kummer über Helenas Brief. Er würde irgendwann ein erfolgreicher Goldschmied und Kaufmann werden, das stand für ihn felsenfest. Die Zukunft erschien ihm auf einmal wieder vielversprechend.

Als er spätabends heimkam, den Kopf voller Zahlen, war der »Stör« schon geschlossen. Er öffnete mit seinem Schlüssel die Hintertür und stieg auf Zehenspitzen die Treppe zu seiner Dachkammer hoch, um die Kinder nicht zu wecken, die mit Vanozza im ersten Stock schliefen. In seinem Zimmer war es hell; ein gelber, voller Mond schien durchs Fenster. Auf dem kleinen Sidelhocker neben der Tür lag noch Helenas Brief. Niklas faltete ihn zusammen und steckte ihn sorgfältig zu den anderen in die Truhe. Von jetzt an gingen er und Helena endgültig getrennte Wege. Vielleicht war es gut so, dass nun ein Ende da war. Leb wohl, Lene, dachte er, ich wünsch dir Glück. Dann legte er seine Kleider ab, ließ sich aufs Bett fallen und zog das Laken bis über die Hüften.

Draußen plätscherten die Wasser des kleinen Kanals mit beruhigender Gleichmäßigkeit gegen die Hauswand. Irgendwo fauchten ein paar erboste Kater und fochten mit Zähnen und Krallen ihren Revierkampf aus. Es war warm unterm Dach; hin und wieder knackten die trockenen Balken. Mit einem kaum vernehmbaren Quietschen öffnete sich die Tür. Vanozza kam herein, ein dünnes Leintuch um sich geschlungen, und trat auf leisen Sohlen ans Bett. Niklas hielt überrascht den Atem an, als sie das Tuch von den Schultern gleiten ließ. Nackt und lächelnd stand sie vor ihm im Mondlicht, ihre Haut glänzte wie dunkles Gold und dicke Strähnen ihres roten Haares fielen offen bis über ihre üppigen Brüste. Wortlos schlüpfte sie zu Niklas unter die Laken.

Sie waren beide ausgehungert, und ihre Körper drängten wie von selbst zueinander. Vanozzas Finger glitten über Niklas' Schultern und Rücken, streichelten, erregten ihn. Seine Lippen fanden ihre, wanderten suchend tiefer, verweilten in der samtweichen Halsbeuge, während seine Hände ihre Brüste umfassten wie köstliche reife Früchte. Er sog hörbar den Atem ein, als ihre Zunge seine Brustwarzen umspielte, und die Lust schlug wie eine Welle über ihm zusammen. Als er schnell und ungestüm in sie eindringen wollte, hielt sie ihn sachte zurück. »Nicht so schnell, mein kleiner Tudesco«, flüsterte sie zärtlich und fuhr mit dem Finger die Kontur seiner Lippen nach. »Lass dir Zeit, pian piano, caro. Wir haben die ganze Nacht, und Frauen wollen langsam genommen sein …«

Und dann lehrte sie ihn die Liebe.

Nürnberg, Dezember 1498

Helena erwachte früh an diesem windigen Dezembermorgen, weil sich das Kind in ihr bewegte. Es war wie ein leichtes Flattern unterm Nabel, und sie legte beide Hände auf den Bauch, um es besser zu spüren. Am Anfang, als ihre Blutung ausgeblieben war, hatte sie nur Zorn und Widerwillen empfunden. Sie wollte kein Kind mit diesem Mann, nichts, was sie sichtbar mit ihm verband. Oh, natürlich, sie hatte sich mit Konrad arrangiert, hatte sich abgefunden mit seiner Gleichgültigkeit und damit, dass er nachts zu ihr ins Bett kam. Er behandelte sie nicht schlecht, sie hatte keinen Grund zur Klage. Als sie ihm von ihrer Schwangerschaft erzählte, war er sogar von seinem Stuhl aufgesprungen und hatte sie lachend in der Stube herumgeschwenkt. Ein Erbe, das bedeutete das Fortdauern der Dynastie und den Beweis seiner Manneskraft – was wollte man mehr von einer Ehefrau? Sie hingegen konnte sich nicht freuen. Wie sollte sie ein Kind lieben, das so war wie er? Jeden Tag dachte sie daran, dass sie ihr Erstgeborenes hatte hergeben müssen. Das hätte sie lieben können, ja, aber dieses, das da kommen würde, gezeugt in einem Akt beiderseitiger Gleichgültigkeit? Von einem Mann, den sie nicht liebte, nicht einmal respektierte, sondern bestenfalls ertrug? Monatelang grübelte Helena und haderte mit sich selbst. Doch mit dem ersten Strampler, den das Kind in ihrem Bauch machte, waren all die schwarzen Gedanken verflogen. Sie begann sich auf das kleine Wesen zu freuen und die Tage und Wochen zu zählen. Zum ersten Mal in ihrem Leben, so dachte sie, würde sie etwas ganz für sich haben. Dich nimmt mir keiner weg, flüsterte sie oft, du gehörst ganz mir, und ich will ganz für dich da sein.

Das Kind, war Helena überzeugt, würde ihr auch das Leben im Haus am Weinmarkt erträglicher machen. Denn außer Konrad, der meist schon vormittags ins Familienkontor am Burgberg ging und oft erst spätabends heimkam, hatte sie nur die alte Apollonia, eine junge Magd vom Land namens Mina und den immer griesgrämigen Stubenknecht Reser zur Gesellschaft. Mit Reser hatte sie ohnehin nichts zu reden, außer ihm Arbeiten aufzutragen. Die kleine Mina war ein schüchternes Ding und sagte kaum ein Wort, erledigte aber ihre Aufgaben schnell und gewissenhaft. Und Apollonia, die schon seit ihrer Jugendzeit bei den Hellers Hausschafferin war, behandelte die neue junge Hausfrau abweisend und von oben herab. Sie war Konrads Amme und Kinderfrau gewesen und vergötterte ihren Herrn maßlos. Mit untrüglichem Instinkt hatte sie schon nach der verunglückten Hochzeitsnacht gespürt, dass das Paar sich nicht verstand. Und sie hatte sofort Partei für Konrad ergriffen. Nicht, dass sie unverschämt zu Helena gewesen wäre oder sich offen geweigert hätte, die von ihr angeschafften Arbeiten zu erledigen, nein, so weit ging die Alte nicht. Aber sie vergällte der neuen Hausfrau durch ihre mürrische Art, durch ihre Kälte und ihre schlechte Laune jeden einzelnen Tag. Helena war froh, wenn sie Apollonias verkniffene Miene unter dem fest zugezurrten dunklen Kopftuch nicht sehen und ihre galligen Bemerkungen nicht anhören musste; sie blieb deshalb immer öfter der Küche und den Haushaltsräumen fern und ließ die Alte selber wirtschaften. Wenn das Kind endlich auf der Welt war, so hoffte Helena, hätte sie wenigstens in der Zukunft fröhliche Gesellschaft und eine Aufgabe. Und jemanden, der sie liebte und den sie lieben konnte.

So achtete sie peinlichst darauf, nichts zu tun, was der Schwangerschaft abträglich sein konnte: Sie hob nichts Schweres, aß keine blähenden Bohnen- und Linsengerichte mehr, verzichtete auf allzu lange Gänge. Und sie ging jeden Tag zur Kirche, stellte eine Kerze auf und betete um eine glückliche Niederkunft und ein gesundes Kind.

Genau dies hatte sie auch am Samstag vor dem ersten Advent vor. Während Konrad noch tief und fest neben ihr schlief – er war erst weit nach Mitternacht und ziemlich angetrunken ins Bett gekommen –, stand sie leise auf und zog sich an. Vorsichtig, um ihn nicht zu wecken, schloss sie die Tür der Schlafkammer hinter sich und ging die Treppe zum ersten Stock hinunter, wo die Wohnräume lagen.

In der guten Stube sah es wüst aus. Auf dem großen Kastentisch standen ganz offensichtlich die Reste eines Gelages: Leere und halb volle Becher und Pokale, eine Platte mit angetrocknetem Käse, einigen abgenagten Hühnerknochen und Brotbrocken, schmutzige Messer und Holzbrettchen. Überall war Wein verschüttet; es roch nach abgestandenem Alkohol. Ein Fenster stand offen, und der kalte Morgenwind wehte herein. Als Helena es schließen wollte, sah sie unten auf dem Pflaster eine Lache mit Erbrochenem. Sie verzog angewidert das Gesicht – Gott sei Dank war ihre Morgenübelkeit schon vorüber! Dann begann sie mit einem Seufzer, das Durcheinander aufzuräumen. Sie trug alles hinüber zur Anrichte, wo schon einige leere Krüge und Karaffen standen. Dabei trat sie mit dem linken Fuß auf etwas Hartes. Sie bückte sich und hob es auf: Es war ein beinerner Würfel mit schwarz eingebrannten Augen. Suchend sah sie sich um und entdeckte ganz hinten auf der geschnitzten Eckbank das dazugehörige Brett mit den Spielsteinen. Konrad hat also mit Freunden Puff oder Tricktrack gespielt, dachte Helena. Sie wunderte sich, dass sie davon nichts mitbekommen hatte, aber seit sie schwanger war, schlief sie oft wie ein Stein.

»Apollonia!«

Die Alte erschien so schnell, als ob sie schon vor der Stubentür gewartet hätte. Dürr, wie sie war, mit ihrer scharfkantigen Nase, den weit auseinander stehenden Augen und den stets dunklen Kleidern erinnerte sie Helena an eine Krähe. Mit einem Blick erfasste die Hauswirtschafterin das nun schon etwas gelichtete Durcheinander im Raum.

»So, so, da hat der Konrad wohl gestern Abend noch Besuch gehabt. Ja, die Männer müssen halt immer mal über die Stränge schlagen, die brauchen das.« Sie machte sich an der Anrichte zu schaffen und würdigte Helena kaum eines Blickes.

»Ich geh heut in die Frühmesse«, versetzte Helena, »kannst du mir schnell eine Kleinigkeit als Morgenessen richten? Ein Eierschmarren wäre gut.« Schwangere brauchten viel Eier und Milch, damit das Kind gedieh, das hatte die Hebamme erst kürzlich gesagt.

»Ich komm grad aus der Speis'. Eier sind keine da«, erwiderte Apollonia kurz angebunden. »bloß Brot und Käs'. Ich richt's dann her.« Sie schlurfte hinunter in die Küche und werkelte geräuschvoll herum, während Helena weiter in der Stube aufräumte. Schließlich öffnete sie das Wandschränkchen, in dem sie das Haushaltsgeld aufbewahrte, das sie wöchentlich von Konrad bekam. Sie brauchte ein paar Münzen für den Klingelbeutel und wollte außerdem auf dem Rückweg von der Kirche über den Hauptmarkt gehen und fürs Mittagessen einkaufen. Zu ihrer Verblüffung war die kleine Geldlade leer bis auf zwei Viertelpfennige und einen Schreckenberger, der seit der letzten Münzverschlechterung ohnehin nichts mehr wert war. Gerade als sie Apollonia rufen wollte, kam die Alte mit dem Frühstück zur Treppe herauf.

»Apollonia, hast du vielleicht etwas vom Haushaltsgeld genommen? Gestern waren noch acht Gulden und etliches Kleingeld da, und heut ist alles weg!«

Die Wirtschafterin erstarrte ob dieser Frage, stellte mit einem Ruck Brot und Käse ab und fing an zu keifen. »Ich war schon im Dienst der Familie, als Ihr noch gar nicht geboren wart, Frau Helena. Und noch nie, noch nie hab ich was genommen, was nicht mir gehört. Ihr wisst genau so gut wie ich, dass ich immer erst frag, bevor ich an die Geldlade geh! Das muss ich mir nicht gefallen lassen, dass Ihr mich beschuldigt.«

»Ich beschuldige dich nicht, Apollonia«, beschwichtigte Helena, »ich frag dich ja bloß.«

»Alles tu ich Euch zu Gefallen!« Die Stimme der Alten wurde lauter. »Das ist nicht recht von Euch, mich zu verdächtigen. Ich weiß schon, dass Ihr mich nicht leiden könnt, aber deshalb bin ich noch lang keine Diebin!« Ihre Lippen waren nur noch ein dünner Strich, und sie ereiferte sich so, dass ihr ohnehin blasses Faltengesicht ganz weiß vor Aufregung wurde. Sie machte eine Bewegung zur Tür. »Ich geh mich jetzt beim Herrn beschweren, das tu ich, Ihr könnt Euch drauf verlassen!«

»Über was willst du dich denn bei mir beschweren, Loni?« Konrad war unbemerkt die Treppe heruntergekommen und stand jetzt breitbeinig in der Tür. Er trug einen wollenen Hausmantel; sein Gesicht war verquollen, die Haare verstrubbelt. »Und wieso macht ihr zwei so einen Krach, dass ich aufwache?«

Helena trat zu ihrem Mann. »Das Haushaltsgeld ist weg, Konrad. Und gestern war es noch da, ich weiß es genau. Irgendwer muss es herausgenommen haben.«

Konrad rieb sich die Augen und blinzelte die beiden Frauen verschlafen an. »Und deshalb regt ihr euch auf? Das war ich, gestern Abend. Ich hab's gebraucht.«

Apollonia gab ein triumphierendes »Ha!« von sich und sah die verblüffte Helena mit feindseligem Blick an.

»Wieso hast du nicht das Geld genommen, das du immer in deinem Schreibtisch hast?« Helena verstand nicht ganz.

»Hab ich doch. Es hat nur nicht ganz gereicht.«

»Was? Du hast doch immer mindestens fünfzig Gulden im Haus! Und warum brauchst du so spät abends überhaupt so viel?«

Konrad grinste. »Tja, wie das so geht, ich hab beim Würfeln verloren – Pech im Spiel, Glück in der Liebe, so heißt's doch, oder? Wie wunderbar das auf uns zutrifft, mein Schatz!« Er sah seine Frau vorwurfsvoll an. »Deshalb brauchst du die Apollonia nun wirklich nicht zu verdächtigen, die würde sich nie im Leben an unserem Geld vergreifen.«

Helena fand sich zu Unrecht gescholten. »Ich hab sie nicht verdächtigt, Konrad, ich hab sie nur gefragt, ob sie was genommen hat.«

»Geh, Loni, sei nicht beleidigt«, Konrad nahm seine alte Amme demonstrativ in den Arm. »Die Helena wird schon noch merken, was du für eine Perle bist, gell?«

»Die treibt mich noch aus dem Haus«, sagte Apollonia anklagend, »wart's nur ab, Konrad, irgendwann lass ich mir das nicht mehr gefallen und geh!« Dann verschwand sie aus dem Zimmer, zufrieden über ihren Sieg.

»Kannst du eigentlich nicht mit der Apollonia auskommen?« Konrad war verstimmt. »Sieh zu, dass das anders wird, ich will keinen Streit im Haus, hörst du? Und jetzt geh ich wieder ins Bett, ich hab einen Brummschädel und mir ist kotzübel.«

Helena stiegen die Tränen in die Augen. Seit sie schwanger war, hatte sie ohnehin nah ans Wasser gebaut, und Konrads Parteinahme für die Hauswirtschafterin hatte sie getroffen. Jetzt würde es noch schwerer werden, mit der missgünstigen Alten auszukommen. Aber was ihr fast noch schlimmer erschien, war die Tatsache, dass Konrad offenbar die riesige Summe von über fünfzig Gulden verspielt hatte! Mein Gott, dafür könnte man sich ein halbes Haus kaufen, ging es Helena durch den Kopf. Und er wirft es zum Fenster hinaus! Dabei war die finanzielle Situation ihres Mannes, das hatte er ja schon in der Hochzeitsnacht zugegeben, nicht besonders rosig. Im Grunde genommen verspielte er ihr Geld, nicht seines. Und das seines ungeborenen Kindes. Helena riss sich zusammen und putzte sich die Nase. Sie durfte sich nicht aufregen, das war schlecht für die Schwangerschaft. Langsam ging sie ins Erdgeschoss, wo die Lager- und Vorratsräume lagen. Die Tür zur Speisekammer stand offen, und sie lugte hinein: Im Regal stand ein ganzer Korb voll mit frischen Hühnereiern!

Wütend warf sie die Tür zu, zog ihre hölzernen Trippen an, schlang einen pelzgefütterten Mantel um und machte sich auf den Weg zur Kirche.

Philipp traf die Hübschlerinnen vorm Zeughaus in der Pfannenschmiedsgasse. Die gemeinen Töchter waren wie immer samstagmorgens unterwegs zur Kirche, angeführt vom Frauenwirt und der Wirtin. Ihre roten Kopftücher flatterten im böigen Winterwind, als sie durch den Schneematsch stapften, der den Hauptmarkt bedeckte. Eigentlich lag das Frauenhaus ja auf der Lorenzer Stadtseite, und die Mädchen hätten deshalb in die Lorenzkirche zur Messe gehen sollen, aber der dortige Pfarrer hatte schon vor längerer Zeit klargemacht, dass er in seinem Gottesdienst keine feilen Weiber duldete. So waren nur die Frauenkirche oder die Sebalduskirche geblieben, und die Hübschlerinnen hatten sich für Letztere entschieden.

Der Mönch hatte es sich zur Gewohnheit gemacht, die Frauen beim wöchentlichen Kirchgang zu begleiten. Wenn man von Hans Kieser absah, der selten anders als knurrig und bärbeißig auftrat, war das Grüppchen meistens in fröhlicher Aufregung. Die Mädchen genossen ihren freien Tag, so gut es ging, und Philipp, der sich in der Stille des Klosters oft unbehaglich fühlte, ließ sich gern von ihrem Lachen und ihrer guten Laune anstecken.

An diesem Samstagmorgen stellte er jedoch sofort fest, dass die allgemeine Stimmung getrübt war. Es wurde weniger als sonst gelacht auf dem Weg zur Messe, die Mädchen gingen ruhig nebeneinander her und unterhielten sich nur leise. Philipps Blick fiel schließlich auf Grete, die ganz hinten ging. Ihr Gesicht mit der narbigen Wange war aschfahl und sie hatte sichtlich Mühe, sich aufrecht zu halten. Ab und zu blieb sie stehen, ganz offenbar war ihr übel.

»Grete, was ist mit dir?« Philipp hatte sich zurückfallen lassen und nahm jetzt stützend Gretes Arm. Die Angesprochene wehrte ab.

»Lasst mich nur, Vater, es geht schon. Mir ist nur seit ein paar Tagen nicht wohl.«

»Hast was Falsches gegessen?«

»So wird's sein«, versetzte Grete. »Geht nur zu den andern, Vater, ich komm schon zurecht. Mir ist am liebsten, man lässt mich in Ruh, wenn's mir schlecht geht.«

Philipp akzeptierte die Zurückweisung. Er mischte sich weiter vorn unter die anderen Mädchen. Anna und Cilli, die wie immer zusammensteckten, warfen hin und wieder einen Blick auf Grete.

»Singrien, möcht ich wetten«, versetzte Cilli trocken und wies mit einer Kopfbewegung auf Grete, die jetzt die Hände auf den Unterleib presste, »ich weiß doch, wie's einem da geht.«

»Meinst du?« Anna war skeptisch. »Aber die Grete ist doch immer so vorsichtig! Zehn Jahre im Geschäft, hat sie neulich erst gesagt, und nie in Kindsnöten. Sie benutzt doch immer diese Kräuterkügelchen, und da ist doch auch ihr gläsernes Amulett, auf das sie so schwört ...«

»Ja, wem's hilft!« Cilli zog verächtlich einen Mundwinkel hoch. Sie hielt nichts von solchem Unfug. »Schau sie dir doch an. Außerdem hab ich's in den letzten Tagen öfters in ihrer Kammer rumpeln hören. Da ist sie bestimmt vom Tisch gesprungen. Na, und wenn das nichts hilft, dann bleibt bloß Singrien – oder die Herrgottsnadel.« Sie schüttelte sich.

»Was ist eigentlich drin in dem Trank außer Efeu und Immergrün?« Anna wusste, dass die Frauenwirtin das Gebräu für den Fall der Fälle bereithielt.

Cilli zuckte die Schultern. »Vermutlich Sadebaum oder Ackerwinde. Waldfarn könnt auch sein. Poleiminze? Nieswurz? Keine Ahnung. Die Gunda rückt das Rezept nicht raus. Na, Hauptsache es hilft.«

Anna nickte gedankenverloren. Viele der Mädchen hatten schon Austreibungen durch Pflanzentränke hinter sich, Cilli selber war eine von ihnen. Wenn es mit dem Kräuterabsud nicht klappte, dann holte Gunda meist die alte Katharina aus dem Irrergässchen, eine frühere Hebamme. Aber die von ihr angewendete Methode, die Leibesfrucht mittels eines langen Metalldrahtes abzutreiben, war gefährlich – man konnte dabei leicht verbluten oder hinterher am Fieber sterben. Gott sei Dank, dachte Anna und schlug vorsichtshalber das Kreuz, bin ich bis jetzt verschont geblieben. Tatsächlich hatte sich bei ihr noch nie eine Schwangerschaft eingestellt. Es kam ihr plötzlich in den Kopf, dass dies vielleicht sogar an dem Medaillon lag, das nun schon einige Jahre in ihrem Besitz war. Vielleicht, überlegte sie, bringt es seinem Besitzer ja wirklich Glück, so wie es damals die Brandauerin zu ihrer Tochter gesagt hatte ...

Während sie noch nachdachte, war das Grüppchen schon am Kirchenportal angelangt. Wie immer, so waren die Frauen auch an diesem Dezembersamstag bereits eine Viertelstunde vor Beginn der Messe in der Kirche. Das war von der Obrigkeit so gewünscht – sie sollten die ihnen zugewiesenen Plätze am hinteren Ende der Frauenbankreihen einnehmen, ohne mit den tugendhaften Gemeindemitgliedern in Berührung zu kommen. Das Wort Gottes durften die Huren zwar hören, aber dabei doch keine echte Gemeinsamkeit mit den anständigen Bürgern pflegen.

Die Mädchen traten in die noch leere Kirche, schlugen nacheinander mit weihwasserbenetzten Fingern das Kreuz und steuerten dann ihre Plätze an. Nur Grete setzte sich nicht zu den anderen auf die letzte Bank. Sie wehrte die Hand des Mönchs ab, der inzwischen wieder zu ihr gekommen war, und strebte mit unsicherem Schritt dem Hauptaltar zu. Anna wechselte einen besorgten Blick mit Cilli, dann gingen sie dem Mädchen in einigem Abstand nach. Demütig kniete sich Grete auf die Stufen vor den Altar, faltete die Hände und begann, lange und inbrünstig zu beten. Währenddessen füllte sich die Kirche langsam. Die Menschen schauten missbilligend auf die drei Hübschlerinnen vor dem Altar.

»So eine Frechheit«, zischte eine Stimme, »billiges Weiberpack.«

Grete sank immer mehr in sich zusammen. Anna und Cilli befürchteten, dass man sie aus der Kirche werfen würde, wenn dies noch lange dauerte, und so zogen die beiden Frauen die Kniende hoch, um sie wegzuführen. Anna bückte sich, um Gretes heruntergeglittenes Hurentuch aufzuheben, und unterdrückte einen Aufschrei: Dort, wo Grete gekauert hatte, machte sich ein großer hellroter Fleck auf der Stufe breit. Langsam führten sie Grete an den Frauenbänken auf der rechten Seite entlang nach hinten; rote Tropfen markierten ihren Weg auf den grauen Steinfliesen. Plötzlich stöhnte die Schwangere auf und krallte die Hände in den Unterleib. Ihre Füße gaben nach, und sie sackte in Cillis Armen zusammen. Die wusste sich nicht anders zu helfen, als Grete auf einen der geschnitzten Kirchenstühle sinken zu lassen, die für die Mitglieder der edlen Familien reserviert waren. Anna fächelte ihr mit dem zusammengelegten Hurentuch Luft zu. Sofort versammelte sich eine tuschelnde Menge um die drei Frauen, angeführt von einigen Patrizierdamen, deren Plätze in der Nähe lagen. Eine Hure im vornehmsten Betgestühl, dort wo sonst sittsame, ehrbare Frauen saßen – das war ungeheuerlich! Diese Frau besudelte den Stuhl einer der ihren! Böse Bemerkungen fielen, während sich Grete hilflos vor Schmerzen krümmte.

»Raus mit denen, aber sofort!«, zischte die Paumgartnerin und drückte ihr Taschentuch vor die Nase, als ob ihr der Geruch der feilen Weiber unerträglich sei. Andere stimmten ihr bei, und schon packte eine der kostbar in Pelz und Samt gekleideten Frauen Anna unsanft am Arm. Cilli bekam die ersten Knüffe und Schläge ab und begann, sich zu wehren. Ein Tumult entstand.

Philipp hatte von der Hurenbank aus die Szene beobachtet und drängte sich jetzt durch die Menge nach vorn.

»Wer von euch ohne Sünde ist, der werfe den ersten Stein!«

Mit abwehrend erhobenen Händen stellte sich der Mönch vor die drei Hübschlerinnen. »Um der Jungfrau Maria willen, ihr Frauen, seht ihr nicht, dass hier Hilfe gebraucht wird?«

Was Philipp jedoch selber sah, war nicht die zusammengekrümmte Gestalt Gretes. Vor seinem geistigen Auge stand ein anderes Bild: Eine Hand, die sich ihm Hilfe suchend entgegenreckte, ein angstgeweiteter Blick, sprudelndes Wasser. Er hörte den hellen Schrei, und wieder schlug die Woge über ihm zusammen wie so oft; er konnte nichts dagegen tun. Er stand einfach nur da und war unfähig, sich zu rühren, wie damals …

»Wir wollen die hier nicht! Sollen die liederlichen Pritschen doch daheim bleiben!« Wieder war es die Paumgartnerin, die ihre Stimme erhob.

Auf einmal teilte sich die Menge, und Helena trat in den Kreis, gehüllt in ihren vornehmen Pelzmantel. Die junge Patrizierin stand da wie angewurzelt und brachte zunächst kein Wort heraus: Der Kirchenstuhl, auf dem Grete saß, gehörte ihr, trug das Hellersche Wappen! Der Rock der Hure war bis zu den Knien nach oben gerutscht, und an ihren Beinen rann das Blut herab. Und daneben sah Helena ihren Bruder, den Mönch, weiß wie die Wand, als ob er gerade ein Gespenst gesehen hätte.

»Es ist Euer Platz, Hellerin«, keifte eine der Frauen, »da könnt Ihr Euch nie wieder hinsetzen! Lasst das Luder hinauswerfen!«

»Sie braucht eine Hebamme, Euer Ehrbarkeit!« Annas Stimme riss Helena aus ihrer Erstarrung. Und neuerlich blickte die junge Patrizierin in dieses seltsame Augenpaar, das sie aus irgendeinem Grund immer wieder verfolgte. Aber es war keine Zeit zum Nachdenken.

Helena wandte den Kopf und sah sich suchend in der Kirche um. Ganz hinten erkannte sie den Hausarzt der Familie, wie er gerade den Mittelgang betrat.

»Doktor Schedel«, rief sie über die Köpfe der anderen hinweg und winkte, »Doktor Schedel, hierher, schnell, Eure Hilfe wird gebraucht.«

Hartmann Schedel, der renommierte Arzt und Freund der Familie, lief mit schnellen Schritten herbei, sah Gretes blutigen Rock und das rote Rinnsal, das unter dem Stuhl hervorsickerte, und erkannte sofort die Situation. Er wehrte ab. »Nein, Hellerin, tut mir Leid, hier kann ich nichts tun.«

»Aber Doktor, Ihr seht doch, wie schlecht es um die Frau steht.« Helena begriff nicht. »Ich komm für die Kosten auf.«

Schedel schüttelte nochmals bedauernd den Kopf. »Darum geht es gar nicht, meine Liebe. Ich bin studierter Mediziner, und außerdem ein Mann. Für Krankheiten, die mit der weiblichen Natur zusammenhängen, sind wir Physici nicht zuständig, darüber lehrt man uns nichts. Hier liegt offenbar ein zu starker Monatsfluss vor, mehr kann ich nicht sagen. Ich würde aber vorschlagen, wir tragen die Frau erst einmal hinaus. Die Kirche ist kein Ort für solche Dinge, wie auch immer.«

Ein paar Männer packten an, und gemeinsam schafften sie Grete nach draußen. Unter dem prunkvollen Hellerschen Wappen auf dem Kirchenstuhl war das Holz mit dunklem Blut getränkt. Helena wurde plötzlich übel, und sie schwankte leicht.

»Eure Hand, Doktor. Würdet Ihr so gut sein und mich nach Hause bringen?«

Erst als sich die Menge wieder verlaufen hatte und der Messner anfing, das Blut aufzuwischen, war Philipp wieder in der Lage, sich zu bewegen. Sein Gesicht war grau, und auf seiner Brust lag ein Druck wie von tausend schweren Steinen. Er zwang sich, die Kirche langsam zu verlassen. Draußen lehnte er sich an die Kirchenmauer und atmete die frostige Winterluft tief in seine Lungen. Dann begann er zu laufen, schneller und immer schneller, bis er keuchend und mit schmerzenden

Stichen in der Seite die rettende Pforte des Barfüßerklosters erreicht hatte. Er zog sich zum Beten in die Kapelle zurück und verließ die heilige Stätte erst nach Stunden. An diesem Abend holte er seit langem wieder einmal die Geißel hervor.

Nachdem unter den Kirchgängern keine Hebamme zu finden war, brachte man Grete auf einer Trage zurück ins Maukental. Dort bettete man die inzwischen Bewusstlose auf einen der langen Tische in der großen Stube. Das Blut tropfte unaufhörlich ins Stroh auf dem Boden, und das Gesicht der Hure wurde mit jeder Minute fahler.

Auch die Frauenwirtin war kreidebleich vor Aufregung.

»Ich hab ihr nicht mehr gegeben als sonst auch«, greinte sie, »ehrlich! Ich kann nichts dafür!« Von einem Mädchen zum anderen lief sie, immer mit der gleichen Beteuerung auf den Lippen.

»Halt den Mund, Gunda«, sagte Cilli irgendwann leise, »und fang an zu beten.«

Als endlich die Hebamme kam, war Grete nicht mehr zu retten. Kurz vor Mittag starb sie, ohne noch einmal das Bewusstsein wieder erlangt zu haben.

Tags darauf verweigerte der Pfarrer der Lorenzkirche der toten Hure eine christliche Beerdigung. Ein feiles Weib auf dem Gottesacker zu begraben, so sagte er, würde unweigerlich dazu führen, dass die Seelen der hier begrabenen frommen Männer in Versuchung geführt würden und keine Ruhe fänden. So verscharrte man Grete ohne Zeremonie in einem Armesündergrab auf dem Johannisfriedhof.

Reichsstadt Nürnberg, Freitag vor Palmarum 1499

Der Ochsenhans schmiss lustlos den nassen Lumpen in den Ledereimer und sah sich in seiner Abteilung der Fleischbank um. Den ganzen Nachmittag hatte er schon geschrubbt und geputzt, bis alles blitzblank war. Fünf Ladungen Abfall hatte er in die

Pegnitz gekippt, an deren Nordufer das Fleischhaus lag. Die Zeit vor Ostern war für Metzger ein schlechtes Geschäft – es hielt sich zwar nicht jeder an das Gebot, in den Wochen vor Karfreitag kein Fleisch zu essen, aber für die paar Fastenbrecher lohnte es sich kaum, das Geschäft offen zu halten. Der Ochsenhans, der in ganz Nürnberg für sein allerzartestes böhmisches Mastochsenfleisch bekannt war, hatte nichts zu tun. Er langweilte sich, und wenn er sich langweilte, wurde er gereizt und unleidlich. Das mochte natürlich auch damit zusammenhängen, dass seine Frau, die Uta, ansonsten eine patente Lebensgefährtin, leider Gottes fromm genug war, das Fastengebot vor Ostern ganz insgesamt auf fleischliche Genüsse zu beziehen. Das bedeutete, sie schlief jetzt schon seit fast drei Wochen bei den Kindern in der Kammer, und er hatte das Nachsehen. Dem Ochsenhans war deshalb nicht nur fad, sondern ihn juckte es, und zwar gewaltig. Sollte er etwa zuwarten, bis seine Säfte ganz und gar ins Ungleichgewicht umschlugen und er an der Stauung siech wurde? Nein, das war wirklich zu viel verlangt; schließlich war er ein richtiges Mannsbild! Er beschloss – Fastenzeit hin oder her – abends im Frauenhaus vorbeizuschauen. War die Uta schließlich selber schuld, wenn er aus anderen Töpfen naschte. Nach dem Nachtessen, als seine Frau die Kinder zu Bett brachte, machte er sich auf den Weg.

Es war Ende März und das Osterfest stand vor der Tür. Im Maukental ging alles seinen gewöhnlichen Gang, auch wenn die Frauenwirtin seit Gretes Tod recht still geworden war. Hans Kieser hatte an Gretes Stelle eine von den vielen Winkelhuren aufgenommen, die sich allabendlich auf dem Sand am Pegnitzufer oder am Plärrer ihren Freiern anboten. Das junge Ding, das sich nach dem Waschen und Entlausen als recht hübsch entpuppt hatte, war inzwischen so gefragt wie ihre Vorgängerin.

Anna bediente auch an dem Abend, den sich der Ochsenhans für seine Extratour ausgesucht hatte, ihre Sonderkunden wie immer; sie achtete allerdings genau wie die anderen Mädchen noch sorgfältiger als früher darauf, dass nichts passierte. Keine wollte Gretes Schicksal so bald teilen, die Erinnerung an ihren elenden Tod war noch frisch.

Im Frauengässchen war vor der Karwoche immer besonders viel los, nicht nur weil es viele Ehemänner gab wie den Ochsenhans, sondern auch weil ein Sittenverlass des Rats die Öffnung des Frauenhauses über Ostern seit jeher untersagte und in der nächsten Woche geschlossen sein würde. Doch ausgerechnet jetzt, in der Zeit des stärksten Andrangs, lagen zwei Mädchen mit Fieber im Bett, Anna war bereits ausgebucht, und Marga hatte zu allem Überfluss gerade jetzt ihre »frauliche Krankheit«, was ihr laut Frauenhausordnung nicht nur täglich ein Ei als Zusatzverpflegung einbrachte, sondern ihren Einsatz verbot. Kieser hatte schon den ganzen Tag geflucht, weil er wusste, dass es abends einen Engpass geben würde. Er gab Linhart mehrmals deutlich zu verstehen, dass er sich bereit halten sollte, wenn sich Ärger anbahnte.

Anfangs war die Stimmung noch gelöst und heiter. Cilli saß bei einer Gruppe von Kaufleuten aus Prag und Eger und unterhielt sich mit ihnen lebhaft in deren Muttersprache. Sie war im Böhmischen aufgewachsen, so hatte sie einmal erzählt, und betreute deshalb gern die Kunden, die von dort kamen. Die kleine Eva, immer noch das Nesthäkchen im Frauenhaus und wegen ihrer Jugend äußerst begehrt, hatte gleich mehrere Interessenten, und auch die anderen Frauen wurden bedrängt und umlagert. Kieser versuchte immer wieder, den Überblick zu behalten und Ordnung in das Durcheinander zu bringen.

»Keine Angst, Männer«, dröhnte seine Stimme durch die Trinkstube, »ihr kommt alle noch dran, nur Geduld!«

Irgendwann am späteren Abend bemerkte der Frauenwirt ein kleines Gerangel in der Ecke neben dem Kamin. Er benutzte seine Ellbogen und drängte sich durch bis zu den beiden Männern, die sich dort mit finsteren Blicken gegenüberstanden. Es waren Kunden von Eva, die sich nicht einig waren, wer der Nächste sein sollte. Der kleinere und ältere von beiden – ein Schweinehirt, der überall als Vinzenz vom Saumarkt bekannt war – hatte schon die Fäuste geballt und war breitbeinig in Stellung gegangen. Ihm gegenüber stand in seiner ganzen massigen Schwerfälligkeit der Ochsenhans.

»Was ist hier los, ihr zwei?« Kieser baute sich drohend vor den beiden Streithähnen auf.

»Der da glaubt, er kommt vor mir dran«, maulte der Ochsenhans, der nun schon geschlagene zwei Stunden da war und dem die Warterei jetzt zu lang wurde, »dabei kriegt der Schlappschwanz doch sowieso keinen mehr hoch, besoffen wie der ist.«

Die Umstehenden lachten, während Vinzenz mit hochrotem Kopf Anstalten machte, auf den Metzger loszugehen, aber von Kieser abgefangen wurde. Linhart verfolgte die Szene aufmerksam, sah aber seine Zeit zum Eingreifen noch nicht gekommen.

»Komm, Vinzenz«, beschwichtigte Kieser, der den Wütenden schon kannte, »setz dich hin und trink noch einen, die Eva hat später noch genug Zeit für dich.«

Er klopfte dem Mann gutmütig auf die Schulter. »Ich bring dir noch was, das geht dann aufs Haus.«

Aber der Metzger konnte es nicht lassen. »Genau, Alter. Hock dich hin und lass mich zuerst machen, damit die Eva sich wenigstens an einen ordentlichen Schwanz erinnern kann, wenn du dein verschrumpeltes Zipfelchen auspackst.«

Grölendes Gelächter überall.

»Zeig doch mal her«, erklang eine kichernde Frauenstimme von irgendwo.

»Ja, wir wolln ihn sehn!« Mindestens zehn Männer standen grinsend um das Paar herum, und selbst Kieser konnte sich ein Schmunzeln nicht verkneifen.

»Genau«, schrie einer. »Machen wir einen Vergleich: Wer den Größeren hat, der darf zuerst. Macht schon, die Hosen runter!«

Mit siegessicherem Grinsen öffnete der Metzger bereitwillig seinen Gürtel. Sein Gegenspieler hingegen wehrte ab.

»Da mach ich nicht mit«, grollte er und drehte sich zum Gehen.

»Nix da, hier wird nicht gekniffen.« Mehrere Hände packten den Alten, der nun begann, wütend um sich zu schlagen, und hielten ihn fest. Einer nestelte an Vinzenz' Hose. Während die einen schon mit spöttischen Ohs und Ahs das vermeintliche Prachtstück des Metzgers bewunderten, zerrten die anderen die Hose des Schweinehirten mit einem Ruck bis zu den Knien herunter. Was da baumelte, sah nicht gerade aus wie der Stolz der Männerwelt.

»Scheiße, der hat ja eine Warze am Sack!« Wieherndes Gejohle aus sämtlichen Kehlen.

»Den musst du fleißig gießen, Vinzenz«, schrie eine der Hübschlerinnen, »damit er noch wächst!«

Alle hielten sich den Bauch vor Lachen, während der Metzger noch eins draufsetzte. »Am besten, du steckst ihn einmal täglich in Schweinescheiße«, prustete er, »das düngt!«

Die Männer klatschten sich brüllend auf die Schenkel.

Inzwischen hatte sich der Alte fluchend losgerissen und die Hose wieder hinaufgezogen. Während er den Bund zunestelte, gab Kieser sein unparteiisches Urteil ab: »Also, ich erkläre hiermit den Vinzenz zum eindeutigen Verlierer, und du«, er deutete auf den Metzger, »gehst als Nächster zum Löfern.«

Der Ochsenhans kratzte sich am Gemächt, wandte sich zufrieden ab und wollte gerade nach oben gehen, als er plötzlich einen Schlag am Oberarm spürte. Er langte an die schmerzende Stelle und besah sich ungläubig seine Finger, die rot von Blut waren. Bis er und alle anderen begriffen, dass Vinzenz ein Messer in der Hand hielt, hatte der Alte ein zweites Mal ausgeholt. Der Ochsenhans reagierte auch diesmal zu langsam – einen Wimpernschlag später steckte die Klinge bis zum Heft in seinem linken Auge. Der Metzger heulte auf wie ein Tier, taumelte und griff sich mit beiden Händen ins Gesicht. Blut spritzte, und eine gallertartige Masse quoll dem Ochsenhans durch die Finger. Alle standen wie gelähmt. Bevor jemand eingreifen konnte, hatte der Alte einen weiteren Stich gelandet, diesmal in den Unterleib. Dann war Linhart zur Stelle. Mit einem Griff hatte er Vinzenz' rechte Hand abgefangen und entwand ihm das Messer. Dann packte er den Schweinehirten mit seinen Bärenkräften, schüttelte ihn, dass ihm Hören und Sehen verging, und presste ihn gegen die Wand. Es war totenstill im Raum geworden. Nur das Röcheln des Ochsenhans war noch zu hören, der sterbend auf den untersten Stufen der Treppe lag.

Kieser drängte Linhart zur Seite. Der Frauenwirt war ganz weiß um die Mundwinkel und zitterte vor Wut. Er schlug dem Übeltäter mit einem zornigen Aufschrei die Faust ins Gesicht und prügelte mit aller Kraft auf ihn ein. Ein Mord! So etwas war ihm in seiner ganzen beruflichen Laufbahn noch nicht passiert. Das konnte ihn um Kopf und Kragen bringen! Wenn die vom Rat erfuhren, dass er seine Kundschaft nicht im Griff hatte – und das alles wegen eines stinkenden Schweinehirten! Schließlich hörte Kieser auf, atmete ein paar Mal tief durch und knetete seine schmerzenden Knöchel. Dann wandte er sich bemüht ruhig an die Männer.

»Ihr hört jetzt alle genau zu! Keiner hier hat was gesehen, ist das klar? Wenn wir die Stadtknechte holen, kommen einige von euch in Teufels Küche. Alle, die verheiratet sind, kriegen Ärger, und droben auf den Zimmern sind gerade zwei von der Geistlichkeit. Und wenn das alles rauskommt, dann macht mir der Rat den Laden dicht, das wisst ihr alle.« Er ging hinüber zum Ochsenhans, der kaum noch schnaufte, bückte sich und sah sich die blutig ausgelaufene Augenhöhle und die Verletzung am Bauch an.

»Der ist hin«, meinte er mit düsterer Miene, »so viel ist sicher. Der hat nichts mehr davon, wenn sie den Vinzenz aufhängen.«

Beifälliges Gemurmel ertönte von allen Seiten. Wie zum Einverständnis tat der Ochsenhans in diesem Moment einen komischen Japser, fuchtelte mit seinen blutbesudelten Händen in der Luft herum, zuckte noch einmal und lag dann tot und still.

»Gut«, sagte der Frauenwirt. »Linhart, du packst jetzt den Kerl, wickelst ihn in ein großes Tischtuch, trägst ihn bis zur Steinernen Brücke und wirfst ihn dort in die Pegnitz. Hast mich verstanden? Zwei von euch gehen mit, damit er nichts falsch macht und sich nicht erwischen lässt. Und du«, wandte er sich an den Schweinehirten, der immer noch mit schmerzverzerrtem Gesicht an der Wand lehnte. »Du Arschloch, du scheißjämmerliches, du verschwindest und lässt dich hier nie wieder blicken, kapiert? Wenn ich dich noch einmal in der Nähe erwisch, dann schneid ich dir die Eier ab und stopf sie dir ins Maul!«

Er packte den Alten am Kragen und beförderte ihn mit Fußtritten zur Tür hinaus.

Anna hatte von all dem nichts mitbekommen. Sie hatte einen langen Abend hinter sich: Zuerst war wie fast jeden Freitag Alexius Düll da gewesen, den sie wie üblich in Nonnenkleidern und mit der Haselrute bediente. Dann folgte einer der städtischen Weinkieser, der Kunz, ein noch ganz junger Mann, der unter zeitweiliger Impotenz litt und so schwer in Stimmung zu bringen war, dass Anna sämtliche Register ziehen und die verrücktesten Kunstgriffe anwenden musste. Diesmal hatte es besonders lange gedauert, und Anna fürchtete, dass ihr bald nichts mehr einfallen würde. Der Dritte schließlich war ein hohes Tier vom Inneren Rat gewesen, der nur dann zum Höhepunkt kam, wenn er gefesselt und mit verbundenen Augen auf dem Holzboden kniete und sie ihn mit einer Gänsefeder kitzelte. Als der vornehme Herr sie endlich verlassen hatte, war schon Sperrstunde. Anna räumte noch die Kammer auf und bürstete das Nonnengewand aus. Dann wusch sie sich mit Wasser aus einem Bottich, dem sie Essig und Kräuter zugesetzt hatte. Das tat sie immer, selbst wenn sie gar keinen engen Körperkontakt mit ihren Freiern gehabt hatte – doch für sie war es, als würde sie damit Schmutz und Sünde abwaschen. Danach ging sie müde zu Bett. Es hatte schon längst zur Mitternacht geläutet.

Keiner bemerkte die dunkle Gestalt, die, leise Verwünschungen ausstoßend, durch das Gärtchen zum Haus schlich.

»Ich bring euch alle um«, murmelte der Schweinehirt, »alle bring ich euch um.«

Anna erwachte, weil sie einen beißenden Geruch in der Nase spürte. Schlaftrunken setzte sie sich auf und rieb sich die Augen. Draußen rief irgendwer. Plötzlich war sie so hellwach wie noch nie. Es brannte! Feuer! Ein rötlicher Lichtschein drang durch die Ritze unter ihrer Kammertür. Anna sprang auf, warf sich das dünne Untergewand über den Kopf und riss die Tür auf. Dichte Rauchschwaden quollen ihr entgegen, ein Prasseln und Knistern war überall. Christina, das neue Mädchen, das als Einzige noch mit Anna unter dem Dach wohnte, rannte ihr schreiend entgegen, splitterfasernackt.

»Es brennt, Feuer, zu Hilfe!«

Anna packte sie und schob sie zur Treppe. »Hinunter, schnell!«

Drunten brannte es schon lichterloh, und alles schrie und lief hektisch durcheinander. Die Balken und Holzvertäfelungen standen in Flammen, ebenso Teile des Treppengeländers, und überall war Rauch.

Der Frauenwirt hatte sich ein nasses Tuch vor Mund und Nase gebunden und schubste die Mädchen eins nach dem andern ins Erdgeschoss. Auch Linhart war da; er brüllte Unverständliches, rollte wild mit den Augen und reichte gleichzeitig eine der kranken Huren zur Frauenwirtin weiter, die auf den Stufen stand. Cilli war schon unten und dirigierte die Frauen nach draußen auf die Gasse. Es war keine Zeit zu verlieren. Die Flammen schlugen schon aus dem Dach, und es würde nicht mehr lange dauern, bis der hölzerne Dachstuhl einbrach.

Vom Turm der Lorenzkirche erklang jetzt ein helles, durchdringendes Trompetensignal – der Türmer hatte von seiner luftigen Warte aus den Brandherd entdeckt. Kurz darauf dröhnte die große Feuerglocke von Sankt Lorenz unheilkündend durch die nächtliche Stadt.

Feurio! scholl es aus unzähligen Kehlen. Die Menschen fuhren in Panik aus den Betten und strömten in die Gassen. Die Angst vor Bränden war stets gegenwärtig. Feuersbrünste waren eine regelmäßige Heimsuchung der Städte, oft schlimmer als Krieg oder Krankheit! Brannte erst ein Gebäude, so war ein Übergreifen der Flammen auf ganze Stadtviertel oft nicht mehr zu verhindern – die meisten Häuser waren ja aus Holz gebaut. Halbe Städte waren schon Opfer solcher verheerender Feuerstürme geworden, das wusste jeder. Alles, was auf der Lorenzer Stadtseite laufen konnte, trat deshalb zum Löschen an: Mann, und Frau, Kind und Greis, Bettler oder Patrizier – da gab es keinen, der sich drückte. Wer nicht helfen konnte, der betete wenigstens zum heiligen Florian. Die Viertelmeister und Gassenhauptleute, die im Unglücksfall das Kommando hatten, brüllten Befehle, scheuchten Leute, sammelten Helfer. Ins Maukental, alle, und jeder mit einem Eimer! Die Wasserkufen aus allen Mühlen dorthin! Ketten bis zum Fluss bilden! Feuerpatschen, Haken und Leitern aus den Lagerschuppen!

Gott sei Dank regelte die Brandordnung alle Lösch- und Hilfsarbeiten so gut, dass wenig Durcheinander entstand. Keine Viertelstunde nach Entdeckung des Feuers war der Anschicker aus der Peunt, der die Oberaufsicht über die Feuerwehr hatte, an Ort und Stelle; die ersten Eimerladungen Wasser trafen zischend auf die Flammen. Schwaden weißen Dampfes mischten sich unter den schwarzen Rauch.

Die Mädchen standen zitternd und hustend im Feuerschein, man hatte ihnen Decken gebracht, in die sie sich nun wickelten. Hans Kieser, vom Ruß ganz schwarz im Gesicht, zählte ab, dass keine fehlte. Er kam nur auf sechzehn.

»Eine fehlt!«, schrie er, »Heiliger Bimbam, Herrgottsdonnerwetter, eine fehlt!«

In diesem Moment deutete einer der Helfer auf ein Fenster im oberen Stockwerk. In den Rauchwolken war ganz deutlich eine Gestalt auszumachen.

»Anna!«, schrie Cilli, »die Anna ist noch drin! Jesusmariaundjosef!«

Linhart heulte auf wie ein verwundetes Tier. Er rannte unter das Fenster, aus dem dicke Rauchwolken quollen. »Ann'«, lamentierte er, »Ann'!« Verzweifelt schlug er sich selber immer wieder die Hände an den Kopf und rannte Rat suchend vor der Hauswand auf und ab. Dann stürzte er sich in das brennende Haus.

Anna war schon fast im Freien gewesen, als es ihr plötzlich siedendheiß durch den Kopf geschossen war: Das Perlenmedaillon! Sie hatte das Medaillon und ihre ganzen Ersparnisse noch oben unter der Holzdiele! Mein Gott, gerade jetzt, dachte sie, wo ich fast alles beieinander hab, um hier wegzukommen! Keinen Augenblick zögerte sie. Sie musste zurück! Ihre ganze Zukunft hing davon ab. Sie presste einen Zipfel ihres Unterkleids vors Gesicht und kämpfte sich wieder die Treppe hoch. Sie sah fast nichts mehr, so tränten ihre Augen, und das Atmen wurde unendlich schwer. Die sengende Hitze der Flammen brannte auf ihrer Haut. Doch sie schaffte es bis in ihre Dachkammer. Sie riss so verzweifelt an der Holzdiele, dass ihre Finger bluteten, doch sie spürte nichts. Endlich hatte sie das Brett gelockert und hastig das kleine Bündel gepackt. Gott sei Dank! Erleichtert presste sie ihre ganze Habe an die Brust und machte sich auf den Rückweg durch die Flammen. Das Prasseln des Feuers im trockenen Gebälk wurde immer lauter und bedrohlicher, und als sie die Treppe erreicht hatte, standen die ersten Stufen schon in Flammen. Sie raffte ihr Gewand und sprang. So erreichte sie das erste Stockwerk. Dann versperrten brennende Balken ihren Weg. Sie drehte sich ein paar Mal im Kreis, verlor im Qualm die Orientierung. Vorbei, dachte sie, es ist vorbei. Hier komm ich nicht mehr durch. Anna bekam keine Luft mehr, sie hustete und rang nach Atem. Sie wollte weinen, aber aus ihrer schmerzenden Kehle drang kein Laut. Überall war das Feuer. Sie sank auf dem Boden zusammen und begann, lautlos zu beten, als sie sich plötzlich von zwei Händen gepackt und hochgehoben spürte.

»Ann', Ann'!«

»Linhart!« Ihre Lippen formten lautlos seinen Namen. Der Blöde warf sich Anna über die Schulter wie einen nassen Sack und versuchte, wieder zur Treppe zu kommen, doch der Boden brannte inzwischen lichterloh. Plötzlich brachen die Deckenbalken im Flur zusammen. Funken stoben, es krachte und barst. Linhart sah nur noch einen Ausweg. Er lief durch den Rauch in eine der Schlafkammern und stieß das Fenster auf. Ein Aufschrei ging durch die Menge. Linhart presste die fast bewusstlose Anna fest an sich und sprang.

Philipp rannte derweil mit wehender Kutte, die er bis zu den Knien hochgerafft hatte, durch die nächtlichen Gassen. Er hatte das Läuten der Feuerglocke sofort gehört und war wie alle anderen Mönche auf die Straße gelaufen, um festzustellen, wo Hilfe vonnöten war. Als klar wurde, dass das Frauenhaus betroffen war, hatte er sich nicht einmal mehr die Zeit genommen, die härene Kordel um die Hüften zu binden. Keuchend bog er gerade um die letzte Ecke, als er im Feuerschein die beiden Gestalten sah, die sich aus dem Fenster des brennenden Hauses stürzten. Atemlos lief der Mönch weiter und drängte sich durch die Menge der Schaulustigen. Inmitten der Leute sah er Linhart, den Blöden, auf dem Boden sitzen. In seinen Armen wiegte er Anna, die kein Lebenszeichen von sich gab. Philipp war, als ob sein Herz für einen kurzen Moment aussetzte. Er hockte sich neben Linhart auf die Fersen und legte dem Idioten die Hand auf die Schulter.

»Linhart, was ist? Ist sie …« Er konnte es nicht aussprechen, so groß war der Kloß in seinem Hals.

Der kindliche Riese schüttelte heftig den Kopf und lachte übers ganze verschrammte Gesicht. »Leb'!«, krächzte er selig, »Leb', leb'!«

»Deo gratias.« Philipp murmelte erleichtert ein kurzes Dankgebet. »Linhart, geh, trink einen Schluck Wasser und lass dich sauber machen. Du bist schwarz wie ein Mohr! Ich kümmer mich schon um die Anna.«

Er setzte sich auf den Boden und ließ Anna in seinen Armen ruhen. Wirklich, sie atmete! Jemand brachte eine Schale mit Wasser, und Philipp tauchte einen Zipfel seines Ärmels hinein. Vorsichtig wischte er ihr den Ruß aus dem Gesicht und benetzte dann ihre Lippen mit einigen Tropfen. Was für ein seltsames Gefühl, dachte der Mönch, zum ersten Mal im Leben halte ich eine Frau im Arm. Ihr Kopf lehnte an seiner Brust und er spürte ihr Gewicht auf seinen Oberschenkeln. Ihr dünnes Gewand ließ mehr von ihr durchscheinen als es verdeckte, doch wider Erwarten fühlte er keine körperliche Regung. Stattdessen empfand er eine Art Zärtlichkeit, wie er sie noch nicht gekannt hatte. Ich muss verrückt sein, ging es ihm durch den Kopf, ich sitze hier nachts im Dreck mit einer Hure auf den Knien und bin glücklich!

In diesem Augenblick regte sich Anna. Ihre Lider flatterten, und ihre Augen, die rot vom Qualm waren, öffneten sich. Sie sah Philipp ins Gesicht und lächelte mühsam.

»Mönchlein«, flüsterte sie fast ohne Stimme. Dann verzog sie wie im Schmerz das Gesicht und betastete ihren linken Fuß, mit dem sie den Sturz aus dem Fenster abgefangen hatte.

»Du musst einen Schutzengel gehabt haben«, sagte Philipp und reichte ihr die Wasserschüssel, aus der Anna gierig trank.

»Das war der Linhart«, antwortete Anna heiser und räusperte sich mehrmals. Der Hals tat ihr weh und der Fuß war verrenkt oder vielleicht gebrochen, aber sie lebte! Jetzt erst merkte sie, dass sich ihre linke Hand immer noch in das Bündel mit ihren Ersparnissen verkrallte. Mit Philipps Hilfe setzte sie sich auf und sah sich um. Das Frauenhaus – oder besser das, was vom Haus noch übrig war – brannte immer noch; die Löschmannschaften hatten das Gebäude inzwischen aufgegeben und sich darauf konzentriert, ein Übergreifen der Flammen auf weitere Häuser zu verhindern. Der Frauenwirt stand mit den anderen Huren ein Stück weiter weg, und alle schrien aufgeregt aufeinander ein. In diesem Augenblick wurde Anna, so müde und erschöpft sie sich auch fühlte, schlagartig klar, dass jetzt der rechte Moment für ihre Flucht da war. Alles war ein großes Durcheinander. Wenn es ihr gelang, jetzt gleich zu verschwinden, bevor der Frauenwirt an sie dachte und sie zu sich holte, hatte sie eine gute Chance, ihm zu entwischen. Aber mit dem verletzten Fuß würde sie nicht weit kommen. Sie überlegte fieberhaft.

»Vater Philipp«, sie legte die Hand auf den Arm des Mönchs, »Ihr müsst mir helfen, bitte.«

Philipp sah sie fragend an. »Wobei?«

»Ich will weg aus dem Frauenhaus, Vater.« Ihre Stimme klang beschwörend. »Ich hab ein bisschen gespart und möchte für mich selber arbeiten, ohne Zwang, ohne den Kieser und seine Schläge. Aber es muss jetzt gleich sein, und heimlich. Sonst lässt mich der Kieser nie fort, Ihr wisst ja, wie das ist. Ich muss irgendwohin, wo er mich in den nächsten Tagen nicht findet, bis ich alles geregelt hab. Aber allein schaff ich's nicht, mein Fuß ist verletzt. Wollt Ihr mir helfen?« Ihre braun-blauen Augen blickten flehentlich.

Philipp begriff nicht ganz. »Hab ich dich recht verstanden? Du willst, dass ich dir dabei helfe, dich als Winkelhure selbständig zu machen?« Im ersten Augenblick war der Mönch beinahe wütend. Das sah Anna ähnlich! Er, ein Mann Gottes, sollte einer Hure dabei helfen, heimlich das Frauenhaus zu verlassen, nur damit sie weiterhin einen liederlichen Lebenswandel führen konnte? Das war nun wirklich zu viel verlangt.

»Das ist nicht dein Ernst«, versetzte er empört. »Dabei helf ich dir nicht. Ich tu's nur dann, wenn du deinem Leben als Hure absagst.«

»Und was soll ich dann machen? Glaubt Ihr, ich find irgendwo eine anständige Arbeit?«

»Warum nicht? Du bist jung und kräftig.«

»Ja, und eine Woche später erkennt mich einer als die Anna Schönäugel aus dem Maukental, und ich sitz wieder auf der Straße. Mit meinen Augen bin ich doch in der ganzen Stadt bekannt. Das geht nicht gut, Mönchlein. Einmal Hure, immer Hure. Ich bin verbrannt, das wisst Ihr so gut wie ich.« Die Stimme versagte ihr und sie musste husten. »Helft mir trotzdem, Vater! Ich will heraus aus dem Schmutz und ein eigenes Leben führen. Warum soll einer Frau das nicht vergönnt sein? Ich bin, was ich bin, durch die Männer geworden.«

Philipp kämpfte mit sich. Aber als er ihren flehenden Blick sah, diese merkwürdigen, hypnotischen Augen in Braun und Blau, wurde ihm klar, dass er sie nicht im Stich lassen würde. Wer war er, diesem Mädchen, das im Leben wahrlich kein Glück gehabt hatte, seine Hilfe zu verweigern? Er seufzte und tröstete sich mit dem Gedanken, dass er zwar dem Himmel keine geläuterte Hure schenken würde, aber dafür das Los einer in die Sünde gezwungenen Frau wenigstens lindern konnte. Und wer weiß, vielleicht fand sich ja später ein Weg ...

»Nun gut, Anna, du hast gewonnen. Wo willst du also hin?«

»Ich könnte bei einer der beiden Bettlerbruderschaften Unterschlupf finden. Einer der Bettlerkönige, der einbeinige Lorenz, ist ein alter Freier von mir, er würd mich bestimmt aufnehmen. Ihr müsstet mich nur zu den Felsengängen auf dem Burgberg bringen ...«

Dass es unter den Stadtbettlern Bruderschaften gab, war Philipp neu. Natürlich wusste er, dass viele im reichen Nürnberg täglich ums nackte Überleben kämpfen mussten. Fast ein Zehntel der Stadtbevölkerung lebte in elendster Armut und vegetierte wie die Ratten in Kellern und auf Dachböden. Ein vom Rat bestellter Bettelherr kontrollierte ihre Situation halbjährlich und verteilte an die Bedürftigsten runde Blechmarken, die zum Betteln berechtigten. Aus Not hatten sich diese Ärmsten der Armen organisiert, wobei sich den Bruderschaften natürlich auch Taschendiebe, Einbrecher und sonstige Kriminelle angeschlossen hatten – ihre Arbeit sicherte das Überleben vieler. In den weitläufigen Felsenkellern unter der Burg fanden sie sicheren Unterschlupf.

»Zu den Bettlern? Ich weiß nicht ...« Philipp überlegte. »Du brauchst jetzt ein paar Tage Erholung und jemanden, der deinen Fuß behandeln kann.« Dann kam ihm plötzlich ein Gedanke.

»Was hältst du von den Beginen, Anna? Ich kenne die Meisterin vom Ebnerschen Seelhaus in der Drahtschmiedgasse, sie betreut mit mir zusammen die Leprösen in Sankt Peter.«

Jeder in der Stadt kannte die stets grau gekleideten Seelfrauen, die in über zwanzig Stiftungshäusern als Schwestern nach fast mönchischen Regeln lebten. Sie hatten sich die Krankenpflege, die Betreuung der Häftlinge im Lochgefängnis, die Sterbebegleitung, Totenwache, Totenwäsche und Totenklage zur Aufgabe gemacht, für die sie mit Spenden und Almosen entlohnt wurden. Die Frauen standen überall in hohem Ansehen und waren für ihren strengen Glauben bekannt. Deshalb war Anna eher skeptisch.

»Ob die frommen Schwestern eine wie mich in ihrem Haus haben wollen, Vater?«

»Dafür sorg ich schon, mach dir keine Gedanken«, meinte Philipp. »Kannst du mit dem Fuß auftreten?«

Anna erhob sich mühsam und machte einen Versuch. Es tat zu weh, und außerdem fühlte sie sich furchtbar schwach. Philipp sah sich suchend nach Linhart um und sah ihn schließlich an einer Hauswand kauern. Er winkte ihn her.

»Hilf mir die Anna wegbringen, Linhart, und kein Sterbenswörtchen zu niemandem.« Der stiernackige Riese legte den Finger auf seine Lippen und bekundete so seine Zustimmung.

Sie versicherten sich, dass Kieser nicht zu ihnen hersah. Der war gerade dabei, in den rauchenden Trümmern des Frauenhauses nach brauchbaren Resten zu suchen. Also nahm Linhart Anna wortlos huckepack, und die drei verschwanden im Dunkel der Nacht.

Brief des Niklas Linck aus Venedig an Helena Hellerin zu Nürnberg, 17. März 1499

Gottes Lieb und Schutz zuvor, mein Helena, die du nunmer alßo verheirate Hellerin bist. Ich hab bald ein Jar gewartt und gezaudert bis ich dir jetzo wiedrum schreib, warumb das weißt du wol. Item du sollst wissen, daß ich dir dein Heirath nit nachtrag, auch wenn ich traurign Sinns darob war und bin. Du hast Recht gethan. Unser Lieb hat nicht sollen sein, des müssen wir uns versehn und jeder sein Leben fürn wie's ime bestimbt ist. Ich wünsch dir und deim Ehwirt Glück und Segen allezeit. Erst hab ich nit mer wolln schreiben, aber sag wem sonst als dir soll ich erzäln vom schönen Venezia und meinem neuen Leben allhier? Ich will dich nit gantz verliern. Und ich will auch erfarn, wie's dir, liebes Bäslein – so will ich dich nunmero nennen alß dein Vetter der ich ja bin – in der Zuckunft ergehet.

Item ich bin nun schon so lanck in der Stadt die sich Serenissima nennet und doch sind immer noch viel neue Dinck zu sehn. Das Welsche kann ich nunmero recht gut reden, manch Mal träum ich schon nit mer in meiner Mutter Sprach und ruf nit mer den Heiligen Sebald oder Lorenz an sondern San Marcko. Der ist nemlich der größte Heilige der Stadt, und hat man seine Gebein vor vieln hundert Jarn heimblich in eim Faß mit Schweine Fleisch aus dem Egipterland heimgebracht. Jetzt ligt sein Grab in der prechtigen Kirchen San Marcko, die mit irn runden Kupeldechern fast aussieht wie ein Türckenbau (manch bößse Zungen sagen auch, wie eine rießige Wantze). Sein Thier ist der geflügelte Lew, den man allüberall in der Stadt sehn kann. Kirchen one Zahl gibt es in Venezia, darin sind ungeheure Schätze und Reliquiar, so ein Arm des Jackobus, Splither vom heiligen Kreutz, ein Fuss des Cosmas und sogar ein Zahn des heiligen Lorenz! Den wenn die Nürnberger hetten! Das wichtigste Heilthum ist das ächte Bluth Christi in einer Ampulln aus Christall, die ist bewahrt in einer kleinen Kirchen mit vieln Kuppln wie in Byzantz und gantz aus Gold und Silber gemacht, daran wintzige Löwn und Greifen und Soldatn und Weiber. Dies Heilthum ligt in der Tressorkamer von San Marcko hinter dickhen Mauern, wo auch die sagenhafften Schätz von Venezia ruhn, so ungeheur viel grosze Edelstein und auch zwölff mit edelstein besezte Rüstungen.

Über alldies herrschet alleyn der Dodsche, der ist gewehlt aus dem Adel, mit dem Rath der Zehn. Ein Mal im Jar wird in Venezia ein herrlich Fest gefeirt, das ist an Himelfart und heisset Sensa und bedeudt die Vermälunck der Stadt mit dem Meer. Dann färt der Dodsche als Bräuttigam verkleidt in einem goldnen Boot, das rudern zweihundertt Mann, hinauß nach San Niccoló, wo die Laguna ins Mer fliesset. Er wirfft seinen Ringk in die Welln und spricht: Alß Zeichen ewger Herschafft heirat ich, der ich bin Venezia, dich, o Meer. Dieß, so glaubt man, sichert der Stadt die See Herschafft auf allen Meern – wiewol die ir gar geferlich von den heidnischen Türcken streitigk gemacht wird, mit denen wir uns, Got sei's geklagt, dertzeit im Kriegk befinden.

Der Dodsche wohnet in eim über die Maßen prechtigen Ballazzo neben San Marcko, der von aussen aussieht wie aus Brüßler Spitzen gemacht, dabey ist alles fester hartter Stein. Dort an der Piatza stehet auch der hoche Turm Kampanil, wo oben die ältste Glocken der Stadt hänget, mit Namen Marrangona. Die läutt dann, wenn der Dodsche stirbt. Beim Turm sind auch die Kefig, in denen man die Ehbrecher ausstelt, damit die Leutt sie verspottn können. Vorn zum Wasser hin stehn zwei Säuln, da ist die Richtstatt, und man henget die Geköpften hinterher an den Füßn auff. Darumb sind die Colonne oft roth vom Blut.

Lene, liebste Base, mir selber ergehet es recht gut, ich arbeit immer noch bey meim Mastro Noddino, mit dem ich mich aufs beste versteh. Heut hab ich ein Satz Besteck fertig gestelt, mit den zwölff Thierkreis Zeichen im Griff. Der Junckfrau hab ich dein Gesicht geben, das ist gar hübsch gewordn. Mein schönstes Werck bishero war ein Pockal aus dem Hauß einer groszen ächten Nauthilus Schnecken, die wie aus eim Baum stamm herauß wechst und ein Deckel hat mit Fisch und Meeresgethier aller Art vertzieret. Den hat einer vom Adel erkauffet, deß bin ich stoltz. Ich wohn immer noch im Stör, wo wir beinah wie eine Familia sind, die Vanotza, der junck Matheo und die klein Pipina. Wenn ich mit deim Brieff fertig bin gen wir alle an den Lido denn es ist schon warmer Frülingk. Dortten sitzen wir auff der spiaggia, die ist aus lautter feinem Sand, essen und trincken und schaun aufs Meer das glentzet wie tausend Diamantten.

Von eim Kaufman der letzthin nach Venezia kommen ist hör ich, daß der Albrecht Türer, dem ich in freuntschaft zugethan, jetzo ein bekanther und hoch angesehner Maler ist. Das freut mich über die Maßen. Item bestell ime von mir die besten Wünsch und Grüsze und frag ob er nit wieder einmal nach Venezien kommen möcht. Und dir mein Helena, guts Bäslein, wünsch ich Gots Lieb und Hülff allzeit und immerdar.

Geschriben am Sonntag Judica anno 1499 von deim liben Vetter in Venezia Nicklas.

Nürnberg, Ende April 1499

er Schrei des Neugeborenen zerriss die Stille des Abends.
»Ein Söhnlein habt Ihr, Hellerin, und was für ein hübsches. Schaut nur!«

Die Hebamme hielt Helena den nackten, strampelnden Säugling vor die Nase, der nun aus Leibeskräften brüllte und puterrot im winzigen Gesichtchen war. Helena ließ sich aufatmend in die Kissen zurückfallen. Sie war erschöpft, aber glücklich. Die letzten Wochen der Schwangerschaft waren beschwerlich gewesen, aber die Niederkunft dafür leicht und problemlos. Kurz vor dem Nachtessen hatten die ersten Wehen eingesetzt, und nun, kaum drei Stunden später, war schon alles vorbei.

»Meinen Glückwunsch, Hausfrau.« Apollonia, die der Hebamme assistiert hatte, wusch Helena den Schweiß vom Körper, reinigte Scham und Oberschenkel vom Blut und streifte ihr schließlich ein frisches Hemd über. Derweil wurde der Säugling von der Hebamme gebadet, mit Öl eingerieben und danach kunstvoll über Kreuz gewickelt, bis nur noch das Köpfchen hervorschaute. Schließlich wusste jeder, dass es ungesund war, wenn zu viel Luft an den kleinen Körper kam und das Kind sich zu viel bewegen konnte. Ein schöner, fester, warmer Kokon aus Leinenstreifen – das war es, worin sich ein Neugeborenes wohl fühlte. Darin wohl ausgerichtet, würden Rücken, Ärmchen und Beinchen kerzengerade wachsen und nicht krumm und bucklig werden wie bei armen Leuten.

Noch bevor Helena ihr Kind in den Arm nehmen konnte, wurde die Tür zum Schlafzimmer mit Schwung aufgerissen und Konrad stürmte herein. Apollonia nahm der Hebamme das Bündel ab und überreichte es lächelnd dem Vater.

»Kannst stolz auf dich sein, Konrad, es ist ein Bub! Und ausschaun tut er wie du, ganz genau so. Ich hab dich schließlich gesehn, wie du auf die Welt gekommen bist.«

Helena versetzte es einen Stich. Sie hätte ihrem Mann das Kind gern selbst gezeigt. Dies war wieder einer der vielen kleinen Siege der alten Amme. Kein Wunder, dass Konrad keinen Blick für sie übrig hatte. Er sah verzückt sein Kind an und wiegte es ungeschickt in den Armen, bis es ihm die Hebamme vorsichtshalber wieder abnahm. Dann setzte er sich zu Helena aufs Bett.

»Geht's dir gut?«

Sie nickte lächelnd. »Ja, und unserm Sohn auch, der Muttergottes sei Dank. Freust du dich?«

Als Antwort zog Konrad eine Anstecknadel aus der Hosentasche und drückte sie Helena in die Hand. Es war eine teure Brosche mit einem großen Chalzedon in der Mitte und drei herabhängenden tropfenförmigen Perlen.

»Für dich«, meinte er gutmütig. »Die Loni hat gesagt, der Chalzedon schützt vor Brustentzündung und lässt die Milch bald versiegen. Deshalb hab ich ihn in die Mitte setzen lassen.«

Helenas Freude war sofort verdorben. »Aber ... ich wollte den Kleinen doch selber stillen ...«

»Unsinn. Also manchmal weiß ich nicht, was in deinem Kopf vorgeht, Helena. Sind wir vielleicht arme Kirchenmäuse oder Bauerntröpfe? Natürlich bekommt mein Sohn eine Amme, was denn sonst? Außerdem, wenn eine Frau stillt, dann wird sie lang nicht mehr schwanger, das weiß doch jeder. Und ich will schließlich noch mehr Erben. Also, kümmer dich darum, eine gesunde und saubere Stillfrau zu finden. Die Loni hilft dir dabei. Und jetzt geh ich in die Herrentrinkstube. Das muss gefeiert werden!«

Helena traute ihren Ohren nicht. Ihr Mann wollte, kaum dass er zum ersten Mal Vater geworden war, sie und das Kind alleine lassen und mit seinen Kumpanen feiern! Und ich hab geglaubt, wenn erst das Kleine da ist, wird alles besser, dachte sie bitter. Trotzdem machte sie noch einen Versuch.

»Aber Konrad, wir haben noch gar keinen Namen für unsern Sohn. Bleib doch da und lass uns gemeinsam einen finden. Feiern kannst du doch auch morgen noch.« Bittend legte sie die Hand auf seinen Arm, doch Konrad schüttelte den Kopf.

»Da gibt's nichts zu überlegen, meine Liebe. Bei uns Hellers heißen alle erstgeborenen Söhne nach ihrem Vater, das war schon immer so. Gut Nacht und bis morgen.«

Mit diesen Worten war er auch schon zur Tür hinaus.

Helena drehte sich zur Seite, damit niemand ihre Tränen sah. Endlich, so hatte sie geglaubt, würde sie einen Menschen ganz für sich haben, ein kleines Wesen, für das sie sorgen konnte. Und jetzt durfte sie ihren Sohn nicht stillen, ja ihm nicht einmal einen Namen geben. Es war beinahe so, als würde man ihr das zweite Kind auch noch wegnehmen.

»Ja, so sind die Männer!« Mit diesen Worten legte die Hebamme Helena das Wickelkind an die Brust. »Seid froh, dass Ihr einen gesunden Buben habt, an dem alles dran ist, Hellerin, das ist das Wichtigste. Und noch etwas: Ihr müsst noch 36 Tage fleischliche Enthaltsamkeit üben – sonst können die inneren Organe der Frau sich nicht von der Geburt erholen. Sagt das auch Eurem Mann, er soll sich füglich dran halten.«

Helena betrachtete das kleine Geschöpf liebevoll – die dunkelblauen Augen mit den langen Wimpern, den hellblonden Flaum auf dem runden Köpfchen, die niedliche Stupsnase. Der Mund mit seiner winzigen Zunge machte schmatzende kleine Saugbewegungen. Sie nestelte ihr Hemd auf und legte das Kind an die rechte Brust, wo es sofort zufrieden zu nuckeln begann. Und trotz aller Enttäuschung wurde sie von einer Woge des Glücks überflutet.

Die Herrentrinkstube lag nur ein paar Schritte vom Haus der Hellers entfernt in der Winklergasse. Vor zwei Jahren hatte man sie im Obergeschoss der neu erbauten Unteren Stadtwaage eingerichtet. Es war ein vornehmes Lokal: Nur, wer einem der ratsfähigen oder ehrbaren Geschlechter angehörte, wurde eingelassen, alle anderen mussten anderswo einkehren. Dementsprechend waren auch die gepflegte Ausstattung der Räumlichkeiten und die gepfefferten Preise, die der Hauswirt verlangte.

Als Konrad Heller eintraf, war die Stube voller Gäste; einer der reichen Nürnberger Handelsherren hatte eine ganze Gruppe niederländischer Kaufleute mitgebracht, mit denen jetzt eifrig Kontakte geschlossen wurden. Konrad ging zum Stammtisch, der in der Nische hinter dem Kachelofen stand. Hier regierten die deutschen Farben

Eichel, Herz und Schellen, und wie immer, so saßen auch an diesem Abend etliche seiner besten Freunde beim Kartenspiel, lauter Söhne reicher Patrizierfamilien.

»Heut geht alles auf mich, Freunde! Ich bin grad Vater eines Sohnes geworden, was sagt ihr jetzt?« Er breitete die Arme aus und ließ sich stolzgeschwellt von allen Seiten beglückwünschen und auf die Schultern klopfen. Der Wirt brachte mehrere Krüge seiner besten Kredenz und eine Terrine mit sauren Zipfeln – kleinen, nur fingerlangen Schweinswürsten in einem Zwiebel-Essig-Sud, der Spezialität des Hauses. Alle waren bester Stimmung, bis sich der junge Jörg Derrer durch die Gäste drängte. Er warf seinen Umhang achtlos über eine Stuhllehne und ließ sich schwer auf einen Hocker am Stammtisch fallen. Sein Gesicht war weiß wie die Wand.

»Grad komm ich vom Egidius. Er liegt im Sterben. So was Furchtbares hab ich noch nie gesehn.«

Alle saßen wie vom Donner gerührt. Egidius Löffelholz zählte noch keine dreißig Jahre. Er war erfolgreicher Spezereienhändler, Vater zweier kleiner Kinder, ein unverbesserlicher Spaßvogel und Witzereißer, der wunderbar die Orgel spielen konnte und überall Freunde hatte.

»Ja um Gottes willen, was hat er denn?« Der junge Pirckheimer stellte die Frage zuerst.

»Es ist diese neue Krankheit, die seit einiger Zeit umgeht. Schrecklich, sag ich euch. Seine Frau sagt, dass es angefangen hat mit einer Pustel unter der Vorhaut. Und jetzt ist er am ganzen Körper übersät mit Geschwüren, manche faustgroß, die sind so hart wie Baumrinde, brechen auf und sondern ein übles Sekret ab. Es stinkt zum Gottserbarmen. Der Egidi fiebert und schreit vor Schmerzen. Mich hat er nicht einmal mehr erkannt. Der Doktor Schedel sagt, es ist nur noch eine Frage von Stunden.« Er atmete tief durch und trank seinen Weinpokal bis zur Neige aus.

Inzwischen war auch Hartmann Schedel in die Weinstube gekommen und wurde mit Fragen bedrängt. Der Arzt hatte tiefe Sorgenfalten auf der Stirn.

»Ja, der Egidius wird's nicht überleben«, gab er schweren Herzens zu, »der Franzos bringt ihn um, so wie die anderen vor ihm. Die Krankheit ist zum ersten Mal beim französischen Heer aufgetaucht, als es vor Neapel lag, deshalb heißt sie so. Und jetzt nimmt sie überall ihren Lauf wie eine Seuche. Wir wissen nicht, wie wir die Patienten behandeln sollen; keine uns bekannte Therapie schlägt an. Die Ursache ist ebenfalls unbekannt, manches deutet auf den Genuss von faulem Obst oder schlechtem Schweinefleisch hin. Aber es gibt auch gewichtige Stimmen, die behaupten, es läge an einer derzeit ungewöhnlichen Konstellation der Sterne.«

Jetzt mischte sich Jörg Derrer ein. »Der Egidius hat alle Arzneimittel genommen, die man sich vorstellen kann, sagt seine Frau. Zerstoßene Juwelen, gemahlenen Narwalzahn, alles, was gut und teuer ist. Sogar ein Pulver vom Bezoarstein hat er sich zuletzt noch besorgen lassen – alles umsonst.«

»Bezoarstein? Was ist denn das?«, fragte einer.

»Ein sehr seltenes und kostbares Heilmittel, das wir normalerweise gegen die Pest einsetzen – sofern es einer bezahlen kann«, erklärte Schedel. »Der Stein findet sich im Magen von Säugetieren wie Ziegen oder Schweinen. Am wirksamsten ist er, wenn er von einer Ziegenart im Kaukasusgebirge kommt, weit drüben im Osten. Leider hilft er nicht gegen den morbus gallicus, wie wir feststellen mussten.«

Schedel kramte in der Innenseite seiner Schaube und zog ein sorgsam zusammengefaltetes Stück Papier hervor. »Einer meiner Collegae hat im Auftrag des Rats ein Flugblatt drucken lassen, das vor der Franzosenkrankheit warnt. Wir haben den Dürer gewinnen können, ein Abbild des menschlichen Körpers dafür zu stechen, damit man genau sehen kann, wo die Pusteln und Knötchen auftreten. Je eher man die Krankheit erkennt, desto höher sind die Aussichten auf Heilung.« Er reichte das Blatt herum, das einen am ganzen Körper mit Geschwüren befallenen Landsknecht zeigte, und alle studierten es aufmerksam und mit Schaudern.

»Kann man sich denn bei einem Kranken anstecken wie mit Husten oder Fieber?«, fragte einer.

Schedel schüttelte den Kopf. »Nein, da besteht vermutlich keine Gefahr. Dass die Krankheit von Mensch zu Mensch contagiös ist, konnte noch nicht festgestellt werden. Trotzdem würde ich einen direkten Kontakt möglichst vermeiden, man weiß schließlich nie.«

»Ich hab ihn nicht angefasst, ehrlich«, beteuerte Jörg Derrer sofort mit erhobenen Händen, was allerdings seine Nebenmänner nicht davon abhalten konnte, ein Stückchen von ihm wegzurücken. Nach Trinken und Feiern war nun keinem mehr recht zumute; eine Stunde später war die Herrentrinkstube leer.

Die Syphilis hatte ihren Einzug in Nürnberg gehalten.

Für die nächsten sechs Wochen hatte man, so wie es Brauch war, für Helena das Wochenbett in der guten Stube aufgestellt, ein großes, bequemes Kastenbett mit geschnitzten Pfosten und blauem Baldachin. Hier würde die Wöchnerin, umsorgt vom Hausgesinde, die nächste Zeit verbringen. Die Fensterläden blieben halb geschlossen, damit die Augen des Neugeborenen nicht zu früh vom hellen Tageslicht überfordert wurden. Der Kachelofen wurde Tag und Nacht geschürt, damit es Mutter und Kind warm hatten, und einmal stündlich räucherte Apollonia mit Kräutern auf einem Kohlebecken das Zimmer aus, damit sich keine bösen Dünste ausbreiten konnten. Von nun an würde im Hause Heller jeden Tag ein Huhn geschlachtet und eine kräftige Suppe daraus gekocht, mit der man einen Toten aufwecken konnte. Es war wichtig, die junge Mutter bei besten Kräften zu halten – schließlich starben mehr Frauen im Wochenbett als Männer durch das Schwert.

Die Taufe des kleinen Konrad hatte ohne die Mutter stattgefunden – Wöchnerinnen sollten das Haus möglichst nicht verlassen, um ihre Gesundheit nicht zu gefährden. Die Amme, eine kräftige, rosige Siebmachersfrau namens Mathilda, trug das Kind zum Taufstein.

Jetzt, nachdem eine Woche vergangen war, machten nacheinander die Verwandten, Freunde und Nachbarn ihre Aufwartung. Zuerst kamen Helenas Eltern, beide überglücklich über den kleinen Enkel. Sie schenkten der jungen Mutter einen weichen, fehbesetzten Wollumhang und dem Kind eine wunderschön geschnitzte Wiege aus Kirschbaumholz. Dann erschien Helenas Schwiegermutter in einem Kleid mit meterlanger Schleppe, die sie hinter sich hin und her warf, dass die Flöhe in die Ecken stoben. Mit ihrer altmodischen ausladenden Flügelhaube kam sie nur seitwärts durch die schmale Tür. Die alte Hellerin ließ sich sogar dazu herab, Mutter und Kind zu küssen und brachte ein zwölfteiliges Tafelservice. Auch Philipp hatte vom Abt die Erlaubnis erhalten, seinen neugeborenen Neffen zu besuchen. Er segnete Helena und den Buben und schenkte den beiden ein in gestanztes Leder gebundenes Stundenbüchlein. Freunde und Nachbarn gaben sich die Klinke in die Hand, und alle hatten kleine Geschenke und Gaben dabei. Schließlich erschien sogar Hartmann Schedel und brachte ein kleines Fläschchen mit Kümmelöl zum Einreiben, das gegen die Blähungen helfen sollte, die kleine Kinder so oft befielen.

Als Letzte kam Agnes Dürer, Helenas verschworene Freundin seit der Zeit, da sie den ersten Brief von Niklas beim Kirchgang heimlich in deren weiten Ärmel geschmuggelt hatte. Die beiden jungen Frauen verstanden sich gut, obwohl sie äußerlich recht verschieden waren. Im Gegensatz zu Helena, die im Ruf einer Schönheit stand, war Agnes ein eher reizloses, pummeliges Mädchen mit braunem Haar und dunklen Augen, blassem Teint und ungelenken Bewegungen. Viele fragten sich, warum Dürer, der Ästhet, dem die Eitelkeit aus jedem Knopfloch sah, ausgerechnet die kleine Freyin geheiratet hatte, nach der sich noch nie einer zweimal umgeschaut hatte. Aber natürlich war sie aus einer Patrizierfamilie, und die Ehe mit ihr hatte ihm den Eintritt in höchste Kreise geebnet. Und Agnes liebte ihn abgöttisch.

Jetzt hob sie den kleinen Konrad vorsichtig aus seiner Wiege.

»Geh her zu mir, mein süßer Bursch«, flüsterte sie leise, damit er nicht aufwachte, und drückte ihn liebevoll an sich. »Ach, Helena, ich beneid dich so.«

Helena wusste von Agnes' großem Kummer. »Wart's nur ab, bei euch stellt sich der Nachwuchs schon auch noch ein. Du musst halt Geduld haben.« Sie setzte sich im Bett auf und stopfte sich ein Kissen in den Rücken.

Agnes schüttelte den Kopf, und ihre Augen füllten sich mit Tränen. »Das sagt der Albrecht auch immer. Ach, Lene, jetzt sind wir schon so lang verheiratet, der Albrecht und ich, aber es kommt einfach kein Kind. Bestimmt liegt's an mir – es liegt doch immer an der Frau, sagen die Leute. Ich hab schon so viel Kerzen angezündet, und jeden Tag bet ich um Kindersegen. Was hab ich nicht schon alles ausprobiert: Kräutertränke, Waschungen, Sitzbäder, sogar ein Amulett hab ich mir gekauft und unters Ehebett gelegt, alles umsonst. Dabei ist es doch mein größter Wunsch.«

Helena nickte mitfühlend. »Du darfst einfach die Hoffnung nicht aufgeben, Agnes. Schließlich bist du doch noch jung. Vielleicht hilft's, wenn ihr ein Gelübde ablegt ...«

»Manche sagen ja, mit einer geweihten Hostie ...«

»Scht, still. Die Apollonia könnt dich hören! Wenn die was von Hostienfrevel mitbekommt, ist der Teufel los!«

Agnes schnaubte verächtlich durch die Nase. »Warum wirfst du die garstige alte Vettel nicht endlich hinaus? Im ganzen Viertel ist sie verschrien.«

»Kann ich doch nicht«, meinte Helena, »der Konrad würd's nicht dulden. Er hängt mehr an ihr als an seiner Mutter. Eher würd er mich aus dem Haus jagen, glaub mir.« Sie strich gedankenverloren die Laken über ihren Knien glatt. »Schau Agnes, du hast wenigstens einen Mann, den du liebst und der dich anständig behandelt. Der Konrad ... der ist mir nicht gut und ich ihm auch nicht.«

Die Dürerin traute ihren Ohren nicht. »Was? Ihr mögt euch gar nicht leiden? Und das erzählst du mir erst jetzt?«

»Ich hab gedacht, es wird vielleicht mit der Zeit besser, aber es ist eher schlimmer geworden. Ich bin ihm egal, Agnes, er hat mich nur des Geldes wegen genommen. Er interessiert sich doch nur fürs Spielen und Saufen. Jedes Mal, wenn er zu mir ins Bett kommt, graust es mich, obwohl er doch nicht garstig ist. Aber ich kann halt nicht vergessen, wie's mit dem Niklas war.«

»Ja, wenn das so ist.« Agnes griff sich ins Mieder. »Dann freust du dich bestimmt über das da.« Und sie überreichte Helena ein Stück Papier. Die junge Mutter strahlte und riss es der Freundin beinahe aus der Hand.

»Und ich hab gedacht, er schreibt mir nicht mehr. Der gute Niklas. Dank dir, Agnes.«

Agnes erhob sich. »Ich geh dann jetzt besser. Bis Mittag muss für die Werkstatt das Essen gerichtet sein, und du brauchst auch deine Ruhe. Schlaf schön weiter, kleiner Mann.« Sie küsste das Kind wehmütig auf die Stirn und legte es in die Wiege zurück. Dann verließ sie die Stube und ließ Helena mit ihrer Lektüre zurück.

Draußen wehte ein laues Lüftchen, die Bäume und Sträucher trugen schon ihr erstes Grün. Agnes kaufte schnell noch auf dem Weinmarkt einen mit Wachs versiegelten Steingutkrug mit Würzwein und machte sich dann auf den Heimweg. Gerade als sie hinter dem Chor der Sebalduskirche um die Ecke bog, stieß sie unsanft mit einer jungen Seelfrau zusammen, die, das helle Kopftuch dicht vors Gesicht gezogen, mit gesenktem Kopf daherlief.

»Herrje«, schrie die Dürerin erschrocken. Fast hätte sie ihren Wein fallen lassen. Als sie aufblickte, sah sie in ein merkwürdiges Augenpaar, braun und blau.

»Entschuldigt, ich war unaufmerksam«, sagte eine dunkle, sanfte Stimme. Dann war die Begine schon im Gewühl des Weinmarkts verschwunden.

Anna drängte sich durch die Menschenmenge, die sich versammelt hatte, weil ein ganzer Wagenzug mit Casteller und Rheinwein neu angekommen war. Fünf lange Wochen hatte sie im Seelhaus verbracht, um ihren gebrochenen Fuß ganz auszukurieren. Hans Kieser hatte in der ganzen Stadt nach ihr gesucht wie nach der Stecknadel im Heuhaufen, aber bei den Seelschwestern war sie Gott sei Dank sicher gewesen. Inzwischen konnte sie wieder gut laufen, und sie wagte sich an diesem Apriltag zum ersten Mal wieder nach draußen, um ihren Plan zu verwirklichen. Gekleidet wie eine Seelfrau und mit einem tief in die Stirn gezogenen Tuch würde sie so schnell keiner erkennen, und sie musste unbedingt mit Alexius Düll reden, ihrem ältesten und besten Kunden. Er, so glaubte sie, würde ihr helfen bei dem, was sie vorhatte.

Beim Düllschen Haus unter der Veste angekommen, fasste sich Anna ein Herz und klopfte an die imposante, geschnitzte Haustür. Eine dicke Magd öffnete und fragte nach ihrem Begehr.

»Ich möcht den Hausherrn sprechen, bitt gar schön.«

Die Dicke schaute Anna verwundert an, sagte aber nichts und verschwand. Einige Augenblicke später trat Alexius Düll selbst an die Tür, und Anna nahm das Kopftuch ab, damit er sie erkannte. Der Patrizier sah sich erschrocken auf der Gasse um.

»Anna, du? Heiliger Strohsack, wie siehst du denn aus, und was willst du bei mir zu Hause?«, zischte er. »Mein Ruf …«

»Hochedler Herr, ich muss mit Euch reden, bitte, es ist wichtig.« Anna sah ihn mit beschwörendem Blick an.

Düll nickte. Er hatte die regelmäßigen Stunden bei Anna längst vermisst und sich mehrmals beim Frauenwirt nach ihrem Verbleib erkundigt. Er brauchte sie mehr, als er geglaubt hatte, das war ihm inzwischen klar geworden. Jetzt, da sie plötzlich bei ihm auftauchte, durfte er sie nicht so einfach wieder gehen lassen. Trotzdem – hier in seinem eigenen Haus konnte er sie natürlich nicht empfangen.

»Nicht hier«, flüsterte er. »Komm später in die Badstube im Brunnengässlein. Beim Vier-Uhr-Läuten werd ich da sein. Ich sorg dafür, dass sie dich einlassen«.

Anna neigte den Kopf. »Dank Euch.«

Mit einem misstrauischen Blick nach allen Seiten schlug Düll die Tür zu, und die Seelfrau verschwand um die nächste Ecke.

Das Rosenbad im Brunnengässlein war die vornehmste und teuerste der dreizehn reichsstädtischen Badstuben. Wie alle Bäder auf der Sebalder Stadtseite wurde es durch eine Wasserleitung gespeist, während die tiefer liegenden Bäder entweder von der Pegnitz oder vom Fischbach versorgt wurden. Jede Stube hatte an drei Tagen in der Woche geöffnet, in denen die Badersknechte von früh bis spät große Mengen Holz verheizten, um den Gästen eine angenehme Wassertemperatur bieten zu können. Wer eine solche Badstube besuchte, tat dies allerdings nicht nur um der Sauberkeit willen. Hier wurde musiziert, gegessen und getrunken, diskutiert und gelacht und so manches Geschäft abgeschlossen. Ein paar Stunden im Bad garantierten immer angenehmen Zeitvertreib – und manchmal ein bisschen mehr. Es gab »gewisse« Etablissements, in denen das Angebot auch verbotene Sinnesfreuden umfasste, wofür dann entweder die als sittenlos verrufenen

Baderstöchter und -mägde sorgten, oder aber herbeigerufene »Professionelle« aus dem Frauenhaus.

Im Rosenbad gab es natürlich keinen Bereich für solche geheimen Freuden, hier ging alles mit Zucht und Anstand zu. Zwar waren die Frauen- und die Männerabteilung nicht getrennt wie in manchen anderen Bädern – viele vornehme Ehepaare badeten gern gemeinsam –, jedoch die Gebote der Sittlichkeit wurden dabei nicht verletzt. Sonst hätte der auf seinen makellosen Ruf bedachte Düll das Bad im Brunnengässchen auch niemals zu seiner Stammbadestube erkoren.

Anna erkannte die Badstube an ihrem Hauszeichen, einer aufgemalten roten Rose, und betätigte den Glockenzug. Der Bader, ein kräftiger Mann in mittleren Jahren mit ungewöhnlich kurz geschnittenem Haar, öffnete und sah Anna von oben bis unten an, die sich plötzlich trotz ihrer sauberen Beginenkleider schäbig und abgerissen vorkam.

»Ich glaub nicht, dass Ihr hier richtig seid, Jungfer.«

Anna räusperte sich. »Doch, Bader, das glaub ich schon. Ich hab eine Verabredung mit dem Ratsherrn Alexius Düll.«

»Oh!« Der Bader zog vielsagend eine Augenbraue hoch und dachte sich seinen Teil. Dann führte er Anna hinein.

Drinnen war es mollig warm, die Luft war feucht. Es roch nach Kamille und Rosmarin, und aus einer Ecke des Raumes, wo ein Spielmann auf einem Fenstersims saß, drang leise zirpend Harfenmusik. An den Wänden entlang standen mehrere längliche Badezuber, von denen weißer Dampf aufstieg. Jede Wanne wurde von einem hohen Holzgestell umrahmt, über das man einen Stoffbaldachin geworfen hatte, und davor stand jeweils ein kleiner gedeckter Tisch mit Weinkaraffen, Näschereien und anderen kleinen Köstlichkeiten. In den Zubern saßen die Badenden wie üblich paarweise, nackt bis auf Hauben, die das Haar bedeckten. In einer Ecke stand der Zwagstuhl, auf dem man sich die Haare nach dem eigentlichen Bad noch mit Seifenlauge waschen lassen konnte. Daneben war der Eingang zum Behandlungszimmer des Baders, in dem gerade eine beleibte ältere Frau bäuchlings auf einer Liegestatt lag. Überall auf ihrem Rücken hatten sich fette schwarze Blutegel festgesaugt, manche davon schon fast voll gesogen und so groß wie eine Kinderfaust.

Anna schlüpfte aus ihren Schuhen, um den Fliesenboden nicht schmutzig zu machen, und tapste auf nackten Sohlen und mit gerafftem Rock hinter dem Bader her, der sie zu einem der diskreten Séparées führte, die für Gäste gedacht waren, die völlig ungestört sein wollten. Dann zog er die Vorhänge hinter ihr zu und ließ sie allein.

Alexius Düll saß allein in seiner Wanne, vor sich ein quer gelegtes Brett, auf dem ein kleiner Imbiss angerichtet war. Sein bartloses Gesicht mit den kleinen, lebhaften blauen Augen war vom heißen Dampf gerötet, und die grauen Haare ringelten sich feucht um seinen Kopf. Er winkte Anna näher und deutete mit einem kleinen, fast schüchternen Lächeln auf einen Hocker neben dem Zuber.

»Setz dich, Anna. Ich muss schon sagen, ich bin froh, dass du wieder aufgetaucht bist. Unsere gemeinsamen Stunden haben mir recht gefehlt. Nun, sag an, was willst du mit mir besprechen? Ich bin beinahe ein bisschen neugierig.«

Anna ließ sich auf dem Stühlchen nieder und schilderte mit wenigen Sätzen ihr Vorhaben, sich selbstständig zu machen, während Düll aufmerksam zuhörte.

»Ja, und wozu brauchst du nun mich?«

»Weil ich als Hure ohne Bürgerrecht bin und kein Haus kaufen kann. Und weil ich jemanden brauch, der den Kieser dazu bringt, dass er mich zukünftig in Ruhe lässt.« Anna atmete tief durch.

Düll legte den Kopf schief. »Aber wovon willst du dir denn ein Haus kaufen, meine Gute?«

Anna nestelte einen kleinen Beutel los, der an ihrem Gürtel hing. Dann schüttete sie den Inhalt vor dem Ratsherrn auf das Brett, dass es klimperte. »Hier sind bald dreißig Gulden, alles gespart. Und dann hab ich noch das hier.« Sie öffnete die Schließe der goldenen Kette, die sie unsichtbar unter dem Kleid getragen hatte, und legte das schimmernde Perlenmedaillon neben das Häufchen Münzen. »Eine Reliquie der Heiligen Walburga.«

Düll wog das Kleinod in der Hand und untersuchte es mit Kennerblick. »Das ist mindestens achtzig Gulden wert! Wo hast du das her? Nein, sag's lieber nicht.« Er rieb sich das Kinn. »Ei, für ein kleines Häuschen in einer billigen Gegend würde das schon reichen. Und ich wüsst auch schon, wo. Aber«, er sah Anna mit durchdringendem Blick an, »wieso sollte ausgerechnet ich dir helfen? Wenn herauskommt, dass ich mich mit einer Hübschlerin gemein mache, bin ich ruiniert.«

Anna setzte alles auf eine Karte. »Weil Ihr meine Dienste weiterhin in Anspruch nehmen wollt, edler Herr Rat, und keine andere so gut ist wie ich. Weil auch ich in Gefahr bin, der Ketzerei beschuldigt zu werden, wenn jemand etwas über unser Tun herausfindet. Weil Ihr dann nicht mehr wie jeder gemeine Webersknecht öffentlich ins Frauenhaus gehen müsstet. Und weil ich Euch dann, solang ihr mich haben wollt, ohne Bezahlung zu Diensten sein würd.« So, jetzt war es heraus. Ängstlich wartete Anna auf Antwort.

Düll kniff die kurzsichtigen Augen zusammen und kratzte sich nachdenklich am Kinn. »Du traust dich was, meiner Seel!« Doch der Gedanke, zukünftig nicht mehr ins Maukental gehen zu müssen, sondern ein sauberes, gut eingerichtetes Privatquartier für seine nächtlichen Ausflüge zu haben, gefiel ihm. Das Risiko, entdeckt zu werden, wäre dort deutlich geringer. Er überlegte lange, aber schließlich entschloss er sich, Annas Wunsch nachzugeben. Es würde sich machen lassen, wenn er vorsichtig war. Er setzte sich in der Wanne auf und nahm einen Schluck Wein, den er genießerisch von einer Backe in die andere rollen ließ. Dann rieb er die nassen Hände.

»Gut. Ich helf dir, unter den genannten Bedingungen. Als Erstes gehst du mit deiner Reliquie zum Pfandleiher beim Vestnertor. Verlang hundert Gulden, dann gibt er dir achtzig. Darunter tust du's nicht, das Stück ist es wert. Ich kenn ein kleines Haus beim Unteren Judenhof, das noch leer steht, es könnt um siebzig, achtzig Gulden zu haben sein. Das Geschäftliche erledigt ein Strohmann, dem wir auch ein paar Gulden zukommen lassen müssen.«

Einer der Badersknechte erschien mit einem Zuber und goss heißes Wasser nach. Düll tauchte wieder tiefer in seiner Wanne, während Anna erleichtert und glücklich über seine Entscheidung aufatmete.

»Dann wär da noch das Problem mit dem Kieser.« Alexius Düll steckte ein Stück Honigkonfekt in den Mund und kaute nachdenklich darauf herum. »Er hat mir schon erzählt, dass er dich überall sucht. Fuchsteufelswild ist er, weil du dich davongemacht hast. Jetzt sag, hast du außer mir noch mehr reiche Kunden, die vielleicht sogar im Rat sitzen?«

Anna dachte kurz nach und zählte dann einige prominente Namen auf. Düll zog beim einen oder anderen die Augenbrauen hoch und nickte schließlich zufrieden.

»Schau, schau. Ein illustrer Kreis, meine Liebe. Darunter, wenn ich recht Bescheid weiß, einer der sieben Alten Bürgermeister, drei Mitglieder des Inneren Rats, und, was am wichtigsten für uns ist, der jüngste Sohn eines der Losunger.« Er lächelte zufrieden. »Zusammen könnten wir den Kieser schon an den Wickel kriegen.« Die Angelegenheit begann Düll beinahe Spaß zu machen. »Geh jetzt nur heim, Anna. Ich regle das Nötige. Du findest mich jede Woche um dieselbe Zeit hier im Bad. Aber eins ist klar: Wenn irgendetwas schief läuft – wir beide kennen uns nicht und haben uns nie gesehen.«

Anna verließ das Rosenbad auf dem gleichen Weg, den sie gekommen war, und huschte in der Dämmerung heim ins Seelhaus in der Drahtschmiedsgasse.

Kurze Zeit später wechselte ein kleines Haus im ehemaligen Judenviertel den Besitzer. Alexius Düll, dessen effiziente Bemühungen zum schnellen Zustandekommen dieser Transaktion geführt hatten, schickte mit besten Glückwünschen die beglaubigte Kopie einer Kaufurkunde zu Anna ins Seelhaus. Die wiederum drückte einem Straßenbuben, der gerade vor dem Haus spielte, einen Kanten Brot in die Hand und ließ ihn zu Philipp ins Barfüßerkloster laufen. Als der Mönch kam, streckte sie ihm stolz das Stück Pergament hin.

»Seht, Vater.«

Philipp begann, den Text zu überfliegen, doch Anna zupfte ihn am Ärmel.

»Bitte laut«, bat sie verlegen. »Ich kann doch nicht lesen, und ich möcht's so gern hören.«

Also las der Mönch langsam und deutlich den Kaufvertrag vor.

»Copia. Handel, so abgeschloßen zwischen dem hochlöblichen Rath der Stadt Nürenberg und Georg Hufer Pfannenschmid dahier.

Den Donnerstag nach Exaudi anno 1500 hat obgenanter Hufer für

60 fl vom Rath erkauffet eine aufgegebne Behaußung in der Wunderburggassen, mit dem Haußzeichen eins grünen Rechens. Zur selbigen Zeitt macht er Antzeig, daß das Hauß im Fall seins Ablebens ererbet werden soll von der Jungkfer Anna Schwabin, die dorten gegen Jarzinß wonen soll. Zu Zeugen: Hanß Pfintzing, Rath, Anton Tucher, Rath, Alexius Düll, Rath.«

Anna klatschte in die Hände und drehte sich glücklich einmal um sich selbst. Dann packte sie den verdutzten Philipp und hüpfte juchzend mit ihm durch das Zimmer. Der Mönch ließ sich, bevor er recht wusste, was mit ihm geschah, von ihrer Fröhlichkeit anstecken und schwenkte sie wild im Kreis herum. Ihre Schritte vereinten sich in einem ausgelassenen Tänzchen zu imaginärer Musik. Schließlich standen sie beide atemlos da, das Mädchen mit leuchtenden Augen, der Mönch mit dem Gefühl, gerade etwas ganz Verwerfliches angestellt zu haben. Sie wagten nicht, sich anzusehen. Philipp haderte mit sich selber, dass er sich zu solch einer unanständigen Herumhüpferei hatte hinreißen lassen. Verlegen räusperte er sich und ordnete mit gesenktem Kopf die Falten seiner Kutte.

»Du meine Güte, Gott sei Dank hat das keiner gesehen«, murmelte er vor sich hin. Dann deutete er auf Annas Bündel. »Soll das heißen, dass du jetzt gleich gehen willst?«

Anna nickte. »Ich hab den Seelfrauen schon Lebwohl gesagt.«

Philipp öffnete die Tür weit. »Na, dann komm.«

So verließ Anna das Haus der Beginen, um ihr neues Leben anzufangen. Der Weg in das ehemalige Judenviertel war nicht weit, und schließlich standen beide vor Annas neuer Heimstatt in der Wunderburggasse. Es war ein schmales Häuschen, kaum drei Armspannen breit, aber dafür drei Stockwerke und das Dach hoch. Eingezwängt zwischen zwei größeren Gebäuden stand es da, als ob es von beiden Seiten eine Stütze nötig hätte. Bis vor kurzem war es noch von einer jüdischen Witwe mit ihren fünf unmündigen Kindern bewohnt worden; die kleine Familie hatte wie all ihre Glaubensgenossen bei der erst letzthin geschehenen Vertreibung der Juden aus Nürnberg die Stadt verlassen müssen. Das Häuschen war unscheinbar und hatte deshalb nicht sofort einen neuen Besitzer gefunden, bis Alexius Dülls Mittelsmann auf den Plan getreten war und es für einen günstigen Preis vom Rat erstanden hatte.

Anna breitete lachend beide Arme aus und sah an der Fassade des Hauses hoch. Dann wandte sie sich an den Mönch. »Und, was sagt Ihr? Ist es nicht wunderschön?«

Von der Vorgeschichte ihrer neuen Heimstatt wusste Anna nichts, als sie den großen Schlüssel aus ihrem Beutel zog und die Tür aufsperrte. Philipp allerdings entdeckte sofort die Nische im Türstock, die bis vor kurzem zur Aufbewahrung der Thora gedient hatte, und machte Anna darauf aufmerksam.

»Schau, hier haben Juden gewohnt. Hier bei der Eingangstür sieht man noch die Stelle, wo sie ihre heilige Schrift aufbewahren. Das Haus wurde sicherlich bei der Judenvertreibung vor ein paar Monaten aufgegeben.«

Die meisten Menschen hätten sich geweigert, in einem ehemaligen Judenhaus zu wohnen, doch Philipp wusste, dass es Anna nichts ausmachen würde. Die junge Hübschlerin strich nachdenklich mit den Fingern über die leere Nische.

»Die armen Leute«, murmelte sie vor sich hin, »haben alles verlassen müssen. Wo sie jetzt wohl sind?«

»Irgendwo, wo man sie wieder ein paar Jahre duldet«, versetzte Philipp. »Das ist ihr Los.«

Anna erinnerte sich, was sie über die Nürnberger Juden gehört hatte. Vor über zweihundert Jahren, so hieß es, hatte man über sechshundert von ihnen wegen Hostienschändung umgebracht. Und ein halbes Jahrhundert später mussten beinahe genauso viele den Feuertod sterben, weil man sie der Brunnenvergiftung bezichtigt hatte. Danach hatte es lange keine Anhänger des mosaischen Glaubens mehr in der Stadt gegeben. Diejenigen, die sich inzwischen wieder hier angesiedelt hatten, waren nun kürzlich wieder vertrieben worden, dieses Mal allerdings ohne Blutvergießen.

»Eins möcht ich wirklich mal wissen«, überlegte Anna laut. »Ob der Rat die Juden auch dann immer wieder vertreiben würde, wenn sie nichts hätten, was sich einkassieren ließe? Es heißt ja immer, dass man sie aus der Stadt jagt, weil sie so entsetzliche Verbrechen begehen. Aber – ich meine, kann das denn wirklich wahr sein, dass diese Menschen Kinder fressen und Brunnen vergiften?«

Philipp zuckte mit den Schultern. »Die meisten Leute glauben es zumindest. Komm!« Er riss Anna aus ihren Gedanken. »Schau dich in deiner neuen Behausung um.«

Die beiden traten ein. Drinnen war es stickig, und Anna riss als Erstes die Fenster auf, um die laue Mailuft hereinzulassen. Das Erdgeschoss bestand aus einem einzigen großen Raum, in dessen hinterer Ecke eine niedrige, gemauerte Feuerstelle unter einem geschwärzten Rauchabzug stand. Etliche Möbel waren noch da: ein schwerer Kastentisch, um den auf zwei Seiten eine Sitzbank lief, ein in die hell getünchte Wand eingebautes Regal für Küchenutensilien, ein geschnitzter Scherenhocker und eine große Kleidertruhe. Die Bodendielen waren abgetreten, aber sauber gefegt, nur in den Ecken lagen noch Reste des alten Strohbelags.

»Die haben wohl nicht viel mitnehmen können«, bemerkte Philipp.

Auch in den oberen Räumen war noch ein Teil der Einrichtung vorhanden, Betten, Truhen und Schränke. Alles war sauber und ordentlich verlassen worden. Anna lugte begeistert in jedes Eckchen. In einer winzigen Kammer fand Anna zwei Kinderbettchen und eine Wiege, und am Ende des Ganges im ersten Stock entdeckte Philipp tatsächlich ein Privet, bestehend aus einem außen an die Hauswand angefügten Holzgehäuse mit einem durchlöcherten Sitz. Welch ein Luxus! Der Dachboden war leer bis auf ein paar gespannte Schnüre zum Wäscheaufhängen. Anna war glücklich. Hier wollte sie leben und ihr eigener Herr sein.

Später, nachdem alles in Augenschein genommen war, standen die beiden in der unteren Stube.

»Ja, also, ich muss jetzt gehen.« Philipp zog seinen härenen Gürtel enger und legte die Hand auf den Türknauf. »Kommst du zurecht?«

Anna nickte. »Ich will heute noch Hausrat und Bettzeug kaufen, und alles Weitere findet sich. Vater, ich glaub, ich bin zum ersten Mal in meinem Leben richtig froh. Ich fühl mich wie eine Prinzessin, und das ist mein Reich.« Sie breitete die Arme aus und strahlte übers ganze Gesicht. Ihre verschiedenfarbigen Augen glänzten.

»Ich gönn's dir von Herzen«, lächelte der Mönch, wurde aber gleich darauf wieder ernst. »Da ist noch eines, Anna: Ich werde dich nicht mehr besuchen können.«

Anna schaute den Philipp überrascht an. »Ja, aber warum denn nicht?«

»Die Kongregation hat mir nach dem Brand des Frauenhauses die Betreuung der Häftlinge im Lochgefängnis übertragen. Ins Frauenhaus kommt, wenn es wieder aufgebaut ist, einer meiner Mitbrüder. Der wird sich dann bei dir umschauen.«

Annas Enttäuschung stand ihr ins Gesicht geschrieben. »Aber ich will keinen andern«, trotzte sie. »Könnt Ihr nicht dennoch ...«

Philipp schüttelte den Kopf. »Das darf ich nicht.« Er nahm Annas Hände in seine und merkte, dass ihm dieser Abschied mehr zu schaffen machte, als er befürchtet hatte. Schon als ihm der Abt die Entscheidung des Klosters mitgeteilt hatte, war sein erster Gedanke gewesen, dass dies die endgültige Trennung von Anna bedeuten würde, und es hatte ihm einen Stich ins Herz versetzt. Natürlich hatte er in Demut die neue Regelung akzeptiert, doch jetzt fand er kaum Worte. Dass es ihm so schwer fallen würde, hatte er doch nicht geglaubt. Er gab sich einen Ruck und zwang sich, das Lebwohl kurz zu machen.

»Ich wünsch dir Glück, Anna. Der liebe Gott sei mit dir und beschütze dich. Leb wohl.« Einen Augenblick lang fühlte er den Impuls, Anna an sich zu ziehen und zu umarmen. Schnell ließ er ihre Hände los, machte eine segnende Bewegung über ihrem Kopf und trat dann hastig auf die Gasse hinaus. Mit langen Schritten lief er davon, ohne sich noch einmal umzudrehen.

Anna stand traurig in der Tür und sah ihm nach. Jetzt erst war ihr bewusst, dass der stille, freundliche Mönch ihr ein Freund geworden war. Und ich hab ihm nicht einmal für seine Hilfe gedankt, dachte sie betrübt. Doch dann straffte sie den Rücken, putzte sich die Nase am Ärmel und ging wieder ins Haus zurück. Es war keine Zeit zum Traurigsein. Sie würde in den nächsten Stunden und Tagen viel zu tun haben.

Schreiben des Nürnberger Rats an den Frauenwirt Hans Kieser vom 21. Mai 1499

Brieff und Mandat eins erbarn Raths zu Nurenberg an den Wirt und Haltter des Fraun Hauses im Mauckenthal Hannß Kyeser.

Dieweiln das Frawn Hauß kürtzlich verprennet und verderbt ist und nicht mer stehet, ist also auch der Vertrag zwischen der Stadt und dem bißherigen Fraun Wirt nichtig.

Item nun hat der fürnembste Rath bedacht und darüber geratschlagt, ob und auch welcher Art das Gebäu wiedrum neu errichtet seyn möcht. Wiewol etlich Beschwerd und Einspruch von der Geistlichkeit an uns gangen sind, ist doch unser Meynungk, das Hauß mit städtischem Geldt wieder aufzubaun. Denn wie anderst soll Keuschheyt und Tugent der erbarn Bürgersfraun und Töchter behüt werden alß dadurch, den unverheiratn brünstigen Männern ander weyblich Fleysch dartzubieten?

Ist jedoch unser ernstlich Bevelh, daß ein Fraunwirt mer denn vorher gescheen darauff zu achten hat, daß die Fraunhauß-Ordnungk eingehaltten würd, so im besondern das Geboth, die gemeinen Töchter alldort gesund und säuberlich zu haltten, auch ohn jede Beschwerniß durch Schläg oder anders.

Auch dürffen die Weiber nicht genotzwängt werden, eine fleischlich Fahrt anderß als in den Augn der Heiligen Kirche erlaubt zu thun, alßo daß kein Schlaffmann bei der Beywonung ein annder Gefäß der Frau benutzet alß die christlichen Geboth vorschreyben. Und die Kirch mahnet auch: Weyb, du bist kein Hündin. So ist der Mann auch kain Hundt, und thierisch Beywonung von Christenmenschen vollzogn gilt alß wider die Nathur. Darnach wisset Ihr Euch auch im Fraun Hauss zu haltten.

Item auch die Sperrstundt nach dem letzten Nachtläutten hat ein Fraunwirt einzuhaltten, außerdeme darff er nit mer wie bißhero schlechtten gepanschtten Wein theuer ausschänken, worüber ein Weinkießer allzeit Obacht haben soll.

Zum letzten darf der Kyeser keins seiner Fraunzimmer, wer die auch sey, in seine Dienst zwingen. Ein Hurnweyb, das irem Gewerb im Fraunhaus absagen und darauß gehn will oder schon darauß gangen ist, soll ir Freyheit haben und darff nit zurück gehaltten werden. Denn unser aller Mutter Kirche vermeinet: Wenn einer ein sündigen Wegk eingeschlagen hat unnd den aber dann verlaßen will, so soll er nicht gehindert seyn. Wer ime aber dartzu verhelffet, dem ist der Lon des Himmel Reichs gewiss.

Item so sich der bißherig Frawn Wirth Hannß Kißer dartzu versehen will, dieße ime gegebene Ordnungk einzuhalten und unter das Mandat sein Zeichen setzet, dann wird er mit Billigungk des Raths seines Ambts auch im neun Frauen Hauß waltten können. Sollt er aber obige Ordtnung nit annemen oder aber wider sie handeln, so wird ime der erbar Rath ohn Vertzug ein Nachfolger schaffen.

Gegeben zu Nüremberg am Dienstag nach Pfingsten anno 1499

Venedig, Juni 1499

Die Granulation ist eine uralte Technik, die schon seit Jahrtausenden angewendet wird.« Meister Noddino setzte sich zu Niklas an den Werktisch und legte eine Gewandnadel vor ihn hin, auf der winzige Goldkügelchen um einen Schmuckstein zu einem wellenförmigen Muster angeordnet waren. »Heute ist sie ein bisschen aus der Mode gekommen, weshalb du sie in deiner Heimat Norimberga nicht gelernt hast, mein Junge. Es gibt nur noch wenige Goldschmiede, die diese Kunst beherrschen, und ich bin einer davon.«

Niklas legte die Vogelzungenfeile hin, mit der er gerade eine Armspange bearbeitet hatte, und schüttete vorsichtig die angefallenen Goldspäne aus dem ledernen Auffangsack in die Resteschale. Dann klemmte er sich den geschliffenen Sehstein aus gelblichem Beryll vors linke Auge und begutachtete die Gewandnadel.

»Ein schönes Stück, Maestro, jedes Kügelchen gleich groß und im gleichen Abstand zum anderen gesetzt. Vom Löten keine Spur zu erkennen. Ein Künstler, der das gemacht hat.«

Noddino nickte. »Ein Werk meines Lehrmeisters, Ugo da Cortona. Er war seinerzeit ein berühmter Goldschmied. Wenn du willst, bring ich's dir bei.«

Und ob Niklas wollte; Neues faszinierte ihn immer. Nach Anweisung des Meisters knipste er mit einer Zange winzige Stückchen von einem dünnen Golddraht ab, feuchtete sie mit Wasser an und vermischte sie dann mittels eines kleinen Quirls mit Holzkohlenpulver.

»Buono, Niccó«, dozierte der Alte, »und jetzt gibst du die Bröckchen in einen Tiegel, immer abwechselnd eine Schicht Gold-Kohle-Mischung und eine reine Kohleschicht. Ecco. Die Kunst ist es nun, die Temperatur des Feuers nicht zu hoch zu halten und den Schmelzvorgang genau so lang zuzulassen, bis sich die kantigen Goldstückchen zu Kugeln zusammengezogen haben, aber keinen Augenblick länger.«

Niklas hielt den Tiegel mit einem langstieligen Greifer in den Muffelofen und zog ihn auf Noddinos Zeichen bald wieder zurück. Anschließend schlämmte er Gold und Kohle gut mit Wasser ein und goss alles durch ein Lochsieb. Zurück blieb eine halbe Hand voll winzig kleiner goldener Bällchen, perfekt und rund.

»Schön gelungen«, meinte Noddino und rieb sich die runzligen Hände. »Nach dem Trocknen kannst du diese Granalien zu Mustern anordnen und mit Malachitpulver auflöten. Aber auch hier: Achtung mit der Temperatur. Sind Dauer und Grad der Erwärmung zu gering, dann binden die Granalien nicht zuverlässig genug; ist die Hitze zu hoch, wird die Metalloberfläche rau, und der Reiz der Granulation geht verloren. Alles eine Sache der Übung und der Erfahrung.«

Niklas breitete die Kügelchen auf einem schwarzen Tuch zum Trocknen aus. Inzwischen war es Mittag geworden. Gesellen und Lehrlinge verließen die Werkstatt, um gemeinsam in der nächsten Wirtschaft ein einfaches Mittagessen einzunehmen. Niklas blieb meistens da. Zwar kam er mit seinen Kollegen ganz gut aus, aber Freundschaft hatte er mit keinem geschlossen. Die anderen vermieden einen zu engen Kontakt mit ihm, was er darauf zurückführte, dass er bei Meister Noddino eine Sonderstellung innehatte. Der Alte beschäftigte sich viel mehr mit ihm als mit seinen anderen Gesellen, brachte ihm mehr bei, bevorzugte ihn ganz offensichtlich auch dadurch, dass er ihm die interessantesten Aufgaben übertrug. Niklas verstand, dass ihm seine Kollegen dies übel nahmen, aber die Arbeit mit Noddino war ihm wichtiger. Nicht nur, weil er lernbegierig und ehrgeizig war – nein, der Meister war für ihn, der seinen Vater so früh verloren hatte, ein väterlicher Freund geworden, dessen Zuwendung ihm viel bedeutete.

Die beiden setzten sich zum Mittagsvesper auf die Gasse vor der Werkstatt. Hier im Schatten der hohen Häuser war angenehm ausruhen, und die zwei Goldschmiede betrachteten zufrieden das Gedränge der Boote und Gondeln auf dem kleinen Kanal und den Flug der Taubenschwärme am Himmel.

»Maestro, per favore, darf ich Euch etwas fragen?« Niklas hatte schon seit längerer Zeit etwas auf dem Herzen. Bisher hatte er noch nicht gewagt, Noddino zu fragen, aber nun schien ihm der Zeitpunkt gekommen. Er hatte in letzter Zeit Vorgänge in der Werkstatt beobachtet, die ihm seltsam vorkamen, und das Gefühl, dass irgendetwas nicht stimmte, war mit der Zeit immer stärker geworden. Eine innere Stimme, die er nicht deuten konnte, warnte ihn immer deutlicher vor einer unbekannten Gefahr.

Noddino sah Niklas mit seinen fast blinden, milchiggrauen Augen an und nickte aufmunternd. »Nur zu, Junge, frag nur.«

Der junge Goldschmied holte tief Luft. »Ich weiß nicht, wie ich's sagen soll, aber es gibt Dinge in unserer Goldschmiede, die ich nicht verstehe. Zum Beispiel habe ich zufällig beobachtet, dass an meinem freien Tag regelmäßig Männer in die Werkstatt kommen, die offensichtlich Schmuck oder Silbergeschirr bringen. Am nächsten Morgen sind dann oft neue Entwürfe da. Und die Stücke, die ich nach diesen Entwürfen angefertigt habe, werden nicht etwa bei uns verkauft, sondern – so meine ich – von denselben Männern wieder mitgenommen. Das alles geschieht in solcher Heimlichkeit, dass ich es erst jetzt, nach über vier Jahren, bemerkt habe. Überhaupt meine ich, dass viele Dinge, die wir fertigen, irgendwo anders verkauft werden. Ich glaube, Ihr verbergt etwas vor mir, Maestro, Ihr habt kein Vertrauen, und das kränkt mich. Hab ich nicht in all der Zeit treu und fleißig für Euch gearbeitet? Was geht hier vor, und warum bezieht Ihr mich nicht in die Geschäfte ein?«

Noddino schälte bedächtig sein Ei zu Ende, bevor er zu Niklas aufsah. Dann schüttelte er missbilligend den Kopf.

»Was du dir nur immer denkst, Niccó! Ja, es stimmt, dass an deinem freien Tag oft Vorlagen für Entwürfe gebracht werden. Die meisten Sachen kommen von der Werkstatt Grassi, für die wir auch die Edelsteinfassungen machen. Dein Kollege Bruno zeichnet die Stücke ab, und wir arbeiten nach diesen Zeichnungen Kopien, die später wieder abgeholt werden. Wo ist das Problem? Ich versichere dir, da geschieht nichts Heimliches.«

»Aber es kommt mir so vor …«

Der Meister schnitt Niklas ungehalten das Wort ab. »Was soll dieses Misstrauen, Junge? Ich muss dir das Gleiche vorwerfen wie du mir: Warum vertraust du mir nicht? Wie kommst du auf den Gedanken, dass ich unsaubere Geschäfte mache, he? Willst du mich beleidigen? Das ist doch alles blühender Unsinn, was du da redest. Ich will nichts mehr davon hören, e basta!«

Er warf das geschälte Ei hin, stand auf und ging, während Niklas schuldbewusst sitzen blieb. Vermutlich hat der Alte ja Recht, und ich besitze nur eine blühende Phantasie, dachte er. Nachdenklich räumte er die Reste des Mittagessens fort. Hätte er nur nichts gesagt! Jetzt war der Meister verstimmt, und Niklas beschlich das ungute Gefühl, dass ihr Verhältnis zueinander einen Knacks bekommen hatte.

Der Rest des Tages verging in stummem Nebeneinander. Der Alte hatte einen Hartholzklotz mit eingearbeiteter Mulde in einen Schraubstock eingespannt, eine Platte Silberblech darauf gelegt und mit dem Polterhammer das Blech in die Mulde gestampft, um es anschließend mit dem Kugelhammer zu einer dünnwandigen Schale zu schlagen. Mit seinen schlechten Augen waren solch grobe Arbeiten das Einzige, was er noch selber erledigen konnte. Er schlug gleichmäßig vor sich hin, nahm zwischendurch immer wieder einen Schluck aus dem großen Weinratzen und würdigte Niklas keines Blickes mehr. Der hingegen beschäftigte sich damit, eine Partie großer Perlen für eine

Halskette mit Löchern zum Auffädeln zu versehen. Sorgfältig wickelte er die Sehne eines gewölbten Fiedelbogens mehrmals um den runden Stab, an dessen Spitze der Bohrstift steckte. Durch schnelles »Fiedeln« ließ sich nun der Bohrer in Drehung versetzen und durch die in einer Halterung fixierte Perle treiben – eine Anfängerarbeit, die dem jungen Goldschmied normalerweise mühelos gelang. Diesmal jedoch gingen ihm beim Bohren mehrere der kostbaren Kugeln entzwei. Er konnte sich einfach nicht konzentrieren. Sichtlich entnervt warf er die geborstenen Reste in ein Schächtelchen – der Edelsteinhändler würde sie wieder zurücknehmen und als Stoßperlen für medizinische Zwecke verwenden.

Schließlich ging kurz vor Geschäftsschluss die Tür auf und der Zwerg watschelte mit dem für ihn typischen kurzbeinigen Gang in die Werkstatt. Er hatte eine feine Antenne für Stimmungen und spürte sofort die Anspannung zwischen Niklas und seinem Meister.

»Salve, gentiluomini!« Nanos sonore Stimme durchschnitt die unangenehme Stille. »Diu can, was ist denn hier los? Haben wir eine Seeschlacht gegen die Türken verloren und ich weiß nichts davon? Welche Laus ist euch bloß über die Leber gelaufen, he?« Er ließ sich auf ein Dreibein neben der Werkbank fallen und spielte mit einem Schleifholz. »Beh, ihr beiden, seid nicht bockig und vertragt euch wieder, oppure no? Ach übrigens, kennt ihr schon den: Der Doge trifft vor San Marco einen Fischhändler. Sagt der Fischhändler …«

»Oh, bitte verschon uns, Nano«, brummte Noddino. Er griff nach einem kleinen dunklen Samtbeutel, der neben etlichen Bohrern, Feilen und Hämmern auf dem Wandsims lag, und drückte ihn dem Kleinwüchsigen in die Hand.

»Hier, einige Amethyste, ein Chrysophras, zwei Rubine und etliches Kleinzeug. Bring es zu Yussuf zurück und sag ihm, wir brauchen nächste Woche einen großen und zehn kleine Diamanten, und zwar von der besten Qualität. Und da, nimm auch den Perlenabfall mit.«

Nazareno steckte den Beutel in die Innentasche seines Wamses. »Volentieri, Maestro. Ich komme eigentlich, um Euch zu berichten, dass ich die Bücher überprüft habe. Es ist alles bestens. Letzten Monat hatten wir einen Gewinn von mehr als neunzehn Dukaten. Na, was sagt Ihr nun?« Er wartete auf Lob und machte dabei ein verklärtes Gesicht.

»Va bene«, erwiderte der Alte und begann, das Feuer zu löschen. Nazareno raufte sich in gespielter Verzweiflung die glänzenden schwarzen Löckchen.

»Schon gut, ich geh ja schon. Kommst du mit, Niccó?«

Der Angesprochene warf einen fragenden Blick auf Noddino, band dann auf dessen Kopfnicken hin seine Arbeitsschürze los und hing den Perlenbohrer an die Wand. »Un attimo.« Er löste noch das dünne Lederband, das seine schulterlangen Haare im Nacken zusammengehalten hatte, sagte dem Alten guten Abend und trat dann mit dem Zwerg auf die Gasse hinaus.

Die Luft war inzwischen schwül und stickig, der Himmel hatte sich bezogen. Ein Frühsommergewitter kündigte sich an, was auch unschwer am üblen Geruch zu erkennen war, der sich bei solchen Wetterlagen besonders hartnäckig in den tiefen Häuserfluchten der Serenissima hielt. Über den Abfallhaufen schwirrten Wolken fetter grün glänzender Schmeißfliegen, und die bösartig sirrenden Schnaken, die, wie Niklas längst gelernt hatte, auf Italienisch zanzare hießen, umschwärmten die Menschen gieriger als sonst.

Die zwei Freunde trotteten eine Zeit lang schweigend an der fondamenta entlang.

»Jetzt sag schon, du Trauerkloß, was war denn los zwischen dir und dem Alten?«, fragte Nazareno schließlich.

Niklas zuckte die Schultern. Solange er keine Beweise für seine Vermutung hatte, dass Noddino in irgendwelche seltsamen Geschäfte verstrickt war, wollte er nichts weitererzählen, nicht einmal dem Zwerg als seinem besten Freund. Das war er seinem Meister schuldig. Also wiegelte er ab. »Ach, weißt du, wir sind uns wegen des Entwurfs für einen Satz Kerzenständer in die Haare geraten. Er hat manchmal so altmodische Vorstellungen und lässt meine Ideen nicht gelten. Das war alles. Wo müssen wir überhaupt hin?«

»Zu Yussuf, dem Diamantenhändler. Er hat seinen Sitz in einem Palazzo am Rialto.«

Nazareno führte Niklas sicher durch das Labyrinth der Gassen, das für den jungen Deutschen manchmal immer noch ein Buch mit sieben Siegeln war. In seiner nächsten Umgebung kannte er sich inzwischen gut aus und die wichtigsten Landmarken der Stadt waren ihm auch geläufig, aber die traumwandlerische Sicherheit, mit der die Venezianer sich in ihrer Stadt zurechtfanden, würde er vermutlich nie erreichen. Erst am grasbewachsenen Campo Santa Maria Formosa wusste Niklas wieder, wo er war – gewöhnlich benutzte er die campi, die freien Plätze vor den vielen Kirchen, als Fixpunkte für seine Orientierung.

Schließlich schwenkten sie in die Calle del Paradiso ein und gingen dort unter dem gleichnamigen gotischen Bogen durch, den zwei der edelsten venezianischen Dynastien, die Foscari und die Mocenigo, hatten erbauen lassen, um eine glückliche Heiratsverbindung zwischen ihren Häusern zu feiern – so wollte es der Brauch. Die Gasse war auf beiden Seiten von einer Vielzahl barbacane, den »Hundsbärten«, gesäumt, geschnitzten Holzvorbauten, die ab dem ersten Stockwerk die Häuser verbreiterten. Darunter befand sich eine Ladenwerkstatt neben der anderen: Truhenmacher, Schuster, Gürtler, Puppenschnitzer, dazwischen Lakenkrämer, Feilenhauer, Kannengießer. Niklas und Nazareno drängten sich zwischen einkaufenden Hausfrauen mit ihren Körben und laut feilschenden Kunden durch, vorbei an einem Gaukler, der inmitten eines Menschenknäuels einen sprechenden Raben vorführte. Am Ende der lebhaften Gasse stand wild gestikulierend ein Bettelmönch auf einem hölzernen Podest und drohte denen, die der eitlen Putzsucht verfallen waren, sämtliche Strafen der Hölle an. Er fuchtelte dabei mit einem hölzernen Schweinespieß herum, den er mit Kreuzen, Amuletten und Glöckchen behängt hatte und vermutlich manchmal zu seiner Verteidigung brauchte. »Ich sage euch: Wendet euch um! Und so ihr das nicht tut, soll euch am besten gleich mein göttlicher Spieß durchbohren!«, dröhnte seine heisere Stimme, und er schüttelte drohend seine Schweinefeder.

Vor ihm standen auf zwanzig Zentimeter hohen Zockeln, die Hände provozierend in die Hüften gestützt, zwei der über zehntausend Kurtisanen der Stadt. Ihre falschen Haarteile leuchteten gelb über den geschminkten Gesichtern, und die grellbunt gefärbten, geschlitzten, gerüschten und gepufften Kleider bauschten sich um ihre Beine. »Da hörst du's, Fiammetta«, flötete die eine. »Das mit dem Umwenden und dem Spieß sagt der Pfarrer von Sant' Alvise auch immer, wenn er zu mir ins Bett kommt.« Unter den Umstehenden brach grölendes Gelächter aus, und die beiden Freunde grinsten.

Endlich hatten sie die hölzerne Brücke Rialto erreicht. Das Mittelstück war hochgezogen worden, um eine große Barke durchzulassen, senkte sich aber schon wieder. Auf der anderen Seite des Canal Grande war es nicht mehr weit. Direkt an den Fondamenta, neben einem der niederen Türme, an denen die Ketten zur Schließung des Kanals eingehängt werden konnten, stand ein großer, imposanter Palazzo aus rosa Marmor und weißem istrischem Kalkstein. Die Maßwerkfenster waren nach der neuesten Mode kielbogig gebaut, die Dachpfannen aus teuren trevisanischen Ziegeln. Im Zentrum der Fassade befand sich eine Loggia mit orientalischen Halbmonden, Fabeltieren und skulptierten Köpfen. Eine kleine Holzbrücke machte den Palast direkt vom Kanal aus zugänglich; davor lag eine prächtige schwarze Gondel an einem rotblau gestreiften Pilaster vertäut.

»Da wohnt dieser Yussuf?«, fragte Niklas ungläubig.

Der Zwerg nickte. »Er ist einer der reichsten Kaufleute der Stadt, so viel ist sicher«, meinte er. »Nirgendwo anders bekommt man so erlesene Steine wie bei ihm. Noddino macht schon lange Geschäfte mit ihm, er ist zuverlässig und seine Preise sind gerecht. Komm.«

Er führte Niklas zur Rückseite des Gebäudes, und die beiden betraten durch ein säulengeschmücktes Portiko den Innenhof, in dessen Zentrum ein niedriger Brunnen stand. Eine zweirampige Freitreppe über hohen Rundbögen führte an der Westseite in die oberen Stockwerke hinauf. Gerade wurden mehrere Karren entladen, Dienstboten wieselten geschäftig durch den Hof und schleppten Körbe mit frischen Fischen, Gemüse und anderen Lebensmitteln ins Haus.

Just in dem Augenblick, als Niklas und Nazareno die Treppe betreten wollten, hörten sie einen Aufschrei, und sofort entwickelte sich in einer Ecke ein Durcheinander. Eine schwarzgrau gefleckte Sau rannte, verzweifelt in den höchsten Tönen quiekend, quer über den Hof, dicht gefolgt von einem Diener, der Zeter und Mordio schimpfte. Mit einem Hechtsprung bekam der Mann ein Hinterbein des Tieres zu fassen, doch das Schwein wand und drehte sich blitzschnell mehrere Male im Kreis, sodass er wieder loslassen musste. »Aiuto, aiuto al porco!«, schrie er aus Leibeskräften, während er sich wieder vom Boden hochrappelte. Zwei weitere Männer stürzten hinzu, während das Borstenvieh in wildem Schweinsgalopp in Richtung Tor rannte. Nazareno stellte sich der Sau geistesgegenwärtig in seiner vollen Größe und mit ausgebreiteten Armen in den Weg und schrie in höchsten Fisteltönen »Vai, vai, vai!«. Wider Erwarten wich das Tier nicht aus, sondern senkte den Kopf und rammte den Zwerg mit einem entschlossenen Grunzen, sodass er unsanft auf dem Hosenboden landete. Dann warf sich die Sau herum und lief im Zickzack auf den Brunnen zu. In ihrer Panik erkletterte sie den Brunnenrand, plumpste ins Wasser, hüpfte prustend und schnobernd wieder heraus und steuerte erneut das rettende Tor an, wo sich inzwischen Niklas postiert hatte. Als die tropfnasse Sau auf ihn zukam, warf er sich mit einem Satz auf sie und hielt das zappelnde Tier so lange fest, bis Nazareno ihm mit seinem dünnen Ledergürtel die Vorderbeine gefesselt hatte. Dann standen beide schnaufend, aber zufrieden neben dem gefangenen Schwein.

Inzwischen war aus einem der Bogenportale der Majordomus getreten, ein unglaublich fetter Schwarzer in exotischer Tracht mit einem lächerlichen roten Mützchen auf dem gekräuselten Haar. Aufgeregt kam er herübergelaufen.

»Da habt Ihr die Sau«, meinte Niklas grinsend und deutete auf das am Boden liegende Tier. »Bringt sie bloß schnell zum Schlachter, damit sie nicht noch mal abhaut.«

Der Majordomus starrte ihn an. »Zum Schlachter? Seid Ihr irre, Signor? Das ist ein echtes piemontesisches Trüffelschwein, mehr wert als ein Rennpferd.«

Nazareno, der am Ferraresischen Hof schon Trüffel gekostet hatte, sah die Sau plötzlich mit ganz anderen Augen. »Ach du liebe Güte, hoffentlich hat sie sich nicht verletzt.«

»Santo cielo!« Der Majordomus bückte sich und untersuchte das zappelnde Tier. Dann winkte er einigen Bediensteten, die schon in der

Nähe gewartet hatten. Sie verstauten das Schwein vorsichtig in einer großen Kiste.

Derweil stiegen Niklas und der Zwerg die Freitreppe bis ins zweite Stockwerk nach oben und ließen sich von einem Hausknecht ins Kontor führen. Niklas staunte nicht schlecht über die üppige Pracht der Innenräume: Wände und Böden waren bunt gekachelt und mit Mosaiken besetzt, die ganze Geschichten erzählten, die Fenster mit dicken Samtvorhängen behängt. Überall hingen wertvollste Gemälde, die erlesenen Möbel waren aus kostbarem Ebenholz geschnitzt und mit Einlegearbeiten aus Perlmutt verziert. Sie standen auf Teppichen aus schimmernder Seide, die in dieser Qualität nur im persischen Gebiet geknüpft wurden. Platten mit verlockenden Früchten standen in jedem Raum. Aus einem Zimmer, dessen Tür ein Stück weit offen stand, ertönte leise perlendes Gekicher, und Niklas erhaschte einen Blick auf bunt gekleidete Frauen, die, über und über mit Schmuck behängt, auf Polstern und Kissen lagen. Der junge Goldschmied hatte nie vorher ein solch prunkvolles Haus betreten und war überwältigt. In einem der Räume stand sogar ein kleiner Springbrunnen, und als Niklas den Finger an die Fontäne hielt und von der Flüssigkeit kostete, stellte er fest, dass es weißer Wein war. Mein Gott, dachte er, waren doch schon die Nürnberger Kaufleute, unter denen ich aufgewachsen bin, von legendärem Reichtum. Aber das hier ist wie im Märchen! Niklas gab sich redlich Mühe, nicht allzu offensichtlich die ganze Pracht anzustarren, wollte er doch nicht wie ein Tölpel wirken!

Schließlich standen sie vor einer großen, messingbeschlagenen Doppeltür. Der Diener klopfte und ließ die Besucher eintreten.

Mitten im Kontor saß ein riesiger Mohr mit überkreuzten Beinen auf einem weichen, kissenbesetzten Diwan. Er trug einen kirschfarbenen, bodenlangen Kaftan, und seine Hand ruhte auf dem Kopf eines zahmen jungen Leoparden. Als die beiden Freunde näher kamen, sprang der Riese auf und entblößte zwei Reihen blendend weißer Zähne, die aus seinem pechschwarzen Gesicht leuchteten. Dann sprach er, zu Niklas' Erstaunen in allerbestem Venezianisch.

»Ich habe Euch vom Fenster aus zugesehen, Signori, und bin Euch zu großem Dank verpflichtet. Das Tier, dessen Flucht Ihr soeben vereitelt habt, stammt aus meiner Zucht bei Alba, und ich habe es der Dogaressa als Geschenk versprochen. Hätte ich mein Versprechen nicht einlösen können, wäre meine Ehre befleckt gewesen.«

Niklas starrte den Mohren fasziniert an, während der noch weitere Sätze mit Nazareno wechselte und das Päckchen mit den Steinen in Empfang nahm. Yussuf der Kaufmann war eine beeindruckende Erscheinung, mit einer Haut so schwarz wie die Nacht. Sein polierter Schädel glänzte mit den großen goldenen Ringen um die Wette, die an seinen Ohrläppchen hingen. Ein bläuliches Muster aus winzigen kreisrunden Stammesnarben zierte seine Wangen und verlieh seinem Gesicht eine wilde Exotik. So hatte sich Niklas einen venezianischen Diamantenhändler weiß Gott nicht vorgestellt. Er konnte seine Augen kaum von dem Riesen lassen.

»Signor Nazareno«, lachte Yussuf der Mohr, »Euer Begleiter sieht mich an, als ob ich drei Köpfe hätte. Wollt Ihr ihn mir nicht vorstellen?«

Nazareno grinste. »Con piacere, Messer. Das ist mein Freund Niccoló Lincko, ein Goldschmied aus der berühmten Handelsstadt Norimberga in Deutschland. Er arbeitet für Meister Noddino. Wollt ihm seine neugierigen Blicke nachsehen, vi prego – er ist schließlich ein Tudesco und mit der Feinheit der venezianischen Sitten kaum vertraut.«

Yussuf lachte ein dunkles, kollerndes Lachen, das tief aus seiner Kehle kam. »Schön, Euch kennen zu lernen, Signor.« Der Riese richtete nun zum ersten Mal das Wort direkt an Niklas, der rot geworden war. »Ich muss sagen, der Sprung, mit dem Ihr das Schwein gefangen habt, war eines Akrobaten würdig. Ich schulde Euch einen Gefallen.« Er deutete eine kleine Verbeugung an.

Niklas verbeugte sich ebenfalls und versuchte, seine Verlegenheit zu verbergen. »Verzeiht, wenn ich unhöflich war, Messer Yussuf. Es ist mir eine große Ehre, Euch kennen zu lernen. Wie ich gehört habe, handelt Ihr die besten Diamanten in ganz Venedig und darüber hinaus.«

»Nun, mein junger Freund, ich stamme aus der Heimat der Diamanten, einem Land tief im Süden des Kontinents, den ihr Afrika nennt.

Dort sehen übrigens alle so aus wie ich.« Er zwinkerte verschmitzt mit den Augen, und Niklas errötete schon wieder. »Mir gehört dort ein Gebiet, größer als die Terra Ferma, und von dort kommen die besten und schönsten Steine. So wie der hier.« Er hielt Niklas seine Hand hin, an deren kleinem Finger ein Ring steckte, der den größten Tafeldiamanten trug, den der junge Goldschmied je gesehen hatte.

»Ein herrlicher Stein, Messer! Was für ein Jammer, dass sich der Diamant nicht so bearbeiten lässt wie die anderen Edelsteine. Stellt Euch vor, welches Feuer er hätte, wie er funkeln und glitzern würde, gäbe es nur eine Möglichkeit, ihn zu schleifen.«

Der Juwelenhändler zog eine Augenbraue hoch und fixierte den jungen Mann aufmerksam. »Da habt Ihr wohl Recht, Signor. Das Schleifen mit Korundstaub versagt bei diesem harten Stein fast völlig. Man hört zwar, dass es zu Antwerpen, Brügge und Paris zuweilen mit anderen Methoden versucht wird, doch offenbar mit wenig Erfolg. Die Struktur des Steins lässt sich einfach nicht besiegen.« Er zuckte bedauernd die Schultern. »Aber geschliffen oder ungeschliffen – der Diamant ist für mich der schönste aller Edelsteine. Er symbolisiert Weisheit und Erleuchtung, Reinheit und Klarheit, gewährt Schutz, erhält den Frieden und verhilft zu Macht. Und er besitzt von allen Juwelen die größte Heilkraft. Sein Name leitet sich vom griechischen ›adamas‹ her, was soviel wie ›unbezwingbar‹ bedeutet. Er ist der einzige Stein, der gegen Geisteskrankheiten helfen kann; in Gold gefasst erhöht sich seine Wirkung.« Yussuf bot Niklas einen Pokal dar, der auf einem kleinen Tischchen neben dem Diwan stand. »Hier, nehmt einen Schluck. Wein, in den man über Nacht einen Rohdiamanten gelegt hat, ist ein ausgezeichnetes Stärkungsmittel und gut für die Manneskraft – meine drei Frauen werden Euch das jederzeit bestätigen.«

Niklas trank und sah dabei auf dem Grund des Bechers den kirschkerngroßen Stein.

»Na, da wird sich deine Vanozza aber freuen«, bemerkte der Nano trocken.

Der junge Goldschmied war fasziniert. »Messer Yussuf, darf ich fragen, ob es ein Buch gibt, in dem solche Weisheiten über Juwelen verzeichnet sind? Ich würde gern mehr darüber erfahren.«

Yussuf schüttelte den Kopf. »Nein, Signor Niccoló. Dieses Wissen steckt nur hier«, dabei tippte er an seine Stirn, »und ist über lange Jahre erworben. Vielleicht lasse ich es eines Tages einmal aufschreiben, damit es nicht verloren geht. Wer weiß?«

Dann waren die beiden Freunde entlassen.

»Warum hast du mir nicht erzählt, dass dieser Yussuf ein Mohr ist?«, fragte Niklas den Zwerg, als sie den Palazzo verlassen hatten und an der Riva del Vin entlangliefen.

»Ich dachte, du weißt das«, erwiderte Nazareno schulterzuckend. »Hier in Venedig kennt ihn doch jedes Kind. Er wurde irgendwo in einem sagenhaften Land im Süden des schwarzen Kontinents geboren, als Sohn eines kriegerischen Mohrenkönigs, heißt es. Der Juwelenhändler Tassarini hat ihn als Kind von dort mitgebracht, ob als Gast oder als Geisel, weiß man nicht so genau – jedenfalls war sein Vater Tassarinis Diamantenlieferant. Der Junge blieb bei Tassarini und trat in sein Geschäft ein, und bevor der Alte ohne leibliche Nachkommen starb – das muss jetzt an die zehn Jahre her sein –, hat er ihn formell adoptiert. Seitdem ist Yussuf ein rechtmäßiger Bürger der Serenissima. Und nach Tassarinis Tod hat er ihn beerbt. So, jetzt bist du im Bilde. Und außerdem haben wir wegen der Trüffelsau jetzt bei ihm einen Stein im Brett. Das vergisst er uns nicht. Wer weiß, was uns das mal nützen kann …«

Die beiden schlenderten durch das abendliche Venedig heimwärts ins Castello-Viertel. Im »Stör« herrschte bereits Hochstimmung, als sie ankamen, und sie mischten sich unter die Gäste. Vanozza war in ihrem Element, schenkte unermüdlich Wein aus und schöpfte aus einer gusseisernen Raine große Portionen der Spezialität des Hauses: Baccala, ein würziger Auflauf aus Stockfisch und Gemüse. Niklas ging den ganzen Abend der Juwelenhändler und das, was er über die Diamanten erzählt hatte, nicht aus dem Kopf. Das war auch einer, den es nach Venedig verschlagen hatte, und der hier sein Glück gemacht hatte. Irgendwann würde das auch ihm selber gelingen, daran glaubte er ganz fest.

Später, als er bei Vanozza im Bett lag, verfiel er doch wieder ins

Grübeln. Sie hatten sich geliebt, aber er war nicht richtig bei der Sache gewesen. Jetzt lag ihr Kopf auf seiner nackten Brust, und ihr Zeigefinger umfuhr seinen Nabel, in dem ein Schweißtröpfchen glitzerte.

»Was ist los mit dir, Niccó? Du bist irgendwie seltsam in letzter Zeit. Liegt es an mir? Bedrückt dich etwas?« Sie stützte sich auf den Ellbogen, und ihre nackte Haut glänzte im Schein der Kerze. »Dimmi!«

»Es hat nichts mit dir zu tun, Nozzá, ehrlich. Tut mir Leid, wenn ich dich beunruhigt habe.« Er setzte sich halb auf, lehnte sich an die Rückwand des Bettes und tat einen tiefen, nachdenklichen Atemzug. »Es ist nur ... ich weiß auch nicht, warum, aber ich glaube, in der Werkstatt gehen Dinge vor, die, wie soll ich sagen, nicht redlich sind.«

Vanozza zog die dunklen Augenbrauen hoch. »Was denn für Dinge?«

Niklas hob hilflos die Hände. »Das ist es ja. Ich weiß nichts Genaues, es ist nur so ein Gefühl. Da sind so viele Stücke, die wir fertigen, und die meisten werden nicht verkauft, wie es in einer Goldschmiede üblich ist, sondern von irgendwelchen Leuten abgeholt. Männer, die an meinen freien Tagen in der Werkstatt auftauchen. Offensichtliche Heimlichkeiten, die die anderen Gesellen bereden und plötzlich abbrechen, wenn ich dazukomme. All so was.«

»Vielleicht solltest du darüber mit dem alten Noddino reden?« Vanozza zog mit dem Finger die Linie seiner Lippen nach.

»Hab ich ja. Er sagt, ich bilde mir bloß was ein.«

Sie knabberte an seinem Ohrläppchen. »Na, womöglich hat er ja Recht, und du siehst Gespenster, hm? Sei doch froh, dass du bei Noddino eine gute Arbeit hast, und lass die Grübelei. Wenn irgendetwas an deiner Vermutung dran sein sollte, wirst du's im Lauf der Zeit schon erfahren, no?« Ihre Hand glitt über seine Brust und dann langsam tiefer.

Niklas seufzte und spürte, wie sein Begehren wiederkam. Vanozza hatte Recht. Er küsste sie, zog sie rittlings über sich und glitt mit einem lustvollen, leisen Stöhnen in sie hinein. Er beschloss, die Sache zu vergessen.

Anonymer Brief einiger unbescholtener Bürger an den Nürnberger Rat vom 19. März 1500

An den ernfesten, wolgeborn und weisen Rat zu Nürenberg von etlich frommen, anstendigen Leutten, die das Wol der Stadt im Sinn und die Einhaltung von Gots Gebot zum Beger haben.

Item seit das Fraun Hauß im Mauckenthal wiedrum neu aufgebaut, lassen sich dortten Dinck beobachthen, die wider alle Zucht und Anstand gehn. Alldieweiln die neuen Fenster grosz und auß Glass und nicht wie die altten wintzig und mit Bergament betzogen, können die Nachbarn, die drumundum wonen, in die Schlaffstuben hineinsehn, wodurch sich die gantz Schlechtigkeit und Gottlosigkeith der leichten Weiber und irer brünsttigen Schlaffmänner offenbaret.

Euer ratlich Hertzlichkeit, so wöllen wir Euch alßo antzeigen, dass einig Leutt von der Geistlichkeith die Hurn zu irer leiblich Ergötzung benutzen, was wider alle kirchlichen Regul und auch wider deren Eyd verstösst. Bedencket, wie solln unser Kinder in der Kirchen dem Pfarrer Erfurcht und Lieb entgegen bringen, wenn sie denselben vorher mit blanckem Arss auß dem Fraunhaus haben lauffen sehn?

Zum zweitten, ist zu vermelden, dass der Fraun Wirth, Hanß Kyeßer mit Namen, nach dem groszen Branndt mer Weiber aufgenommen hat, alß ime gestattet ist. Und etlich dißer unzüchtigen Fraun zimmer gehen gegen die Ordnunck auf die Straßen one ihr Hurn Tuch umzulegen, wodurch bald keiner mer erkennen mag, ob ein Weib ein anstendig Bürgersfrau oder ein gemeine Tochtter sey.

Zum lezten und übelsten, wölln wir antzeigen, daß im Fraunhauss auf eine Art und Weiss das leyplich Werck gepflogen wirdt, die abscheulich und eckelhafft ist und allen erbarn und gotsfürchtigen Menschen die Schamröt ins Gesichtt treybet. Wir mögen gar nit vil darvon schreyben, nur eins: Wo der Mann untten und das Weyb oben liget, da geschicht eine Umbkehrung der götlichen Ordnungk; solch unzimblich, lesterlich Sach darff nit von der Obrigkeit geduldet und gepassirt werden. Diße Beywonung wider die Natur lässet, wie durch das Fenßter leichtiglich zu erkennen, ein Weyb zu, das ist fett und garstig und füret auch in der Gassen ein gar liderliche Sprach; sie heisset Zilli, auch

Halbvotz oder Weitloch genannt. Wir unbescholtne Nachbarn und Bürger bitten nun den erbarn und fürsichtigen Rath, das verdorben Weybstück auß dem Fraunhaus abzuschaffen, damit der Ordnungk genüg gethan würdt.

In Besorgniß um die guthen Sitten in der Stadt haben diß geschriben einig erbar und gut beleumundt Bürger und Nachbarn am zweiten Tag nach Gertrudis Anno 1500.

Reichsstadt Nürnberg, Tag des Fests der Heiligen Lanze, 1. Mai 1500

Ein Grüppchen zerlumpter Gestalten machte sich eine Stunde nach Sonnenaufgang auf den beschwerlichen Weg vom Siechkobel Sankt Peter nach Nürnberg hinein. Es waren Männer und Weiber unterschiedlichsten Alters, und sie kamen nur langsam vorwärts. Manche von ihnen hinkten oder gingen an Krücken, manche rollten auf selbst gebastelten Wägelchen oder hatten sich hölzerne Schienen unter die Knie geschnallt, andere waren blind und mussten sich führen lassen. Die Leute mühten sich auf der Fernhandelsstraße, die von Regensburg her kam, bis zum Frauentor, das an diesem Tag schon weit offen stand. Als der Torwart, ein kräftiger junger Mann, bewaffnet mit Schwert und Saufeder, des Grüppchens ansichtig wurde, verzog er sich schleunigst in sein Kabäuschen, machte die Klappe dicht und wartete, bis alle durchgezogen waren. Erst dann verließ er sein Kabuff. Sein Gesicht war aschfahl, und über den Rücken lief ihm immer noch ein Schauer. Denn mit diesen Menschen war das Grauen.

Drinnen auf der großen Straße waren trotz der frühen Stunde schon viele Stadtbewohner unterwegs. Heute nämlich war ein wichtiger Tag: Wie an jedem zweiten Freitag nach Ostern würde am Hauptmarkt die große Heiltumsweisung stattfinden, eines der bedeutendsten Ereignisse im Jahreslauf. Seit nunmehr sechsundsiebzig Jahren war Nürnberg im Besitz der Reichskleinodien, und seitdem zeigte man diese glorreichen Insignien der Kaisermacht, die sonst in der Heilig-Geist-Kirche verwahrt wurden, einmal im Jahr öffentlich dem Volk zur Verehrung. An diesem Festtag war natürlich alles auf den Beinen, was laufen konnte, und auch von außerhalb kamen viele Menschen, manche von weit her, um Krone und Reichsapfel, Zepter, das berühmte Mauritiusschwert, den kostbaren Krönungsmantel und die heilbringenden Reliquien zu sehen. Die Leute versprachen sich nicht nur die Befriedigung ihrer Neugier, sondern Heil und Segen davon, die heilige Lanze, mit der man Jesus am Kreuz die Seite durchbohrt hatte, das Reichskreuz mit Splittern vom Kreuz Christi im Schaft, einen Span von der Krippe des Herrn, Kettenglieder Johannes des Täufers und ein Stück vom Tischtuch des letzten Abendmahls mit eigenen Augen zu sehen. Zu diesem Zweck hatte man auf dem Hauptmarkt eigens ein dreistöckiges, sieben Meter hohes Balkengerüst aufgebaut, auf dem mehrere Geistliche und der Heiltumsschreier Platz hatten.

Das Heiltumsgerüst stand noch leer, als das Grüppchen den Hauptmarkt erreichte. Sobald sich den unheimlichen Gestalten ein Mensch auf mehr als doppelte Armeslänge näherte, knarrten die Rasseln und schepperten die Klappern. Wem bis dahin noch nicht aufgefallen war, wen er da vor sich hatte, der tat einen erschrockenen Sprung und schlug angstvoll das Zeichen des Kreuzes. Mütter rafften hastig ihre Kinder an sich, Junge und Alte wichen zurück. Denn die da kamen, das waren die Bresthaften, die mit bösem Aussatz Geschlagenen, furchtbare Unheilbringer, verstümmelt, beschimpft und verstoßen. Die Krankheit war ansteckend von Mensch zu Mensch, das war jedem bekannt, und die besten Ärzte wussten sie nicht zu behandeln. Wen die Lepra befiel, den tötete sie langsam. Zusammen mit den immer wiederkehrenden Seuchen war sie eine der schrecklichsten Heimsuchungen vor allem der Handelsstädte. Die Menschen wurden grausam von ihr entstellt: Geschwüre wucherten, Finger, Zehen und Nasen faulten ab, Löcher fraßen sich in Lippen und Wangen. Dabei spürten die Kranken, wenigstens dieses war ihnen vom Herrgott vergönnt, keinen Schmerz, Haut und Nerven wurden taub. Um die Befallenen von den Gesunden abzusondern, verbannte man sie aus den Städten in eigens eingerichtete Kobel, wo sie sich gegenseitig pflegen konnten und ein Siechmeister sie betreute. Allein vier davon gab es vor den Toren der Reichsstadt, Sankt Peter war der kleinste von ihnen. Und weil auch die Bresthaften Geschöpfe Gottes waren, bedauernswert und die Ärmsten der Armen, erlaubte man ihnen, an Markt- und Feiertagen zum Betteln in die Stadt zu kommen. Aus allen vier Himmelsrichtungen strebten sie an diesen Tagen herein, um sich an den großen Plätzen und Kirchen aufzuteilen und einzeln eine Stelle zu suchen, wo sie sich lagern und ihre hölzerne Bettelschale aufstellen konnten. Wer immer ihnen, die schon auf Erden das Fegefeuer durchlitten, mitleidig von dem Seinigen gab, der war dem Himmelreich ein Stück näher.

Die Frau mit dem hellen Wolltuch um die Schultern, die sich an einer langen Krücke fortbewegte, war am Ende ihrer Kräfte. Obwohl sie kaum mehr als dreißig Jahre zählen mochte, war ihr langes, strähniges Haar schlohweiß und ihre Bewegungen schienen die einer Greisin. Ihre Lippen hatte die Lepra bis zur Unkenntlichkeit zerfressen, sodass ihre Zähne gebleckt waren wie bei einem Totenkopf, und ihr Blick war schon von der beginnenden Blindheit getrübt. Schon als Kind war sie vom Aussatz befallen worden, und sie kannte kein anderes Leben als das im Siechkobel. Jetzt spürte sie, dass es zu Ende ging. An ihren Händen hingen nur noch Fetzen und Stummel, die Handflächen eine einzige eiternde Wunde. Und neulich Nacht, während sie auf ihrem Strohlager schlief, hatten ihr die Ratten am linken Fuß drei der gefühllosen Zehen bis auf die Knochen abgefressen. Eine Entzündung hatte sich entwickelt, schmerzlos zunächst, bis sie den ganzen Fuß befiel. Der schwoll zur doppelten Größe an, und die Frau fieberte. Dennoch hatte sie sich mit den anderen auf den Weg gemacht – die Leprösen lebten von dem, was sie sich erbettelten, und so war die Entscheidung gewesen, entweder Hungers zu sterben oder unter Schmerzen in die Stadt zu gehen. Nun aber konnte die vom Tod Gezeichnete nicht mehr. Sie versuchte, an der Frauenkirche einen guten Platz zu ergattern, doch dort war schon alles von den Stadtbettlern besetzt, die sie wütend anschrien und mit Steinwürfen vertrieben. Müde schleppte sie sich noch bis Sankt Sebald und ließ sich an der Mauer des Ostchors nieder, ein Häuflein Lumpen. Sie zog das weiße Wolltuch, das ihr eine mitleidige Bürgersfrau beim letzten Bettelzug geschenkt hatte, vors Gesicht und schloss erschöpft die Augen. Von hoch oben am Strebpfeiler des Chors glotzte wie im Hohn die steinerne Judensau auf sie hinunter, an deren Zitzen säugend etliche Juden hingen, Spottbild einer mitleidlosen Zeit. Schüttelfrost und Schwindel überfielen die Lepröse, und in ihren Ohren rauschte es. Sie hörte nicht mehr, wie eine Münze nach der anderen in ihren Holznapf klimperte. Sie spürte auch nicht den Mairegen, dessen warme Tropfen auf ihren zerstörten Körper fielen und die Lumpen durchnässten, die sie am Leibe trug. Als am Abend ihre Schüssel mit Almosen gefüllt war, war sie tot.

Für die Hübschlerinnen war der Tag der Heiltumsweisung einer der anstrengendsten, aber auch lohnendsten des ganzen Jahres. Viele Fremde waren in der Stadt, und für so manchen Schaulustigen von außerhalb gehörte der Besuch des Frauenhauses zum Tagesprogramm. Auch ging es abends überall hoch her, und meist wurden einige der Mädchen ins Sandbad oder zu den einschlägigen Zapfen- und Heckenwirten bestellt. Auch Eva und Cilli waren an diesem Abend im Viertel unterhalb der Kaiserburg unterwegs. Sie waren gemeinsam zu einer Gesellenfeier der Nadler gerufen worden, ein angenehmes Geschäft, da fast nur junge Männer dabei waren, aber anstrengend genug. Als es zur Sperrstunde läutete, verabschiedeten sie sich unter bedauerndem Gejohle der Gäste und machten sich auf den Heimweg.

»Bin ich froh, dass der Tag heut vorbei ist«, schnaufte Cilli, während sie bergabwärts liefen. »Mir tut alles weh.«

»Bist halt auch nicht mehr die Jüngste, gell?« Eva knuffte die Ältere scherzhaft in die Seite. »Na, morgen wird's wieder ruhiger.«

Die beiden gingen schwatzend am Rathaus vorbei, wo im Tanzsaal noch die Kerzen brannten, und überquerten die Gasse zur Sebalduskirche hinüber. Das Licht aus den Rathausfenstern wurde von den bunten Fenstern des Chors reflektiert, und rötliche Schatten tanzten auf dem Weg der Hübschlerinnen. Da bückte sich Eva und hob etwas auf.

»Schau nur, was ich gefunden hab!« Sie hielt ein Stück Stoff hoch ins Licht. »Ein Umschlagtuch oder so was.« Sie befühlte den Stoff und hielt ihn prüfend an ihre Wange. »Hm, weich und fein gewebt. Und so eine schöne helle Farbe, Weiß, glaub ich.«

Cilli schlurfte müde weiter. »Nimm's halt mit und komm. Ich will ins Bett.«

Eva schlang sich das Tuch der Aussätzigen lose um und beeilte sich, der davoneilenden Cilli nachzukommen. Vor der Freundin drehte sie sich einige Male um sich selbst und ließ dabei den feinen Wollstoff um sich flattern. »Cilli, schau doch, wie schön!«

Sie wusste nicht, dass sie mit dem Tod tanzte.

Brief Helenas an Niklas Linck vom 12. Mai 1501

Gottes Lieb und Gruß zuvor, mein Nicklas, und den Schutz aller Heiligen immerdar. Dein lezter Brieff, den ich zur Weihnachtszeyt erhaltten, hats mir mitten im Winter ums Hertz warm gemacht. Wie hab ich hertzlich gelacht über deine Späß mit dem Nazzareno und gestaunet über das, was du vom Reichthum der Stadt Venezia erzälest. Ach mein lieber wie gerne wär ich auch ein mal dort im welschen Landt und säh alles mit mein eignen Augen! Hier zu Nürenbergk ist der Wintter alzu langksam vergangen, mit vil Schnee und arger Kält, aber jetzo kommet das Früjahr mit Macht. Dennoch hat mich ein grosze Melencolia erfaßet, vom Grund will ich dir berichten. Die guthe Mutter, die auch deine Ziehmutter gewesen, hat der Herr in der Osterzeyt zu sich in Himmel geruffen. Lang schon hat sie schwer gelitthen an Schmertzen in den Beynen, war immer geplagt von unbendigem Durst und sovil sie tranck hat sie doch nie gnug gehabt. Der guthe Doctor Schedl hat bey einer Harnschau ir Kranckheyt erkannt, man nennet sie den honigsüessen Harnfluss. Er hat ir Küglein von Kindspech und Aufguß aus Zipressenrinden verordent, aber nichts hat helffen mögen. Durch die Außzerung ist die herzlibe Mutter immer weniger worden und am End unter vil Schmertzen aber im Frieden mit Got und den Menschen verschiden. Wir haben sie nach einer prechtigen Proceßion auf dem Sebalder Friedhoff begraben, wo auch der ältste Sohn unsers Vaters von seiner ersten Frau liegt; der Philipp hat die Leychen Predigt gehalten, so schön dasz alle haben weynen müessen. Der Allmechtige drobn im Himmel sei irer Seel gnedig. Der Vater trauert gar sehr und überladet sich mit Arbeyt, denn jetzo ist er gantz alleyn in seim groszen Hauß. Alle Wochen besuch ich ihn und helff ime so gut es gehet. Hett er unß doch damals zusammenkommen laßen, und mir das Kintlein nit genomen, villeicht wär alles anderß gekommen. Ich kanns ime nit verzeihn was er unß angethan.

Aber laß dir nunmer von meinem Sönlein ertzäln, meim eintzigen Sonnenschein. Ein gantzes Jar ist er jetzo schon altt, und kann schon alleyn gehn. Wie vil Freud er mir machet kann ich kaum schreyben. Ich singk jeden Tagk mit ime alle Lieder die ich kenn, da patscht er in die Hendchen und lachet mit seinen drey Zänlein. Er spielet gern mit höltzern Klötzleyn und Ringlein, und scheppert die Raßel von frue bis spat. Wenn es drauszen warm ist, geh ich mit ime auf der Gassen spatziern, dann entdecket er die Weltt, und auch ich seh sie mit ime gantz neu. Die Amme gibt ime noch Milch, aber er ißet auch schon Brey und Mus mit dem Löffeleyn, damit hat er mich gestern beworffen dasz ich gantz voller Pampp war. Er spricht auch schon Wörtter, die seynd offt so spaßig dasz sogar die garstig Apolonie lachen muss. Ach Niklas, wie wär wol unser Kindlein gwesen?

Grüeszen sol ich dich von unserm Freundt Albrecht Türern, den man inzwischen voll Erfurcht den teutschen Apelles nennet. Die Agnes sein Weyb ist offt bey mir und dem Büblein, ist ir groszes Leid dass sie immer noch nit schwanger worden ist. Der Albrecht ist dertzeit in aller Mundt, hat er doch wiedrum ein Abbildnis seiner selbsten gemalet. Hat schon vor zweien Jarn sein erstes Bildnis, darauff er sich gemalt hat alß sey er ein adliger Herr, für Gered gesorgt, so erst dieses! Er sieht darauff auß wie der liebe Herr Jesus höchstselbig, mit den langen Haarn und dem Bartt, und die rechte Handt helt er als wolle er alle segnen. Bösze Zungen sagen, er helt sich jetzo schon für den Erlöser selber, aber ihn fichtt das nit an. Er saget: Got weisz schon, dasz ich ime nit lestere, sondern zu seiner Ehr mal und stech.

Liber Nicklas jetzo kommet grad die Amme mit dem klein Conrad hereyn, der will mir sein newes Pferdtchen zeygen, das ist niedlich aus geprannten Thon. Ich grüesz dich von Hertzen und schließ dich in meine Gebet ein. Jesus Maria Amen.

Geschriben zu Nurnbergk am Tag Pankrazi anno 1501.

Venedig, September 1501

Es war einer dieser glasklaren, frischen Spätsommermorgen, an denen sich mit Macht der Herbst ankündigt. Die Silhouette der Stadt schwebte scharfkonturig wie mit spitzer Feder gezeichnet zwischen dem eisblauen Himmel und den dunklen Wassern der Lagune. Der Rauch aus unzähligen Kochkaminen stieg kerzengerade in die Höhe, und eine blasse, kraftlose Sonne schien noch, ohne Wärme zu spenden.

Niklas stand auf einer wackligen Leiter und stöberte mit einer kurzstieligen Schaufel in der Dachrinne herum. Wieder einmal hatte ein Taubennest die Rinne aus Hohlziegeln verstopft, und nun tropfte das Wasser direkt über der Eingangstür des »Störs« den Gästen auf die Köpfe. Matteo, der inzwischen fast Zehnjährige, stand am unteren Ende der Leiter und hielt sie fest, während oben Niklas fluchte. Wie alle Venezianer – und so fühlte er sich inzwischen – hasste er die Tauben, die Ratten der Lüfte, die eine echte Plage für die Stadt waren. Vanozza, die in der Stadt aufgewachsen war, empfand einen geradezu panischen Ekel vor den Vögeln; hin und wieder hatte sie regelrechte Albträume, in denen große schwarze Tauben sie verfolgten. Niklas musste sie dann jedes Mal beruhigen und wieder in den Schlaf wiegen.

Das Taubennest steckte fest in der hölzernen Rinne, und Niklas stocherte hartnäckig daran herum. In einigen Metern Entfernung hockte eine kleine Kolonie der gefleckten Vögel auf einem der Nachbardächer und sah mit vorwurfsvollem Gurren dem Werk der Zerstörung zu. Dreck, Strohteilchen, Flaumfedern und Taubenmist rieselten auf die Gasse.

»Beh!« Pippina, die schon mit dem Besen wartete, um alles in den rio zu kehren, wich aus, um nicht von einer aufgebrochenen Eierschale getroffen zu werden.

Endlich kletterte Niklas herunter und lehnte die Schaufel an die Hauswand.

»Matté, Pippina, könnt Ihr das alleine aufräumen? Ich muss zur Arbeit.«

»Nur, wenn du vorher noch mit uns pallone spielst!« Matteo hatte schon den sandgefüllten Lederball in der Hand, den ihm Vanozza genäht hatte, und warf ihn dem jungen Goldschmied zu. Auch Pippina hüpfte um Niklas herum, und der ließ sich nicht lange bitten und spielte eine Zeit lang mit. Es machte ihm immer Spaß, mit den Kindern herumzutollen; die beiden waren für ihn wie jüngere Geschwister und er hing mit großer Zuneigung an ihnen. Vanozza kam mit einem Korb voller Abfälle aus dem Haus, den sie jetzt neben der Tür abstellte. Sie stemmte einen Arm in die Seite und sah zu, wie die drei dem Ball hinterherjagten. Ein Lächeln umspielte ihre Lippen. Man könnte fast glauben, ich hätte drei Kinder, dachte sie. Alle rannten lachend und kreischend auf der Gasse umher, bis Niklas schließlich um die Ecke entwischte.

Gut gelaunt vor sich hin summend lief er am Wasser entlang und überquerte auf einer hölzernen Brücke den Kanal. Er grüßte den alten, zahnlosen Gürtler, der immer schon in aller Herrgottsfrühe mit seinen Lederstreifen auf der Straße saß, die Käsefrau, die, rundlich wie ihre appetitlichen gelben Hartkäselaibe, im Eingang ihres Lädchens stand, den grimmig dreinblickenden Muschelverkäufer, der von einem kleinen Boot aus allmorgendlich seine Ausbeute an Vongole und Cozze anbot. Mit diesem oder jenem wechselte er ein paar Worte, wie es eben üblich war, wenn man seit Jahren tagaus, tagein denselben Weg nahm. Die ersten, noch warmen Herbsttage mochte Niklas besonders gern, sie erinnerten ihn ein wenig an seine Kinderzeit, als er noch mit Leidenschaft Kastanien gesammelt hatte, allerdings andere als die italienischen, die essbar waren und mehligsüß schmeckten.

In der Goldschmiede herrschte schon reger Betrieb, alle Feuer brannten und der Lärm der Schlaghämmer klang hell in den Ohren. Der alte Noddino grunzte, weil Niklas zu spät kam, und winkte ihn sofort zu sich.

»Bist du auch schon da?«, knurrte er, wurde dann aber wieder freundlicher. »Sieh mal, Niccó, ein neuer Entwurf.« Er rollte ein Papier auf. »Eine kleine Schmuckschatulle mit Perlen-, Topas- und Rubinbesatz, und obendrauf der Heilige Sebastian, von Pfeilen durchbohrt, in einem Strahlenkranz. Die Form hat gestern schon Natale fertig gemacht, sie ist ganz brauchbar geworden, aber die Ziselierung wollte ich dir überlassen – die Figur ist recht schwierig, weil sie so klein ist.«

Niklas besah sich die Zeichnung. »Schön.« Er nahm das Blatt, griff sich das Unterteil und den gewölbten Deckel der Schatulle und machte sich an die Arbeit. Sein Platz war direkt neben dem Tisch des Meisters unter dem großen Fenster im vordersten Raum der Werkstatt, während die anderen Goldschmiede in den hinteren Räumen arbeiteten. Er heftete den Entwurf mit Nägelchen neben sich an die Holzwand, griff sich Zirkel und Maßstab und setzte die Markierungen für Steine und Muster auf dem noch jungfräulich glatten Silberblech des Unterteils. Den Deckel mit dem Märtyrermotiv wollte er sich für den Schluss aufsparen. Er arbeitete konzentriert und mit ruhiger Hand, ohne längere Pausen zu machen. Noch vor Mittag hatte er die Unterzeichnung fertig und begann mit den Gravur- und Ziselierarbeiten. Unter Ziselierhammer und Spitzstichel entstanden feinste Ornamente, Rankenmuster und Zickzacklinien, dünn und auf den Millimeter exakt.

»Ecco!« Ippolito, einer der Lehrlinge, stellte zwei Schälchen vor Niklas ab. »Das sind die Besatzsteine für deine Schatulle, Niccó, ich hab sie für dich herausgesucht. Und hier, die vorgearbeiteten Schüsselfassungen, die hat schon der dicke Lazaro gemacht. Du musst nur noch die Steine einlegen und alles auflöten. Die Perlen kommen erst morgen.«

»Va bene.« Niklas, dem schon vom Ziselieren die Finger wehtaten, beschloss, zwischendurch zur Erholung ein paar Juwelen zu fassen. Er fing mit dem größten Stein an, einem blutroten, sechseckigen Rubin von der Größe eines Taubeneis, und setzte ihn vorsichtig in ein Schüsselchen mit gerundetem Unterkörper. Wurde das Schüsselchen nun über kleinem Feuer erhitzt, so ließen sich die Seiten über den Facetten andrücken und an den Ecken kleine Krallen formen, die den Stein noch zusätzlich festhielten. Der Rubin sah nun aus wie der glitzernde Mittelpunkt einer Blüte mit runden Blättern. Niklas legte ihn zum späteren Anlöten auf die Seite und suchte sich mit einer Pinzette den nächstgrößeren Rubin, diesmal einen rund gemugelten. Doch auf dem Weg vom Schälchen auf das Arbeitsleder rutschte die spitze Pinzette an der glatten Oberfläche ab, und Niklas verlor den Stein. Er kollerte über den Arbeitstisch bis zum Rand und fiel mit leisem Klicken auf den Steinboden. Niklas schnalzte ärgerlich mit der Zunge und bückte sich vom Hocker aus, um den Rubin zu suchen, sah ihn aber nirgends. Schließlich stand er auf, machte einen Schritt zur Seite und – es knirschte unter seinem linken Stiefel, ein unschönes, hässliches, knackendes Geräusch.

Niklas zuckte zusammen und erstarrte. Verdammt! Er war mit dem genagelten Absatz seines Stiefels auf den Rubin getreten. Langsam und vorsichtig hob er den linken Fuß: Auf der steinernen Bodenplatte lag nur noch ein Häufchen winziger roter Splitter!

»Maria vergine«, entfuhr es ihm leise. Er war kein Experte in Steinkunde, aber er wusste sofort, was das zu bedeuten hatte. Nie und nimmer würde ein echter Stein so in tausend Stücke zerbersten. Er hatte versehentlich eine Fälschung zertreten!

Ob dieser Erkenntnis musste er sich erst einmal wieder hinsetzen. In seinem Gehirn arbeitete es. Hatte man der Werkstatt falsche Steine untergeschoben? Er griff wahllos in das Schälchen, nahm einen weiteren kleinen Rubin mit Eselsrückenschliff heraus und legte ihn auf die Arbeitsplatte. Dann wog er den Hammer in der Hand, holte tief Luft und und schlug mit geschlossenen Augen zu. Der Schlag ließ den Stein mit Leichtigkeit in Stücke springen. Niklas wurde weiß um die Nase. Er sah sich um – Noddino war nicht da. Der junge Goldschmied wollte gerade aufspringen, um seinen Meister zu informieren, als er in der Bewegung stockte. Was ging hier wirklich vor? Niklas hatte schon lange nicht mehr an seine alte Vermutung gedacht, dass in der Goldschmiede irgendetwas nicht stimmte, er hatte den Verdacht, die Ahnung von Gefahr einfach verdrängt. Und tatsächlich hatte er im Lauf des letzten Jahres nichts Ungewöhnliches mehr bemerkt. Jetzt fiel ihm alles wieder ein, was ihm damals seltsam vorgekommen war. Ihm war zwar nicht klar, wie diese Dinge mit den falschen Steinen zusammenpassten, aber eins wusste er jetzt: Da war etwas faul! Er war wütend, zornig auf sich selbst, weil er sich damals von Noddino so leicht hatte abspeisen lassen, und zornig auf seinen Meister, der ihn offensichtlich für dumm verkaufen wollte. Mit einem leisen Fluch warf er den Hammer hin, den er immer noch in der Hand hielt. Was konnte er tun?

In diesem Augenblick schlurfte Noddino in den Raum, setzte sich an sein niedriges Schreibpult, brachte die Augen dicht ans Papier und fing an, mit seinem Silberstift Zahlen zu kritzeln.

Niklas holte einen weiteren Rubin aus seinem Steinevorrat und ging zu dem Alten hinüber.

»Habt Ihr einen Augenblick Zeit, Maestro?«

Noddino sah von seinem Geschreibsel auf. »Was gibt's denn, mi figlio?«

»Der Stein hier – meint Ihr nicht auch, dass die Färbung irgendwie ungewöhnlich für einen Rubin ist? Dieser Schatten ins Purpurne, und eine ganz leichte Trübung …« Er hielt seinem Meister den Rubin in der offenen Handfläche hin.

Noddino stutzte, dann zog er den Sehstein aus geschliffenem Bergkristall aus der Tasche, den er immer bei sich trug, und begutachtete den Rubin lange und von allen Seiten. Schließlich schüttelte er den Kopf.

»Ich kann nichts Besonderes daran finden. Ein herkömmlicher Rubin eben.« Er hielt Niklas den Stein wieder hin.

»Seid Ihr ganz sicher?« Niklas blieb beharrlich.

Noddino drückte seinem Gesellen den Rubin in die Hand und griff wieder zu seinem Silberstift. »Was soll das, Niccó? Natürlich bin ich mir sicher. Mein Leben lang hab ich solche Steine verarbeitet. So schlecht meine Augen sind, aber eine Fälschung würde ich noch aus drei Fuß Entfernung erkennen, da kannst du Gift drauf nehmen.«

Niklas' Finger schlossen sich um den Rubin. Irgendetwas sagte ihm, dass sein Meister log. »Und wenn der Stein doch falsch ist? Maestro, ich habe Euch vor langer Zeit schon einmal gefragt: Gibt es etwas, das ich nicht weiß?«

Die Miene des Alten hatte sich bei Niklas' Worten verfinstert. Eine Zeit lang antwortete er nicht; dann begann er, weiter an seinen Zahlenreihen zu schreiben. Schließlich stieß er einen leisen Fluch aus und warf den Stift hin.

»Maledetto, Niccó. Dein Argwohn hat einen langen Atem. Es wäre besser, wenn du dich um deine eigenen Angelegenheiten kümmern würdest. Wenn du Steine zum Verarbeiten bekommst, dann steck sie gefälligst in eine Fassung und löte sie dort an, wo sie hingehören. Alles andere ist nicht dein Problem. Du bist nur mein Gehilfe, vergiss das nicht. Sei froh, dass ich dich damals als Fremden ohne Zeugnisse überhaupt angenommen hab. Tu deine Arbeit, dann bin ich mit dir zufrieden – und du weißt, dass ich dich nicht schlecht bezahle. Alles andere geht dich nichts an, non ti preoccupi, hai capito? Vergiss dieses Misstrauen, das ist besser für dich, glaub mir. Hör auf, herumzuschnüffeln. Und denk dran: Bei uns in Venedig endet so mancher, der mehr weiß als gut für ihn ist, im Kanal. Mit einem Messer im Rücken. E basta!«

Er machte mit der Hand eine abgehackte Geste, die Niklas deutlich signalisierte, dass dies sein letztes Wort zu diesem Thema war. Dann stand er mühsam auf und schlurfte in den Nebenraum, wo er sich leise murmelnd am Feuer zu schaffen machte.

Niklas blieb stehen und wusste nicht, was er denken sollte. So hatte der Alte noch nie mit ihm gesprochen! Das war nicht der Noddino, den er kannte. Nachdenklich ging Niklas zurück zu seiner Werkbank und legte den Rubin auf die Steinplatte. Einen Moment zögerte er noch, dann nahm er mit schnellem Entschluss den Hammer und schlug zu. Der Stein zerbarst – und mit ihm Niklas' Glaube an seinen Meister.

Der junge Goldschmied fühlte sich wie vor den Kopf geschlagen.

In all diesen Jahren hatte er Noddino verehrt – obwohl er natürlich wie alle anderen wusste, dass der Alte ein Problem mit dem Wein hatte und ohne seinen griffbereiten Becher nicht arbeiten konnte. Dennoch war er immer noch ein Künstler von besonderem Rang und ein hervorragender Lehrer. Niklas war immer von ihm bevorzugt worden, und er wusste, dass er handwerklich der Beste unter Noddinos Gesellen war. Er hatte sich sogar Hoffnungen darauf gemacht, einmal die Werkstatt übernehmen zu können, wenn Noddino in einigen Jahren ganz und gar erblindete. Und nun dies! Niklas wusste nicht, warum ihn sein Meister belog. Doch eines hatte er begriffen: Die letzten Sätze Noddinos waren eine Warnung gewesen, wenn nicht sogar eine Drohung. Aber so würde er sich nicht abfertigen lassen, ganz bestimmt nicht! In Niklas regte sich so etwas wie Trotz. Er beschloss, herauszufinden, was hier gespielt wurde, auch wenn er sich selbst dabei in Gefahr bringen sollte.

Er zwang sich, mit dem Ziselieren der Schatulle bis zum Feierabend weiterzumachen. Dann verließ er zusammen mit den anderen Goldschmieden die Werkstatt. Unter seinem Hemd versteckt trug er ein kleines Säckchen mit den Rubinen und Spinellen, die für die Schatulle bestimmt waren.

Es glitzerte auf dunklem Samt: Zwölf haselnussgroße afrikanische Diamanten lagen auf dem Stoff verstreut wie Sterne auf einem dunklen Nachthimmel. Sie waren nicht die einzigen Juwelen im Raum; in Beuteln und Schatullen befanden sich hunderte der kostbaren Steine, gelagert in großen Truhen mit komplizierten Schlössern. Auf dem Boden standen offene Säcke mit weniger wertvollen Schmucksteinen: violette und grüne Turmaline, blau-beige gemaserte Achate, hellblaue Topase, orangefarbene Citrine, große Brocken Bergkristall, milchigroter Rosenquarz, tiefschwarze Obsidianstücke. Hölzerne Schalen enthielten Perlen in allen Größen und Formen, in flachen Körben lagen Zweige dunkelroter Korallen. All dies lagerte in der Schatzkammer des Diamantenhändlers.

Yussuf der Mohr begutachtete die zwölf Diamanten unter seiner Juwelierslupe, einem rund gefassten, glasklar geschliffenen Bergkristall.

Was er sah, schien ihn nicht zufrieden zu stellen, denn er schüttelte ein paar Mal den Kopf und machte dann ein verächtliches Geräusch mit seinen Lippen. Dann wandte er sich an den riesenhaften Muskelprotz, der abwartend neben ihm gestanden hatte.

»Ettore, geh in die Halle hinunter zu Ser Pozzuoli und sag ihm, dass die Steine nicht mehr als sechs Dukaten wert sind. Wenn er einverstanden ist, lass ihm die Summe auszahlen, wenn nicht, kann er sie wieder mitnehmen.«

Der Leibwächter, der Yussuf aus Sicherheitsgründen immer ins Allerheiligste begleitete – ein zweiter blieb vor der Tür postiert –, machte sich auf den Weg, während sein Herr noch den Inhalt einiger Säcke begutachtete. Langsam, fast liebevoll glitten seine Finger durch rundgemugelte Türkise, betasteten zu Oktogonen geschliffene Saphire und fuhren streichelnd über noch dunkle Rohdiamanten. Juwelen waren, wenn er ehrlich war, seine einzige Liebe. Natürlich, seine drei Frauen ... allesamt schön wie die Huris des Paradieses, mit makellosen Körpern, duftender Haut, lockenden Lippen, immer bereit, ihn zu verwöhnen, zu lieben ... aber seine Leidenschaft galt ihnen nur, solange ihr Körper ihm Lust bereitete. Auch seine Kinder, acht an der Zahl, die einen rabenschwarz, die anderen braun oder von der Farbe heller Bronze, bedeuteten ihm viel, auch wenn es zu seinem Leidwesen nur Mädchen waren. Aber sein eigentlicher Lebensinhalt, das, was ihn trieb, was ihn Tag und Nacht beschäftigte, waren die Steine. Dort, wo er geboren war, tief im schwarzen Kontinent, hatte man ihm die Ehrfurcht vor der unbelebten Materie beigebracht, eine fast religiöse Haltung gegenüber den Dingen, die die Natur hervorbrachte. Und Steine waren für Yussuf ihr kostbarstes Geschenk. Er handelte mit ihnen wie ein Priester mit Reliquien. Und er wusste alles über sie. In ihm vereinten sich das Wissen seiner Vorfahren mit dem der Muselmanen und dem des Abendlandes, ein Schatz, der ihn zum reichsten Juwelenhändler Venedigs gemacht hatte, zusammen mit der Tatsache, dass er allen ein absolut ehrlicher und vertrauenswürdiger Handelspartner war.

»Herr.« Der Leibwächter war zurück. »Messer Pozzuoli akzeptiert den Preis.«

»Gut.« Yussuf nickte und schüttete die Diamanten in ein Säckchen. »Was noch?«

»Ein junger Goldschmied wartet unten. Er sagt, sein Name sei Nicoló Lincko, Ihr kennt ihn angeblich. Er sei einer der zwei Männer, die Euch einmal ein Trüffelschwein gefangen haben …«

Yussuf runzelte die Stirn, bis ihm die Sache mit der Sau wieder einfiel. »Ah, giá, mi ricordo. Führ ihn ins Kontor, Ettore, ich schließe die Kammer noch ab und komme dann gleich.«

Niklas kam sich wieder einmal arm und schäbig vor, während er durch Yussufs Palazzo ins Arbeitszimmer geführt wurde. Dort angekommen, stellte er sich vor eines der Spitzbogenfenster und sah auf den Canal Grande hinaus. Der Blick von hier aus war atemberaubend schön. Auf dem Wasser tummelten sich Lastbarken, Boote und vornehme Gondeln; eine Kriegsgaleere glitt unter majetätischem Ruderschlag am Rialto vorbei. Häuser, Türme, Kirchen und Palazzi bildeten dazu die pastellfarbene Kulisse, und ganz am Ende des Dächermeers sah Niklas die sonnenbeschienenen Kuppeln von San Marco aufglänzen.

»Die herrlichste Stadt der Welt, nicht wahr? Ich würde nirgendwo anders leben wollen.« Mit diesen Worten trat Yussuf der Mohr auf seinen Gast zu. »Es ist mir eine Freude, Euch wiederzusehen, Signor.«

Niklas drehte sich um und verbeugte sich höflich. »Die Freude ist ganz meinerseits, Messer Yussuf. Ich hoffe, ich störe Euch nicht bei wichtigen Geschäften?«

Yussuf winkte lächelnd ab und wies auf den breiten Besucherstuhl, der vor seinem riesigen Schreibtisch stand. »Accommodatevi, Signor, und dann erzählt mir, was ich für Euch tun kann.« Er selber ließ sich auf dem geschnitzten afrikanischen Thron auf der anderen Seite des Tisches nieder. Tapsende Pfoten waren zu hören, und Niklas fühlte sich aus zwei gelben Augen anvisiert.

»Moca!« Yussuf schnippte mit den Fingern, und der Leopard legte sich neben seinen Herrn. An seinem Halsband glitzerte es.

»Ja, also«, Niklas wusste nicht recht, wie er beginnen sollte, »es ist so: Ein Freund von mir hat kürzlich eine Partie Edelsteine gekauft. Ich habe mir gestern die Steine angesehen, und … wie soll ich sagen? …

ich bin mir nicht sicher, ob sie echt sind. Und da mein Meister nicht mehr so gut sieht ...«

»... habt Ihr Euch daran erinnert, dass Yussuf der Mohr Euch noch einen Gefallen schuldig ist, é vero?«

Niklas nickte erleichtert. »Genau.«

»Habt Ihr die Juwelen dabei?« Yussuf fischte schon in der Tasche seines Kaftans nach der Lupe, als Niklas ein Beutelchen hervorzog. Vorsichtig schüttete er die Juwelen auf ein Stück schwarzen Samt, das auf dem Tisch lag.

Der Diamantenhändler hielt sich mit der einen Hand den Sehstein vors Auge und stupste mit dem Zeigefinger der anderen Hand die Rubine und Chalzedone an, während er sie begutachtete. Nach kaum einer halben Minute legte er die Lupe wieder weg, sah Niklas mitleidig an und drehte in einer beinahe anbetenden Geste die offenen Handflächen Richtung Himmel.

»Alle falsch!«, kommentierte er mit einem bedauernden Lächeln.

»Alle?«

»Alle.«

»Kein Einziger echt?«

Yussuf schüttelte betrübt den Kopf. »Kein Einziger.«

Die Bestätigung seines Verdachts ließ Niklas nun doch blass werden. Langsam wurde ihm klar, dass er tatsächlich in etwas hineingeraten war, was ihn Leib und Leben kosten konnte! Yussuf schob seinem Besucher grinsend eine Weinkaraffe und einen Pokal hin.

»Nehmt einen Schluck, junger Freund, damit ihr wieder Farbe bekommt, und dann sagt mir: Was habt Ihr für das Zeug bezahlt?«

Niklas riss sich zusammen – jetzt durfte er sich nicht verplappern. Er machte eine verneinende Geste. »Nicht ich, Messer, mein Meister hat die Steine gekauft. Von einem Händler irgendwo im Canareggio-Viertel.«

»Na dann.« Yussuf wirkte beinahe erleichtert. »Selber schuld, wenn er bei dubiosen Leuten einkauft, Euer Meister. Richtet ihm aus, das nächste Mal soll er wieder zu mir kommen. Ich bin zwar nicht der Billigste, aber dafür ist meine Ware garantiert einwandfrei.«

Niklas konnte seine Neugier nicht mehr zügeln. »Messer Yussuf, darf ich fragen, woran ihr erkannt habt, dass die Juwelen nicht echt sind?«

Anstatt zu antworten, führte Yussuf seinen Besucher ins Nebenzimmer. Unter einem großen Fenster stand hier eine breite Werkbank mit den verschiedensten Apparaturen, einer kurbelbetriebenen Schleifscheibe, Gläsern, die irgendwelche Flüssigkeiten enthielten, und Werkzeug aller Art. Der Mohr legte einen der falschen Steine auf ein Samttuch, dann holte er aus einer Lade einen weiteren roten Stein und platzierte ihn daneben.

»Das hier ist ein echter Rubin«, erklärte er und drückte Niklas dabei die Lupe in die Hand. »Seht und vergleicht!«

Niklas studierte die beiden Steine lange. »Ich sehe, dass der echte Stein ein anderes Funkeln besitzt, wie in sternförmigen Strahlen, während die Fälschung einen gleichmäßigeren, stumpferen Glanz hat. Fast möchte man glauben, dass der Rubin das Licht, das auf ihn fällt, in einzelnen Teilen glitzernd zurückgibt, der andere Stein aber das Licht eher verschluckt.«

Yussuf sah den jungen Goldschmied mit plötzlichem Interesse an. »Complimenti, Signor Lincko, das habt Ihr gut gesagt. Die Strahlkraft macht den Unterschied. Mit ein bisschen Erfahrung erkennt man auch ohne Vergleich einen falschen Rubin.«

»Die Farbe allein ist also kein Anhaltspunkt?«

Yussuf winkte ab. »Oh nein, überhaupt nicht. Es gibt hellrote Steine mit einem Stich ins Gelbe, und es gibt dunkle, die ins Violette gehen. Die einen nennen wir weibliche, die anderen männliche Rubine. Da sind die Übergänge fließend. Am kostbarsten sind die von der Farbe des Taubenbluts.«

Der Händler geriet ins Dozieren, was ihm aber sichtlich Spaß machte. »Wenn man ganz sicher gehen will, kann man noch eine Ritzprobe durchführen. Der Rubin gehört zu den Korunden, das sind nach dem Diamant die härtesten Steine. Mit einem Rubin muss sich ein Topas oder ein Quarz mühelos einritzen lassen – mit einer Fälschung niemals. Manchmal wird ein Spinell, Granat oder roter Turmalin für einen Rubin ausgegeben. Dies kann man durch eine Schwimmprobe entdecken: In den meisten Flüssigkeiten schwimmen diese Steine oben oder gehen nur langsam unter, während der Rubin schnell sinkt. Und die Hitzeprobe ist am sichersten: Hält man einen Rubin ins Feuer, so zerspringt er nicht wie manche minderwertigere Steine, sondern er wechselt die Farbe. Erst glüht er; beim Abkühlen wird er zuerst weiß, dann grün und am Ende wieder rot. Das ist bei keinem anderen Stein der Fall.«

Niklas war fasziniert vom Wissen des Mohren. »Und um welche Fälschung handelt es sich nun bei meinen Rubinen? Granat? Turmalin?«

Der Juwelenhändler lachte, dass seine Zähne blitzten. »Viel schlimmer. Glas!«

»Diu!« Niklas war ehrlich entsetzt, während Yussuf nur mit den Schultern zuckte. »Drüben in Murano gibt es mehr als einen Glasbläser, der sich nebenher etwas dazuverdient. Sogar Perlen können die inzwischen gut und billig aus Glasfluss fälschen – früher hat man dafür noch mühsam Fischaugen mit Glimmer belegt ...«

Der Händler führte Niklas zurück ins Kontor und drückte ihm die mitgebrachten Steine wieder in die Hand. »Nehmt das wertlose Zeug wieder mit, Signor, und werft es am besten in den nächsten Kanal. Es tut mir Leid, dass ich Euch keine bessere Auskunft geben kann.«

Niklas akzeptierte nur ungern, dass er nun gehen musste, er hätte dem Mohren noch stundenlang zuhören können. Und plötzlich kam ihn eine gewagte Idee. Er beschloss, alles auf eine Karte zu setzen; mehr als eine Abfuhr konnte er sich nicht einhandeln.

»Ich danke Euch, Messer Yussuf«, erwiderte er. »Ihr habt mir sehr geholfen.« Er räusperte sich. »Darf ich zum Abschluss noch eine Bitte äußern?«

Yussuf hob die Augenbrauen, und so fuhr Niklas fort.

»Ich habe nichts, was ich Euch geben könnte, Messer, das weiß ich, und dennoch möchte ich Euch bitten: Bringt mir bei, was Ihr über die Edelsteine wisst. Als Goldschmied gibt es nicht viel, was ich noch zu lernen hätte, aber von Steinen fehlt mir jegliche Kenntnis. Ich würde Euch ein gelehriger Schüler sein, Messer.«

Der Mohr runzelte die Stirn. »Nun, Signor Lincko, ich weiß nicht recht ...«

»Ich könnte alles aufschreiben, was Ihr mich lehrt. Die Wissenschaft von den Juwelen, wie nur Ihr sie beherrscht.« In Niklas' Stimme schwang Leidenschaft.

Yussuf sah seinen jungen Besucher lange an. Er mochte diesen aufgeweckten Burschen. Ehrgeiz, Mut und Klugheit konnte er in seinen Augen erkennen. Aber eine solche Abmachung führte zu weit. Wie kam er dazu, einen wildfremden Mann – gesú, noch dazu einen Deutschen! – in die Geheimnisse der Steine einzuweihen! Nein, das war ein zu unverschämtes Ansinnen.

»Mein lieber Signor Lincko, ich denke nicht, dass es meine Zeit erlaubt, Eurer Bitte zu entsprechen. Vielleicht solltet Ihr es in einer der Schleifereien am Canale versuchen. Dort gibt es einige Meister mit großen Kenntnissen.«

Niklas hatte eigentlich nicht ernsthaft mit einer Zusage gerechnet. Es tat ihm schon wieder Leid, dass er überhaupt gefragt hatte. »Entschuldigt, Messer, meine Bitte war nicht angemessen. Danke, dass Ihr mir Eure Zeit geopfert habt. Arrivederci.«

Er verbeugte sich tief. Auf dem Weg zur Tür bückte er sich, um den Leoparden, der ihn mit geschmeidigen Bewegungen hinausbegleitete, im Nacken zu kraulen. Das Tier ließ ihn hoheitsvoll gewähren und sah ihm aufmerksam nach, wie er in Begleitung eines Dieners zum Ausgang marschierte. Dann lief der Leopard zu seinem Herrn zurück, der ihm nachdenklich den Kopf tätschelte und dann leise in einer fremden Sprache mit ihm redete.

Später am Abend besuchte der Mohr seine erste Frau in ihren Privatgemächern, wie es seit langen Jahren seine Gewohnheit war. Caterina war eine Venezianerin aus gutem, wenn auch nicht bestem Hause. Ihm zuliebe hatte sie vor fünfzehn Jahren, als er sie geheiratet hatte, den Glauben des Propheten angenommen. Sie war nicht nur schön, mit vollem dunkelbraunem Haar und schwarzen Augen wie Obsidiane, sondern außergewöhnlich klug und geistreich. Später hatte Yussuf zwar noch zwei weitere Frauen geheiratet, ein blondes, zierliches Mädchen aus dem Trentino und eine seiner vielen Cousinen, die ihm aus seiner Heimat geschickt worden war, dies aber nur, um mit ihnen einen männlichen Erben zu zeugen – Caterina hatte ihm in den ersten Jahren nur Mädchen geboren. Nachdem auch die anderen beiden Frauen keine Söhne zur Welt brachten, nahm Yussuf diesen Ratschluss Allahs als gegeben an. Er behielt die beiden mit ihren Töchtern im Haus, aber keine konnte Caterinas Platz einnehmen, auch wenn sich jetzt bei ihr die ersten grauen Haare zeigten und ihr Körper nicht mehr straff und glatt war wie einst.

Jetzt lagen beide auf weichen Kissen und genossen die laue Meeresbrise, die sacht durch die Fensteröffnungen hereinwehte. Yussuf knackte Pistazien, während Caterina die süßen roten Kerne aus einem reifen Granatapfel löffelte.

»Capitan Sudetta ist heute mit seinem Schiff eingelaufen«, erzählte Yussuf beiläufig. »Stell dir vor, er hat außer den bestellten Rohdiamanten fünfundzwanzig Straußeneier und zehn Säcke mit Meeresnüssen mitgebracht.«

»Wunderbar.« Bevor sie Yussuf kennen gelernt hatte, war Caterina wie alle anderen Europäer davon überzeugt gewesen, dass Straußeneier die Eier des legendären Wundervogels Pelikan seien, der seine Jungen mit eigenem Blut nährte. Sie wurden gewöhnlich in Gold aufgewogen, ebenso wie die Kokosnüsse, die allgemein für die Früchte einer unbekannten Meerespflanze gehalten wurden und denen man die Kraft nachsagte, jegliches Gift unschädlich zu machen. Man arbeitete sie zu teuren Trinkgefäßen und Medikamentendosen um.

Caterina schnitt einen weiteren Granatapfel in zwei Hälften. »Ich habe heute einen jungen Mann aus deinem Kontor kommen sehen ...«

Yussuf fegte ein paar Pistazienschalen von seinem Kaftan. »Ach ja, ein junger Goldschmied aus dem Castello-Viertel, netter Kerl. Erinnerst du dich an das Trüffelschwein, das entwischen wollte? Er hat es eingefangen, zusammen mit diesem Zwerg, der öfters mit mir Geschäfte macht.«

»Und was wollte dieser Schweinefänger heute von dir?«

»Man hat ihm falsche Steine angedreht und er brauchte mein Gutachten. Außerdem, denk dir, hat er darum gebeten, ich möge ihm mein

Wissen über Edelsteine beibringen. Er würde als Gegenleistung alles als Buch niederschreiben.«

Caterina räkelte sich. »Nun, und was sagst du?«

»Ich habe abgelehnt. Schließlich kenne ich ihn so gut wie gar nicht.«

Sie schürzte die Lippen. »Ein Buch über Juwelenkunde könntest du natürlich alleine schreiben.«

»Natürlich könnte ich das.« Das kam im Brustton der Überzeugung.

»Aber bisher hast du's nicht getan.«

»Hm.« Yussuf lehnte sich stirnrunzelnd zurück und verschränkte die Arme im Nacken. Die beiden schwiegen eine Weile. Schließlich setzte sich der Mohr wieder auf und begann, seine Fingernägel zu reinigen. »Moca hat sich von ihm anfassen lassen.«

»Ach ja?« Sie hob erstaunt die Brauen und ließ für einen Augenblick Löffel und Frucht sinken. Dann verfielen sie wieder in vertrautes Schweigen. Nach ein paar Minuten fragte sie, ohne ihn dabei anzusehen: »Ist dir schon aufgefallen, dass Tiere manchmal ein ganz besonderes Gespür für Menschen haben?«

Eine Woche später klopfte ein kleiner dunkelhäutiger Junge mit riesigem blauem Turban und roten Pluderhosen an die Tür des »Störs«. Als Vanozza öffnete, ratterte er lispelnd und ohne abzusetzen seine Nachricht herunter: »Eine Botschaft des hochedlen Yussuf il Moro, Diamantenhändler am Rialto, für Signor Lincko, den deutschen Goldschmied. Er soll sich morgen zwei Stunden nach Sonnenaufgang im Palazzo meines gnädigen Herrn einfinden. Für Papier und Tinte ist gesorgt.«

Hinten im Schankraum machte Niklas einen kleinen Luftsprung.

Nürnberg, Januar 1502

Der Winter war bitterkalt, und seit Wochen schon versank die Stadt im Schnee. Eisige Stürme fegten übers Land und brachten immer wieder Kieselschauer, die mit leisem Prasseln auf die krummen Dächer niedergingen. Keinen Hund jagte man noch auf die Straße, geschweige denn, dass man selber vor die Tür gegangen wäre. Nur der Kirchgang und die wichtigsten Besorgungen trieben die Menschen nach draußen, und in den Häusern versammelte sich alles um die Küchenherde oder die wenigen Kachelöfen. Das Wasser wurde in den Krügen zu Eis, und das Schmalz war durch die Kälte so hart, dass es sich nicht mehr aufs Brot schmieren ließ. In den Wohnungen der Armen, die keine Heizmöglichkeit besaßen oder sich nicht genug Holz leisten konnten, spielte sich das Leben die meiste Zeit in den Betten ab, auch wenn die Strohsäcke faulig und die Laken klamm waren. Auf den Straßen erfroren die Bettler.

Cilli saß der Frauenwirtin gegenüber und spannte mit beiden Händen braunes Wollgarn auf, das Gunda mit gleichmäßigen Bewegungen zu einem Knäuel wickelte. Es war Abend, und die Wirtsstube fast leer. Seit die Kälteperiode eingesetzt hatte, war wenig los im Frauenhaus. Kaum einer hatte Lust, sich durch Wind und Schnee zu kämpfen, um ins Maukental zu kommen, und die Kaufmannszüge blieben bei diesen Wetterbedingungen ohnehin aus. Hans Kiesers Laune verschlechterte sich von Tag zu Tag. Sein Dienstvertrag mit der Stadt verpflichtete ihn dazu, die Hübschlerinnen ordentlich zu verpflegen und unterzubringen; dafür zahlten ihm die Weiber den größten Teil ihres Hurenlohns. Nahmen die Frauen nichts ein, weil keine Kunden kamen, so musste Kieser sie trotzdem durchfüttern, und das raubte ihm den Nachtschlaf. Auf sein Geheiß hin durfte Gunda seit Wochen keinen Speck mehr in den Eintopf tun, und zum Frühstück und Mittagessen gab es nur noch trocken Brot und wässrigen Getreidebrei. Cilli litt besonders unter dieser Sparmaßnahme. Ihre Extravorräte an Rauchfleisch, Krautwürsten und Rosinen, die sie immer unter ihrem Strohsack aufbewahrte, waren lang schon aufgebraucht. Ständig knurrte ihr der Magen, und ihre Stimmung war gereizt.

»Wenn's draußen nicht bald wärmer wird, sterb ich noch vor Hunger«, beschwerte sie sich, während Gunda unerschütterlich ihr Knäuel wickelte.

»Da sieht man, wie hartgesotten die Mannsbilder wirklich sind«, meinte die Wirtin, »kaum fällt im Winter eine Schneeflocke, ist ihnen das bisschen Weg ins Frauengässchen zu unangenehm.«

»Nicht mal die Stammkunden kommen mehr.« Cilli machte ein verächtliches Geräusch in der Kehle. »Waschlappen und Eckenfurzer, allesamt.«

Kieser hockte sich zu den beiden Frauen, eine Decke um den Oberkörper geschlungen.

»Zwei Schlafmänner waren's heut bloß«, grunzte er verdrießlich und kratzte sich am Hinterkopf. Er legte die Laus, die er zutage gefördert hatte, vor sich auf den Holztisch und knackte sie mit dem schmutzigen Nagel seines Daumens.

»Wenigstens das Geziefer plagt einen nicht mehr so«, meinte die Frauenwirtin, ohne von ihrer Arbeit aufzusehen. »Bei der Kälte verrecken sogar die Läuse und Flöhe, und die Wanzen fallen tot von der Wand.«

»Pfft.« Cilli stieß die Luft zwischen den Zähnen aus. »Ich tät mich lieber wieder am ganzen Körper kratzen als ständig bloß Mehlpampf und dünne Erbsenbrühe zu löffeln. Horch her, Kieser, das kannst du nicht mit uns machen, dass du uns nicht anständig zu Essen gibst. Wir kriegen ja auch nie was Besseres, wenn wir den ganzen Tag ohne Pause die Beine breit machen.«

Kiesers Augen wurden zu kleinen Schlitzen. »Jetzt werd ich dir mal was sagen, du fette Kuh: Du verfrisst bei mir schon lang mehr, als du verdienst. Ist dir schon mal aufgefallen, dass deine Kunden immer weniger werden, he? Du wirst langsam alt und unansehnlich, und kaum einer verlangt noch nach dir. Also pass auf, was du sagst, sonst überleg ich's mir und hol mir eine Jüngere.« Mit diesen Worten stand er auf und verschwand in der Küche.

Cilli ließ sich nichts anmerken, aber sie war tief getroffen. Was der

Frauenwirt gesagt hatte, ließ sich nicht leugnen: Schon lange war sie nicht mehr so gefragt wie früher. O ja, da gab es noch ein paar treue Stammkunden, die sie schon seit Jahren bediente, aber neue Schlafmänner blieben aus. Es stimmt, ich bin alt und hässlich, dachte sie, bald will mich gar keiner mehr. Cilli merkte, wie ihr der Mund trocken wurde, und sie hatte auf einmal furchtbare Angst. Der Kieser brachte es noch fertig, sie hinauszuwerfen, und was dann? Betteln gehen als Sundfegerin? Versuchen, auf dem Sand oder dem Judenbühel als Winkelhure weiterzumachen? Cilli hatte keine Verwandten, keine Menschenseele würde sich um sie kümmern. Sie wusste, dass außerhalb des Frauenhauses ein Leben in bitterer Armut, Schmutz und Elend auf sie wartete. Reiß dich zusammen, Cäcilia, bloß nicht rührselig werden. Cilli zog lautstark den Rotz hoch. Sie würde schon durchkommen, irgendwie, wenn es soweit war. Ächzend ließ sie die Arme mit der Wolle sinken und legte das Garn auf dem Tisch ab.

»Ich geh auch ins Bett, Gunda.« Ihre Stimme klang dünner als sonst.

Die Frauenwirtin sah sie mit dem Versuch eines Lächelns an.

»Nimm's nicht ernst, Cilli. Der Hans sagt viel, wenn er schlechte Laune hat.« Aber sie wusste, dass das nicht stimmte.

Cilli stieg schnaufend nach oben, wo die meisten Frauen schon schliefen. Nur in Evas Kammer flackerte es noch hell, und die Tür war leicht angelehnt. Als Cilli vorbeiging, hörte sie Eva von drinnen flüstern. »Cilli, bist du das?«

Sie trat ein. Evas Stübchen lag in der Nordwestecke des Hauses und war das kälteste von allen. In der Zimmerecke glitzerte weißer Reif auf der grünen Tünchfarbe. Die Frauen nannten das den Schneekönig. Das Waschwasser in der Schüssel war gefroren, und das kleine Fenster voller Eiskristalle. Eva saß im Bett, mit einer Spiegelscherbe in der Hand. Neben ihr auf dem Sims stand ein rußendes Talglicht.

»Schläfst du noch nicht?« Cilli setzte sich zu Eva aufs Bett.

»Ich kann nicht«, das Mädchen blies sich in die Hände. »Mir ist zu kalt, und ich hab Hunger. Du, Cilli, ich muss dir was zeigen.« Sie krempelte einen Ärmel hoch und hielt der Älteren die Innenseite ihres Unterarms hin. »Da.«

Cilli nahm das Licht und sah hin. In der Mitte zwischen Handgelenk und Ellbeuge waren zwei beinahe kreisrunde weiße Flecke zu erkennen.

»Und da. Das kommt bestimmt von der Kälte.« Eva hielt ein paar helle Haarsträhnen weg und zeigte mit Hilfe des Spiegelscherbens auf eine Stelle an ihrer Schläfe. Auch hier ein länglicher weißer Fleck mit festen Umrissen.

Barmherzige Muttergottes.

Cilli wurde von maßlosem Entsetzen gepackt. Sie musste sich mit aller Macht beherrschen, um nicht aufzuspringen und aus der Kammer zu laufen. Noch einmal und noch einmal zwang sie sich, hinzuschauen, um sich zu vergewissern, dass sie sich nicht täuschte. Der ahnungslose, unschuldige Blick der Freundin drückte ihr Herz und Kehle ab. Als Kind in Prag hatte sie schon einmal so etwas gesehen und den Anblick nie wieder vergessen. Jetzt war ihr auch klar, warum Evas Stimme seit einiger Zeit so rau und belegt klang. Sie atmete einmal durch und versuchte, ruhig zu bleiben.

»Das zeigen wir schnell der Gunda. Die ist noch auf«, brachte sie mühsam heraus. »Komm.«

Leise, um die anderen nicht zu wecken, gingen sie nach unten.

Die Frauenwirtin saß noch am Tisch. Mit der Handfläche rollte sie kleine Kügelchen aus Kohlblättern, Kohlsamen, zerquetschter Alraune und getrockneten Skammoniablättern, die sich mit Zedernöl und dem Saft der Trauerweide zu einem klebrigen, festen Brei vermischten. Sie hatte das Rezept kürzlich einem Händler abgekauft, der es aus einem spanischen Bordell mitgebracht und erzählt hatte, dass die spanischen Huren auf dieses Verhütungsmittel schworen, das vor dem Geschlechtsverkehr in die Scheide eingeführt werden sollte.

Gunda sah Cillis Gesichtsausdruck und hörte sofort mit dem Rollen und Kneten auf. »Was ist los? Ist eine schwanger?«

Cilli schüttelte den Kopf. »Nein, Gunda. Aber schau dir das an.«

Gunda genügte ein sekundenlanger Blick auf Evas Unterarm. Sie sprang auf, dass ihr Schemel polternd umfiel, und wich bis zur Wand zurück. Panische Angst stand ihr in den Augen, als sie Eva anstarrte. Dann begann sie, das Vaterunser zu murmeln.

Eva sah Cilli verständnislos an. Erst als auch Cilli die Hände faltete und mit erstickter Stimme in die Litanei mit einfiel, begriff sie. Ihr Schrei gellte durchs Haus, zerriss die nächtliche Stille des Frauengässchens und verlor sich über den Dächern im weißen Gestöber.

»Da oben muss das Klötzchen hin, schau!«

Helena saß mit dem nun schon bald zweijährigen Konrad auf dem Boden in der geheizten Stube und baute geduldig ein Häuschen nach dem anderen. Die Holzdielen in der Spielecke waren mit weichen Lammfellen belegt, um die Kälte abzuhalten, die von den ungeheizten Lagerräumen im Erdgeschoss hochstieg. Weil die Wärme des Feuers im Kachelofen kaum ausreichte, trug die junge Patrizierin ein pelzgefüttertes Kleid über wollenen Untersachen, und der Kleine steckte in einem knöchellangen Kinderkleidchen, das innen ebenfalls fellbesetzt war. Er hatte sich zu einem munteren, temperamentvollen Kind entwickelt, gesund und meistens fröhlich, und sprach zum Stolz seiner Eltern schon die ersten Sätze. Jetzt griff er nach einem viel zu großen Holzteilchen und setzte es auf den wackligen Unterbau – der Stapel schwankte gefährlich, neigte sich zur Seite, und alles purzelte hin. Prompt setzte zorniges Gebrüll ein.

Helena lachte über den hochroten Kopf des Kleinen. »Na komm, mein Bürschle, wir versuchen's noch mal!« Sie begann, die Klötzchen zu sammeln.

»Will nicht«, heulte Konrad.

»Schau, da ist das Pferdchen!« Helena wedelte mit dem tönernen Tier vor Konrads Nase herum. Der tat noch einen kurzen Schniefer, griff sich dann das Figürchen und ließ es auf dem Boden hopsen.

Es klopfte. Die Tür ging einen Spalt auf, und eine Handpuppe lugte lustig bimmelnd um die Ecke, ein bunter Kasper mit Glöckchen an der Mütze.

»Ei, ist wer daheim?«

Helena sprang auf. »Philipp!« Sie wandte sich an ihr Söhnchen. »Der Onkel Philipp ist da! Komm ins Warme, Bruder!«

Der Mönch trat ein und überreichte dem Kleinen den Kasper. »Der lag draußen im kalten Flur ganz alleine auf einer Truhe und wollte zu dir, da hab ich ihn mitgebracht.«

Helena schenkte einen Becher aus dem Topf mit heißem Würzwein ein, der immer griffbereit auf dem Kachelofen stand.

»Hier, du musst ja ganz ausgefroren sein.« Sie setzten sich an den klobigen Tisch, während der Kleine zufrieden am Boden mit seinem Kasper spielte. »Was führt dich her bei der Kälte?«

Philipps Blick verdüsterte sich. »Ich muss gleich zu einer Totenmesse in die Sebalduskirche und wollte vorher zu euch hereinschauen.«

»Oh.« Helena runzelte die Stirn. »Wer ist denn gestorben?«

»Niemand, den du kennst.« Philipp nahm einen vorsichtigen Schluck des heißen Getränks. »Das heißt, eigentlich ist gar keiner gestorben. Es kommt wieder einer nach Sankt Peter.«

Helena schauderte. »Schrecklich.« Sie schlug das Kreuzzeichen. »Wie viele seid ihr jetzt da draußen?«

Philipp rechnete kurz nach. »Vierzehn, und der Siechmeister. Aber Schwester, ich wollte eigentlich über etwas anderes mit dir reden. Ist dein Mann daheim?«

Helena verneinte. Konrad verbrachte regelmäßig viel Zeit am Hof des Ansbacher Markgrafen, wo er ein gern gesehener Gast war, nicht zuletzt weil er dort großzügig Geld verlieh und Geschenke verteilte.

»Dann kann ich frei heraus sprechen. Lene, in der Stadt hört man so einiges. Der Konrad, heißt es, sitzt jeden Abend in der Herrentrinkstube und spielt um viel Geld. Angeblich war er schon des Öfteren in Schlägereien verwickelt. Man munkelt, dass er sich mit übel beleumundeten Weibern abgibt. Ich sage dir das alles, weil ich finde, du solltest Bescheid wissen.«

Helena lachte bitter und winkte mit beiden Händen ab. »Ach Philipp, das weiß ich schon lang. Aber was soll ich tun? Ich bin die Letzte, von der sich der Konrad etwas sagen lässt. Soll ich ehrlich zu dir sein? Mein Mann verbringt seine Abende lieber mit seinen Kumpanen und billigen Weibstücken als mit mir und seinem Sohn – und ich bin froh drum. Jeder Tag, an dem er nicht daheim ist, ist ein guter Tag. Diese Ehe war ein Fehler, von Anfang an.«

Philipp sah die Traurigkeit in ihren Augen. »Ist er nicht gut zu dir?«

»Oh, mir fehlt es an nichts, mach dir keine Sorgen.« Helena straffte den Rücken. »Ich hab den Kleinen, der ist mein großes Glück. Und der Konrad, den muss ich halt ertragen.« Sie versuchte ein kleines Lächeln, das ihr nicht recht gelang.

Philipp sah seiner Schwester forschend ins Gesicht. »Wenn du Hilfe brauchen solltest, dann lass es mich wissen, versprichst du mir das?«

Sie nickte. »Dank dir für deine Anteilnahme, Bruder. Jetzt geh nur zu deiner Messe. Dort braucht jemand deinen Beistand dringender als ich.«

Als Philipp sich verabschiedet hatte, saß Helena noch lange am Tisch und verbarg das Gesicht in den Händen. Sie hatte sich ihm gegenüber nicht anmerken lassen wollen, wie unglücklich sie in Wirklichkeit war. Noch hatte sie ihren Stolz, auch wenn die Ehe mit Konrad für sie immer mehr zur Qual wurde. Seine Lieblosigkeit und Kälte taten ihr jeden Tag aufs Neue weh. Sonst behandelte er sie nicht schlecht; schließlich war sie die Mutter seines Sohnes. Und sie wusste, was ihre Aufgabe war: Den Haushalt ordentlich zu führen, bei Einladungen zu repräsentieren, den Kleinen zu erziehen und sich nicht in Konrads Geschäfte einzumischen. Und ihn in ihr Bett zu lassen. Das fiel ihr am schwersten, aber es war nun einmal sein Recht, bei ihr zu liegen, und ihre eheliche Pflicht, ihm zu Willen zu sein. Oh, er tat ihr nicht weh, forderte nichts Unschickliches von ihr. Sie versuchte, so oft es ging eine Ausrede zu finden, und wenn es nicht gelang, so zwang sie sich, ihn ihren Widerwillen nicht spüren zu lassen. Natürlich wollte er, dass sie endlich wieder schwanger würde. Viele Kinder waren der Stolz eines jeden Mannes, sicherten die Fortdauer des Handelshauses und ein angenehmes Alter. Helena kannte genug Frauen, die in schöner Regelmäßigkeit ein Kind nach dem anderen auf die Welt brachten, wie zum Beispiel Agnes Dürers Schwiegermutter, die im Lauf ihres Lebens 18 Kinder geboren hatte. Es hieß ja, eine solche Fruchtbarkeit sei der Beweis für die Liebe zwischen den Ehegatten. Dann, so dachte Helena bitter, wundert es mich, dass ich überhaupt schwanger geworden bin. Sie sah hinüber zu dem kleinen

Konrad, der inzwischen mit einem bunt bemalten hölzernen Hahn spielte. Der hob den Kopf.

»Mama, komm, der Gockel will nicht fressen.«

Sie lächelte und kauerte sich neben ihn auf den Boden.

Die Sebalduskirche war kaum besetzt, als Philipp den Chor durch die Sakristei betrat. Das war kaum verwunderlich; niemand wollte mehr als unbedingt nötig mit einem Aussätzigen in Kontakt kommen. Meist war außer den Geistlichen und einigen wenigen Neugierigen nur die Familie des Betroffenen anwesend. Philipp ließ seinen Blick über die Bankreihen schweifen und erstarrte. Da saßen auf der Männerseite Hans Kieser, der Frauenwirt, neben ihm Linhart, der leise wimmernd den Oberkörper vor- und zurückwiegte. Aus dem Mundwinkel lief ihm der Speichel, den er ab und zu mit der Hand wegzuwischen versuchte. Gegenüber in den Frauenbänken saß bleich wie ein Geist Gunda, daneben Cilli mit rot geränderten Augen. Hinter ihnen erkannte der Mönch in Zweier- und Dreiergrüppchen sämtliche Hübschlerinnen aus dem Maukental. Er ertappte sich dabei, dass er Anna suchte, doch sie war nicht dabei. Die Gesichter aller Frauen waren von Schrecken und Trauer gezeichnet, die Augen auf die schmale Gestalt gerichtet, die still und mit ausgestreckten Armen bäuchlings auf den Steinplatten des Mittelgangs lag.

Philipps Herz setzte einen Moment lang aus. Lieber Heiland, lass es nicht die Anna sein, flehte er stumm, alle, nur sie nicht! Dann erkannte er das Mädchen an einer Strähne dünnen, blonden Haares, die im Nacken unter dem Kopftuch hervorlugte. Die kleine Eva! Er schämte sich der Erleichterung, die ihn befiel, und ihm wurde die Kehle eng. Die Messe begann.

»Memento mori – Gedenke des Todes!«, rief der Pfarrer, und helle Glöckchen läuteten die gespenstische Zeremonie ein. Alle sahen ihn in diesem Augenblick vor sich, den schauerlichen Knochenmann, als weißes Skelett, als Schnitter Tod, als teuflischer Spielmann zum Reigen, in der Hand Sense, Stundenglas oder Fiedel. Und aller Lippen formten lautlos die rituellen Worte des Totentanzes mit, die nun langsam und mit bleischwerer Stimme gesprochen wurden.

»Oh Mensch, sieh wie du thust,
wann in der Erd du faulen must.
Warstu noch so hoch oder weys,
du mußt werden der Würmer Speys.
Wir wissen weder Zeyt noch Stundt,
morgen todt, heut noch gesundt,
nyemand weiß seins Lebens Frist
die nit mer denn ein kleins Weilchen ist.
Wir warten des, daß nyemand sicht,
daß uns Hertz und Leben zerpricht.
Mensch, kehr von Sünden und ruf an
Mariam die dir helffen kan.
Geb Gott dein Seel, er dir sie gab,
so kommstu an den Jüngsten Tag.«

Media vita in morte sumus. Dieser Satz des Dichtermönchs Notker von Sankt Gallen, begriff Philipp in diesem Moment, galt wohl für niemanden so sehr wie für einen Aussätzigen. Sein Leben war verwirkt in dem Augenblick, da die Krankheit an ihm entdeckt wurde. Dennoch würde es viele Jahre dauern, bis der Tod wirklich kam, trostlose Jahre des Dahinsiechens ohne jede Hoffnung außer der auf Erlösung und ein Eingehen ins Himmelreich. Philipp wusste nur zu genau, was Eva bevorstand. Als er an die Kanzel trat, um gemäß seines Amtes als Seelsorger von Sankt Peter den Gottesdienst mit einer Predigt zu beenden, fühlte er tiefe Trauer angesichts des furchtbaren Schicksals, das dieses Mädchen getroffen hatte. Mit rauer Stimme sprach er zum Trost die Worte aus der Offenbarung des Johannes, die das Paradies verhießen.

»... und ich sah einen neuen Himmel und eine neue Erde. Und die Heilige Stadt Jerusalem sah ich herniedersteigen aus dem Himmel her von Gott, wie eine Braut bereitet, für ihren Mann geschmückt. Und ich hörte eine mächtige Stimme vom Thron her, die sprach: Die Menschen werden Gottes Volk sein, und Er wird bei ihnen sein, und Er wird jede Träne trocknen aus ihren Augen ...«

Jemand schluchzte auf, während Eva reglos dalag und alles über sich ergehen ließ. Dann war es soweit: Ein dumpfes, verzweifeltes Stöhnen entrang sich der Brust der Liegenden, als ihr der Sebalder Pfarrer das uralte Verdikt entgegenschleuderte – »Sei tot für die Welt!«

Philipp schauderte es. Schließlich beteten alle den Rosenkranz, hundertfünfzig Mal die Worte des »Gegrüßet seist du Maria«, dazwischen das Vaterunser. Ave Maria gratia plena, pater noster qui es in caelis, Ave Maria – ein endloses Murmeln, das die Kirche bleischwer erfüllte. Irgendwann war es vorbei, der Schlussgesang wurde angestimmt, und der Pfarrer tippte die Ausgestoßene mit einem langen Stab an die Schulter. Das Mädchen erhob sich mit den schwerfälligen Bewegungen einer Greisin. Sie schien Philipp um Jahre gealtert. Mit ausdruckslosem Blick sah sie den jungen Mönch an, der nun zu ihr getreten war. Langsamen Schrittes folgte sie ihm bis vor das Portal, während hinter ihnen Messdiener Schalen mit allerlei Räucherwerk schwenkten, um die Kirche zu reinigen. Draußen lag bereits die hölzerne Rassel auf dem Pflaster, Insignie des Elends und letzte Gabe einer Gesellschaft, deren Mitglied Eva nun nicht mehr war. Sie bückte sich mechanisch, um das Gerät aufzuheben. Von nun an war sie in den Augen der Menschen tot, ein lebender Leichnam, verbannt und verstoßen. Wie in Trance folgte sie Philipp, der mit einem einfachen hölzernen Kruzifix in der Hand vor ihr herging, durch die bitterkalten Gassen der winterlichen Stadt. Als sie den einsamen Siechenkobel vor den Toren erreichten, fing es an, in schweren Flocken zu schneien.

Brief des Niklas Linck an Helena Heller vom 23. März 1502

Gottes Gruß zuvor, liebe gute Lene, und eine schöne heylige Osterzeitt. Du schreybst, dass du wissen möchst, wie es mir in der Werckstatt ergeet, seit dem ich die falschen Steyn entdeckt hab und dass du Sorg hast umb mich. Wie du weißt, hab ich meim Meister nit gesagt, dass ich bei Jusuff dem Mohrn war. Ich wollt warthen, ob ich ander Hinweys fändt, mir zu verrathen was hinther meim Rückhen vorgeet.

Doch es ist wie verhexet, je mer ich Augn und Ohrn aufsperr, desto wenger erfar ich. Frag ich die andern Geselln, zuckhen sie die Schultter, so wissen sie enttweder nichts oder wolln nichts sagen. Mit Meyster Nodino mag ich nit mer reden, bevor ich nit genaures weyß. Er gehet immer noch freundtlich mit mir umb, aber die Freundtschafft ist nit mer die selbe wie früher. Ach, Lene, bey jedem Steyn, den ich einsetz, frag ich mich, ob er denn ächt sey! Um Weynacht herumb war ich so untzufriedn, daß ich an andrer Stell umb Arbeyt nachgefragt hab, aber gantz one Glückh. Dabey schien's mir so alß ob die andern Meyster mich gar seltzam ansahn, wenn ich ertzelt hab, daß ich auß der Werckstatt Bottini komm. Villeicht weiln sie wissen, daß er seufft, vileicht aber auch weiln sie wissen, daß etwas dortten nicht rechtens sey. Ich weyß es nit.

Mein Unglückh mildert, dass Nodino mich seit ein par Monath die besten und schwierigsten Arbeyten thun lässt, was mir rechte Freud macht. Auch darff ich nunmero vil mer eigen Entwürff machen als vorher und die Stückh sogar selbsten verkauffen. Mein Lon hat er auch erhöhet. Kurtz nach Befana, das ist das welsche Dreikönigk, hat er den Matteo, Vanozzas Sohn, als Lehrbub aufgenommen und mir beygeben, der ist zwar ein rechter Spassvogel, aber gelerig und ich hab vil Freud an ime. So bleyb ich halt und mach weitter wie bishero. Recht stoltz bin ich auf ein schönes Tragkreutz für Processiones, das ich nach eignem Entwurff neulich gemacht hab und das gar schwierigk zu fertigen war. Er ist bestellet worden von eim Cardinale aus Roma, und mein Meyster sagt, der grosze Mann war voll des Lobs über mein Werck. Zum ersten Mal hab ich auch mit eim Straußen Ey gearbeit, ich hab's zu einer Ziborien für Hostien gemacht. Es ist außen gantz rau und hat ein dicke Schaln, die aber nit einfach zu bohrn ist. Ich hab's innen leer bekommen – das gebratne Ey hat gewiß ein Mann drey Tag satt gemacht! Weißt du noch, mein Lene, wie wir alß Kinder immer am Fluß die Enten-Eyer gesucht und dann in der Küchen Ochsenaugn drauß geschlagen haben?

Einß machet mir aber die gröszte Freud, das ist meine Zeytt bei Jußuff dem Mohrn. Jeden Sontag geh ich zu ime, da hab ich frey, und für die Muselmanen ist das keyn Feyertagk. Dann ertzelt er mir von all dem verschiednen Edelgesteyn, wie man's erkennt, woher es kömmt, wie man's verarbeytt, aber auch welche Krafft ime innewont, und was es heilen kann. Das schreyb ich brav auff wie ein Schüler. Der Mor ist mir ein rechtter Freundt worden, er spricht mir auch offt von seyner Heimat, dem groszen Landt Africa, wo es Meere gantz von Sandt gibt und gar seltzame Thiere und Pflantzen. Die gantze Wochen freu ich mich auf dieße Stundten. Wie du alßo ersehn kannst, must du gar keyn Sorg umb mich haben, sey des genzlich gewiss.

Lieb Helena, du schreybst mir niemals von deim Ehgatten, das dünkt mich seltzam. Ist er denn so garstig oder dumm dass du nit von ime ertzälen magst? Hab keyn Angst, daß ich dan traurigk bin, schau es ist nunmero sovil Zeyt vergangen, und auch ich hab's ja mit der Vanozza nit schlecht getroffen und bins wohl zufriden. Blühn bey euch schon die Bäum, wenn mein Brieff ankommt? Manches Mal hab ich noch Sensuchtt nach der Heymat, grad im Früling – das war immer mein libste Zeyt, wenn alles blüt und gedeihet und draußn die Lufft wieder warm ist. Hier in Venezia haben wir schon rechte Hitz, dass man one Hemd und Schuh gehn kann. Ich grüß dich von Hertzen und hoff das es dir und den Deinen guth ergeet.

Geschriben am Tag vor cena domini anno 1502.

Nürnberg, April 1502

Es ging auf Mitternacht zu. Flackerndes Kerzenlicht tauchte die Kammer in rötlichen Schein, der sich in den Butzenscheiben der kleinen Fenster spiegelte. Mehrere Kohlebecken, auf denen Büschel von Salbei, Rosmarin und anderen Kräutern glommen, spendeten Wärme und erfüllten den Raum mit durchdringendem Räucherduft, der scharf in die Nase stieg und von Krankheit und Siechtum kündete. Das Kind lag mit fiebernasser Stirn in seinem Bettchen und atmete schnell. Der kleine Brustkorb hob und senkte sich, und bei jedem Atemzug kam ein leises Wimmern. Gesicht und Körper glühten und waren übersät mit roten Punkten und Pusteln. Alle Frauen des Haushalts waren noch wach. Helena saß auf der Bettkante, murmelte tröstende Worte und tupfte dem Kleinen die Stirn mit einem kühlenden Tuch ab. Apollonia hockte am Fußende und machte unablässig kalte Wickel, die die Hitze aus dem kleinen Körper herausziehen sollten. Die junge Mina kauerte auf einem Schemel in der Ecke und betete ein Vaterunser nach dem anderen, während Adelheid, die neue Köchin, drunten in der Küche werkelte, um einen weiteren Aufguss aus Lindenblüten zu brauen.

Dem kleinen Konrad ging es schlecht. Vor vier Tagen hatte er das erste Mal über Unwohlsein geklagt, und kurz darauf hatten sich die ersten Flecken auf Gesicht und Brust gezeigt. Es waren die Frieseln, die derzeit überall in der Stadt umgingen und für Unruhe sorgten, eine Krankheit, die, wie man wusste, meist Kinder befiel und oft epidemisch auftrat. Die trockene Hitze fuhr dann in die kleinen Körper, ließ alle Säfte verdorren und das Blut dick werden, verwirrte die Sinne und machte alle Glieder schmerzen. Dass die Körpersäfte verdorben waren, zeigte sich an den Flecken und Pusteln, durch die das Schlechte versuchte, nach außen zu dringen und den Körper zu verlassen. Alle bewährten Hausmittel und Arzneien, die Helena zu Anfang angewendet hatte, hatten versagt, genauso wie eine reinigende Purgation und schließlich der Aderlass aus der Kopfader, den Doktor Schedel gestern vorgenommen hatte. Das Fieber fiel zwar morgens, stieg aber jeden Abend unaufhaltsam wieder an, und das Kind wurde schwächer und schwächer.

Helena hatte in den letzten Tagen kaum geschlafen, ihre Augen waren vor Müdigkeit und vom Weinen rot gerändert. Jedermann wusste, dass mit den Frieseln nicht zu spaßen war; der Doktor hatte auf ihre Frage, wie schlimm es stand, ehrlich geantwortet, dass Konrad schwer krank war. Viele Kinder, das wusste auch Helena, waren in den letzten Wochen schon an der Krankheit gestorben; die Angst lag wie ein schwerer Druck auf Helenas Brust. Den ganzen Tag hatte sie trotz Adelheids Drängen nichts zu sich genommen, sie brachte einfach kein Essen hinunter. Der Anblick des kleinen fiebergeschüttelten Körpers und Konrads Jammern und Weinen schnürten ihr die Kehle zu.

Gegen Abend hatte Helena sich keinen Rat mehr gewusst und schweren Herzens den Pfarrer von Sankt Sebald kommen lassen, um Konrad vorsorglich die letzte Ölung zu erteilen. Der Geistliche hatte versprochen, auf dem Rückweg bei den Nonnen von Sankt Klara vorbeizugehen und das Fieber wegbeten zu lassen, worauf ihm Helena eine großzügige Spende für das Kloster mitgegeben hatte.

Kurz vor dem Mitternachtsläuten klopfte es, und Hartmann Schedel trat ein. Er war schon am Mittag da gewesen, aber der Zustand des Jungen hatte ihm keine Ruhe gelassen, und so war er noch einmal vorbeigekommen. Die Anwesenheit des grauhaarigen, immer freundlichen und verständnisvollen Arztes war Helena ein Trost.

»Irgendwelche Veränderungen?« Er zog den Mantel aus und warf ihn über den nächsten Stuhl.

Sie schüttelte müde den Kopf. »Ach Doktor Schedel, die kalten Wickel helfen auch nicht. Was können wir denn noch tun?«

Schedel zog Helena sanft vom Bett des Kleinen weg, zwickte sein Brillengestell auf den Nasenrücken und untersuchte ihn sorgfältig. Das Kind war zu schwach für einen weiteren Aderlass, und ein abführendes Mittel schien ihm ebenfalls nicht mehr angebracht. In Augenblicken wie diesem verfluchte er die Unzulänglichkeit der medizinischen Wissenschaft, die ihn dazu zwang, hilflos zuzusehen ohne etwas ausrichten zu können. Er deckte Konrad, der alles apathisch hatte über sich ergehen lassen, wieder mit dem dünnen Leinlaken zu und stand auf.

»Habt Ihr den letzten Harn aufgehoben?«

»Hier.« Helena reicht ihm ein bauchiges, dünnwandiges Glas mit gelblichem Inhalt. Der Arzt sah sich die Flüssigkeit lange und konzentriert an, roch an der Öffnung und tauchte dann einen Finger hinein, um zu schmecken.

»Nicht anders als gestern und heute Mittag.« Er öffnete das Fenster und leerte das Uringlas hinaus. »Ich glaube, wir bewegen uns auf die Krisis zu, sie wird irgendwann im Lauf der Nacht erreicht sein.«

Helena stand mit gefalteten Händen da. Die Knöchel traten weiß hervor, und ihre Lippen zitterten. »Was bedeutet das?«

Schedel fuhr sich mit beiden Händen über die müden Augen. »Die

Krisis ist der Punkt, an dem Krankheiten, die mit trockener Hitze einhergehen, ihre stärkste Ausprägung erreichen. Entweder bricht dann das Fieber und fällt, oder der Mensch stirbt.«

Helena schluchzte auf, und Schedel legte mit ernster Miene tröstend den Arm um sie.

»Ihr seid eine starke Frau, Hellerin. Solange der Mensch lebt, muss man hoffen. Bleibt bei dem Kleinen, träufelt ihm regelmäßig den Kräuteraufguss auf die Lippen, sprecht mit ihm, erzählt ihm von schönen Dingen. Der Herrgott weiß, wie schwer es mir fällt, Euch das zu sagen, aber ich will aufrichtig zu Euch sein: Ich kann nichts mehr für ihn tun. Die Medizin ist hier am Ende. Das Leben Eures Kindes liegt jetzt allein in Seiner Hand. Morgen früh bei Sonnenaufgang bin ich wieder da, und wenn der Allmächtige will, ist es dann überstanden. Betet für Euren Sohn, Helena.«

Er ging, und Helena lauschte seinen schweren Schritten, bis sie draußen auf der Gasse verhallten. Eine Weile stand sie wie gelähmt. Es konnte doch nicht sein, dass Gott ihr das Liebste auf der Welt nahm! Sollte das immer noch die Strafe für ihre fleischliche Sünde sein? War ihre Ehe mit Konrad nicht schon Buße genug? Warum strafte der Allmächtige sie so? Lieber Gott, flehte sie, ich bitte dich, nimm mich, und lass mein Kind leben! Ihre Gedanken drehten sich im Kreis, während sie verzweifelt wieder ihren Platz am Krankenbett einnahm und dem Kleinen, der sich inzwischen unruhig hin und her wälzte und wirres Zeug flüsterte, die heiße Stirn kühlte.

Kurze Zeit später rumpelte es lautstark im Flur. Die Tür ging auf, und Konrad Heller trat ins Zimmer. Selbst Apollonia rümpfte die Nase, als sie den Alkohol roch.

»Wie steht's?« Er warf einen kurzen Blick auf seinen Sohn.

Helena stand auf und ging zu ihm. »Ach Konrad, schlimm. Der Doktor Schedel fürchtet, dass er stirbt.« Ihre Stimme zitterte.

Konrad bekreuzigte sich. »Du hast ja unbedingt jeden Tag mit ihm spazieren gehen müssen, wo es noch so kalt war. Die Apollonia hat's mir erzählt. Jeder weiß, dass das nicht gut ist.«

Apollonia, die immer noch am Fußende des Bettchens saß, nickte mit verkniffenen Lippen, während Helena den Kopf senkte, damit keiner ihre Tränen sah. Wie oft hatte sie sich diesen Vorwurf in den letzten Tagen schon gemacht!

Derweil hatte Konrad Umhang und Schuhe ausgezogen und zog nun das Hemd aus dem Hosenbund. Er schwankte leicht, und ein deutlich hörbarer Rülpser drang aus seiner Kehle. »Weißt du, Helena, wir sind ja nicht das erste Paar, dem das Erstgeborne wegstirbt. Du bist ja Gott sei Dank jung und strotzt vor Gesundheit, da kannst du noch viele Kinder auf die Welt bringen.«

Helena machte eine abwehrende Geste. »Du redest, als ob der Konrad schon tot wär!« Sie schlug hastig das Kreuzzeichen.

»Ei, so hab ich's nicht gemeint, sei doch nicht so empfindlich, Weib.« Er rollte mit den Augen. »Ich will ja auch nicht, dass mein Sohn stirbt, und ich versteh schon, dass dich das mitnimmt. Einer Mutter kommt's immer schlimm an, wenn sie ihr Kind verliert.« Er langte ihr mit beiden Händen an den Busen und flüsterte in ihr Ohr: »Ich versprech dir, ich mach dir ganz schnell ein neues.«

Sie schlug seine Hände weg und starrte ihn an. »Lieber Gott, wie kannst du nur an so etwas denken? Hast du gar kein Herz?« Noch nie hatte sie Konrad so verabscheut wie in diesem Moment. Fast musste sie würgen, so widerte er sie an.

»Papperlapapp.« Er ging zur Tür und stolperte dabei über seinen Schuh. »Wenn ein Kind stirbt, muss halt das nächste her, das war schon immer so. Ein Mann wie ich braucht einen Erben, und ein Weib alle Jahre einen dicken Bauch. Komm jetzt ins Bett, es ist spät.«

»Ich bleib hier, Konrad. Der Bub braucht mich.«

Er fasste sie mit betrunkenem Grinsen um die Schulter. »Die Loni macht das genauso gut wie du. Schließlich hat sie mich großgezogen, und ich bin immerhin nicht gestorben!«

»Nein!« Sie versuchte, aus seiner Umarmung zu schlüpfen.

»Mach mich nicht zornig, stures Weib.« Konrad wurde wütend. Er bekam einen ihrer langen Zöpfe zu fassen, wickelte ihn um sein Handgelenk und zwang Helenas Kopf schräg nach hinten.

»Geht nur, Hausfrau.« Mina, die den Wortwechsel von ihrem Schemel in der Ecke aus verfolgt hatte und die Not ihrer Herrin sah, war rasch herangetreten. »Ich und die Apollonia schauen auf den

Kleinen, verlasst Euch auf uns. Wenn was ist, komm ich gleich und hol Euch.«

Helena wusste, dass es keinen Sinn hatte, sich Konrad zu widersetzen, wenn er betrunken war. Sie warf einen letzten verzweifelten Blick auf ihr Kind und ließ sich dann aus dem Zimmer ziehen.

In der Schlafkammer hatte der Stubenknecht schon den Röhrenleuchter angezündet und die Läden geschlossen. Während Konrad sich seiner Kleider entledigte, ließ sich Helena so wie sie war aufs Bett sinken und schloss die Augen. Sie war unendlich müde. Plötzlich spürte sie Konrads Hände auf ihrem Körper.

»Lass mich!« Sie setzte sich auf und kreuzte abwehrend die Arme über der Brust. »Konrad, drüben liegt unser Kind auf den Tod. Ich kann das nicht!«

Er drängte sich dennoch an sie, nestelte an den Bändern ihres Mieders und küsste mit feuchten Lippen ihren Hals und Nacken. Sie wand sich, aber es gelang ihr nicht, von ihm loszukommen. Mit Bärenkräften drückte er sie zurück in die Kissen.

»Komm schon, Lämmchen«, murmelte er heiser in ihr Ohr und schob ihre Röcke hoch. »Ich mach dir ein wunderschönes Kindlein, wirst sehen, ein Bübchen, ja, so hübsch wie nur eins ...«

»Hör auf!«, schrie sie ihn an. Sie zog seine Finger weg und fing an zu schluchzen. »Du bist ja krank!«

Mit einem Ruck zog er das Mieder auseinander und zerrte ihr Hemd hoch. »Halt endlich still, du Stück Holz, wenigstens das kann ich von dir verlangen«, keuchte er. »Herrgott noch mal, du bist mein Weib, und es ist deine verdammte Pflicht.« Dann kniete er sich über sie und drückte ihre Arme seitlich in die Kissen. Helena hörte auf, sich zu wehren. Es hatte keinen Sinn, und er hatte Recht, sie war seine Frau. Gnädiger Jesus, dachte sie, sieh herab, wie ich Buße tue für meine Sünden. Nimm meine Sühne an und lass mein unschuldiges Kind nicht sterben. Als Konrad in sie eindrang, zuckte sie zusammen. »Aaah, das wird ein feines Kindlein«, stöhnte er ihr mit brünstigem Keuchen ins Ohr, »lass mich nur machen, mmh, ein feines Söhnchen wird das, groß und stark, mit einem hübschen Schwänzlein, wie sein Vater, o ja ...«

Ihre Augen fanden einen dunklen Fleck an der Zimmerdecke und ließen erst wieder davon ab, als alles vorbei war.

Als Helena am Morgen die Kinderstube betrat, schlief der Kleine ruhig und fest und atmete regelmäßig. Seine Stirn war kühl und trocken. Sie fiel auf die Knie und flüsterte ein Dankgebet. Ihr Sohn würde leben.

Zwei Wochen später blieb ihr Monatsfluss aus. Konrad hatte sie in dieser Nacht geschwängert, genau wie er es prophezeit hatte.

Nürnberg, Mai 1502

Anna ging mit dem geflochtenen Henkelkorb am Arm die Alte Ledergasse entlang und summte gut gelaunt ein Frühlingslied. Morgen war Pfingsten, und sie wollte für ein rechtes Feiertagsessen einkaufen: grünen Fisch, Brot, getrocknetes Obst, Butter, Milch und vielleicht frischen Feldsalat, der jetzt überall wuchs, seit die Wärme eingesetzt hatte. Dazu einen Krug weißen Frankenwein oder einen Ratzen frisch gebrautes Rotbier und als Nachtisch süße Eierlaibchen. Es ging ihr gut, so gut, dass sie sich keine Sorgen um den nächsten Tag zu machen brauchte. An ihrem Gürtel baumelte ein gut gefüllter Geldbeutel. Seit sie in das Haus in der Wunderburggasse gezogen war, hatte ihr Leben eine entscheidende Wendung genommen. Sie war frei und unabhängig, und dafür dankte sie dem lieben Gott jeden Tag. Es hatte keine drei Monate gedauert, und alle ihre vornehmen Kunden aus dem Frauenhaus waren wieder da gewesen. Hinter vorgehaltener Hand wurde sie überall in den höchsten Kreisen empfohlen; Räte, reiche Kaufleute und Händler gaben sich in der Wunderburggasse die Klinke in die Hand. Inzwischen galt ein Besuch bei Anna als Luxus, den sich nur die Privilegierten leisten konnten. Und sie machte diese Besuche zu etwas ganz Besonderem. Im ersten Stock hatte sie eine Stube eingerichtet, deren Ausstattung höchsten

Bedürfnissen genügte: Samtene Vorhänge, ein großes Himmelbett mit gedrechselten Pfosten, üppige Kissen und Daunendecken von der unzüchtigen Farbe reifer Erdbeeren – allein dieses pikante Detail ließ die Männer scharenweise zu ihr kommen. Für diejenigen, die besondere Wünsche hatten, stand unter dem Dach ein kleiner Raum mit einem bequemen Lager bereit. Anna selber schlief nie in einem dieser Betten, sie hatte sich eine einfache Kammer mit einer schmalen Schlafstatt hergerichtet, die nur ihr gehörte und in die sie niemals einen Freier ließ. Das ganze Haus hielt sie peinlich sauber und gepflegt, als ob sie dadurch wettmachen könnte, dass sie in den Augen der Leute ein schmutziges Gewerbe ausübte. Und sobald sie es sich leisten konnte, ging sie jeden Tag ins Badehaus, weil sie fand, sie sei es sich selber schuldig, wenigstens körperlich rein und makellos zu sein. Stets duftete sie nach dem feinen Rosenöl, mit dem sie sich nach dem Bad einreiben ließ. Manche Männer kamen nur deshalb zu ihr, und nicht wenige, denen es einmal peinlich gewesen war, ungewaschen und nach Schweiß riechend in Annas Lotterbett zu liegen, gingen vor ihrem Besuch in der Wunderburggasse noch schnell in der Badstube vorbei.

Anna schlenderte über den belebten Fischmarkt und blieb schließlich bei einem der Händler stehen, einem jungen Burschen mit abstehenden Ohren, dessen Gesicht noch roter wurde als seine Haare, als er ihr Hurentuch sah. Sie kaufte einen großen Karpfen, den der junge Mann mit dem Käscher aus dem Wasserbottich holte und vor ihren Augen schlachtete. Mit dem schönen Fisch im Korb lief Anna weiter zum Weinmarkt, wo sie einen dickbauchigen Henkelkrug mit Silvaner ergatterte. An den Brotbänken erstand sie einen noch warmen, duftenden Dinkelkipf und zwei runde Lebküchlein mit Zimtzucker. Jetzt brauchte sie nur noch etwas Grünes.

Auf dem Obstmarkt war nicht viel los; schließlich gab es im Frühjahr außer frischen Kräutern kaum etwas zu ernten. Anna kaufte von einem der Kräuterweiblein einen Bund Schnittlauch, ein paar zartgrüne Schloten, eine Handvoll jungen Löwenzahn und frisch gezupfte Brennnesseln. Gerade als sie sich auf den Heimweg machen wollte, ging an der Südseite der Frauenkirche ein Getümmel los, und sie lief neugierig hin.

Ein paar verwahrloste, schmutzige Gestalten – Blinde, Krüppel, Bucklige – hatten sich neben der Seitenpforte versammelt. Anna kannte einige von ihnen, es waren Stadtbettler, die jeden Tag hier um Almosen flehten. Jetzt aber gestikulierte der abenteuerliche Haufen wild durcheinander, alle schimpften und schrien aufgeregt auf eine Frau ein, die sich trotzig an einer steinernen Halbsäule festhielt. Sie hatte ein großes zerfleddertes Tuch tief ins Gesicht gezogen, stand in angriffslustiger Haltung da und zeterte lautstark zurück. Derweil näherten sich vom Hauptmarkt her, von einem der Bettler halb geführt und halb gezerrt, einer der Stadtbüttel und ein vornehm gekleideter älterer Mann. Mit seinem dichten grauen Vollbart, den langhaarigen Brauen, deren Enden fast diabolisch nach oben zeigten, und dem länglichen Feuermal auf der Schläfe erkannte Anna ihn schon von weitem. Es war Heinrich Deichsler, seines Zeichens Bierbrauer und vom Rat bestallter Bettelherr der Stadt. Er stellte sich mit seiner gesamten Leibesfülle in Positur, ließ die Bettler mit einer einzigen knappen Handbewegung verstummen und wandte sich dann an einen hageren Einbeinigen, der offensichtlich der Wortführer des Haufens war.

»Zum Donnerwetter, was ist hier los, Jonathan?«

Der Angesprochene, ein dürrer, pockennarbiger Rotschopf mit schwarz abgefaulten Vorderzähnen, verneigte sich ehrerbietig. »Euer Achtbarkeit, die da«, und damit deutete er auf die Frau an der Säule, »sitzt auf unserm Platz und bettelt ohne Genehmigung.«

Jetzt verstand Anna die Aufregung. Schon seit jeher gab es im reichen Nürnberg ein Problem mit der überhand nehmenden Bettelei. Nicht nur, dass es Betrüger gab, die ein Gebrechen nur vorschützten, um Almosen zu heischen. Nein, darüber hinaus vesuchten täglich viele Landfahrende oder besitzlose Bauern in die Stadt zu gelangen, um dort zu betteln. Der Rat suchte des Problems mit Gesetzen und Verordnungen Herr zu werden und hatte letztendlich den Auswärtigen das Betteln ganz und gar untersagt. Nur wer dauerhaft in der Stadt wohnte und sich registrieren ließ, durfte in Nürnberg die Hand aufhalten, alle anderen wurden aus den Mauern verwiesen. Dennoch blieb die Konkurrenz unter den städtischen Bettlern groß, und die legitimen Fechtbrüder achteten genau darauf, dass kein »Illegaler« in ihren Gründen wilderte.

Deichsler wandte sich jetzt mit gerunzelter Stirn an die Bezichtigte. »Weib, hast du eine Bettelmarke?«

»Nein, Herr.« Als die Frau sich ihm zuwandte und dabei das Kopftuch aus der Stirn zog, hätte Anna fast ihren Korb fallen lassen. Es war Cilli.

Der Bettelherr seufzte und winkte den Büttel heran. »Herrschaftszeiten, unverschämtes Frauenzimmer, du weißt doch ganz genau, dass es verboten ist, ohne Erlaubnis Almosen zu erbitten. Ich kenn dich doch, in letzter Zeit bist du schon zweimal angezeigt worden. Jetzt hilft nichts, ich muss dich aus der Stadt weisen. Herr Leupold, waltet Eures Amts.«

Der Büttel packte Cilli am Arm und begann, sie fortzuzerren.

»Ja, hau ab, du Miststück, du hast hier nichts zu suchen!« Die Bettler johlten und kreischten ob ihres Erfolgs, während Deichsler mit dem Büttel und Cilli über den Markt davonging.

Anna wartete, bis sie ein Stück weg waren, dann rannte sie mit fliegenden Röcken hinterher.

»Herr Deichsler, auf ein Wort, ich bitt Euch!«

Deichsler drehte sich um und stockte kurz. »Gute Frau?« Wenn er Anna erkannt hatte, so ließ er sich das mit keiner Miene anmerken.

»Euer Ehrbarkeit, ich bin eine Verwandte dieser Bettlerin. Wenn ich für sie bürge, würdet Ihr sie mir wohl mitgeben? Ich will dafür sorgen, dass sie Euch keine Scherereien mehr macht.« Bittend legte sie die Hand auf Deichslers pelzverbrämten Ärmel. Der kniff ein Auge zusammen, überlegte kurz, brummte ein paar Mal und nickte dann finster.

»Seid froh, dass ich heut einen guten Tag hab, Weib. Meinetwegen, ich will noch cinmal Gnade vor Recht ergehen lassen. Nehmt sie mit und kümmert Euch um sie. Aber wenn ich das freche Luder noch einmal erwische, gibt's vor dem Stadtverweis zehn Tage im Stock.«

»Danke, Herr.«

Anna nahm die verblüffte Cilli am Arm und verschwand mit ihr blitzschnell um die nächste Ecke, bevor es sich der Bettelvogt noch einmal anders überlegte. Dann sah sie die Freundin von einst an. Von Cillis früherer Leibesfülle war nicht viel geblieben, das verdreckte alte Kleid schlotterte ihr um den Körper. Sie sah grau und verhärmt aus, das Haar hing in Strähnen und an den Füßen trug sie ausgefranste Lumpenwickel. Als sie Annas entsetztes Gesicht sah, grinste sie schief.

»Ja, ja, ich weiß, ich war schon mal hübscher, was?« Sie kicherte leise. »Danke, dass du mich herausgehauen hast. Das war knapp.«

»Cilli, was machst du bei den Bettlern? Seit wann bist du nicht mehr im Maukental?«

»Seit mich der Kieser, das alte Aas, hinausgeworfen hat. Ich hab ihm nicht mehr genug eingebracht, da hat er sich eine Jüngere geholt. Jetzt schlag ich mich halt so recht und schlecht durch.«

Anna sah, dass Cilli leicht schwankte. »Hast du Hunger? Da.« Sie holte den frisch gekauften Wecken aus dem Korb.

»Lass nur.« Die andere winkte ab. »Das ist doch dein Feiertagseinkauf. Ich ess dann lieber daheim was.«

Anna seufzte. Das war Cilli, wie sie leibte und lebte. Sie hatte noch nie eine Schwäche zugeben können. »Du brauchst mir nichts vorzumachen, Cilli. Ich seh doch, was los ist. Nimm schon.« Anna drückte ihr die Semmel in die Hand, und Cilli biss gierig hinein.

»Wo wohnst du? Kann ich dich irgendwo hinbringen?« Anna drängte der Freundin noch ein Lebküchlein auf.

»Nirgends wohn ich.« Die Süßigkeit verschwand ebenso schnell wie das Brot. »Hier ein Keller, da ein Schüpflein, wo ich halt grad bin und keiner aufpasst. Es findet sich immer was.« Cilli zuckte mit den Schultern.

»Du hättest mich suchen können – jeder weiß doch, wo ich wohn – oder Vater Philipp.«

Cilli schüttelte heftig den Kopf. »Ich hab mich so geschämt.« In ihre Augen traten Tränen. »Schau doch, was aus mir geworden ist. Der Hunger hat mir schon genug Stolz genommen, aber bei Freunden zu betteln, so tief sink ich nicht.« Sie putzte sich die Nase in den löchrigen Rocksaum.

»Unsinn.« Anna wurde resolut. »Du kommst jetzt mit zu mir. Und vorher gehen wir noch in die Badstube, damit du wieder sauber wie ein anständiger Mensch daherkommst. Nein, keine Widerrede. Ich zahl für dich, das kann ich mir leisten, keine Angst. Und dann sehen wir weiter.«

Frisch geschrubbt, gekämmt und von Ungeziefer befreit verließ Cilli die Badstube beinahe wie ein neuer Mensch. Anna brauchte sie nicht lange zu überreden, mit in die Wunderburggasse zu kommen.

»Das gehört alles dir?« Cilli riss die Augen auf, als sie das Häuschen betrat. »Ach Anna, du bist ein Glückspilz! Wenn das die anderen sehen könnten. Und erst der Kieser! Er hat drei Tage lang getobt, als du damals ausgerissen bist.« Sie lachte ihr altes, kollerndes Lachen, dass es Anna ganz warm ums Herz wurde. »Nicht einmal die Gunda hat sich in seine Nähe getraut.«

Anna stellte ihren Korb auf dem großen Stubentisch ab. »Komm, ich zeig dir alles.«

Als Cilli das elegante Schlafzimmer im ersten Stock sah, war sie zunächst fassungslos. Dann brach sie erneut in dröhnendes Gelächter aus. »Bei der Heiligen Afra, das schlägt dem Fass den Boden aus! In so einer vornehmen Bettkammer kannst du den Heiligen Vater persönlich herumkriegen. So was gibt's in ganz Deutschland nicht mehr, Anna. Rotes Bettzeug, das macht ja den frömmsten Mann verrückt! Und dazu noch dieser Geruch – ist das am Ende Ambra?«

Anna nickte. »Ambra, Moschusapfel und Bibergeil.« Sie öffnete die Tür zu einem Holzverschlag, der nur durch eine dünne Bretterwand von der Schlafkammer getrennt war.

»Hast du dich gar nicht gefragt, warum der Deichsler dich so schnell hat laufen lassen? Schau, da drin sitzt er alle paar Wochen und lugt durch das Astloch im mittleren Brett. Er ist halt schon recht alt, weißt du, aber zuschauen tut er noch gern. Ich bestell für ihn immer den Sebastian vom Sandbad, den kennst du doch auch. Natürlich tun wir bloß so, als ob – dem Deichsler ist das gleich. Und der Sebastian kann ein paar Gulden mehr gut brauchen, weil er seine sechs Geschwister allein versorgen muss, seit seine Eltern letzten Winter gestorben sind.«

»Was ist eigentlich mit deiner Nonnengeschichte? Machst du die noch?«

Anna nickte. »Komm.«

Sie zeigte Cilli die karg möblierte Kammer unter dem Dach, in der neben einer einfachen Schlafstatt nur noch eine Truhe, Schemel und Lesepult standen. An der Wand hing ein dunkles Habit, daneben die obligatorische Haselrute. »Hier, das ist das Nonnenzimmer. Das ist extra für den Alexius Düll, dem ich das Haus zu verdanken hab. Aber jetzt komm, ich hab einen schönen Fisch im Korb, den kochen wir uns jetzt.« Sie wusste, wie gern Cilli aß.

Kaum hatte Anna begonnen, in der Küche zu werkeln, was nicht gerade ihre größte Begabung war, schob die Ältere sie beiseite. Anna musste sich auf die Eckbank setzen und zusehen, wie Cilli geschickt den Karpfen zerteilte, mit Töpfen und Pfannen hantierte, allerlei Vorräte heraussuchte und das Grünzeug hackte, als ob sie ihr Leben lang nichts anderes getan hätte. Wunderbar würzige Essensdüfte zogen bald durch das ganze Haus, und als die Kirchenglocken zur Vesper schlugen, stand ein beinahe raffiniertes Bürgermahl auf dem Tisch: in Schmalz gebackene Karpfenpastete, Weinkraut mit Trockenfrüchten und gerösteten Nüssen, eine weiße gekümmelte Tunke, süßes Schlotengemüse und mit Bieressig angemachter Löwenzahnsalat. Anna kostete von allem und kaute mit vor Begeisterung geschlossenen Augen.

»Lieber Gott, ich hab nie gewusst, wie gut du kochen kannst!«

»Hab's auch niemandem auf die Nase gebunden«, antwortete Cilli mit vollen Backen. »Außerdem, der Kieser hätt mich sowieso nicht gelassen.«

»Wo hast du das gelernt?«

Cilli spülte mit einem Schluck Wein nach. »Ach, das ist eine lange Geschichte. Willst du sie hören? Also gut. Ich bin bei meiner Großtante aufgewachsen, in Prag. Die war dort Haushälterin bei einem der Stadtkapläne. Die frommen Gottesmänner haben schon immer gewusst, was gut schmeckt, und meine Tante hat kochen können, kann ich dir sagen! Ich hab ihr immer in der Küche zugeschaut und dann helfen dürfen, als ich größer war. Mir hat's Spaß gemacht. Na, und so was vergisst man halt nicht.«

»Und warum bist du von deiner Tante weg?«

Cilli grunzte. »Weil ich blöd war, dumm wie Bohnenstroh, deswegen! Da kamen eines Tages diese Fahrenden auf den Marktplatz, du weißt schon, Theaterspieler, Feuerschlucker, Akrobaten, all so was. Zu denen gehörte ein schöner junger Mann, groß und dunkel, ach, und mit Augen, sag ich dir ...« Sie seufzte. »Messerwerfer war er, und von der weiten Welt hat er mir erzählt, vom Abenteuer, den herrlichen Städten und den lauen Nächten unterm Sternenhimmel. Ja, mit dem bin ich dann heimlich durchgegangen, kaum sechzehn Jahr alt, aus lauter Liebe. Monatelang sind wir herumgezogen, landauf, landab. Schließlich hat er eine andere kennen gelernt und mich einfach sitzen lassen, mitten in Nürnberg. Und das Ende vom Lied kennst du ja.«

Anna nickte nachdenklich. Viele Huren waren verlassene Mädchen, halbe Kinder, die sich nicht mehr zu ihrer Familie zurückwagten.

Während die beiden Frauen nachdenklich am Tisch saßen, hob draußen ein erbärmliches Miauen an, und krallenbewehrte Pfoten kratzten an der Hintertür, die in den winzigen Hof führte. Anna sprang auf, um zu öffnen.

»Das ist der Maunzer. Er schreit immer, wie wenn's ihm ans Leben geht, wenn er herein will.«

Ein großer rot gestreifter Kater mit geschlitztem Ohr kam so würdevoll in die Küche getigert, dass niemand ihm das jämmerliche Wehklagen von vorhin zugetraut hätte. Er stolzierte herum, als ob das Haus ihm gehörte, kontrollierte jeden Winkel und ließ sich schließlich dazu herab, auf Annas Schoß zu springen, um ihr gnädig zu gewähren, ihm das Fell zu kraulen. Dabei schnurrte er mit unglaublicher Lautstärke und fuhr genießerisch seine Krallen ein und aus. Anna schmunzelte.

»Ja, du weißt schon, was gut tut, gell Maunzer?« Sie wandte sich an Cilli. »Er ist mir zugelaufen, vor einem Jahr, und seitdem krieg ich ihn nicht mehr los.«

»Na, geh mit, Bember, ich hab was Gutes für dich.« Cilli, die etwas für Tiere übrig hatte, holte ein paar Fischabfälle aus dem Spülstein und warf sie auf den Boden. Sofort raste der Kater mit gestelltem Schwanz hin und fing gierig an zu fressen. »Gell, das schmeckt?« Sie beobachtete zufrieden, wie der Kater die Reste aufschleckte und dann in aller Ruhe anfing, sich zu putzen. Währenddessen fasste Anna einen Entschluss.

»Cilli, ich hätt da einen Vorschlag. Bisher hab ich alles allein gemacht, putzen, waschen, kochen, haushalten. Aber inzwischen gehen die Geschäfte so gut, dass es mir fast zu viel wird. Wie wär's, wenn du als Wirtschafterin bei mir bleiben würdest? Viel kann ich dir nicht zahlen, aber du hättest Arbeit und ein Dach über dem Kopf. Was sagst du?«

Cilli runzelte die Stirn. »Du meinst es gut, Anna, aber ich hab's schon einmal gesagt: Ich will keine Almosen.«

»Das sind keine Almosen. Schau, du könntest kleine Leckerbissen backen, Happen, die man im Bett naschen kann, Pastetchen, Plätzlein, süße Kringel und so was – meine hochgestellten Kunden wüssten das zu schätzen. Und außerdem: Ich bin das Alleinsein satt. Immer nur Männer, die kommen und gehen! Es wär einfach schön, jemanden zu haben. Und welche anständige Frau würde schon bei einer wie mir arbeiten?«

»Meinst du wirklich?« Cilli wagte noch nicht, sich zu freuen, aber ihrer Stimme konnte man anhören, wie aufgeregt sie war, und ihre Backen zitterten.

Anna nickte. »Willkommen daheim!«

Drittes Buch

Aus dem »Buch von den Steinen«

Unter allen Steynen so auf der Erde vorkommen, gibt es eine Antzahl, die sich durch ein gantz besondre Schönheyt vor allen andern auszeychnen. Sie werden seit ältsten Zeyten zum Schmuckh des menschlichen Körpers und als Zierrath an allerley Gegenstenden benutzet. Doch es ist nit nur die Schönheyt des Aussehns alleyn, die solche Steyn zu etwas Besonderm machet, sondern sie müessen auch ein grosze Härtte besitzen, damit nit oftte Berürung und Verwendungk sie abnutzen. Sind alßo gewisse Steyn nit nur hervorragend in Schönheyt sondern auch in Härtte, so nennet man sye Edelsteyn oder auch Juweln. Dieweil die Natur beyde Eigenschafften nit altzu offt miteinander vereynt hat, so ist die Zahl der Juweln geringk, ja manche sind eine gar grosze Seltenheyt. Das ist aber auch nothwendig, weil der Reiche zum Schmucke etwas Kostbars haben will, und was kostbar ist, muss zugleych auch seltten seyn. Je höcher alßo Schönheyt und Härtte, und je selttner das Vorckommen, desto wertvoller ist der Steyn.

Aber solche Juweln sind nit nur theuer und herrlich anzuschaun, inen wohnet auch ein geheymnisvolle Krafft und Bedeutungk inne. So können sie dem, der sie trägt oder besitzet, gewisse Eygenschaften verleihn, oder auch seine Kranckheyten heilen. Sie wircken auch gegen Gifte und inen ist offt ein magische Wirckung zu eygen gleich wie ein Zauber.

All dies giltt es zu kennen, wenn einer in Edelsteynkunde bewandert sein möcht, und noch mehr. Denn immer mer Buben und Schelme gibt es, die in böszer Absicht Steyn felschen oder minderwerttig Steyn für kostbarste Juweln ausgeben und verkauffen. Darumb, willstu ein Steynkundler seyn, ist es notwendigk, alle Steyn sicher zu erkennen und zu unterscheyden, was groszes Wissen, lange Erfarungk und vil Üebungk erfordert.

Item dies Büchleyn soll die für die genaue Kenntnuß der Edelsteyn wichtigen Eygenschafften auffzeygen, ihre Krafft und Wirckung beschreyben und die beste Verwendungk empfehlen. So lies es denn mit Fleyß, und merck dir gut, was darin geschrieben stehet, auf dass du darnach klüger seist als zuvorn.

Der Aquamarin

Erfahre nun, daß der Aquamarin zumeist von durchscheinend hellblauer Farb ist wie das Wasser des Meeres, darumb sein Name. Der Sage nach stammt er aus dem Schatzkestlein der Meerjungfraun und bringt reine Lieb. Er bedeuttet aber auch Frieden und Sanftheit. Manche Aquamarin haben die Gabe, falsch und wahr antzuzeygen: Wird der Steyn dunckel, so saget er »falsch«, wird er hell, so saget er »wahr«. Wird er beinah weiss, so warnet er vor falschen Freunden.

Der Aquamarin, so man in auf den Halß leget, bringt Hilffe bei Rachenweh und Halßreißen. Auch löset er Krämpffe in Magen und Gederm, weshalb er der beste Schutzsteyn gegen Seekranckheit ist. Auff Reisen sollstu ihn stets bei dir tragen. Zur Sterckung der Augen leg ihn auf die geschloßnen Lider.

Der Bergkristall

So wisse denn, daß der Bergkristall nichts anders ist alß erhärtetes, versteynertes Eis. Das gryechisch Wort krystallos bedeutt nemlich sovil wie Eis. Er wirdt roh aus dem Steyn geschlagen und hat dann enttweder ein männliche, spitze Form oder ein weibliche, die oben breyt ist. Er ist klar und durchsichttig und one eigne Farb, und stehet daher für die Eygenschafft der Reinheitt. Man sagt ime seit altters her nach, dass er den Durst löschen kann, weshalb dereinst der Kaiser Nero zu Rom sein Wein aus bergkristallenen Pokaln getruncken hat.

Auf die Glieder gelegt, bringt der Bergkrystall in gefüellose, kaltte, gelämte Körperteile wiedrum Leben. Er stillet Blutungen und wirckt kühlend, leget man ihn auf Brandtblasen. Auch hilft er durch Auflegen bey Schmertzen aller Art, und sencket das Fieber, wenn man ihn in der Handt helt.

In der christlichen Religion stehet der Bergkrystall für das Sacramentt der Tauffe und für die Reinheitt der Engel.

Willstu den Bergkristall von klarem Glas unterscheiden, so musst du die Ritzprobe machen: Der Kristall ritzt das Glas, doch niemals umbgekehrt.

Der Bernstein

Sein Name kommt vom Brennen, denn helt man Feuer an ihn, so fengt er an zu brennen. Reibstu ihn gar hefftig, so zieht er leichte Dingk an sich, so zum Beyspiel Haar oder Fasern. Diese zwey Eigenschafften unterscheiden ihn sicher von Felschungen aus Glaß. Die Farb ist hellgelb wie Gold oder auch rötlichbraun wie Honigk, offt mit Flecken und Löchlein darin. Manchmal, und das ist ein grosz Mirakel, findet sich im Bernstein kleyns Gethier eingesperrt, so Kefer, Fliegen oder Gewürm. Man findt den Steyn an den nördlichen Küsten.

Wie seine Farb verheißet, so verhülffet der Bernstein seinem Träger zu Reichthum und Erfolgk. Er heilet Gelenckschmertzen und mildert, um den Halß getragen, die hinfallenden Siechtage. Bei Hauttkranckheyten und Furunckel sollstu ihn warm auflegen. Gemalnes Bernsteinpulver in Wein getruncken wirckt gut gegen Hustten mit schleymigem Auswurff.

Offt wird der echte Bernsteyn verwechselt mit festen Stückhen aus Baumhartz, die Kopal genannt werden. Vergleichstu aber die Härtte, so wirstu finden, dass sich das Kopal leichtiglich mit dem Finger Nagel einritzen lasset, wohingegen der Bernstein dem Nagel meher Widerstand entgegen bringet.

Der Beryll

Manche haltten ihn für fest gewordnen Wasserschaum, aber das ist zu bezweiffeln, da seine Farben viel zu unterschyedlich sind: Gelb, Grüen, Blau, Rot und Weiß kommet er vor. Die altten Hebräer vererten den Steyn als Zaubermittel, das den Glauben an iren Gott festigen halff. In der Natur kommt er in sechs eckhiger Form vor.

So mercke dir wol: Der Beryll ist der Augensteyn. Legt man ihn auf das Augenlid, so vertreibt er die trockene und feuchte Hitz und macht rothe, schmertzende Augen wiedrum klar. Nach ime heisset die Prille, denn durch Schleiffen kann man ihn so verendern, dass er die Dingk vergrößert oder verkleynert, wenn man sie durch ihn betrachtet. Dafür nimmt man schöne weiße durchsichtige Stückhe.

Auch ist der Berill dafür bekannt, daß er die Lieb bewart. Ist in einer Verbindungk Zwist und Zwietracht, so vermag er die treue Zuneygungk zwischen den Ehleutten wieder zu erwecken. Dafür sollstu ihn als Amulett tragen in Gold gefaßt. Ins Wasser geleget hilfft er, dieses danach getruncken, gegen saures Aufstossen und Schmertzen der Leber.

Zur Prueffung der Echtheyt ritze man mit dem Beryll zunächst Quartz, das gehet gut. Dann versuche man das Gleiche mit einem Korund, das ist nit möglich.

Nürnberg, Juni 1502

Die Mairegen waren vorbei und ein warmer Juni brachte früh die ersten Kirschen. Die Schwalben hatten ihre Nester unter der hölzernen Dachrinne des Barfüßerklosters wieder bezogen und versorgten die frisch geschlüpften Jungen, und ein Storchenpaar hatte sich auf einem der unbenutzten Winterkamine niedergelassen. Jedes Mal, wenn eines der Alttiere von der Futtersuche zurückkam, legten die beiden ihre langen Hälse nach hinten und begrüßten einander mit lautstarkem Klappern. Auf der Pegnitz schwammen die jungen Enten in Reih und Glied hinter ihren Müttern her, gelb-braune Flauschbällchen, die beim Paddeln unaufhörlich piepsten. Philipp beobachtete das Leben draußen von seinem Leseplatz am Fenster der Klosterbibliothek aus. Er ließ seine Blicke über die krummen, sonnenbeschienenen Dächer Nürnbergs schweifen bis hoch zur wuchtigen Kaiserburg, die wie ein steingewordener Riese über der Reichsstadt thronte. Über dem mächtigen Palas, dem runden Sinwellturm und den zahllosen anderen Türmen und Zinnen der trutzigen Festung zogen langsam und behäbig bauschige Schönwetterwolken. Auf der Burgfreiung wehten bunte Fahnen sachte im Wind.

Das Wasser plätscherte, als zwei Fischer ihre Boote Richtung Heilig-Geist-Spital ruderten. Die Männer schimpften, weil ein paar rotznasige Buben ihnen vom Holzgeländer der Barfüßerbrücke aus Hände voll Taubendreck auf die Köpfe rieseln ließen. Philipp konnte sich ein Schmunzeln nicht verkneifen, wurde aber schnell wieder ernst. Immer noch war es ihm nicht möglich, unbefangen den Fluss anzusehen. Auch nach so vielen Jahren gelang es ihm nicht, die Gespenster der Vergangenheit abzuschütteln. Das fröhliche Gelächter der Jungen auf der Brücke klang ihm wie Hohn in den Ohren, und wie immer kamen sofort die Kopfschmerzen, die sich ihm wie Messer ins Hirn bohrten. Wie alt Martin jetzt wäre? Philipp zwang sich, nicht nachzuzählen und wandte sich schnell ab. Zu seiner Erleichterung kam in diesem Moment der Bruder Cellerar in die Bibliothek und machte ihm ein Zeichen.

»Den Messwein für die Leprösen hab ich in die Küche gebracht und zu dem Korb mit Brot und Käse gestellt.« Der Cellerar sah so aus, als habe er von diesem Messwein eine nicht unerhebliche Menge zur innerlichen Anwendung gebracht.

Philipp nickte. »Danke. Dann kann ich ja gehen.«

»Viel Vergnügen, Bruder. So ein Spaziergang nach Sankt Peter könnt mir jetzt auch gefallen, bei dem Wetter.« Der rotgesichtige Cellerar warf einen sehnsüchtigen Blick nach draußen.

»Der Spaziergang schon«, versetzte Philipp in einem Anflug von Bitterkeit, »aber das andere? Wenn ich den armen entstellten Gestalten dort draußen die Messe lese, frage ich mich schon manches Mal, was sie getan haben, dass der Herrgott sie mit einer solch furchtbaren Strafe belegt.«

Der alte Cellerar legte tadelnd die Stirn in Furchen und hob einen dicken Zeigefinger. »Keine Strafe, Bruder, ein Privilegium! Du musst das so sehen: Die Bresthaften und Verkrüppelten genießen die göttliche Gnade, für ihre Sünden schon während des irdischen Lebens Buße tun zu dürfen. Wer die Hölle schon auf Erden hat, der erspart sich hunderte von Jahren im Fegefeuer! Bedenk das, Bruder Philipp, wenn du zu den Leprösen gehst. Gott ist gnädig!«

Damit wandte sich der Cellerar zum Gehen, und Philipp, dem diese Art, die Dinge zu sehen, schwer fiel, verbiss sich eine Erwiderung. Er rieb sich die Schläfen, um seinen Kopfschmerz zu vertreiben, und machte sich auf den Weg zur Küche, um den Korb mit Lebensmitteln zu holen, der die wöchentliche Gabe der Franziskaner an die Bewohner von Sankt Peter war.

Er verließ das Kloster durch die Küchenpforte und machte mit gesenktem Kopf die ersten Schritte, als ihm eine Gestalt in den Weg trat. Zwei Augen, eines braun, das andere blau, blickten ihn mit einem leicht spöttischen Funkeln an, das er so gut kannte.

»Anna!«

»Vater Philipp.« Sie sprach seinen Namen mit einer Wärme aus, die ihn fast verlegen machte. »Ich hab auf Euch gewartet.«

Er stellte seinen Korb ab. »Lass dich ansehen, Anna! Du hast dich nicht verändert in den letzten drei Jahren, hübsch wie immer.« Und immer noch das Hurentuch um Kopf und Schultern, dachte er.

»Ihr schmeichelt mir, Vater«, lachte sie. »Aber Ihr, Ihr seid dünner geworden, ganz bestimmt.«

»Das ist bloß die Sommerkutte«, wehrte er ab. Dann wurde er ernst. »Wie geht es dir? Ist alles so gekommen, wie du dir's gewünscht hast? Ich hab oft an dich gedacht, Anna, und für dich gebetet.«

»Dann sind Eure Gebete erhört worden, Vater. Es geht mir gut wie nie zuvor, und ich bin glücklich, so wie es jetzt ist. Mein Leben ist geworden, wie ich's mir vorgestellt hab. Und denkt Euch, ich bin nicht mehr allein! Die Cilli wohnt seit Pfingsten bei mir als meine Wirtschafterin, ich soll Euch schön von ihr grüßen.« Sie neigte sich augenzwinkernd zu ihm. »Seht, so habt Ihr, indem Ihr mir damals geholfen habt, zwar nicht mich vom Weg der Sünde abgebracht, aber die Cilli. Es war also doch ein gutes Werk, nicht wahr?«

Er schüttelte lächelnd den Kopf. »Spöttisch wie immer, Anna. Aber nun sag, was führt dich zu mir?«

»Ich hab von der Cilli erfahren, was mit der Eva geschehen ist. Und weil es mir jetzt so gut geht, hab ich mir gedacht, ich bring ihr regelmäßig Essen. Die Eva war mir immer eine Freundin, und man weiß doch, wie schlecht es den Leprösen geht. Ich will ihr einfach helfen und ihr zeigen, dass ich sie nicht vergessen hab.«

»Aber es darf keiner in den Siechenkobel hinein, das weißt du doch.«

»Darum bin ich ja da«, antwortete sie schlicht. »Ihr könnt mich mit hineinnehmen.«

»Das tu ich auf keinen Fall!«

»Ich werd nichts anfassen und immer Abstand halten.«

Philipp weigerte sich standhaft. »Herrje, Anna, es ist gefährlich! Schlag dir das aus dem Kopf; ich nehm dich nicht mit.«

»Ihr habt Euch doch auch nicht angesteckt.« Sie reckte das Kinn vor. »Vater Philipp, der Besuch bei den Leprösen soll als Buße für meinen sündigen Lebenswandel dienen. Ihr habt kein Recht, mir diese Buße zu verweigern.«

»O du Heilige Dreifaltigkeit!« Er raufte sich die Haare, die die Tonsur übrig gelassen hatte. »Du bist stur wie ein Esel! Das ist kein Vergnügen dort draußen!«

Anna stand da, die Arme in die Hüften gestemmt, und sah ihn erwartungsvoll an. Schließlich seufzte Philipp und gab auf. Er musste sich widerwillig eingestehen, dass er ja selber darüber froh war, wenn sie mitkam.

»Also komm. Du bist eine erwachsene Frau und musst wissen, was du tust.« Er hob seinen Korb wieder hoch und marschierte in Richtung Frauentor. Anna folgte ihm auf den Fersen.

Sankt Peter lag eine ganze Strecke südöstlich des großen Tores. Wie alle Siechenkobel der Zeit hatte man ihn an einem fließenden Gewässer gebaut, dem nach ihm benannten Siechbächlein. Der mit einem Weidenzaun umgebene Kobel bestand aus einer kleinen steinernen Kapelle, dem Leprosorium selber, wo die Kranken wohnten und betreut wurden, und einem Häuschen für den Pfleger und seine Frau. Außerdem gab es drei kleine Schuppen und Vorratsgebäude, den Gemüse- und Kräutergarten, das Hühnerhaus und einen Hasenstall. Als Philipp und Anna die Umfriedung betraten, wurden sie mit schnarrender Stimme von einer Gestalt begrüßt, die unter einem Hollerbusch im Hof hockte. Beim Näherkommen sah Anna, dass der Mann schlohweißes Haar hatte. Das Gesicht war von einer Art Maske aus Lumpen bedeckt, und an den Händen fehlten die Finger. Dort, wo eigentlich die Füße hätten sein sollen, waren nur stoffumwickelte Stümpfe.

»Das ist der Urban«, erklärte Philipp im Weitergehen. »Früher war er Tuchscherer, bis er sich vor sechs Jahren angesteckt hat. Er ist eins meiner Sorgenkinder. Seit er letztes Jahr erfahren hat, dass seine Frau wieder geheiratet hat, ist er völlig verzweifelt. Ich glaube, dass der Aussatz bei ihm deshalb so schnell fortschreitet. Er will sterben.«

Sie kamen am Gemüsegarten vorbei, wo zwei Frauen knieten und jäteten. Obwohl ihnen an beiden Händen Finger fehlten, verrichteten sie ihre Arbeit mit Geschick. Eine von ihnen sah auf. Inmitten des Gesichts war von ihrer Nase nur ein unförmiger, eitrig entzündeter Rest geblieben. Die Lippen und Wangen waren mit löchrigen, roten Geschwüren bedeckt.

Anna schauderte. Sie packte ihren Korb fester. »Die Eva … geht es ihr auch so schlecht?«, fragte sie zaghaft.

Der Mönch schüttelte den Kopf. »Sie hat noch Hände und Füße, wenn du das meinst. Weißt du, die Krankheit schreitet meist sehr langsam fort. Es kann Jahrzehnte dauern, bis der Körper so zerstört ist, dass der Tod kommt. Bist du immer noch sicher, dass du die Eva sehen willst?«

Anna schluckte. »Ja.« Aber sie hatte Angst, und Philipp spürte das.

»Du musst nicht mit ins Leprosorium hinein«, meinte er. »Den Anblick derjenigen, die am schlimmsten dran sind, solltest du dir ersparen. Ich schick dir die Eva heraus.«

Die Erleichterung war Anna anzumerken. »Ich warte dort drüben bei der Kapelle«, sagte sie.

Kurze Zeit später trat eine weibliche Gestalt aus dem Siechenhaus und lief mit zögernden Schritten auf Anna zu. Ihr Gesicht war mit demselben weißen Tuch verhüllt, das ihr den Aussatz gebracht hatte. Es war immer noch ihr einziger Schatz.

»Eva?«

Die Gestalt neigte kurz den Kopf. »Du hättest nicht herkommen sollen.« Evas Stimme war kaum wieder zu erkennen, die Lepra hatte bereits die Stimmbänder befallen. Annas anfänglicher Impuls, die Hände der früheren Freundin zu ergreifen, wich einer unangenehmen Beklommenheit.

»Ich hab von der Cilli erfahren, dass du hier bist. Da wollte ich dich einfach besuchen und dir ein paar Sachen bringen. Ach Eva, das tut mir alles so Leid. Kann ich irgendetwas für dich tun?«

Eva schüttelte den Kopf. »Komm nicht wieder her, Anna. Wir sind Ausgestoßene, und das nicht umsonst. Keiner weiß, wie die Ansteckung erfolgt. Ich will dich nicht auf dem Gewissen haben. Mein Los ist ohnehin schon schwer genug.«

»Ich soll dich von der Cilli grüßen.« Anna begann aus lauter Verlegenheit einfach, zu erzählen. Sie sprach von ihrem neuen Leben in der Wunderburggasse, von Cillis Kochkünsten, von ihren Kunden und von gemeinsamen Bekannten aus alten Zeiten. Irgendwann merkte sie bestürzt, dass Eva weinte. Ihre Schultern bebten, und raue, trockene Schluchzer entrangen sich ihrer Kehle.

»Ach Eva, ich wollte dir doch keinen Kummer machen, glaub mir. Es ist doch bloß, weil ich dich immer so gern gehabt hab …«

»Hast du mich immer noch gern, wenn du das hier siehst?«

Mit langsamen Bewegungen schob Eva ihr Tuch zurück. Anna musste an sich halten, um nicht zurückzuzucken. Sie sah in ein Gesicht, das früher einmal schön gewesen war und das die Lepra im Begriff war zu zerstören. Eine Woge von Mitgefühl ergriff sie, und in diesem Moment beschloss sie, sich nicht abweisen zu lassen.

»Glaubst du, ich war deine Freundin, nur weil du hübsch ausgesehen hast? Innen drin, da bist du schön gewesen, und das hat dir die Krankheit nicht genommen. So schnell wirst du mich nicht los, Eva. Dein Gesicht ist mir nämlich egal. Ich werd dich in Zukunft regelmäßig besuchen, dass du's nur weißt. Und wenn's dich beruhigt, dann bleib ich dabei halt zwei Schritte von dir weg, und du sprichst gegen den Wind. Probier's gar nicht erst, mich davon abzubringen.«

Eva liefen immer noch die Tränen übers Gesicht. »Ach Anna, du bist stur wie ein Esel«, schluchzte sie.

»Das hat mir heut schon einmal wer gesagt«, grinste Anna. Dann begann sie, ihren Korb auszupacken.

Auf dem Heimweg gingen Anna und der Mönch langsam nebeneinander her.

»Warum lässt Gott das bloß zu, Vater Philipp? All das Schreckliche, Krankheiten wie den Aussatz, die ganze Ungerechtigkeit? Was hat so ein unschuldiges Ding wie die Eva verbrochen, dass sie so leiden muss? Manchmal denk ich, Gott will uns nur sinnlos strafen.«

Philipp sah sie von der Seite an. »So etwas darfst du nicht sagen. Es gibt eben Dinge, die wir Menschen nicht verstehen. Wer sind wir, dass wir zu wissen glauben, was Gerechtigkeit ist? Nur der Allmächtige kann die letzten Dinge erkennen, und er handelt nach einem höheren, größeren Plan. Credo quia absurdum, heißt es: Ich glaube, auch wenn ich nichts verstehe. Gottes Wege sind unerforschlich; du kennst doch den Spruch: ›Gottes Ratschluss und Gericht begreifen doch wir Menschen nicht.‹«

»Schöne Worte sind das, Vater. Aber wie kann eine wie die Eva das Gefühl haben, dass Gott sie liebt, wenn er sie gleichzeitig so schrecklich straft? Wir hören in der Kirche immer von einem harten Gott, der uns am Jüngsten Gericht für unsere Sünden büßen lässt. Aber ich, Vater, ich will einen liebenden Gott, einen, der mir verzeiht, wenn ich gefehlt hab. Einen, der mich tröstet. Einen, der solche wie mich und die Cilli und die Eva nicht verdammt. Nicht so einen, der zulässt, dass eine wie die Grete außerhalb des Kirchhofs verscharrt wird wie ein Tier.«

... und der zulässt, dass ein Unschuldiger stirbt, während der andere am Leben bleibt, dachte Philipp und biss sich auf die Lippen. Es dauerte lange, bis er etwas erwidern konnte. Anna hatte genau das ausgesprochen, was auch ihn bedrückte. Auch er haderte mit seinem Glauben, das war ihm nie zuvor so bewusst geworden wie jetzt. Aber durfte er Anna das sagen? Immerhin war er einmal ihr Seelsorger gewesen, und seine Aufgabe war, sie zu Gott hinzuführen, nicht, sie in ihrer Skepsis zu bestätigen. Dennoch, er musste ehrlich sein.

»Manchmal geht es mir genauso wie dir.« Er suchte nach Worten. »Ich kenne nicht die Pläne unseres Herrn und zweifle oft. Aber eins weiß ich: Jesus Christus ist für uns alle am Kreuz gestorben.«

»Na ja«, warf Anna ein, »wenn man Gottes Sohn ist und weiß, dass man das ewige Leben hat, kann man sich schon mal entschließen zu sterben.«

Solch blasphemische Sätze wie dieser hatten Philipp schon früher zur Verzweiflung getrieben. »Gute Güte, sag das bloß zu niemand anderem«, seufzte er. »Du kannst doch unmöglich Jesu Verdienste um die Erlösung der Menschheit schmälern wollen. All die Schmerzen, die er auf sich genommen hat, das Kreuz! Und außerdem: All das ändert nichts daran, dass er die Liebe gepredigt hat wie kein anderer. Und diese Botschaft ist das wichtigste Element des Christentums für mich. Deshalb lese ich kaum im Alten, sondern im Neuen Testament. Was dort steht, lässt mich immer wieder fest glauben und gibt mir Trost und die Sicherheit, dass wir alle erlöst werden.«

»Aber den Gottvater, den mögt ihr genauso wenig wie ich, oder?« Anna hatte genau das herausgehört, was Philipp nicht hatte aussprechen wollen. Eigentlich hat sie Recht, dachte er, gab aber keine Antwort. Sie begannen, über andere Dinge zu reden, während sie langsam weitergingen, passierten das Frauentor und kamen schließlich wieder vor das Barfüßerkloster.

»Also dann bis nächste Woche.« Anna blieb noch kurz bei ihm stehen.

»Du willst wirklich wieder mit?«

»Freut's Euch etwa nicht?« Sie strich sich eine Strähne dunklen Haares aus der Stirn.

Er sah sie an und konnte nicht lügen. »Doch, Anna, es freut mich schon.«

»Ich hab Euch auch vermisst«, sagte sie lächelnd und ging davon.

In der Wunderburggasse war es ruhig, die meisten Leute saßen schon beim Abendessen. Nur aus dem winzigen Hinterhof, der zu Annas Häuschen gehörte, waren Axtschläge und Poltern zu hören. Cilli konnte das nicht sein, denn Anna sah durch das Fenster, dass die sich gerade in der Küche zu schaffen machte. Also zwängte sich Anna durch den Reiher, wie die engen Zwischenräume zwischen den Häusern hießen, und lugte neugierig um die Ecke. Der Anblick, der sich dort bot, war ihr von früher her wohl vertraut: Da stand Linhart, die Ärmel seines fleckigen Hemds hochgekrempelt, die blonden Locken wirr ums Gesicht. Mit der einen Hand hielt er ein großes Holzscheit auf dem Hackstock fest, in der erhobenen anderen hatte er das Beil. Als er Anna bemerkte, stieß der kindliche Riese ein Freudengeheul aus, das man bis zum Laufer Tor hören konnte, ließ alles fallen und liegen und stürmte mit unbeholfenen Schritten auf sie zu.

»Ann', Ann'!«

Er umhalste sie überschwänglich, ließ sich dabei auf die Knie gleiten, barg seinen Kopf an ihrer Brust und wiegte sie wie ein Kind.

»Ja, Linhart, du bist das! Du hast mir auch gefehlt, mein Großer.« Anna streichelte ihm liebevoll die Wange.

»Ich hab ihn heut auf dem Heumarkt getroffen, da hilft er immer beim Auf- und Abladen. Er ist mir einfach hinterhergetappt, und wo er schon mal da ist, hab ich gedacht, kann er auch gleich Holz hacken.« Cilli stand in der Hintertür, in der Hand einen Kochlöffel, mit dem sie jetzt winkte. »Kommt essen.«

Linhart blieb auch nach dem Essen, schleppte Holz, brachte eimerweise Wasser vom Brunnen und machte sich nützlich, so gut er konnte. Als Anna spätabends den letzten Kunden verabschiedet hatte und zu einem Schluck Wein hinunter in die Küche kam, lag er schon in der Ecke neben dem Herd und schlief, ein glückliches Lächeln auf den Lippen. In seiner Ellbeuge hatte es sich der Kater bequem gemacht.

»Den bringen wir so schnell nicht mehr los«, meinte Cilli und betrachtete die zusammengerollte Gestalt. »Als ich ihm heut früh auf dem Markt von dir erzählt hab, hat er geheult wie ein Schlosshund vor Freude.«

»Aber er muss doch zum Kieser zurück.« Anna rüttelte ihn wach. »Linhart, willst du nicht heimgehen, ins Frauengässchen?«

Linhart zuckte leicht und öffnete die Augen. Als er verstand, was Anna wollte, legte er bittend die Hände zusammen.

»Linat nit fort, nit, nit.«

Anna sah Cilli fragend an. »Meinst du, der Kieser macht ihm Ärger, wenn er heut Nacht da bleibt?«

Cilli lachte ihr kollerndes Lachen. »Der Kieser weiß ganz genau, dass der Linhart ihn in einer Hand zerquetscht wie eine reife Birne, wenn's dumm kommt. Ich glaub nicht, dass er's drauf anlegen wird.«

»Linat nit mehr fort. Linat immer bei Ann'.«

»Da hörst du's«, versetzte Cilli trocken. »Er will bei dir bleiben.«

Anna überlegte nicht lange. »Er hat mir damals beim Brand des Frauenhauses das Leben gerettet«, erwiderte sie. »Das vergess ich ihm nie. Sein Essen verdient er schon, wenn er jeden Tag auf den Märkten mit auf- und ablädt. Und sonst braucht er ja nicht viel. Wenn er bleiben will, dann ist auch für ihn Platz genug.« Sie wandte sich an den großen Burschen, der jetzt zusammengekauert auf dem Boden saß und mit ängstlichem Blick die Unterhaltung verfolgte.

»Kannst schon da bei uns bleiben, Linhart, wenn du magst. Aber brav musst du sein!«

Von diesem Tag an war der Haushalt in der Wunderburggasse komplett.

Venedig, September 1502

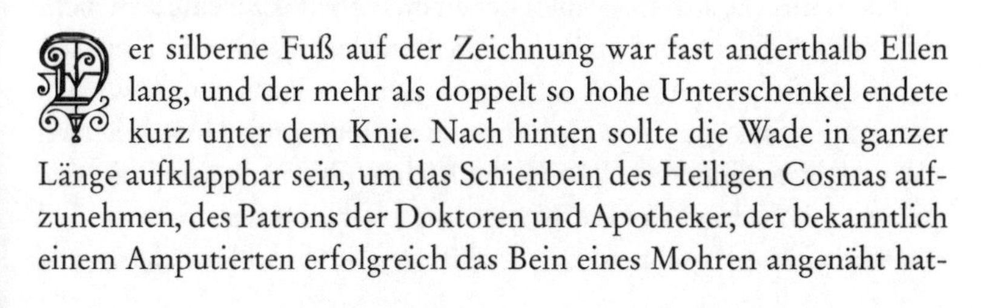

Der silberne Fuß auf der Zeichnung war fast anderthalb Ellen lang, und der mehr als doppelt so hohe Unterschenkel endete kurz unter dem Knie. Nach hinten sollte die Wade in ganzer Länge aufklappbar sein, um das Schienbein des Heiligen Cosmas aufzunehmen, des Patrons der Doktoren und Apotheker, der bekanntlich einem Amputierten erfolgreich das Bein eines Mohren angenäht hatte. Als Besatz für das Reliquiar waren auf jeden Fall schwarze Perlen gewünscht, die Auswahl der anderen Steine sollte dem Goldschmied überlassen bleiben. Auftraggeber des kostbaren Schreins war die unermesslich reiche Florentiner Bankiersfamilie Medici, die – gemäß ihrem Namen – den Arzt Cosmas zu ihrem Schutzheiligen erwählt hatte. Den Entwurf hatte Meister Noddino unter Zuhilfenahme starker Augengläser selber angefertigt, und Niklas war nun für die Umsetzung zuständig.

»Was hältst du davon«, meinte Noddino, »wenn wir als Leitstein Bernstein nehmen? Ich kann gerade eine größere Menge günstig bekommen.«

Niklas überlegte. »Ich finde sogar, Bernstein passt sehr gut. Cosmas war Heiler, und die Farbe des Bernsteins weist auf die Harnschau hin. Vielleicht dazu noch Jaspis, weil er für die Stärke des Glaubens der Heiligen steht. Und Chrysopras für Nächstenliebe und Martyrium.«

Noddino nickte. »Das ist eine gute Kombination, Niccó. Du kennst dich mit den Steinen immer besser aus. Also, dann mach dich an die Arbeit. Ach ja, hier, das Stöckchen hat genau die Länge der Reliquie.«

Niklas betrachtete das Holzmaß nachdenklich. »Ich dachte immer, die Gebeine des Heiligen Cosmas lägen in der Stadt Essen aufbewahrt ...«

Der Meister zuckte mit den Schultern und kicherte leise. »Puo essere, das mag schon sein. Die Medici versuchen schon seit Jahrzehnten, alles zusammenzukaufen, was von Cosmas stammt. Vermutlich hat Piero irgendjemandem ein wirklich gutes Angebot gemacht. Ich nehme an, auch in deiner Heimat braucht die Kirche manchmal Geld. Aber das soll nicht unsere Sorge sein, oder?«

Niklas machte sich mit Feuereifer an die Arbeit. Er freute sich nicht zuletzt deshalb, weil er endlich einmal wieder das Gefühl hatte, einen ordentlichen, sauberen Auftrag zu erfüllen. Zwei ganze Wochen brauchte er, um allein die Hohlform eines Fußes mit Unterschenkel aus massivem Silber so lebensecht nachzubilden, dass er mit sich zufrieden war. Eine weitere Woche war nötig, um den hinteren Teil der Wade herauszuschneiden, mit winzigen, kunstvollen Scharnieren zu versehen und ein ebenso kleines Schloss einzupassen. Dann ging es ans Fassen und Einsetzen der Juwelen. Der als Leitstein geplante Bernstein kam von der Ostsee, und es waren wunderbare Stücke dabei. Zwei besonders große, fast runde Steine setzte Niklas als Knöchel, fünf andere verarbeitete er als Zehennägel, den Rest verteilte er überall. Jaspis und Chrysopras passten in die Zwischenräume, und der verbleibende freie Platz wurde wie gewünscht mit mattschimmernden schwarzen Perlen besetzt. Niklas hatte sich mit dem Reliquiar selbst übertroffen, und die ganze Werkstatt bewunderte den lebensgroßen silbernen Unterschenkel gebührend. Selbst Nazareno, der zufällig hereinschaute, als Niklas gerade damit fertig geworden war, zeigte sich beeindruckt und konnte es nicht lassen, seine Bewunderung in Worte zu fassen: »Das ist ein Meisterwerk, Niccó, ganz ehrlich, wunderschön. Wenn der heilige Cosmas nicht in sämtlichen Einzelteilen verstreut überall auf der Welt aufbewahrt würde, müsste er glatt vor Freude aus dem Grab steigen und Tarantella tanzen.«

Niklas musste wider Willen grinsen. »Du bist ein respektloses Lästermaul, Nazareno. Irgendwann trifft dich einmal der Blitz aus heiterem Himmel!«

»Na, dann halt dich bloß fern von mir, damit's dich nicht mit erschlägt!«, kicherte Nazareno. »Aber heut Abend könntest du mir schon noch Gesellschaft leisten, mein Freund. Ich hab da ein gemütliches neues Bacaro auf der Giudecca entdeckt, da bedient eine kleine Rothaarige ...«

»Du immer mit deinen Weibergeschichten!« Niklas verdrehte die Augen. »Aber ich komme selbstverständlich mit. Einer muss schließlich auf dich aufpassen, damit du nicht wieder ein halbes Fass von diesem entsetzlich schlechten Trentiner säufst und dich dann mit einer Horde Matrosen anlegst, wie beim letzten Mal.«

Am nächsten Tag dauerte es fast bis Mittag, bis sich Niklas' Kopfschmerzen einigermaßen gelegt hatten. Nach einem etwas verspäteten Essen mit Vanozza und den Kindern verließ er jedoch schon wieder gut gelaunt und pfeifend das Haus. Die Sonntagnachmittage verbrachte er nun schon seit einem halben Jahr regelmäßig bei Yussuf.

Das Buch von den Steinen gedieh immer mehr zu einem Werk von beträchtlichem Umfang, und mit der Zahl der Seiten wuchs nicht nur Yussufs Begeisterung, sondern auch die Freundschaft zwischen den beiden Männern.

Als Niklas an diesem Sonntag in den Palazzo am Rialto kam, saß der Mohr schon an seinem Schreibtisch und bereitete schwarze Tinte. In einem kleinen Tiegel mischte er pulverisierte Galläpfel mit Eisenvitriol und Wein und schlug das Ganze zu einer sämigen Paste auf. Dazu kamen als Bindemittel ein winziges Quantum Leim – natürlich nur der Beste aus der Fischblase des Störs – und ein paar Tropfen des harzartigen Gummis von Pflaumenbäumen, die Yussuf schon vorher erwärmt hatte. Schließlich verdünnte er mit einem Schuss Essig die Flüssigkeit so, dass sie von der Feder gut aufzunehmen war, und goss sie in ein Tintenhörnchen.

Ein feines Girren der Leopardin machte den Kaufmann auf Niklas' Eintreffen aufmerksam, noch bevor dieser die Tür zum Kontor geöffnet hatte.

»Ah, Niccó, endlich! Ich bin schon mit der Tinte fertig. Hast du neue Gänsekiele mitgebracht?«

Niklas wickelte ein längliches Bündel auf, und fünf lange, schneeweiße Federn fielen heraus.

»Gänsefedern vom linken Flügel«, sagte er, »die liegen wegen des Schwungs besonders gut in der rechten Hand.« Er zog sein Federmesserchen und schnitzte mit der scharfen Klinge die erste Feder zurecht. »Tut mir Leid, dass ich so spät komme, aber ich hab gestern ein bißchen zu lange in der Schänke gesessen. Und dann hat auch noch Pippina meine Schuhe versteckt …«

Yussuf lachte. »Ja, meine Mädchen machen auch oft verrückte Sachen. Gestern hat Giulia heimlich versucht, sich die Haare zu bleichen wie ihre Mutter. Jetzt hat sie gelbe Streifen! Sprich sie bloß nicht darauf an, wenn du ihr über den Weg läufst.« Die elfjährige Giulia war Yussufs älteste Tochter.

»Diu, ich werd mich hüten.« Niklas zog schmunzelnd das Wams aus und legte Papier und Schreibzeug zurecht. »Also, was machen wir heute?«

Anstatt einer Antwort schüttete Yussuf eine Hand voll unterschiedlicher Kristalle auf eine lederne Unterlage. »Heute behandeln wir meinen Lieblingsstein: den Diamant. Sieh dir das an.« Er winkte Niklas hinzu. »Das sind Rohdiamanten aus meiner Heimat, die besten, die es gibt. Da können sämtliche Steine Indiens nicht mithalten. Hier siehst du, dass der Diamant in der Natur in verschiedenen Kristallformen vorkommt. Häufig finden wir würfelförmige Kristalle, oft in Gestalt einer Pyramide oder eines Achtecks. Solche Kristalle können die Größe eines Mohnkorns haben; die größten, die ich kenne, sind ungefähr wie ein Wachtelei und haben mehrere hundert Karat.«

Niklas berührte einen der Rohlinge mit der Fingerspitze und rollte ihn hin und her. Er war von stumpfer, bräunlichgrauer Farbe und sah aus wie ein heller, scharfkantiger Kiesel.

»So sieht man noch überhaupt nichts von der späteren Schönheit des Steins«, stellte er fest.

»Wart's nur ab. Jetzt schreib erst einmal.« Yussuf warf sich in Positur, und Niklas setzte sich an seinen Platz.

»Überschrift: Der Diamant. Dann weiter: Er ist der König aller Steine. Um ihn ranken sich Geschichten von Ruhm und Größe, aber auch von Mord und Unglück. Sein Name kommt aus dem Griechischen: ›adamas‹ bedeutet ›unbezwingbar‹. Schon in der Zeit der Antike wird der Diamant das Wertvollste unter allen menschlichen Gütern genannt; er ist das irdische Abbild des göttlichen Glanzes. Hast du das?«

Niklas' Zungenspitze schob sich zwischen seine Lippen, während er mit drei Fingern den Gänsekiel übers Papier führte. Ein leichtes Kratzen war das einzige Geräusch im Raum.

»Ja, ich hab's.«

Yussuf ging mit großen Schritten im Zimmer auf und ab, dicht gefolgt von Moca. Mit weit ausholenden Bewegungen begann er zu referieren, und es war unschwer zu erkennen, dass er sich in der Rolle des Lehrers und Sachverständigen gefiel.

»Der Diamant besitzt von allen Steinen die größte Heilkraft. Er ist der einzige Stein, der gegen Geisteskrankheit helfen kann. Hierzu muss man ihn als drittes Auge zwischen die Augenbrauen auflegen oder aufkleben. Hat man ihn stets bei sich, so verhindert er Steinbildungen in allen inneren Organen. Verschlingungen des Darms und Pfropfenbildungen des Blutes werden gelöst, wenn man ihn als Amulett trägt. Dem, der ihn besitzt, bringt der Diamant Weisheit und Erleuchtung. Er gewährt Schutz vor Gefahren und verhilft zu größter Macht. In Indien heißt es, der Diamant beschütze seinen Träger vor Gefahren, die durch Schlangen, Feuer, Gift, Krankheiten, Diebe, Wasser und den bösen Zauber drohen.«

Yussuf blieb kurz stehen und griff sich theatralisch mit Daumen und Mittelfinger an die Nasenwurzel.

»Gleichzeitig ist der Diamant derjenige unter den Edelsteinen, der sich der Hand des Menschen am hartnäckigsten widersetzt. Er ist das härteste Ding unter der Sonne, härter sogar als alle Korunde, wie zum Beispiel Saphir, Smaragd und Rubin. Aber: Härte ist nicht gleich Spaltbarkeit.«

Niklas ließ die Feder übers Papier wandern.

»So, und damit du das auch begreifst, Niccó, gehen wir jetzt nach nebenan.«

Yussuf sammelte die Rohdiamanten auf und betrat den kleinen Arbeitsraum neben dem Kontor. Niklas folgte ihm und sah zu, wie er einen der Diamanten auf eine Steinplatte legte. Dann schlug der Mohr mit einem spitzen Hammer leicht zu. Der Diamant zersprang zu Niklas' Überraschung glatt in drei Teile.

»Merk dir, Niccó: Der Diamant ist zwar der härteste Stein der Welt, aber er ist ganz leicht spaltbar. Wenn man weiß, wie's geht, kann man ihn mit dem Fingernagel spalten, sieh her!«

Er griff sich einen zweiten Stein, suchte nach einer Ritze als Ansatzpunkt und setzte mit dem Daumennagel an. Eine leichte Drehung, ein fester Druck – und der Diamant sprang in zwei Teile. Niklas stieß einen verblüfften Laut aus.

»Mach das lieber nicht nach«, lachte Yussuf. »Ich hab lange geübt, bis ich das konnte. Aber siehst du, der Diamant zerspringt, wie, das entscheidet der natürliche Wuchs des Kristalls. Dabei entstehen vollkommen ebene, glatte Flächen, hier zum Beispiel eine Doppelpyramide. Und das Erstaunliche ist: So leicht sich der Stein spalten lässt, so unmöglich ist es, ihn in Form zu schleifen.«

Der Mohr brachte die Schleifscheibe ins Rotieren. »Die Scheibe hier ist mit Olivenöl und Rubinstaub benetzt. Ich kann damit die beim Spalten entstandenen Flächen schleifen und zum Glänzen bringen.« Er hielt den Diamant mittels einer Art Pinzette mit einer Seite an die Schleifscheibe, und die Fläche wurde glatt und fein. »Aber jetzt, Niccó, pass auf!« Er hielt den Stein mit der Spitze an die Scheibe und – sie zerbrach. »Hast du gesehen? Man kann zwar mittels Schleifen die Flächen des Diamants glätten, aber neue Flächen kann man nicht hineinschleifen. Kein Schleifmittel ist dafür hart genug.«

»Das heißt, man kann mit Korundstaub alle Edelsteine in eine gewisse Form schleifen, nur nicht den Diamanten. Man kann damit nur seine ohnehin vorhandenen Flächen glätten und polieren, bis er glänzt.«

»Essatamente. Schreib das auf.« Yussuf warf die zersprungene Schleifscheibe zum Fenster hinaus in den Kanal.

Niklas machte sich wieder ans Werk. »Sag, Yussuf, wie viel ist nun solch ein Diamant wert?«

Yussuf wiegte den Kopf hin und her. »Das hängt von seiner Reinheit ab, der Qualität seiner Farbe, der Durchsichtigkeit und dem Widerspiegeln des Lichts. Wir unterscheiden dabei Diamanten vom ›ersten Wasser‹ bis hin zum ›dritten Wasser‹. Erstere sind vollkommen farblos, durchsichtig und wasserhell, letztere haben kleine Fehler, die wir Wolken nennen, und haben Spuren einer Farbe. Ein schöner Stein im Gewicht von einem Karat ist derzeit gut und gern seine hundert Scudi oder Goldtaler wert.«

Niklas schrieb und schrieb. »Und wo kommen Diamanten hauptsächlich vor?«

»Ausschließlich im Osten Indiens. Und in meiner Heimat. Aber wo das afrikanische Diamantengebiet genau liegt, binde ich natürlich keinem auf die Nase. Ich traue keinem Händler – und ich weiß, wovon ich rede. Schließlich bin ich selber einer!« Yussuf grinste.

»Langsam bekomme ich eine Ahnung davon, wie reich du sein musst, mein lieber Yussuf.« Niklas legte die Feder zur Seite und ließ seine Fingerknöchel knacken.

»Noch reicher wäre ich, wenn ich endlich eine Möglichkeit fände, meine Diamanten zu schleifen. Das beschäftigt mich schon lange, aber bisher ist mir keine Methode eingefallen, die wirklich funktioniert hätte.«

Niklas spitzte nachdenklich den Mund. »Da muss es doch was geben!«

»Na dann find's heraus, mein junger Freund.« Yussuf kraulte die Leopardin, die langsam unruhig wurde. »Aber jetzt ist es schon spät geworden. Lassen wir's für heute genug sein, Moca will ihre Abendration.«

Niklas ging an diesem Abend nachdenklich heim. Diamanten so zu schleifen wie einen Rubin oder Smaragd – was würde das für ein Feuer, ein Glitzern, einen strahlenden Glanz ergeben! Er setzte sich zu all den anderen Gästen in den Schankraum des »Störs« und sinnierte bei einem Becher Wein über die Faszination des Diamants, und selbst als er später neben Vanozza im Bett lag, gingen ihm noch Schleifscheiben und Schmirgel, Tafel-, Eselsrücken- und Rosettenschliffe im Kopf herum. Aber eine zündende Idee hatte er trotz alledem nicht.

Reichsstadt Nürnberg, März 1503

Dreizehn Badstuben gibt's in Nürnberg, und du gehst ausgerechnet ins Sandbad! Wo doch jeder weiß, dass dort bloß die Ruffiane und die freien Frauenzimmer ein- und ausgehen. Nicht genug, dass du mich allein daheim sitzen und auf meine Stunde warten lässt, nein, du treibst dich auch noch da herum, wo sich das liederliche Volk trifft.«

Helenas Gesicht war vom Ärger gerötet. Sie stand mit vorgewölbtem Bauch in der Stube und sah ihren Mann mit bitterbösem Blick an. Konrad löste derweil die Kordel seines Umhangs und warf das Kleidungsstück achtlos über eine Stuhllehne.

»Es geht dich einen Kehricht an, bei welchem Bader ich in den Zuber steig, Helena. Das ist allein meine Sache.«

»Eben nicht! Kannst du dir vorstellen, was die Leute reden? Beim Kirchgang schauen mich die anderen Frauen schon mitleidig an. Es ist mir peinlich, Konrad, ich schäm mich für dich. Denkst du nicht an deinen Sohn und an das Kind, das jetzt bald kommt? Ist dir das Ansehen deiner Familie völlig egal? Nicht genug, dass schon Gerüchte in Umlauf sind, du hättest den Landsitz deiner verstorbenen Eltern verspielt, nein, müssen die Leute auch noch erzählen, dass du dein Mütchen bei den Huren im Sandbad kühlst?«

Konrad, der sich gerade zum Gehen gewandt hatte, fuhr mit einem Ruck herum. Seine Lippen waren zu einem dünnen Strich zusammengepresst.

»Überleg dir, was du sagst, Weib!«, zischte er. »Wer statt einer Frau einen toten Fisch im Bett hat, der muss eben sein Vergnügen woanders suchen, meinst du nicht auch?«

Helena zuckte zusammen. »Es tut mir Leid, wenn ich dir gegenüber nicht mehr Leidenschaft zeigen kann, Konrad. Das wär vielleicht anders, wenn du mich wie einen Menschen behandeln würdest, mit Respekt und Achtung. Du bist dafür, dass du mich geheiratet hast, sehr gut bezahlt worden. Dreitausend Gulden – das ist das jährliche Steueraufkommen einer Kleinstadt! Aber außer dieser Riesenmenge Geld auch noch Liebe und Hingabe haben zu wollen, ist das nicht ein bisschen viel verlangt?«

Konrads Augen wurden schmal. Er trat ganz nah an Helena heran, und sein weingeschwängerter Atem traf sie im Gesicht. Seine Stimme wurde leise und schneidend. »Ich glaub, du weißt nicht mehr, wie die Dinge wirklich liegen, Helena. Dich hätte doch nie mehr einer genommen! Dein Vater hat mich damals geradezu angefleht, den Handel perfekt zu machen. Wenn einen von uns beiden der Vorwurf der Hurerei treffen soll, dann doch dich, meine Liebe. Du hast es doch vor lauter Geilheit nicht erwarten können, dir noch vor der Ehe dein Loch stopfen zu lassen!« Er griff ihr mit einer brutalen Geste zwischen die Beine. Sie stieß ihn weg. Wilder Zorn packte sie.

»Gott sei Dank!«, schrie sie. »Gott sei Dank hab ich vor dir schon einen andern gehabt, sonst müsst ich ja denken, das Löfern sei nichts als eine Widerwärtigkeit. Dass ich damals meine Jungfernschaft verloren hab, bereu ich keine Stund. So hab ich mich wenigstens einmal aus Liebe einem Mann hingegeben, der auch mich geliebt hat. Und willst du wissen, wie es war? Es war schön, schöner als jemals mit dir! Wo du doch nur betrunken in mein Bett kommst und dann eigennützig deine Gier an mir stillst! Der Niklas ...«

Sie begriff erst, als sie den Schmerz auf der Wange spürte. Er hatte blitzschnell mit dem Handrücken zugeschlagen, so schnell, dass sie überhaupt nicht gesehen hatte, was passierte. Sie schrie auf und taumelte gegen die Wand.

»Votze!« Er brüllte so laut, dass man es im ganzen Haus hören konnte. »Miststück, du elendes! Ich schlag dich windelweich!« Er ging auf Helena los, die nun die Hände schützend vor ihren Bauch streckte und vor Angst um Hilfe rief. In diesem Augenblick flog die Tür auf und Apollonia kam herein. Mit einem Blick erfasste sie die Situation.

»Konrad! Halt ein! Heilige Maria Muttergottes! Sie trägt dein Kind, willst du es umbringen?« Die Alte packte Konrad resolut am Hemd und zog ihn von Helena weg. Er ließ es widerstrebend geschehen und hockte sich auf die Eckbank, die Hände noch zur Faust geballt. »Bring mir bloß schnell was zu trinken, Loni, sonst platz ich vor Wut.«

Helena hatte sich derweil aus der Stube geflüchtet. Sie war fassungslos. Ihre Wange begann anzuschwellen, und am Jochbein, dort wo Konrads Siegelring sie getroffen hatte, breitete sich langsam ein Bluterguss aus. In ihren Augen brannte es. Sie rannte ins Kinderzimmer, warf die Tür hinter sich zu und sperrte ab. Dann lehnte sie sich mit dem Rücken gegen die Tür und versuchte, tief durchzuatmen. Ihre Hände tasteten sorgfältig über den schwangeren Leib, um sich zu vergewissern, dass alles in Ordnung war. Das Kind bewegte sich und boxte zart von innen gegen den Nabel. Helena sprach ein erleichtertes Stoßgebet. Leise trat sie ans Bett des kleinen Konrad. Der Bub schlief tief und fest, den Daumen im Mund. Das lange blonde Haar kringelte sich um seine Ohren, und die Pausbäckchen waren vom Schlaf gerötet. Sie setzte sich ans Fußende und begann, lautlos zu weinen. Ihre Ehe war am Ende. Konrad hatte sie geschlagen, zum ersten Mal war er handgreiflich gegen sie geworden. Alles war ein Scherbenhaufen. Ich hätt ihn nicht herausfordern dürfen, ging es ihr durch den Kopf, ich weiß doch, wie aufbrausend er sein kann. Wenn die Apollonia nicht gekommen wär … nicht auszudenken, was hätte geschehen können. Sie löste mit langsamen Griffen die Bänder ihrer Haube und schüttelte das unförmige Ding ab, als ob sie sich dadurch auch von ihrer Ehe befreien könnte. Aber das war nicht möglich. Ich muss mit Konrad weiterleben, dachte sie, irgendwie. Schon wegen der Kinder muss ich einen Weg finden, mit ihm auszukommen. Mit einem Mal fiel ihr das Medaillon wieder ein. Wie oft hatte sie zum Heiligen Antonius gebetet, dem Patron für das Wiederfinden verlorener Gegenstände? Umsonst. Seit sie den Glücksbringer verloren hatte, war nichts mehr in ihrem Leben gut gegangen. Was war aus ihren Wünschen geworden, wo waren ihre Träume geblieben? Niklas, ach Niklas, hätt ich nur mit dir fortgehen können! Wir wären bestimmt glücklich geworden. Und wir hätten unser Kind … Sie ließ ihren Tränen freien Lauf.

Der kleine Konrad regte sich. Er strampelte sich von den Laken frei und murmelte etwas, ohne aufzuwachen. Helena sah ihn an, und eine Woge von Liebe zu diesem kleinen Wesen erfasste sie. Du bist mein einziges Glück, flüsterte sie. Und bald bekommst du ein Geschwisterchen, da wirst du dich freuen. Mit dem Ärmel wischte sie die Tränen fort und deckte den Kleinen wieder zu. Dann streckte sie sich vorsichtig neben ihm aus, legte einen Arm um ihn und brachte ihr Gesicht ganz nahe an seines. Mit einem tiefen Atemzug sog sie den Duft seiner Haare ein und fühlte sich durch seine Nähe getröstet.

In dieser Nacht schlief sie zum ersten Mal seit ihrer Heirat nicht im gemeinsamen Ehebett, und sie wünschte sich, es könnte immer so bleiben.

Am nächsten Tag verließ Konrad das Haus am Weinmarkt gleich nach Sonnenaufgang, um in Geschäften nach Frankfurt zu reisen. Helena war froh, ihn in den nächsten zwei Wochen nicht sehen zu müssen. Es war schon schlimm genug, die mitfühlenden Blicke von Mina und dem Hausknecht zu ertragen, denn der Bluterguss unter ihrem

Auge ließ sich mit der ausladendsten Haube nicht verbergen. Die alte Apollonia dagegen hatte kein Mitleid. Als sie für Helena am nächsten Tag das Morgenessen richtete, brummte sie nur: »Wer nicht rechtzeitig den Mund halten und nachgeben kann, der braucht sich nicht zu wundern, wenn's kracht! Einem Mannsbild rutscht schon einmal die Hand aus.« Helena mochte darauf nichts erwidern. Schließlich hatte sie es der Alten zu verdanken, dass nichts Schlimmeres passiert war. Aber die unschuldige Frage ihres kleinen Sohnes nach der Blessur auf ihrer Wange brachte sie schon fast wieder zum Weinen. »Weißt du, ich war unachtsam und bin gegen die Tür gelaufen«, antwortete sie und drückte ihn an sich, damit er nicht sah, wie ihre Augen feucht wurden.

Zum Glück erwartete in dieser Zeit kurz vor der Niederkunft keiner mehr, Helena außer Haus zu sehen. So konnte sie dem Gottesdienst fern bleiben und Besuche absagen, ohne dass jemand den wahren Grund dafür ahnte. Sie verbrachte viel Zeit mit dem Herrichten von Kindersachen, nähte Hemdchen und bestickte Bettzeug für die Wiege. Irgendwann schließlich führte sie ihr Weg ins Kontor, das Konrad in völliger Unordnung hinterlassen hatte. Sie begann, zuerst den großen Schreibtisch aufzuräumen, dessen kostbare niederländische Serpentinplatte vor lauter Papieren überhaupt nicht mehr zu sehen war. Die Tinte in dem verzierten Rinderhornschüsselchen war noch flüssig, und sie legte es zusammen mit Sandbüchse und Gänsekiel vorsichtig zur Seite. Dann rollte sie einzelne Papiere zusammen, legte Kaufverträge, Urkunden und Wechsel zu Stapeln. Das Hauptbuch des Hellerschen Familienunternehmens gehörte in die Truhe unter dem Fenster, einige Briefe in das Kästchen, das auf dem großen Regal stand. Unter den restlichen Schriftsachen befand sich ein großer Bogen, auf dem Helena die Worte »Kalchreuth« und »Ziegelstein« ins Auge fielen. Sie ließ sich schwerfällig auf Konrads Lehnstuhl nieder und begann zu lesen. Es war, wie sich schon den ersten Zeilen entnehmen ließ, die Kopie eines Schuldscheins.

»... Item so überanntworte ich, Conrad Heller, im Fall ich nit in der Lage wär, die Ehrenschuldt von 800 Gulden bis Walpurgis zu begleychen, die Güeter Kalchreuth und Ziegelsteyn dem Jobst Tetzel,

Kauffmann zu Nürnbergk. Geschehn vor den Zeugen Georgen Terrer, Hans Schüerstab, Hermann Waldtstromer und Lienhard Vorchttel …«

Helenas Herz setzte für einen Moment aus. Sie ließ das Blatt sinken und schloss die Augen. Das durfte nicht wahr sein! Kalchreuth und Ziegelstein waren wertvolle Besitzungen und Herrenhäuser und seit weit über hundert Jahren in der Hand der Familie. Konrad hatte sie seinem kleinen Sohn gleich nach dessen Geburt vor vier Jahren überschrieben, allerdings sollte der Junge erst nach Erlangung der Volljährigkeit in den Besitz der Güter gelangen. Und jetzt gab er alles an einen Würfelkumpan – denn nichts anderes, das war Helena klar, bedeutete das Wort Ehrenschuld. Konrad hatte den zukünftigen Besitz seines Söhnchens verspielt! Denn dass er die Schuld nicht in bar beglichen hatte, bewies ein später in Konrads eigener Hand unter den Text geschriebener Zusatz: *»Kalchreuth und Zieglsteyn rechtmässig übereygnet am Tag nach Walburgi anno 1503«*

Helena konnte es nicht fassen. Sie stützte den Kopf in die Hände und überlegte fieberhaft, was zu tun sei. Schließlich griff sie zur Feder.

»Helena Hellerin an Jobst Tetzel zu Nürnberg.

Viellieber, ernfester Herr Jobst, ich wendt mich heut an Euch im Namen meins unmündigen Sönchens Conradt. Mit groszer Vertzweyflung hab ich erfarn, daß mein Gemahel Euch die Besitzungen Kalkreuth und Ziegelsteyn als Spielschuldt überlaszen hat. Nun aber hat er grad diesze Güeter vor Jarn schon unserm Söhnlein verschrieben, zur Nutzungk wenn er dereinst erwachßen ist. So kennet Ihr doch mein Ehegatten, er hat im Eiffer des Spiels bestimbt darauff vergessen. Ich bitt Euch daher, mir guetigst zu verstatten, Euch die Summ Geldes von 800 Gulden aus meiner Mitgifft zu bezahln und dafür Kalkreuth und Ziegelsteyn meim Sohn Conradt wiedrum zu überantwortten. Möget Ihr doch Euerm Freund die Schandt ersparn, seim eltsten Sohn später einmal sagen zu müessen, er hab ihm sein Erb verspielt.

Ich weiß, Herr Jobst, Ihr seyd ein hoch anstendiger und wohl würdiger Ehrnmann und würdet nit Euren Besitz mehrn wollen auf dem

Rüecken eins unschuldigen Kindleyns. Den Wechsel über 800 Gulden lass ich Euch mit dieszem Brieff zustelln. Meinen Danck und Gruß und den Segen unsers Hergots allezeit.

Helena Hellerin.«

Danach stellte Helena die Anweisung über das Geld aus, faltete beide Blätter zusammen und siegelte sie mit rotem Wachs.

»Mina!« Mit den Briefen in der Hand verließ sie das Kontor und traf die junge Magd im Flur. »Hier, schick einen Boten damit zu Jobst Tetzel, schnell.«

Mina eilte stracks mit den Briefen die Treppe hinab. Helena stopfte eine Strähne ihres blonden Haars zurück unter die Haube, die sie in der Aufregung über die Stirn hochgeschoben hatte, und atmete erst einmal tief durch. Sie fühlte sich plötzlich kraftlos und müde. Dann zuckte ein reißender Schmerz durch ihren Leib. Es war so weit.

Aus dem »Buch von den Steinen«

Der Rubin

Er heißet auch Karfunkel. Dieses sagt der Grieche Aristoteles von den Steynen: »Einer ist rot wie reines Bluth und heißet Rubinus. Dießer ist der beste von allen.« Viele nennen ihn die Mutter aller Edelsteyn. Er zeiget durch den ime eignen Zauber die Pestilentz an. Nähert sich nemlich der schwartze Todt, so wird der Rubin dunckel und warnet so seinen Besitzer. Auch hülft er wohl gegen geschlechtliches Unvermoegen des Mannes; dartzu muss man ihn über dem Gemächte kreysen lassen. Er stehet für Lieb und Leydenschafft, und wer ihn trägt, dem verleihet er eine gar starcke Lebenskrafft.

Item der Rubin ist so schön und wertvoll, dass vil Bösewicht versuchen, dieß Wunderwerk zu felschen. Willst du die Echtheyt heraußfinden, so mußtu ihn glühend machen. Er wird dann gantz farbloss, sodann beim Abkühln erst grün und endtlich wiedrum rot. Nicht so dagegen der rothe Spinell, der nicht grün, sondern veilchenfarben wird. Und rothes Glas, das ist eynfach, schmiltzet hinweg. Auch lasset sich Glas mit dem Messer ritzen, ein Rubin niemals.

Denn der Rubin zählet zu den Korundten, das sind die hertesten Steyn nach dem Diamant. Durch dieße Herte kann man sie vom Karneol unterscheyden, der nemlich nach dem Brennen im Feuer rot wie ein Rubin werden kann – item er ist aber nicht so hartt und bestehet eine Ritzprobe nicht. Das giltt auch für den Granat, der offt eine rothe Farb wie ein Rubin haben kann. Auch Quartz und Turmalin können rot sein wie ein Rubin sindt aber leichter; hier mußtu die Schwimmprobe machen.

Der Saphir

So lerne, dass der Saphir dem Saturn zugehörig ist. Mit seiner blauen Farb stellt er den Himmel dar und bedeutet auch Treu und Freundtschaft. Viel König pflegen ihn um den Halß zu tragen, denn er ist auch ein Zeychen des Glaubens. Bei Glieder Reissen wirket ein heißes Saphir bad Wunder, und der Steyn hülft auch bei zu starcker Abmagerungk. Item auch gegen Traurigkeyt ist er gut, so man ihn als Amulett umhenket. Sogar Beseßenheyt soll schon durch Aufflegen eins Saphirs geheylet worden seyn. Mit Wasser getruncken, hilfft der Saphir gegen den Stich des Scorpions, umgebunden hemmet er den Schweyßfluß. In Milch zerriben heilet er Geschwür aller Art; zerriben und auffgeschmiert ist er gut gegen Fettleybigkeit. Er machet auch unverlezlich gegen Missgunst.

Die besten Saphir sind die medischen; die aus Indien sind durchsichtigk, die arabischen trübe.

Der Saphir ist der hertteste unter den Korunden. Offt ist er milchig oder wolckig; klare Steyn sind seltten. Die Farb kann hell sein, aber auch fast schwartz; ein schöner Saphir muss aussehn wie blauer Sammet. Achte du unbedingkt darauff, den Saphir niemals zu erhitzen, denn er verliert seine Farb für immer!

Der Smaragd

Er ist von grüner Farb wie das Graß und gehöret ebenfalls zu den Korunden. Durch ihn solln die egyptischen Faraones iren Reichthum begründet haben, und es heißet, schon die Kayserin Cleopatra habe durch den Widerscheyn der Smaragde irer Hauth ewige Jugendt und Schönheyt verlihen. Er stehet für die Hoffnungk und die Reiffe im Geist. Den Griechen galt er als Steyn der göttlichen Weisheyt und Eingebungk.

Edelsteyn Wasser vom Smaragd ist gut für Umschleg aller Art, im besondern bei Krempffen, ja sogar bei Aussatz. Durch Auflegen auf den Kopff und als Halßgeheng vertreibt er die Fallsucht und hülfft gegen Schwindel, Zitthern und Speychelfluss. Kopfschmertz wird durch ihn gelindert, und auch die Mattigkeyt lasset er verfliegen. Gemalen und mit Wein getruncken vertreybt er die Wüermer. Keusch getragen, stärcket er Wesen, Körpper und Rede.

Item der edelste ist der skythische Smaragd, dieweiln er am dunckelsten ist. Der aus Baktrien ist kleyner, und auch der aus Egypten, der medische und der von der Inßel Cypern.

Dem erfahrnen Steinhändtler wird eine Verwechslungk mit andern Juweln nit vorkommen, denn sie haben nimals die schöne grüne Färbungk des Smaragds.

—

Reichsstadt Nürnberg, März 1503

Diesmal ging alles ganz schnell. Die Wehen dauerten nicht einmal zwei Stunden. Gott sei Dank hatten Apollonia und Mina den Gebärstuhl schon vor einer Woche vom Dachboden geholt und hergerichtet. Die Hebamme, die in Windeseile gekommen war, hatte kaum Zeit, ihre Kräutersalben und -öle auszupacken.

»Habt ihr auch an die Eierschalen gedacht?«, fragte sie Mina und Apollonia.

»Ach du lieber Gott, nein!« Mina rannte los, um sämtliche Eierschalen im Haus in winzigste Stückchen zu zerschlagen. Jedermann wusste schließlich, dass die überall in den Lüften allgegenwärtigen Hexen nur darauf lauerten, auf Eierschalen als Vehikel ins Gebärzimmer zu fliegen, um dem neugeborenen, noch ungetauften Kind ihre gräuliche Drudensalbe auf den Kopf zu schmieren. Solch ein Kind war rettungslos verloren und würde unweigerlich selbst zur Hexe werden.

»Vergiss die Eierschalen nicht, die ich immer ins Gießwasser für die Blumen tu'!«, rief Apollonia und eilte in die Küche, um heißes Wasser zu holen.

Gerade als die Hebamme den in Beifußtinktur getränkten Wollfaden um Helenas kleinen Finger wickeln wollte, um die Leibesfrucht herauszuziehen, kamen schon die ersten Presswehen. Der Wollfaden landete auf dem binsenbedeckten Fußboden, die Hebamme griff beherzt zu – und nach der dritten Wehe hatte sie das Kind in ihren Händen.

»Hellerin, das nächste Mal müsst Ihr mich aber früher rufen lassen.« Sie hielt das Kind an den Beinen hoch und schlug mit einer Hand klatschend auf das kleine Hinterteil. Ein dünnes Stimmchen erhob sich wie zum Protest.

»Ein gesundes Mädchen! Brav, meine Liebe. So, und jetzt noch mal pressen.«

Helena, die sich gerade erschöpft von Mina den Schweiß von der Stirn wischen ließ, sah die Hebamme ungläubig an. »Was?«

»Ja, ja, es sind zwei!«, nickte die. »Das hab ich beim Abtasten vorhin ganz deutlich gemerkt. Könnt Ihr noch? Wart, ich helf Euch.«

Sie holte eine Phiole mit weißlichem Pulver hervor, streute etwas davon auf ihre Hand und hielt es der Kreißenden unter die Nase. »Tief einatmen!«

Helena holte tief Luft. Sofort wurde sie von einem starken Niesreiz gepackt, der sich nach einigem Prusten und Luftschnappen in einer heftigen Explosion entlud. Das zweite Kind landete in den kräftig zupackenden Händen der Hebamme und begann sofort zu schreien.

»Ein Bub! Das Zweite ist ein Bub.«

Mina schlug vor Freude die Hände zusammen, während Apollonia das Kind in Empfang nahm. Ihr schmallippiges Lächeln gefror, als sie den Knaben anschaute. Im Gegensatz zum ersten Zwilling war sein Köpfchen von einem dichten, fast schwarzen Flaum bedeckt. Sie sah

Mina, die ebenfalls stutzte, mit einem bedeutungsschwangeren Blick an. Die Magd riss die Augen auf. So wie jeder wusste, dass Krüppel und Blöde allesamt in der Nacht zum Sonntag gezeugt waren, in der die Kirche die Beiwohnung verbot, so war auch allgemein bekannt, dass unterschiedliche Zwillinge von verschiedenen Vätern stammen mussten. Ein Geschlechtsakt konnte schließlich nur ein Kind hervorbringen. Das bedeutete, dass Zwillinge entweder kurz hintereinander von ein und demselben Mann gezeugt werden konnten und dann auch gleich aussahen – oder aber, die Mutter hatte sich innerhalb eines kurzen Zeitraums zwei Männern hingegeben …

»Na, da wird sich der Konrad freuen«, versetzte die Alte giftig und wandte sich mit verächtlichem Gesichtsausdruck ab. Helena richtete sich halb auf, aber sie brachte vor Empörung kein Wort heraus. Stattdessen kam ihr die Hebamme zu Hilfe.

»Ich weiß schon, was Ihr jetzt denkt, Apollonia. Viele Leute glauben diesen Unsinn, aber es ist nicht wahr. Ich hab schon viele solche Zwillinge auf die Welt geholt, und da war niemals Untreue im Spiel. Auch Drillinge. Es ist einfach eine Laune unsres Herrgotts.«

»Glaubt, was Ihr wollt, aber ich seh, was ich seh«, knurrte Apollonia. »Ein Bub und ein Mädchen, und der Bub so schwarz wie der Teufel! Ha!« Sie drückte Mina, die gerade das erste Kind gewickelt und Helena an die Brust gelegt hatte, den Jungen in die Hand, als ob sie sich an ihm verbrannt hätte, und knallte die Tür hinter sich zu.

Helena war fassungslos. »Ich hab niemals … ich war meinem Mann immer eine treue Ehefrau, Gott ist mein Zeuge.« Das alles konnte nicht wahr sein!

Die Hebamme tätschelte ihr die Hand.

»Nehmt's nicht ernst, Hellerin. Die Apollonia ist eine alte, missgünstige Giftkröte. Natürlich sind beide Kinder von Eurem Mann.«

»Meine Mutter hat mir einmal erzählt, dass mein Großvater dunkle Haare hatte, und auch einer ihrer Brüder.«

»Seht Ihr, da haben wir die Erklärung.«

Helena schüttelte den Kopf. »Aber der Konrad wird's mir nicht glauben.« Sie lehnte sich in den Kissen zurück, von Müdigkeit und Erschöpfung überwältigt. Eigentlich hätte sie froh über die leichte

Geburt sein müssen und glücklich darüber, zwei gesunden Kindern das Leben geschenkt zu haben. Aber Apollonias unausgesprochene Anschuldigung hatte alle Freude zunichte gemacht.

»Ich glaub's Euch, dass Ihr die Wahrheit sagt, Hausfrau.« Mina war ans Bett getreten und legte Helena nun den Buben in den noch freien Arm. »Die Loni kann manchmal so gemein sein. Nehmt's Euch nicht zu Herzen.«

Helena seufzte. Dann sah sie auf ihre beiden Neugeborenen hinunter und konnte doch lächeln. Das kleine Mädchen schlief tief und fest, ein winziges, rosiges, runzliges Etwas mit rundem Stupsnäschen und einem tiefen Grübchen im Kinn. Der Bub machte glucksende Geräusche und suchte mit schmatzenden Lippen, die großen dunklen Augen unter langen schwarzen Wimpern auf ihr Gesicht gerichtet. Mina half ihr, ihn an die Brust zu legen, und er begann, erstaunlich kräftig zu saugen. Da spürte Helena endlich das Glücksgefühl kommen, auf das sie gewartet hatte. Doch im Hintergrund war da immer noch die Angst vor Konrads Rückkehr.

Elf Tage lang war Helenas Glück ungetrübt. Sie lag im Wochenbett, stillte die Kinder, für die noch keine Amme gefunden war, und erholte sich schnell von den Strapazen der Geburt. Die Verwandten und Freunde kamen und gingen, und die Geschenke stapelten sich bald in der Wohnstube. Obwohl manch skeptischer Blick auf die Zwillinge fiel, sagte niemand ein Wort, ließ keiner eine Bemerkung fallen. Der kleine Konrad stand anfangs staunend, dann doch recht enttäuscht vor den kleinen Wesen, die seine Geschwister waren. Er hatte Spielkameraden erwartet und nicht solch brüllende, hässliche, faltige Winzlinge, mit denen so ganz und gar nichts anzufangen war. Schließlich entwickelte er eine rechte Eifersucht, weil Helena sich so viel mit ihnen beschäftigte und er sich vernachlässigt fühlte. Mina sprang in die Bresche und spielte mit ihm, wann immer sie Zeit hatte.

Am zwölften Tag kam Konrad aus Frankfurt zurück. Bei strahlendem Sonnenschein ritt er mit seinem Tross über das Spittlertor in die Stadt ein. Er war glänzender Laune, hatte er doch dort einen vorteilhaften Geschäftsabschluss zustande bringen können. Die Reise war wegen des anhaltenden schönen Wetters schnell und angenehm gewesen, und er hatte die Strecke in weniger als einer Woche geschafft. Schon als er über den Weinmarkt kam, rief man ihm die ersten Gratulationen zu, und er dankte fröhlich winkend und indem er einem Grüppchen Kinder, die zwischen den Marktständen spielten, Münzen zuwarf.

Im Hof stieg er ab, warf die Zügel seines Braunen dem Hausburschen zu und nahm immer drei Stufen gleichzeitig auf seinem Weg in den ersten Stock. Unterwegs warf er den staubigen Reisemantel samt dem Hut auf eine Truhe und rannte fast die alte Apollonia um, die ihm entgegengeeilt war. Noch bevor sie den Mund aufmachen konnte, schob er sie zur Seite und betrat die Wochenstube. Mina hatte gerade geräuchert, Kräuterduft hing in der Luft und dünne weißliche Schwaden waberten unter der Decke. Die Sonnenstrahlen des Spätnachmittags ließen die Staubkörnchen in der Luft tanzen und warfen ein rötliches, warmes Licht auf Helenas Haar. Sie saß aufrecht im Wochenbett, das Unterkleid weit aufgeschnürt, und stickte das Hellersche Wappen auf ein zweites Taufkleidchen.

»Was hör ich, es sind zwei geworden?« Konrad setzte sich schwungvoll zu Helena aufs Bett und zog spielerisch an einem ihrer langen Zöpfe. »Bist du wohlauf?«

»Es geht mir gut.« Helena hatte sich vor diesem Moment gefürchtet, der Mund wurde ihr trocken. »Wir sind jetzt zu viert! Du hast zwei gesunde Kinder, einen Buben und ein Mädchen.« Ihre Hand zitterte ganz leicht, als sie hinüber zur Wiege zeigte. »Sie schlafen grad.«

Apollonia kam herein und reichte Konrad den Willkommensbecher Wein, den er durstig leerte, bevor er aufstand und zur Wiege ging. Die Alte blieb stocksteif stehen und beobachtete die Szene mit wachsamen Augen, während Helena versuchte, ihn günstig zu stimmen.

»Ich möchte das Mädchen gern Margarethe nennen, nach deiner Mutter. Und dem Buben könnten wir den Namen deines Großvaters geben, Rupprecht, meinst du nicht? Schließlich war er ein bedeutender Mann, damals als erster Losunger, und deine Familie würde sich bestimmt freuen.«

Konrad nahm von ihrem bemüht fröhlichen Ton keine Notiz. Er

sah eine Zeit lang auf die Wickelkinder herab, die friedlich beieinander lagen. »Welches ist der Bub?«

»Der da, mit dem Daumen im Mund.« Apollonia war neben ihn getreten.

»Der ist ja ganz schwarz!« Konrad runzelte die Stirn, sodass eine steile Falte über seinem Nasenrücken entstand. In seinem Gehirn arbeitete es.

»Das ist andern Leuten auch schon aufgefallen«, bemerkte Apollonia trocken.

»Ich weiß, was du denkst«, fiel Helena ein, und in ihrer Stimme schwang die Angst mit, »aber glaub mir, es ist nicht wahr. Sie sind beide von dir, das schwör ich bei allen Heiligen. Ich war dir immer eine treue Ehefrau. Der Bub kommt, wie's scheint, nach meinem Großvater, der dunkelhaarig war.«

Konrads Augen wurden schmal. »Nach deinem Großvater?« Er grunzte.

»Konrad, ich bitt dich! Schau genau hin, das Kinn hat er von dir, und auch den Schwung der Augenbrauen.«

Er schüttelte den Kopf. So unterschiedliche Zwillinge mussten zwei Väter haben, natürlich! Etwas in ihm begann zu kochen. »Wieso sollt ich dir wohl glauben, Helena, bei deiner Vergangenheit?« Er trat ans Bett und ballte die Fäuste. »Du sagst mir jetzt sofort, von wem das Balg ist, hörst du?«

»Er ist von dir und niemand anderem, ich schwör's beim Grab meiner Mutter!« Helena legte flehend die Hände auf seinen Unterarm. »Konrad, ich weiß, ich hab gefehlt vor unserer Ehe, aber seit wir verheiratet sind, hab ich keinen andern Mann auch nur angesehn. Gott ist mein Zeuge. Die Hebamme sagt auch, dass …«

Er schüttelte sie ab. »Die Hebamme, die Hebamme! Aber was werden die Leute sagen, he? Ich kann's schon hören: ›Dem Heller hat sein mannstolles Weib Hörner aufgesetzt‹. Die ganze Stadt wird über mich lachen.«

»Nicht wenn du den Jungen öffentlich und ohne zu zögern als deinen Sohn anerkennst. Geh mit ihm und deiner Tochter gleich morgen zur Taufe. Das ist der einzige Weg.« Das war Apollonia. Sie hatte kurz das Zimmer verlassen und trat jetzt wieder durch die Tür. »Ganz gleich, von wem das Kind ist, du musst gute Miene machen und dadurch die Schande vermeiden.«

Helena hielt es im Bett nicht mehr aus. Sie sprang auf und stellte sich im Hemd vor ihren Ehemann und Apollonia. Ihre Nasenspitze war ganz weiß, wie immer, wenn sie sich ungerecht behandelt fühlte. »Herrgott, die Kinder sind beide von dir, Konrad. Hör auf, diesen Unsinn zu glauben, den alte Weiber daherschwätzen. Da gibt es keinen andern Mann!«

»So? Und was ist das?«

Apollonia zog die Hand hervor, die sie unter der Schürze versteckt gehalten hatte, und warf triumphierend ein Stück Papier auf die weißen Laken. Helena stockte der Atem. Es war Niklas' letzter Brief, an der Ecke klebte noch ein Rest Siegellack.

»Das hab ich beim Aufräumen in der Wäschetruhe gefunden.« Die Alte reckte das Kinn.

Konrad war mit einem Sprung am Bett, faltete den Bogen auseinander und las mit mahlenden Kiefern. Er nahm sich lange Zeit, bevor er aufblickte und Helena ansah, die kreidebleich dastand.

»Niklas? Den Namen kenn ich doch!« Seine Stimme war leise und schneidend. »Das ist doch der Hurenbock, von dem du dich mit so großem Vergnügen hast anstechen lassen, bevor ich dich geheiratet hab, stimmt's? Stimmt's?« Er fasste Helena mit einer Hand um den Hals, drängte sie zur Wand hin und drückte ihren Kopf gegen die Holzvertäfelung. »Und der schreibt dir heut noch Briefe, ja? Die du mir verheimlichst?« Er brachte sein Gesicht ganz nah an ihres, und seine Stimme wurde noch leiser. »Und vermutlich schreibst du ihm auch zurück, hm?«

Sie atmete ganz flach und schluckte ein-, zweimal; ihr Kehlkopf glitt unter seiner Handfläche auf und ab. »Konrad, er … er hat damals Nürnberg verlassen. Manchmal schreibt er mir noch, das ist alles. Und ich kann dich gar nicht mit ihm betrogen haben: Sieh doch, wo der Brief herkommt! Er lebt jetzt in Venedig.« In ihren Augen stand die blanke Angst, und sie spürte, wie sie zu schwitzen begann.

»Na, da schau her!« Apollonia konnte sich einen Kommentar nicht verkneifen. »Konrad, lass sie los, sie ist noch Wöchnerin! Und dieser Niklas wird wohl nicht der Kindsvater sein.«

Konrads Finger um Helenas Hals lockerten sich. »Sei froh, dass ich nüchtern bin, Weib, sonst hätt ich dich jetzt schon erwürgt.« Er ließ von ihr ab und ging mit großen, schweren Schritten im Zimmer auf und ab. Schließlich hatte er einen Entschluss gefasst. »Loni, bring Schreibzeug!«

Die Alte eilte sogleich und legte Papier, Feder und Tintenglas auf dem großen Tisch zurecht. Konrad stieß Helena grob auf die Bank. »Schreib!«

Helena tauchte mit zitternder Hand den Gänsekiel ein. »Was … ?«

»Du schreibst diesem Hundskrüppel, diesem elenden, dass du in Zukunft nicht mehr von ihm belästigt werden willst. Und ich rat dir, Helena: Schreib das so deutlich, dass ich damit zufrieden bin!«

Helena schrieb, und die Tränen liefen ihr dabei über die Wangen.

»Helena Hellerin an ihrn Vetter Nicklas Linck zu Venezia, den Freitag vor Judica anno 1503. Dieweiln ich nunmero glücklich bin mit meim liben Mann und mit drei Kindtlein gesegnet, so möcht ich nit mer von dir in meiner Zufriedenheyt gestöret werden. Warst du mir auch einst lieb und theuer, so bist du's heut lang nit mer. Meim Ehwirt bist du ein Störnfriedt, und ich mag nit mer daran erinnert werden, was früher gewesen. Drum bitt ich dich, lass ab davon, mir weiters Brieff zu schreiben, es ist mir zuwider. Auch ich will dir keyn Nachricht mehr zukommen laßen; unser Sach ist aus und vorbey.

Helena.

Konrad schnappte sich das Blatt, sobald Helena unterschrieben hatte, und las den Text genau. Dann nickte er und hielt ihr den Brief wieder hin. »Das kannst du so siegeln. Und du, Loni, geh raus. Wirst schon was zu tun haben.« Er wedelte mit der Hand, und die Alte verließ schweigend das Zimmer. Während Helena die Spitze des Wachsstäbchens über der Kerzenflamme erhitzte und das Wachs auftropfte, löste er langsam seinen Gürtel und schlang das Ende ein paar Mal um seine Finger.

»Bist du fertig?«

Helena hob den Kopf und sah das Leder in seiner Hand. Nein,

mein Gott, dachte sie, nicht das! Lass nicht zu, dass er mich wieder schlägt! Ein kleiner erschreckter Laut drang aus ihrer Kehle, als Konrad näher kam.

»So, du Weibstück, jetzt wirst du lernen, was es heißt, einen Heller jahrelang zu hintergehen!« Er riss sie am Arm hoch und zwang sie bäuchlings über die Tischplatte. Das Tintenglas fiel um, und es tropfte blauschwarz auf den Boden. Helena versuchte, sich zu wehren, aber er drückte mit der linken Hand ihren Kopf nieder. Dann klatschte der Gürtel auf ihren Rücken, und sie schluchzte auf.

Am nächsten Tag trug ein prächtig gekleidetes, strahlendes junges Paar die Zwillinge zur Sebalduskirche. Helena hatte darauf bestanden, das Wochenbett zu verlassen und die Kinder selber zur Taufe zu bringen. Sie und Konrad winkten nach allen Seiten, nahmen Glückwünsche und Segenssprüche entgegen und hielten sich glücklich an den Händen. Helenas Rücken brannte wie Feuer, aber noch schlimmer schmerzten Schmach und Ekel. Tu's für deine Kinder, sagte sie sich immer wieder, während sie die Kirche betrat und lächelnd neben Konrad durch den Mittelgang zum Taufstein schritt. Und als der Priester nach dem Namen für ihren Sohn fragte, antwortete sie, noch bevor Konrad etwas sagen konnte, mit fester Stimme: »Rupprecht. Wie sein seliger Urgroßvater.«

Nürnberg, Juni 1503

»Den linken Arm ein bisschen mehr anwinkeln. Ja, genau so. Wart!«

Der Maler trat mit einem Apfel in der Hand zu Anna, drückte ihr das Obst in die rechte Hand und drehte den dazugehörigen Arm schräg nach hinten, sodass es aussah, als ob Eva die Frucht der Erkenntnis hinter ihrem Rücken vor Adam verbergen wollte. »Gut, und jetzt das Spielbein ein Stückchen nach vorn. Schön, bleib so.«

Die Feder flog übers Papier, während Anna versuchte, nicht zu wackeln und zu wanken. Zwar durfte sie den Kopf nicht bewegen, aber ihre Augen wanderten durch die Dürersche Werkstatt. Die großen Fenster auf der Süd- und Westseite standen weit offen und ließen das Sonnenlicht ein, dessen Strahlen gleißend auf die Stelle fielen, wo sie stand. Dürer saß auf einem Schemel, vor sich die schräg gestellte Staffelei und ein Tischchen mit allerlei Farben, Tintenhörnchen, Kohlestiften und buntfleckigen Lappen. Der Maler hatte seine lange Haarpracht unter einer Arbeitshaube verborgen und trug ein Hemd mit eng anliegenden Ärmeln, die ihn beim Zeichnen nicht störten. Neben ihm saß auf einem Sidelhocker, der viel zu klein für ihn war, Willibald Pirckheimer, Dürers bester Freund. Wie immer war er erlesen gekleidet; in der Hand hielt er ein Buch, in das er immer wieder hineinsah. Pirckheimer war einer der gebildetsten Männer seiner Zeit, das hatte auch schon Anna gehört. Aber schön ist er nicht grad, dachte sie, während sie ihn ansah. Obwohl erst Mitte Dreißig, hatte Pirckheimer eine üppige Figur; unter seinem runden Schädel, um den bis auf Ohrenhöhe braune Locken fielen, hing die Andeutung eines Doppelkinns. Er hatte sinnliche Lippen und dunkle, wache Augen, denen nichts entging. An der Wand hinter ihm standen und hingen etliche fertige und halbfertige Werke Dürers, davon gefiel Anna die Darstellung eines Weihers im Wald besonders gut, ein duftiges Aquarell, das ihr mit zarten Farben die Landschaft ihrer Kindheit wieder in Erinnerung rief. Daneben hing ein Bild, auf dem ganz einfach nur Gras zu sehen war; Anna erkannte Schafgarbe, Löwenzahn, die Wiesenrispe und den Wegerich. Ganz hinten im Raum stand die Druckerpresse, daneben stapelten sich Bögen weißen Papiers, pilzförmige, tintenschwarze Stempelkissen lagen auf dem Boden, und an der Wand lehnten Druckplatten aus Kupfer. An einer quer durch den Raum gespannten Leine hingen Drucke zum Trocknen. Gegenüber der Presse führte ein kleiner, mit einem Vorhang abgetrennter Durchgang zu einem Zimmer, in dem auf Regalen Dekorationsmaterial aufbewahrt wurde, Stoffbahnen, gemalte Hintergründe, Hocker und Brettergestelle. Mittendrin stand ein breites Lotterbett mit Kissen, Decken und Polstern, auf dem Dürer manchmal seinen Mittagsschlaf hielt.

Es war nicht das erste Mal, dass Anna für Dürer Modell stand. Er hatte den Ehrgeiz, nackte Körper nach der Natur zu malen, aber es war im biederen Nürnberg nicht leicht, ein schönes Modell zu finden. Natürlich wäre so manche Hübschlerin vom Sand oder auch aus dem Frauengässlein bereit gewesen, sich so malen zu lassen, wie Gott sie geschaffen hatte, aber Dürer wollte eine Frau mit dem gewissen Etwas, mit Ausstrahlung, jung, schön und inspirierend. Schließlich hatte ihm sein Kollege Veit Stoß, der ganz in Annas Nähe in der Prechtelsgasse wohnte, Anna empfohlen. Stoß lebte allein, und seit Cilli ihre Kochkünste in der Wunderburggasse zur Perfektion brachte, schaute er oft mit einem Topf herein, um sich bei ihr ein warmes Abendessen abzuholen, das er jedes Mal großzügig bezahlte.

Dürer war von seinem neuen Modell recht angetan; er hatte sie für mehrere Aktstudien und Kupferstiche kommen lassen und sie bereits als Göttin Diana, als geflügelte Nemesis, als Nymphe und als Allegorie des Glücks verewigt. Heute stand sie für eine Vorstudie zu dem Stich »Adam und Eva«, der schon zur Hälfte fertig gestellt war. Den Adam hatte – auf Annas Empfehlung hin – der Sebastian vom Sandbad dargestellt, der mit seinen wunderbaren Locken und dem kräftigen jugendlichen Körper einen perfekten antik-biblischen Jüngling abgab.

»Die Konstruktion des idealen menschlichen Körpers kann mit Zirkel und Richtscheit geschaffen werden«, wandte sich Dürer an Pirckheimer. »Die richtigen Maße in Verbindung mit dem goldenen Schnitt, dann ist es zu schaffen.«

»Wär doch gelacht, wenn du nicht aufs Papier brächtest, was schon der gute alte Vitruv erkannt hat. Wenn einer den idealen Menschen zeichnen kann, dann du! Höchstens vielleicht noch dieser da Vinci in Italien. Hast du übrigens schon gehört, dass man dich jetzt überall den ›deutschen Apelles‹ nennt, nach dem berühmten antiken Maler?« Pirckheimer sah Albrecht über die Schulter und deutete mit seinem dicken Zeigefinger auf das Blatt. »Da, die Brust, die ist zu tief, oder?«

»Mmh.« Albrecht musterte erst Anna, und dann die vorskizzierte Figur auf dem Papier. »Du hast Recht. Ewig schad, Willibald, dass du so gar nicht malen kannst! Den Blick hättest du ja.«

Pirckheimer lachte. »Mal nur du, mein Freund, und lass mich bei meinen alten Griechen, das ist besser so.«

Die beiden begannen, über die Kunst im Altertum zu disputieren, während Anna langsam der Arm einschlief. Irgendwann verließ Pirckheimer das Zimmer, und Dürer malte seine Skizze wortlos und konzentriert fertig.

»So, Anna, das wär's für heute.« Dürer erhob sich und streckte den Rücken durch. »Hast du noch Zeit?«

Sie nickte und legte den Apfel weg. Manchmal, wenn dem Maler danach war, ließ er die Arbeitssitzung auf dem Bett im Nebenraum ausklingen. Während Albrecht sich die Hände wusch, drapierte sich Anna auf die Kissen und wartete. Schließlich kam Dürer herein und zog sich aus. Er war von eher schmächtigem Körperbau, schlank und sehnig. Als Liebhaber besaß er keine besonderen Qualitäten; Anna fand, er stellte sich für einen erfahrenen Ehemann nicht sehr geschickt an. Jetzt streifte er seine Haube ab, schüttelte die dichten braunen Locken, um die ihn so manche Nürnbergerin beneidete, und legte sich zu ihr. Seine Hände mit den zartgliedrigen Fingern berührten ihre Brüste und ihr Hinterteil, während sie nach seinem Gemächt griff, das noch schlaff und weich zwischen seinen Schenkeln ruhte.

Plötzlich hörte Anna, wie der Vorhang zur Seite geschoben wurde. Dann spürte sie eine tastende Hand ihren Rücken hochwandern. Aus dem Augenwinkel erkannte sie, dass es Pirckheimer war. Er saß nackt auf dem Bettrand, die Lippen vor Erregung halb geöffnet, und schlüpfte nun neben die beiden. Albrecht hielt inne und sah mit großen Augen, in denen etwas wie Freude und Verwunderung stand, den Freund an. Sie lächelten beide. Dann fuhr der Maler fort, Annas Brüste zu streicheln, und auch Pirckheimer griff nach ihren Rundungen. Drei Körper begannen, sich zu verschlingen; Anna in der Mitte. Arm wand sich um Arm, Bein um Bein. Zungen trafen sich, Lippen streiften einander, Seufzer mischten sich mit leisen Lauten der Lust. Wer spürte wen, wer schmeckte wen, wer wollte wen? Irgendwann wurde Anna bewusst, dass es längst nicht mehr um sie ging. Finger verschränkten sich in Leidenschaft, aber es waren nicht ihre Finger. Küsse wurden heftiger, aber es waren nicht ihre Lippen. Hände wanderten forschend an lustvolle Orte, Atem wurde schneller, Bewegungen fordernder. Anna hörte Pirckheimer Worte in Dürers Ohr flüstern, Worte, die zu ihr noch nie ein Mann gesagt hatte. Sie erkannte, dass sie nicht mehr gebraucht wurde. Langsam glitt sie aus dem Bett und ging durch den Vorhang in die Werkstatt zurück. Ihre Sachen lagen in der Ecke, sie kleidete sich an und zog dann die Tür hinter sich zu.

Nachdenklich stieg sie die Treppe hinunter. Noch nie hatte sie ein liebendes Paar gesehen, aber so, dachte sie, so wie jetzt gerade muss es wohl sein. Etwas wie Wehmut kam in ihr auf. Bei so vielen Männern hatte sie gelegen, aber nie hatte sie dabei einen Gedanken daran verschwendet, dass dieser lästige Akt der Geschlechtlichkeit auch schön sein konnte – wenn man Liebe und Zuneigung füreinander empfand. Heut hast du was gelernt, Anna, sagte sie zu sich, als sie das Haus unter der Kaiserburg verließ. Und mit einem Mal spürte sie eine ungekannte Sehnsucht, und sie wusste, dass dieses merkwürdige Ziehen, dieses beinahe wehmütige Verlangen sie von nun an nicht mehr verlassen würde.

Anna schlenderte derweil über den Obstmarkt und kaufte bei einem der halbwüchsigen Bauernmädchen, die jeden Tag einen weiten Weg zu Fuß in die Stadt kamen und Selbstgepflücktes anboten, ein Steiglein dunkelrote Kirschen. Sie suchte sich ein Plätzchen in der Sonne am Pegnitzufer, spuckte Kerne ins Wasser und dachte über Dürer und Pirckheimer nach. Hinter ihr breiteten zwei Hausfrauen nasse Laken zum Bleichen auf die Wiese und erzählten sich dabei den neuesten Klatsch. Die Spatzen schimpften, weil eine magere Katze an der dicken Rinde der alten Weide ihre Krallen wetzte. Das Tier streunte zu Anna herüber, wandte sich aber beleidigt ab, als die ihm nur eine Kirsche anbot. Als es schließlich zur zweiten Nachmittagsstunde schlug, stand Anna auf, klopfte ihren Rock sauber und lief zur Almosenpforte des Barfüßerklosters, wo sie sich wie gewöhnlich einmal in der Woche mit Philipp traf, um ihren Besuch in Sankt Peter zu machen.

Der Mönch stand schon auf dem Vorplatz, einen Lederbeutel unter dem Arm, der neben einer Scheibe Salz und einem Säckchen mit Heilkräutern auch Hostien, Messwein und ein verstöpseltes Fläschchen mit Weihwasser für die Krankenmesse enthielt. Sie waren schon ein merkwürdiges Paar, wie sie so nebeneinander hergingen, der Franziskaner mit der dunklen Kutte und die junge Frau mit dem flammendroten Hurentuch um Kopf und Schultern, aber sie hatten sich daran gewöhnt, dass sich manche Leute nach ihnen umdrehten, und störten sich nicht daran. Inzwischen wussten die meisten, dass die Hübschlerin zur Buße für ihre Unkeuschheit regelmäßig die Bresthaften besuchte und ihnen Lebensmittel brachte. Dennoch, als sie am Schöpfbrunnen vorbeikamen, steckten ein paar Mägde, die dort zum Wasserholen anstanden, die Köpfe zusammen und tuschelten.

Draußen vor dem Tor herrschte rege Betriebsamkeit. Während der Torwart mehrere Wagenladungen Holzkohle und einen Imker mit Kisten voller Honigwaben aus dem Reichswald abfertigte, wartete ein Trupp lärmender Landsknechte darauf, eingelassen zu werden. Die bis an die Zähne bewaffneten Männer mit den wilden Gesichtern schäkerten mit zwei dicken Bauersfrauen, die einen Korb voller brauner Eier und eine Buckelkieze mit lebenden Stallhasen in die Stadt brachten. Sie alle hatten auf ihrem Weg den Siechenkobel passieren müssen, und mancher hatte den »Gutleuten«, wie die Aussätzigen oft genannt wurden, aus Mitleid und im dankbaren Bewusstsein seiner eigenen Gesundheit eine kleine Gabe hingeworfen.

Als Anna und Philipp in Sankt Peter ankamen, saßen mehrere der Kranken mit ihren Almosenschalen vor der Umfriedung. Sie rappelten sich auf und liefen oder rollten auf Bretterwägelchen zur kleinen Kapelle, wo, wie sie wussten, der Mönch gleich die Messe zelebrieren würde. Die meisten Bewohner des Siechkobels waren dankbar für die seelsorgerische Betreuung durch die Franziskaner, nahmen tiefgläubig den Leib Christi und beichteten angesichts des unabwendbaren Todes ihre täglichen kleinen Sünden. Andere wenige hatten aus Bitterkeit über ihr Schicksal dem Glauben abgeschworen und mieden das Kirchlein. Eva gehörte zu ersterer Gruppe. Sie war überzeugt, dass das schreckliche Leiden die Strafe Gottes für ihren sündhaften Lebenswandel war – und die meisten ihrer Zeitgenossen teilten diese Ansicht. Wen sollte wohl der Aussatz, diese schlimmste aller Geißeln, treffen – wenn nicht Huren, Mörder und Bösewichte? Die Leprösen hatten deshalb nicht nur mit ihrer Krankheit zu kämpfen, sondern auch mit einem schlechten Ruf, was jedoch die meisten Menschen nicht daran hinderte, ihnen gegenüber mildtätig zu sein – und sei es auch nur, um sich selbst durch das Geben von Almosen einen Platz im Himmelreich zu erkaufen. »Gabe schielt nach Entgelt« – das war das alte Prinzip, und für den Entgelt würde der liebe Gott schon sorgen.

Nach der Messe saßen Eva und Anna meist eine Zeit lang beisammen, während Philipp zu den Bettlägerigen ging und ihnen die Beichte abnahm. Dann traten die beiden Besucher den gemeinsamen Rückweg in die Stadt an. Bei schönem Wetter hatten sie sich angewöhnt, noch einen kleinen Spaziergang am Siechbach entlang zu machen, der durch Wiesen und ein kleines Wäldchen in östlicher Richtung verlief und sich dann in einem kleinen Tümpel staute. Auch an diesem Junitag schlenderten sie im Sonnenschein am Wasser entlang und ließen sich schließlich an der Stelle im Gras nieder, wo der Bach in den Teich mündete. Um sie herum summte und brummte es, Bienen streiften den Pollen von unzähligen Löwenzahnblüten und ganze Käfer- und Ameisenvölker waren unterwegs. Ein Entenpärchen paddelte heran und quakte mit den Fröschen um die Wette. Philipp ließ sich mit über dem Kopf verschränkten Armen nach hinten fallen und blinzelte in die Sonne, während Anna ihr Hurentuch abnahm und die langen Haare ausschüttelte. Um jedes ihrer Ohren baumelte ein Kirschenzwilling.

»Sagt, Vater, was wisst Ihr über die Amazonen?«

Philipp sah träge zu ihr hinüber. »Du hast doch nicht schon wieder einen Kunden, dem du antike Szenen vorspielen sollst?«

»Doch.«

»Dann sag ich dir nichts.«

Anna zuckte mit den Schultern. »Geh ich halt zum Pirckheimer.« Sie nahm ein Kirschenpärchen von ihrem Ohr und steckte sich eine Frucht in den Mund. Dann ließ sie den anderen Zwilling über Philipps Nase baumeln. Er hob leicht den Kopf und biss eine Kirsche vom Stängel.

»Stimmt es, dass die Amazonen reiten und kämpfen konnten wie Männer?«

Philipp seufzte und setzte sich auf. Es war sinnlos; der junge Pirckheimer würde Anna noch viel mehr unanständiges Zeug erzählen als er. »Also gut. Ja. Es war ein Volk von Kriegerinnen. Sie waren berühmt für ihre Tapferkeit im Kampf und meisterhafte Bogenschützinnen. Manche von ihnen ließen sich sogar eine Brust wegschneiden oder ausbrennen, um den Bogen besser spannen zu können. Aber so weit solltest du nicht gehen.«

Anna schüttelte sich. »Ich werd's mir überlegen«, grinste sie, während der Mönch weitersprach.

»Die Amazonen zogen einmal im Jahr aus, um Umgang mit Männern zu haben. Hatten sie ein Kind empfangen, kehrten sie nach Hause zurück. Nach der Geburt zogen sie nur die Mädchen auf. Ihre berühmteste Königin war Penthesilea, die den Trojanern im Krieg gegen die Griechen zu Hilfe kam. Sie wurde im Kampf von Achilles getötet, der sich in die Sterbende verliebte. Es gibt Stimmen, die behaupten, er sei so sehr in Liebe entflammt, dass er die Tote ... nun ja ... entehrt habe.«

Anna flocht ihr dunkles Haar zu einem langen Zopf und steckte Gänseblümchen hinein. »Hm. Das heißt, ich bräuchte vielleicht einen Helm ...«

»Ja, einen Lederhelm, ein kurzes ärmelloses Gewand, das eine Brust freilässt, so ungefähr. Vielleicht noch eine Lanze, dann noch ein Kurzschwert, und natürlich ein Pferd ...« Der Mönch tat so, als ob er angestrengt weiter überlegte.

»Danke, das reicht schon.« Anna steckte Philipp eine weitere Kirsche in den Mund. Dann stand sie auf und ging zum Rand des Tümpels. Bei einem Holzstoß, dort wo das Bächlein abfloss, plätscherte es. Ein Fischotter glitt ins Wasser, hielt kurz inne und tauchte dann blitzschnell ab.

Philipp beobachtete Anna, die ihren Rock raffte und mit nackten Füßen in den Teich stieg, mit halb geschlossenen Augen. »Weißt du eigentlich«, fragte er, »dass der Otter ein Fisch ist?«

Anna drehte sich verblüfft um. »Wieso?«

Der Mönch erhob sich und kam ans Wasser. »Weil einige unserer hohen kirchlichen Würdenträger zu diesem Schluss gelangt sind.« Er lachte. »Nicht alle Gottesmänner mögen Fisch, weißt du, und wir haben so viele Fastentage, an denen kein Fleisch verzehrt werden darf: immer mittwochs und freitags, und dann sämtliche Fastenwochen rund ums Jahr. Also ist man nach eingehenden Disputationen und gelehrten Betrachtungen zu folgender Erkenntnis gekommen: Die Ente, zum Beispiel. Sie lebt die meiste Zeit im Wasser, und sie hat an den Füßen Schwimmhäute. Ergo hat sie große Ähnlichkeit mit einem Fisch, und ihr Fleisch darf an Fischtagen ungestraft genossen werden. Gleiches gilt in noch höherem Maß für den Fischotter, der ja ebenfalls Schwimmhäute hat und sogar wie ein Fisch unter Wasser schwimmen kann. Folglich muss der Otter ein Fisch sein. Noch besser, der Biber: Er hat nicht nur Schwimmhäute und kann tauchen, sondern er besitzt sogar noch einen schuppigen Schwanz. Wenn das kein Fisch ist! Und siehe da, an Fischtagen stehen, wenn man darauf Appetit hat, Entenpfeffer, Otterpastete und Biberbraten auf dem Tisch der frommen Kirchenmänner …«

Anna lachte lauthals. Sie watete ein Stück in den seichten Tümpel hinein und winkte Philipp, der noch unentschlossen draußen stand. »Kommt, es ist herrlich!«

Philipp zögerte kurz, hob dann die Kutte bis zu den Knien hoch und stapfte ins Wasser.

Später standen sie nebeneinander am Ufer und schüttelten die Füße zum Trocknen aus.

»Ihr habt ja richtig haarige Männerbeine«, meinte Anna scherzhaft und betrachtete Philipps nasse Waden, auf denen es sich dunkel kräuselte. Er zog eine Augenbraue hoch. »Was hast du denn erwartet?«

Anna naschte von einem Blatt Sauerampfer und tat so, als ob sie überlegte. »Na ja, irgendwie denkt man gar nicht, dass unter einer Mönchskutte ein richtiger Mann steckt.« Sie zwinkerte ihm zu.

Die Bemerkung ärgerte ihn. »Jedenfalls nicht einer von der Sorte, wie du sie gewohnt bist«, erwiderte er schärfer, als er beabsichtigt hatte. Sie hörte auf zu lächeln, und das Funkeln in ihren Augen erlosch.

»Anna, ich …« Philipp wusste sofort, dass es entsetzlich falsch war, was er da gesagt hatte. Er hätte sich ohrfeigen können. Sie wandte sich ab, aber er hielt sie an den Händen fest. Und dann, als ob ihn plötzlich der Teufel ritt, küsste er sie auf den Mund.

Es war ein harter, ungeschickter Kuss, unbeholfen, hölzern und ohne Zärtlichkeit. Danach standen sie einander atemlos gegenüber, und Anna sah den Schrecken in seinem Gesicht.

»Ach Mönchlein«, sagte sie leise.

Und in diesem Moment wusste sie, dass sie ihn liebte.

Sie gingen schweigend nebeneinander den Weg zurück in die Stadt, in sicherem Abstand, um zufällige Berührungen zu vermeiden. Scham und Verlegenheit waren mit Händen greifbar, bildeten eine Wand zwischen ihnen, die keiner in der Lage war, einzureißen. Schließlich waren sie beim Barfüßerkloster angelangt und standen sich gegenüber. Philipp suchte nach Worten. Er presste die Fäuste gegen seine Augen und ließ dann in einer Geste der Hilflosigkeit die Arme fallen. »O Gott, Anna, ich wollte das nicht. Bitte verzeih mir. Ich weiß nicht, was über mich gekommen ist … Himmel, ich schäme mich so.«

Sie hob beschwichtigend die Hände. »Vor einer wie mir braucht sich kein Mann zu schämen, und Ihr schon gar nicht. Es war meine Schuld, Vater Philipp. Ich hab Euch gereizt.«

Er schüttelte den Kopf; in seinem Blick war eine Verzweiflung, die sie kaum ertragen konnte. Noch bevor sie mehr sagen konnten, öffnete der Bruder Pförtner das Türchen, und Philipp drehte sich um und verschwand.

Anna stand noch eine Weile da und ging dann um die Ecke des Klosterkomplexes. Sie wusste, wo im ersten Stockwerk des Gebäudes das vergitterte Fenster seiner Kammer war, er hatte es ihr einmal gezeigt. Die Abendsonne schien auf die steinerne Hauswand, und sie lehnte sich an ein gegenüberliegendes Mäuerchen und sah hinauf. Irgendwann hörte sie von dort droben ein leises Klatschen, das sich langsam und rhythmisch wiederholte. Mit Tränen in den Augen zwang sie sich zu warten, bis alles vorbei war. Dann rannte sie heim. Gab es etwas Verrückteres auf der Welt als eine Hure, die sich in einen Mönch verliebte?

Venedig, 20. April 1504

Da die Perle in Muscheln entsteht, gehört sie eigentlich zum Tierreich im Wasser, wird aber seit Menschengedenken den Edelsteinen zugeordnet. Sie ist als Schmuck der alten Herrscher berühmt, so hat sie schon die unermesslich reiche Königin von Saba geziert. Für die Christen bedeutet die Perle den Herrn Jesus selbst, dessen jungfräuliche Geburt der Entstehung der Perle gleichkommt. Die Überlieferung sagt überdies, der Höllenfürst Luzifer habe sich in seiner Gier nach Perlen die Zähne daran ausgebissen. Die Perle steht für Ehrlichkeit; ist sie ebenmäßig rund, symbolisiert sie die vollkommene Schönheit einer Frau. Wer sie besitzt, wird durch sie weise und zufrieden bis ins hohe Alter. Perlenwasser senkt hohes Fieber und lindert Kopfschmerzen; schon die Pharaonin Kleopatra, Geliebte Caesars, soll besonderen Gästen Perlenpulver in Wein kredenzt haben. Auch hilft die Perle gegen schwarze Melancholie und reinigt das Blut im Herzen. Doch Vorsicht: Nur die im Salzwasser entstandenen Perlen haben heilende Wirkung; Flussperlen sind giftig und dürfen nicht verwendet werden.«

Yussuf schritt in seinem Studiolo auf und ab, dicht gefolgt von der Leopardin, während Niklas, wie immer, mitnotierte. Zwei Jahre waren es nun fast, die die beiden Männer schon dem ›Buch von den Steinen‹ widmeten, und es stand jetzt kurz vor seinem Abschluss. Das Kapitel über die Perlen bildete den vorletzten Abschnitt.

»Die Perle entsteht in der Muschel durch die Aufnahme des Himmelstaus, ihre helle oder dunkle Farbe ist bedingt durch den Morgen- oder Abendtau. Je mehr Tau die Muschel aufnimmt, desto schöner wird die Perle. Oft wird versucht, Perlen zu fälschen, indem man Fischaugen mit Glimmer überzieht oder hohle, durchsichtige Glaskugeln mit einem schimmernden Brei füllt, der aus den Schuppen des Weißfisches gewonnen wird. Doch die Täuschung ist leicht festzustellen: Im Gegensatz zu beiden fühlt sich eine echte Perle in der Hand untrüglich lauwarm an. Bei Erhitzen springt die Glanzschicht der Perle, deshalb ist beim Bohren der Löcher Vorsicht geboten. Auch in starken Essig darf die Perle nicht geworfen werden, da sie sich unweigerlich darin auflöst. Im Laufe der Zeit werden Perlen oft matt und glanzlos. Man kann ihnen jedoch ihre erste Schönheit wiedergeben, indem sie längere Zeit in die Tiefen des Meeres versenkt werden. Auch kommen sie schöner wieder heraus, wenn man sie Hühnern oder Tauben zu fressen gibt. Die größte Perle, die mir bekannt ist, hat den Umfang eines Taubeneis. Kleine und winzige Perlen verwendet man nicht als Schmuck, sondern sie werden als Stoßperlen in der Heilkunde genutzt.«

Niklas schrieb, bis ihm die Finger wehtaten. Schließlich legte er den Gänsekiel beiseite und massierte mit der linken die rechte Hand, als es leise an die Tür des Studierzimmers klopfte. Ettore, der Hüne, meldete wichtigen Besuch.

»Wir sind ohnehin fertig für heute, Niccó«, meinte Yussuf. »Nächstes Mal behandeln wir die Perlen zu Ende, anschließend kommen nur noch die Korallen, und dann können wir uns einen guten Drucker suchen.« Er rieb sich zufrieden die Hände und bedeutete seinem Diener, den Gast hereinzulassen.

Ein Mann in mittleren Jahren trat durch die Tür, nach der Sitte des Stadtadels ganz in kostbaren schwarzen Samt gekleidet. Sein Gesicht war von vornehmer Blässe, mit üppig geschwungenen Lippen über einem weich gezeichneten, bartlosen Kinn. Seine südländisch anmutende Schönheit wurde nur von einer gezackten Narbe beeinträchtigt, die vom Mundwinkel bis zur Schläfe verlief. Das grau melierte Haar war mithilfe von Eiklar am ganzen Kopf glatt zurückgekämmt und kräuselte sich im Nacken in kleinen Löckchen. An seinem linken Ohr glitzerte ein Smaragdgehänge, das Niklas auf mindestens fünfzig Dukaten schätzte.

»Messer Contarini, welche Freude.« Yussuf eilte mit ausgebreiteten Armen auf den Mann zu, und die beiden umarmten sich. »Euer Besuch kommt mehr als gelegen! Darf ich Euch meinen Freund und Mitarbeiter vorstellen, mit dem ich gerade an einem Buch über Edelsteine arbeite? Signor Niccoló Lincko – Ser Piero Contarini Zemelli.«

Die beiden verbeugten sich höflich lächelnd voreinander. Sieh an, dachte Niklas, einer der drei städtischen Kriminalrichter. Contarini war bekannt dafür, dass er gegenüber dem Verbrechen in der Stadt eine harte Linie verfolgte. Seit er vor acht Jahren das Amt des giudice del proprio übernommen hatte, war die Zahl der Todesurteile sprunghaft angestiegen und das Blut an den Säulen auf der Piazza San Marco trocknete kaum noch. Seine Unnachgiebigkeit hatte ihm den Beinamen »il duro« eingebracht, und er war bei den rechtschaffenen Bürgern Venedigs äußerst populär.

»Signor Lincko, verzeiht mir. Ich wollte Eure Arbeit mit Ser Yussuf nicht unterbrechen, doch wir sind alte Geschäftsfreunde, und es gibt Wichtiges …«

»O nein, nein, wir wollten ohnehin gerade aufhören. Ich will Euch nicht länger stören, Ihr Herren«, erklärte Niklas und wandte sich zum Gehen. Er fuhr Moca kurz über den Kopf und ließ sich von Ettore hinausbegleiten.

Das frühe Ende der Sitzung kam Niklas nicht ungelegen. Er war heute unkonzentriert gewesen, vielleicht lag es an der außergewöhnlichen Hitze, die Venedig seit einer Woche plagte. Stickige Luft lag wie eine Dunstglocke über der Serenissima, es stank überall bestialisch nach Moder, Fisch und Abraum. Vermutlich konnte man von Campanile aus nicht einmal bis nach Mazzorbo sehen.

Kaum hatte Niklas den marmorkühlen Palazzo des Mohren verlassen und die Gasse betreten, begann er zu schwitzen. Er nestelte sein Leinenhemd über der Brust auf und beschloss gleichzeitig, heimwärts einen kleinen Umweg über San Marco zu machen. Erstens kannte er auf dem Weg eine Schänke, die den Wein mit Eisblöcken aus dem Alto Adige kühlte, und zweitens stand auf der Piazza vor dem neu errichteten Uhrturm gewöhnlich ein Bauchladner, der die besten schmalzgebackenen Süßigkeiten der ganzen Stadt verkaufte, Chiacchiere oder auch ›Nonnenfürzchen‹ genannt, eine Spezialität, die es normalerweise nur in der Fastenzeit gab, und nach der Vanozza und Pippina sich die Finger schleckten.

Als Niklas sich der Piazza San Marco näherte, stieß er auf eine dichte Menschenmenge, durch die er sich einen Weg zu bahnen versuchte. Am Ende der Mercerie gab es kaum mehr ein Durchkommen. Die halbe Stadt schien auf den Beinen zu sein. Der junge Goldschmied schob sich an den Hauswänden entlang weiter, kassierte dabei etliche Verwünschungen, gelangte aber wenigstens bis vor den Dogenpalast.

»Was ist denn hier los?«, fragte er einen froschgesichtigen Wasserträger, der sich mit seinem Fass auf dem Rücken und den am Gürtel angeketteten Blechbechern strategisch günstig an einer Ecke postiert hatte. Der Mann von der Terraferma wischte sich den Schweiß von der Stirn und spuckte verächtlich aus, bevor er antwortete.

»Eine Prozession zu Ehren der Heiligen Agnes von Montepulciano, heute ist ihr Jahrtag. Sie tragen irgendein halbverrottetes Überbleibsel von ihr herum, dort drüben kommen sie!«

Niklas verdrehte die Augen zum Himmel. Nahezu jeden Tag fand irgendwo in der Stadt ein religiöser Festzug statt, auf dem die Reliquien eines Heiligen gewiesen wurden – schließlich herrschte in Venedig, so behaupteten zumindest die Venezianer nicht ohne Stolz, abgesehen von Rom die größte Reliquiendichte der gesamten christlichen Welt. Und jeder dieser Heiligen hatte einen Geburts- oder Sterbetag, der mit einem Umzug gefeiert werden musste. Niklas war nicht zum ersten Mal in das Gewimmel einer Prozession geraten, und er wusste aus Erfahrung, dass man aus einem solchen Hexenkessel so schnell nicht wieder herauskam. Seufzend ergab er sich in sein Schicksal und ließ sich mit der Menge treiben. Unter Knüffen und Püffen schob man ihn vorwärts, bis er sich unversehens neben dem Vortragkreuz wieder fand.

Ein halbwüchsiger Knabe stemmte das schwere Kreuz auf einem langen Metallstab hoch über die Köpfe der wogenden Massen und sah dabei aus, als würde er gleich vom Hitzschlag getroffen. Dahinter marschierten etliche dunkel gekleidete Mönche in wankendem Gleichschritt; sie trugen ein sänftenartiges Gestell auf ihren Schultern, auf dem unter einem überdimensionalen fransenbehängten Sonnenschirm ein blitzendes, juwelengeschmücktes Etwas an einer Stange befestigt war. Niklas konnte es nur von weitem sehen, und die Sonne blendete ihn dabei, aber irgendetwas daran kam ihm bekannt vor. Er benutzte Fäuste und Ellbogen, um sich näher an die Reliquie heranzuschieben. Um ihn herum stritten kreischende und brüllende Menschen um den besten Platz, ihre Leiber so dicht aneinander gedrängt, dass ihm der Schweißgeruch fast den Atem nahm. Einer hielt eine Krücke hoch, ein anderer streckte die Hände aus und versuchte verzweifelt, die Sänfte zu berühren, eine junge Frau schlug sich in religiöser Verzückung tränenüberströmt an die Brust und schrie hysterisch. Niklas war größer als die meisten und hatte deswegen fast freies Blickfeld. Nein, er hatte sich nicht getäuscht: An der Stange schwebte ein funkelnder Behälter in Form eines überlebensgroßen silbernen Unterschenkels, besetzt mit schwarzen Perlen, Bernstein, Jaspis und Chrysophas!

Niklas traute seinen Augen nicht. Verbissen kämpfte er sich noch näher, bis er nur noch eine Armlänge von dem Reliquiar entfernt war. Eine Frau schrie, doch er schob sie einfach weg. Und dann sah er den Bernstein, der als Verzierung an der Stelle des Außenknöchels saß: Er hatte einen herzförmigen Einschluss, ein Merkmal, das Niklas noch in hundert Jahren wiedererkannt hätte. Diesen Stein hatte er selber gesetzt.

»Corpo di cristo!« Niklas fluchte zwischen zusammengebissenen Zähnen. Er versuchte stolpernd, mit der Sänfte auf gleicher Höhe zu bleiben und zog dabei einen der Mönche, die das Gestell schleppten, am Ärmel.

»Was tragt Ihr da, Padre?«

Der vierschrötige Mönch, dem der Schweiß in Strömen von der Stirn rann, sah ihn mit verklärter Miene an. »Den Knöchel der Heiligen Agnes, mein Sohn. Danket dem Herrn.«

»Seid Ihr sicher?«

Der Mann riss die Augen auf und ließ dabei die dichten Brauen nach oben schnellen. »Ob ich sicher bin? Was soll die Frage? Natürlich bin ich sicher! Wir holen die Reliquie alle fünf Jahre aus der Predella des Hauptaltars der Chiesa Sant' Agnese, wo sie eingemauert ist, um sie den Gläubigen zu zeigen. Dann tragen wir den Knöchel nach San Marco und wieder zurück, und hinterher wird er wieder für fünf Jahre im Reliquiengrab eingemauert. Habt Ihr denn ein besonderes Begehr an die Heilige, mein Sohn? Die Erfüllung eines Wunsches? Die Heilung einer Krankheit?«

Niklas schüttelte wie betäubt den Kopf und blieb einfach stehen.

Die verzückte Menge wühlte und drückte sich um ihn herum, während er einfach nur da stand und sich beinahe willenlos hin und her schieben ließ.

Der Knöchel der Heiligen Agnes also! Nicht etwa das Schienbein des Heiligen Cosmas, wie ihm Noddino vor anderthalb Jahren erzählt hatte. Und auch nicht für die Sammlung der Medici! In Niklas' Kopf schwirrte es. Er landete schließlich in einer Seitengasse, wo er sich erst einmal auf der Eingangsstufe eines Hauses niederließ. Erschöpft schloss er die Augen und lehnte den Kopf an die hölzernen Balken der Haustür. Seine Gedanken ordneten sich langsam zu einem Muster. Und plötzlich ahnte er, was in Noddinos Werkstatt gespielt wurde ...

Eine Stunde später kam er im »Stör« an, wo schon fast alle Plätze besetzt waren und Vanozza mit Bechern und Krügen die Runde machte. Pippina, die gerade in der Küche die brodelnde Fischsuppe über dem Feuer beaufsichtigte, empfing ihn mit in die Seite gestemmten Armen.

»Santo cielo, Niccó, wie siehst du denn aus, völlig verschwitzt? Und was machst du für ein finsteres Gesicht?« Die Kleine merkte immer sofort, wenn etwas mit ihm nicht in Ordnung war. Sie schenkte ihm einen Becher vom Kochwein ein, den er dankbar annahm. Dann fuhr er ihr liebevoll übers Haar.

»Schau nicht so besorgt, piccola, ich bin nur bei San Marco in eine Prozession geraten und beinahe zu Tode getrampelt worden. Deshalb hab ich dir auch keine Nonnenfürzchen mitbringen können.«

»Macht nichts, Mama hat Kastanienfladen gebacken.« Sie zuckte die Schultern. »Hier, ich hab was für dich, das wird dich aufheitern.« Sie griff ins Regal hinter sich und hielt ihm einen Brief hin. »Von deiner cugina aus Nürnberg. Den hat gestern schon einer aus dem Fondaco gebracht, aber ich hab vergessen, ihn dir zu geben.«

Niklas setzte sich auf einen Küchenhocker und erbrach das Siegel. Schon beim Auffalten schwante ihm Übles, denn es handelte sich nur um ein einziges Blatt mit wenigen Sätzen. Mit einem Blick erfasste er den Inhalt:

»... möcht ich nit mer von dir in meiner Zufriedenheyt gestöret

werden ... lass ab davon, mir weiters Brieff zu schreiben, es ist mir zuwider ... unser Sach ist aus und vorbey ...«

Er knüllte das Papier zusammen und warf es ins Feuer. Dann nahm er den letzten Schluck Wein aus dem Becher, presste die Lippen zu einem Strich zusammen und schleuderte das Gefäß an die Wand, wo es klirrend zerbrach.

Nürnberg und Oberwolkersdorf, September 1504

Seit über drei Monaten trug Philipp nun schon ein härenes Unterkleid, das sich schmerzhaft an seiner Haut rieb. Schmerz tötete fleischliche Gelüste, Schmerz strafte, und Schmerz rief unaufhörlich ins Bewusstsein, dass es Dinge gab, die nicht sein durften.

Er hatte den Abt darum gebeten, ihm ein neues Aufgabengebiet zuzuteilen. Er hatte versucht, sich in nächtlichen Vigilien zu läutern. Er hatte Gott angefleht, ihm einen Weg aus seiner Not und Verzweiflung zu zeigen – umsonst. Nichts konnte dieses Gespenst aus seinem Hirn vertreiben, das Anna hieß. Seit dem unglückseligen Kuss, den er ihr aufgezwungen hatte, war alles verändert. Anna war sein erster Gedanke, wenn er morgens aufwachte, und sein letzter, wenn er einschlief. Sie geisterte durch sein Leben, egal was er tat und wo er war. Er sehnte sich nach ihrer Gegenwart, bis es weher tat als alle Schläge mit der Geißel, zu der er in den Nächten nun wieder regelmäßig griff. Und doch hatte er jedes Mal Angst vor dem Tag, an dem er seine wöchentlichen Besuche im Siechkobel mit ihr machte, Angst vor sich selber, davor, noch einmal die Beherrschung zu verlieren. Sie hatte den Kuss nie mehr erwähnt, und auch er brachte es nicht fertig, darüber zu reden, aber ihr Verhältnis war nicht mehr dasselbe. Beide waren sie verkrampft, mieden sorgfältig jede Berührung, sprachen über Belanglosigkeiten und versuchten, sich gegenseitig Normalität vorzugaukeln. Es war ein quälender Zustand.

Irgendwann war der alte Prior zu ihm gekommen, und Philipp hatte die Beichte abgelegt. »Sieh das, was mit dir geschieht, als Teil eines göttlichen Plans«, hatte der Prior nach langem Nachdenken gesagt. »Der Herr schickt Qual und Leiden niemals umsonst. Denk an Hiob! Mit jeder Last, die du trägst, Bruder, wirst du kräftiger im Glauben werden. Und vielleicht kannst du dadurch wieder gutmachen, was du in deiner Vergangenheit getan hast und wovon du mir immer noch nicht erzählen willst.«

So hatte Philipp schließlich begonnen, die Unerfüllbarkeit seiner Gefühle als Teil seiner irdischen Strafe zu sehen. Die Schuld, die er vor Jahren auf sich geladen hatte, konnte vielleicht nicht allein dadurch abgegolten werden, dass er der Welt entsagt hatte. Vielleicht musste er noch mehr büßen, noch schlimmer leiden, um seine Hände von dem zu reinigen, was sie getan hatten, um vor den Augen des Allmächtigen Vergebung zu erlangen und wieder Gnade zu finden. So sah er seine regelmäßigen Begegnungen mit Anna als stetige Versuchung, die er immer neu bekämpfen musste, als Prüfung, aus der er, so Gott wollte, irgendwann geläutert hervorgehen würde. Er musste sich dieser Prüfung stellen.

Nichts ließ ihn auf den Gedanken kommen, dass Anna genauso litt wie er.

Helena indes hatte nach der Taufe der Zwillinge verzweifelt nach einer Möglichkeit gesucht, ihr Leben erträglicher zu gestalten. Nach Beendigung der Wöchnerinnenzeit war sie nicht mehr ins Ehebett zurückgekehrt. Es war immer noch keine Amme gefunden, die genug Milch für beide Kinder hatte, und so konnte Helena einen guten Grund dafür vorweisen, im Kinderzimmer zu nächtigen. Die beiden Säuglinge wachten ja noch alle drei Stunden auf und verlangten hungrig nach der Mutterbrust. Konrad ließ sie während dieser Zeit einfach in Ruhe; er beachtete sie kaum bei den gemeinsamen Essenszeiten und sprach nur das Nötigste mit ihr. Wenn er eine Information darüber erhalten hatte, dass sie sich in seine Angelegenheiten eingemischt und die Überschreibung von Ziegelstein und Kalchreuth an Jobst Tetzel rückgängig gemacht hatte – Tetzel hatte die 800 Gulden gerne statt der

Besitzungen angenommen –, so erwähnte er dies nicht. Und Helena hütete sich ebenfalls, das Thema anzusprechen.

Als endlich im Frühsommer eine Amme gefunden war – eine dralle Rotbierbrauerin namens Lies, deren vier Monate alter Säugling plötzlich gestorben war –, musste Helena wieder ins gemeinsame Schlafzimmer zurückkehren. Konrad nahm das nächtliche Eheleben mit gleichgültiger Selbstverständlichkeit wieder auf, als ob es nie ein Zerwürfnis zwischen ihnen gegeben hätte. Er gebrauchte sie wie einen Gegenstand, und Helena fügte sich ins Unvermeidliche. Zumindest schlug er sie nicht mehr.

Mit der Sommerhitze, die früh im Juli ihren Einzug in der Stadt hielt, kam auch die Zeit, in der die reichen Patrizier ihre Sommersitze auf dem Land aufsuchten.

»Ich geh heuer nicht mit«, eröffnete Konrad seiner Frau und dem Hausgesinde, als diese mit dem Packen beginnen wollten. »Ich hab keine Lust, da draußen vor Langeweile zu sterben und mir dazu von früh bis spät Kindergeschrei anzuhören. Macht ihr, was ihr wollt, ich bleib da.«

Helena hatte sich Mühe geben müssen, ihre Freude zu verbergen. Ein Sommer allein mit den Kindern war eine wunderbare Aussicht. Sie beschloss sofort, die bisherigen Pläne zu ändern. Eigentlich hatten sie auf einen der Hellerschen Landsitze im Nürnberger Norden reisen wollen, aber nun entschied sie anders:

»Mina, Lies, wir fahren heuer nach Schloss Oberwolkersdorf. Die Apollonia bleibt hier und versorgt den Hausherrn; dafür geht noch einer der Hausknechte mit uns.« Das würde eine wunderbare Zeit werden! Schon am übernächsten Tag zogen sie mit drei Wagen und dem halben Hausstand los.

Der Ort Oberwolkersdorf bestand nur aus ein paar wenigen Bauernhäusern, einer Mühle, der großen Zehntscheune und dem Wasserschloss. Er lag an einem Bächlein, das Zwiesel hieß und die zum Schloss gehörigen Fischweiher und den Wassergraben füllte. Hier war kein Nürnberger Territorium; der Ort gehörte zum Herrschaftsbereich der Ansbacher Markgrafen. Helenas Vater hatte mit Bedacht gewählt, als er das Schloss gekauft hatte; er wollte für seine Familie ein Refugium schaffen, in dem Nürnberger Recht nicht galt. Man wusste schließlich nie, wie es kommen würde.

Helena freute sich wie ein Kind, als die ersten Häuser des Dorfes in Sicht kamen.

»Hier hab ich als kleines Mädchen jeden Sommer verbracht«, erzählte sie Mina, die im Wagen neben ihr saß, den schlafenden Konrad auf dem Schoß. »Auf der Wiese dort hab ich das Reiten gelernt, und dort«, sie zeigte auf eine knorrige alte Eiche, die am Fuß eines mit Weinreben bestandenen Hanges stand, »bin ich einmal heruntergefallen und hab mir dabei einen Milchzahn ausgeschlagen.«

Sie erinnerte sich an Wochen voll Sonne und Wärme, in denen sie mit Niklas Wiesen und Wälder unsicher gemacht hatte. Versteckspiele in der alten Mühle und im Weinberg, Forellenfischen im Bach, die Ballspiele auf der großen Wiese beim Weiher, die Abende am prasselnden Kamin, ausgefüllt mit Geschichtenerzählen und Liedersingen. Helena lächelte vor sich hin, während Bilder der Vergangenheit vor ihren Augen vorbeizogen. Doch dann verflog aller Frohsinn bei dem Gedanken, dass ihre Verbindung zu Niklas jetzt unwiderruflich zerstört war. Der Brief, den Konrad sie gezwungen hatte zu schreiben, war sicher längst in Venedig angekommen. Wir haben uns jetzt endgültig verloren, dachte Helena traurig. Dann tauchte das ummauerte Schlösschen am Ende des Wegs auf, und kurz darauf hielten die drei Wagen vor dem Tor.

Die Sommerwochen vergingen wie im Flug. Die Zwillinge gediehen in dieser Zeit prächtig und wurden zu zwei kugelrunden, zufriedenen Säuglingen, deren Speckfalten der ganze Stolz ihrer Amme waren. Helena fühlte sich zum ersten Mal seit Jahren wieder glücklich; es war, als ob eine Last von ihr abgefallen sei. Aber vor allem der fünfjährige Konrad blühte in dieser Zeit auf. Er war in sämtlichen Ställen und Scheunen des Dorfes zu finden, zog mit Katzen und Hunden über Felder und Wiesen und war bald braun gebrannt wie ein Bauernbub. Gleich nach ihrer Ankunft hatte ihm die Frau des Vogts, die zusammen mit ihrem Mann das Schloss das ganze Jahr über beaufsichtigte, ein flaumiges Entenküken gebracht, das er zur Erheiterung aller Roswitha nannte und mit Hingabe fütterte und aufzog. Inzwischen war aus Roswitha ein stattlicher Jung-Erpel geworden, der dem Buben auf Schritt und Tritt nachlief und dabei zum Steinerweichen quakte. Der Anblick der beiden war im Schloss ein Grund für ständige Heiterkeit.

Eine einzige unangenehme Aufgabe hatte sich Helena in dieser Zeit vorgenommen. Nach der Geburt der Zwillinge war ihr klar geworden, dass sie ein ernstes Gespräch mit ihrem Vater führen musste. In Oberwolkersdorf war die beste Gelegenheit dazu, denn Konrad konnte sie hier nicht stören. So schickte sie einen Boten nach Nürnberg mit der Bitte, Heinrich Brandauer möge zu einer dringenden Unterredung ins Wasserschloss kommen.

»Er hat was?« Der alte Brandauer sah seine Tochter fassungslos an.

Helena nickte. »Du hast schon richtig gehört, Vater. Er hat Konrads Güter beim Würfeln verspielt und ich musste sie wieder auslösen – mit Geld aus meiner Mitgift, von der übrigens auch schon das meiste ausgegeben ist. Als mein Mann hat er Zugriff auf alles, was mir gehört, und er muss es mir noch nicht einmal sagen.«

Brandauer seufzte und runzelte die dichten grauen Augenbrauen. »Lene, kannst du denn nicht mit ihm reden, damit das aufhört? Ganz Nürnberg redet über deinen Mann. Es heißt, dass er säuft und spielt. Im Rat haben sie schon erwogen, ihm eine Ermahnung zukommen zu lassen.«

»Er sitzt doch selber im Rat, samt seinen Kumpanen«, meinte Helena. »Glaubst du, da hackt eine Krähe der anderen ein Auge aus? Und reden …« Sie schüttelte den Kopf. »Nein, Vater, der Konrad ist keiner, mit dem man reden kann. Genau deshalb hab ich dich hergebeten. Es geht um unseren Familienbesitz. Schau, ich bin deine einzige Erbin; der Philipp ist ja im Kloster. Und nach mir kommen der Konrad und die Zwillinge. Fällt der Brandauersche Besitz an mich, bevor die Buben mündig sind, dann, so fürcht ich, bringt der Konrad alles durch, und ich und deine Enkel stehen ohne einen Pfennig da. Von Hellerscher Seite ist ohnehin nicht mehr viel Besitz vorhanden

– alles weg, innerhalb von ein paar Jahren verjubelt. Wir müssen etwas tun!«

Brandauer sah seine Tochter verwundert an. So überlegt und klar kannte er sie gar nicht. Sie wurde seiner verstorbenen Frau immer ähnlicher. »Und was schlägst du vor?«

»Du setzt ein Testament auf, aus dem hervorgeht, dass nur ich in persona deine Erbin bin und Konrad vom Zugriff auf den Brandauerschen Besitz ausgeschlossen ist. Und dass im Fall meines Todes nicht Konrad erbt, sondern meine Söhne, die nötigenfalls durch einen Treuhänder vertreten werden, vielleicht den Tucher oder den Pfinzing.«

»Hm.« Der alte Brandauer zögerte. »Das ist gegen alles Herkommen. Wo kämen wir hin, wenn verheiratete Frauen so einfach allein erben dürften?«

»Dann setz von vornherein die Buben als Erben ein und mich als Treuhänderin bis zu ihrer Mündigkeit.«

»Das könnte gehen.« Heinrich Brandauer fuhr sich nachdenklich durchs schütter gewordene Haar. Er war immer noch unschlüssig. »Lene, was du da von mir verlangst, ist nicht wenig. Bist du dir auch sicher? Ist's wirklich so schlimm mit dem Konrad?«

In Helena stieg Bitterkeit auf. Sie wusste, dass ihr Vater das Beste für sie gewollt hatte, aber schließlich war er für die Heirat verantwortlich gewesen. Sie beschloss, ihm reinen Wein einzuschenken.

»Ob es schlimm ist? Willst du's wirklich wissen? Vater, diese Ehe ist die Hölle. Konrad verachtet mich, und ich hasse ihn. Mir graut vor jeder Nacht in seinem Bett. Gott sei Dank geht er fast jeden Abend in die Trinkstube, und ich bin froh, wenn er nicht daheim ist. Er gibt sich mit feilen Weibern ab, und stell dir vor, es macht mir nichts aus. Er drangsaliert mich jeden Tag schlimmer, Vater, ich hab Angst vor ihm. Er hat mehr als einmal die Hand gegen mich erhoben; es macht ihm Vergnügen, mich zu quälen. Am liebsten würd ich auf und davonlaufen.«

Brandauer wusste nicht mehr, was er denken sollte. »Lene, liegt denn das alles am Konrad? Ich meine, vielleicht bist du nicht gut genug zu ihm?«

Helena sah ihren Vater fassungslos an. Ihr Mann schlug sie, und sie sollte sich das selber zuschreiben? Sie brachte kein Wort heraus, und ihr Vater fuhr fort.

»Schau, vielleicht ging er nicht so oft fort, wenn daheim sein Weib sich mehr mit ihm abgeben würd? Vielleicht holt er sich bei den Hübschlerinnen nur, was er bei dir nicht bekommt? Und das mit den Schlägen – du weißt doch selber, ein Ehemann ist zuweilen verpflichtet, sein Weib zu züchtigen. Das heißt die weltliche und auch die geistliche Obrigkeit gut. Vielleicht bist du zu eigensinnig und zu störrisch? Dann handelt er sogar recht, wenn er zum Stecken greift! Du kennst doch den alten Spruch: ›Wenn Weiber sind nicht folgesam, dann hab'n sie dran nicht gut getan; kein Rock steht ihnen übler an, als wenn sie sein wolln wie ein Mann. Ein böses Weib, das soll sich bücken und Schläg bekommen auf den Rücken. Dann fällt die Herrschsucht von ihr ab und sie bleibt fügbar bis ins Grab.‹«

»Hast du Mutter jemals geschlagen?« Helena beugte sich vor. »Hat sie jemals deinen Gürtel auf ihrem Rücken spüren müssen?«

Brandauer schüttelte den Kopf. »Nein, Lene. Ich hätt mein Weib niemals so erniedrigt. Aber deine Mutter hat mir auch nie einen Grund gegeben.« Er stand auf und sah aus dem Fenster. Drunten im Schlosshof spielte Konrad mit Kreisel und Peitsche; die Ente wackelte unermüdlich hinter ihm her. Die Amme saß auf der Stufe zum Brunnen, einen Zwilling auf dem Arm, den anderen neben sich auf einer Decke. Brandauer drehte sich wieder um; er hatte einen Entschluss gefasst.

»Hör zu, Lene, ich will tun, was du verlangst. Nicht, weil dich dein Mann schlecht behandelt, das müsst ihr zwei untereinander richten. Aber für meine Enkelsöhne. Ihre Zukunft muss gesichert sein. Ich überschreib das Brandauersche Erbe dem Konrad und dem Rupprecht. Außerdem setz ich dich als einzige Treuhänderin ein und im Fall deines Ablebens meinen Freund Tucher. Damit ist sichergestellt, dass der Konrad nicht verspielen kann, was ihm nicht zusteht. Ich lass den jungen Spengler die Urkunde aufsetzen, sobald ich wieder in der Stadt bin. Bist du jetzt zufrieden?«

Helena nickte. »Damit ist mir eine große Sorge genommen, Vater.«

Derjenige, dem soeben zu Oberwolkersdorf der Zugriff auf das Erbe seiner Frau entzogen worden war, verließ zur gleichen Zeit nichts ahnend eine Ratssitzung, die ihn unendlich gelangweilt hatte. Es ging um Probleme der Stadthygiene: Die überall frei umherlaufenden Schweine wurden immer mehr zum Ärgernis, genau wie die wilden Katzen und Hunde, die langsam überhand nahmen. Man bestallte für die nächsten drei Monate einen Tierfänger, der sich der Sache annehmen sollte, und verhängte ein Bußgeld für alle diejenigen, die ihre Schweine nicht ordnungsgemäß den städtischen Sauhirten mitgaben. Außerdem wurde lang und breit darüber diskutiert, ob man eine Verordnung über das regelmäßige Räumen der Abortgruben erlassen sollte. Die Sickergruben unter den Bürgerhäusern verbreiteten einen fürchterlichen Gestank, sobald ein gewisser Füllungsgrad überschritten war, und es hagelte beim Rat immer wieder Beschwerden von wütenden Nachbarn, die sich die Geruchsbelästigung nicht bieten lassen wollten. Dies alles war nicht der Stoff, der Konrad Heller interessierte. Der ganze Nachmittag wäre verschwendete Zeit gewesen, wenn er nicht zufällig in der Pause ein Gespräch zwischen zwei Ratskollegen hätte mithören können, in dem sich die Herren über ein delikates Thema unterhalten hatten. Konrad stand unbemerkt hinter einer Säule, während die beiden ihre Erfahrungen bei einer gewissen Anna austauschten, einer Hübschlerin in der Wunderburggasse, die, so konnte Konrad den Worten der Männer entnehmen, wohl etwas ganz Besonderes war und die Teuerste, aber auch die Beste in ihrem Gewerbe zu sein schien. Konrad erinnerte sich, in der Herrentrinkstube auch schon von dieser Frau gehört zu haben. Offenbar war ihm da bisher etwas entgangen.

Als Konrad am späten Nachmittag aus dem Rathaus trat, beschloss er deshalb, sich diese Anna einmal anzusehen. Er schlenderte durch die Ledergasse, vorbei an den Auslagen der Schuster, Beutelmacher, Gürtler und Wamsschneider und bog schließlich in die enge Wunderburggasse ein. Bei ein paar Schusserbuben, die mit vor Eifer geröteten Gesichtern tönerne Kugeln gegen eine Hauswand bollerten, blieb er stehen.

»Na, ihr Burschen, wer von euch kann mir sagen, wo hier eine gewisse Anna wohnt?« Er hielt einen Pfennig zwischen Daumen und Zeigefinger hoch.

»Welche Anna?« Einer der Jungen wischte sich mit schmutzigem Handrücken den Rotz von der Nase. »Hier gibt's viele davon.«

Konrad überlegte. »Ei, jung und hübsch müsste sie sein, und sie hat öfters Männerbesuch, ihr wisst schon ...« Er zwinkerte verschwörerisch.

»Da droben.« Der Bub deutete die Gasse hinauf. »Auf der linken Seite, das kleine Haus mit dem grünen Rechen über der Tür.«

Konrad ließ die Münze springen, und die Jungen stürzten sich sofort darauf.

Nach ein paar Schritten hatte er das Haus erreicht. Auf der sonnenbeschienenen Schwelle lag eine rote Katze zusammengerollt und döste. Konrad warf einen Blick durchs Fenster: Drinnen werkelte ein stämmiges, älteres Frauenzimmer herum, mit rötlichen, etwas wirren Haaren, üppigem Busen und ausladendem Hinterteil. Das kann sie ja wohl nicht sein, dachte Konrad. Er klopfte und trat ein.

»Verzeiht, gute Frau, aber ich suche eine gewisse Anna ...«

Cilli sah ihn mit kritischem Blick an. Offenbar ein Mann mit Vermögen, überlegte sie, gut gekleidet und höflich. Und er trug den Kragen eines Ratsherrn.

»Sie ist gerade beschäftigt. Wollt Ihr so gut sein und ein andermal wiederkommen, oder mögt Ihr warten, Herr?« Cilli trocknete sich die Hände an der Schürze ab und machte dann eine einladende Handbewegung.

Konrad hatte Zeit. »Wenn Ihr mir einen kleinen Trunk aus der nächsten Wirtschaft holt, dann wart ich gern.« Er drückte Cilli ein Geldstück in die Hand, und sie nickte und verschwand.

Konrad sah sich in der Wohnstube um. Alles war peinlich sauber und liebevoll eingerichtet; der Boden frisch gefegt. Ein Korb Zwiebeln stand beim Herd; in den Regalen waren fein säuberlich Teller und Becher aufgereiht. Kräutersträußchen und eine Speckseite baumelten von der Decke. In der Ecke über dem Tisch hing ein Kruzifix, unter dem ein Krug mit Blumen stand. Nichts deutete darauf hin, dass in diesem Haus dem Laster gefrönt wurde. Er ging in den Hausflur und nahm die Treppe nach oben. Ein eigenartiger Geruch lag plötzlich in der Luft und schoss ihm merkwürdig erregend und prickelnd in die Nase. Hinter einer der Türen rührte sich etwas; er trat näher und legte das Ohr an die Bretter. Eine Frauen- und eine Männerstimme konnte er unterscheiden und das Knarzen eines Betts.

»Lass mich dich reiten, mein Achilles«, gurrte die Frau, und der Mann antwortete mit heiserer Stimme: »Komm her, du wilde Amazone, und kämpf mit mir!«

»Herr, weg!« Konrad spürte einen festen Griff an der Schulter und fuhr zusammen. Hinter ihm stand ein Bär von einem Kerl und sah ihn böse an. »Weg«, sagte der Riese noch einmal.

»Schon gut, ich hab nur nach dem Privet gesucht«, versetzte Konrad ärgerlich und ging wieder zurück in die Küche, während sich Linhart trotzig und mit verschränkten Armen vor der Schlafzimmertür postierte. Inzwischen war auch Cilli mit einem Ratzen Bier zurück, schenkte einen Becher ein und stellte ein Schüsselchen mit gebackenen Teigbällchen dazu. Konrad setzte sich auf die Bank und wartete geduldig. Das war ja interessant, eine Hure, die die Penthesilea gab!

Nach einer halben Stunde hörte Konrad Männerschritte auf der Treppe und die Haustür zuschlagen. Kurze Zeit später kam eine Frau im hochgeschlossenen Hauskleid in die Küche, die Haare züchtig zu Zöpfen geflochten und hochgesteckt. Sie war schlank und mittelgroß und erschien ihm auf den ersten Blick nicht außergewöhnlich hübsch, doch als sie den Blick auf ihn richtete, fuhr er verblüfft zurück. Unterschiedliche Augen, grün und braun! Diese Merkwürdigkeit zog ihn sofort in ihren Bann.

»Gott zum Gruß, mein Herr, ich sehe, Ihr habt gewartet. Womit kann ich Euch dienen?« Anna bedeutete Cilli, den Raum zu verlassen. Manche neuen Kunden getrauten sich sonst nicht, ihre Wünsche zu äußern.

»Nun«, grinste Konrad, »mir ist zu Ohren gekommen, dass in der Wunderburggasse eine Frau wohnt, die für Männer wohlfeil ist. Im Übrigen, mein Name ist Konrad Heller, wenn's beliebt.« Er machte eine übertriebene Verbeugung.

»Ich weiß.« Anna nickte leicht. »Ich hab auf Eurer Hochzeitsfeier getanzt, damals.« Sie hatte den gut aussehenden Bräutigam von einst sofort wieder erkannt. »Und nun möchtet Ihr eine Verabredung mit mir treffen?«

»Wie wär's mit jetzt gleich?« Konrad leckte sich die Lippen, aber Anna winkte ab. Sie hatte am Abend noch einen Auftrag außer Haus.

»Dann morgen?«

»Eine Stunde nach Sonnenuntergang, wenn Ihr wollt.« Anna stellte fest, dass sie den Mann nicht mochte. Er hatte sich seit seiner Hochzeit kaum verändert und galt immer noch als einer der bestaussehenden Männer der Stadt. Aber hinter der hübschen Fassade versteckte sich etwas, das sie nicht benennen konnte. Jetzt nickte er zustimmend.

»Habt Ihr besondere Wünsche?«

Konrad breitete lächelnd die Arme aus. »Na ja ... ich hab's gern, wenn die Weiber sich ein bisschen zieren.«

Annas Gesicht wurde sofort abweisend. »Verzeiht, Herr, aber das ist nicht meine Sache. Es gibt Hübschlerinnen am Sand, die so etwas machen, wenn Euch der Sinn danach steht.«

»Ich zahl gut!«

»Ihr versteht nicht, Herr. Es ist keine Frage des Geldes. In diesem Haus und in meinem Bett gibt es ein ungeschriebenes Gesetz: Nichts darf geschehen, was der andere nicht will. Gewalt jedoch verletzt immer.«

Konrad war seltsam berührt. Diese Frau benahm sich weiß Gott nicht wie eine Hure. Stolz und spröde, dachte er, aber unter der Oberfläche lodert gewiss ein Vulkan! Er musste sie haben.

»Wer redet denn von Gewalt, meine Liebe? Ich würde niemals einer Frau wehtun! Ein Spielchen, weiter nichts.« Die Szene von vorhin fiel Konrad wieder ein. »Ich denke da an den Raub der Persephone durch den Beherrscher der Unterwelt ...«

»Guter Herr Heller, ich bin nur eine ungebildete Frau. Ihr müsst mir die Geschichte schon näher erklären ...«

Konrad legte die Stirn in Falten. »Also, grob gesagt: Persephone ist die Tochter der griechischen Göttin der Fruchtbarkeit, Demeter. Der Gott der Unterwelt verliebt sich in sie, aber sie will ihn nicht. Deshalb entführt er sie in sein Reich. Aber dabei verliebt sie sich in ihn, und sie bleibt am Ende die Hälfte des Jahres bei ihm in der Unterwelt. In dieser Hälfte trauert ihre Mutter, und auf der Erde ist Winter. Das ist die Essenz der Geschichte.«

Anna überlegte lange, aber schließlich gab sie nach. »Nun gut, ich will versuchen, Euch zufrieden zu stellen, Herr. Aber vergesst nicht: Es wird ein Spiel. Keine Schläge, keine Fesseln, nichts, das Schmerzen verursacht. Wenn Euch das genügt ...«

»Aber natürlich.« Konrad hatte, was er wollte. Er schenkte Anna sein strahlendstes Lächeln. »Ich freue mich auf morgen, meine Schöne.«

Auf dem ganzen Heimweg von der Wunderburggasse zum Weinmarkt pfiff er vor sich hin.

Venedig, 21. April 1504

Niklas hatte fast die ganze Nacht kein Auge zugetan. Die Reliquie ging ihm nicht aus dem Kopf, ebenso wenig wie Helenas merkwürdiger Brief. So sehr er sich den Kopf zerbrach, er begriff nicht, warum sie so plötzlich den Kontakt abbrechen wollte. Aber er hatte auch seinen Stolz. Wenn sie nichts mehr mit ihm zu tun haben wollte, dann würde er sie nicht mehr belästigen. Es war ihre Entscheidung. Vanozza würde sicherlich froh darüber sein. Niklas war absichtlich erst zu Bett gegangen, als sie schon schlief. Er wollte nicht mir ihr über seine Entdeckung des Reliquiars reden, denn sein Entschluss stand fest. Mit ihrer versöhnlichen, überlegten Art hätte sie ihn womöglich noch davon abgebracht. In aller Frühe, noch bevor die Werkstatt öffnete, würde er zu Noddino gehen und kündigen. Man hatte ihn benutzt, ihn zum Werkzeug krimineller Umtriebe gemacht! Und ich war noch so stolz, einen Auftrag für die Medici auszuführen, dachte er wütend. Was hab ich für einen Narren aus mir gemacht! Womöglich sind auch die Perlen und Edelsteine auf der Reliquie falsch, ohne dass ich es bemerkt habe. Dann geht's mir an den Kragen, wenn einer das herausfindet! Niklas sah immer klarer, in welcher Gefahr er sich befand. Wenn die Machenschaften der Werkstatt aufflogen, war er der Erste nach Meister Noddino, der hängen würde. Er fluchte stumm in sich hinein. Zehn Jahre, ging es ihm durch den Kopf, alles, was ich mir in zehn Jahren Arbeit aufgebaut habe – umsonst. Meine Zukunftspläne – zerronnen. Die Verbindung zu Helena – vorbei. Fast fühlte er sich so wie damals, als er Nürnberg verlassen hatte: Zum zweiten Mal stand er vor den Trümmern seines Lebens.

Als das erste Morgenlicht den Himmel über dem Lido in milchiges Rosa tauchte, hielt es Niklas nicht länger in der Schlafkammer. Er zog sich leise an und machte sich auf den Weg zur Werkstatt. Noddino bewohnte die Zimmer über den Arbeitsräumen, eins davon hatte er an Bruno untervermietet, seinen ältesten Gesellen. Eine hölzerne Außentreppe führte an der Hinterseite des Hauses zur Wohnung, und Niklas stieg sie schweren Herzens hoch. Drinnen rührte sich noch nichts. Auf sein Klopfen öffnete nach einiger Zeit Noddino; die Haare standen ihm wirr um den Kopf und er gähnte verschlafen.

»Niccó? So früh? Was ist denn passiert?«

»Maestro, ich muss mit Euch reden.«

Der Alte kniff die Augen zusammen und kratzte sich ausgiebig im Nacken. »Jetzt? Wenn's unbedingt sein muss! Komm rein.«

Er schlurfte zurück in die Wohnstube, in der es nach Altmännerschweiß, abgestandenem Wein und säuerlichen Essensdünsten roch. In einer Ecke stand Noddinos zerwühltes Bett, daneben eine offene Truhe mit Kleidern und allerlei Hausrat. Die Mitte des Raumes wurde von zwei Stühlen und einem Tisch eingenommen, auf dem noch Reste des Abendessens standen.

»Setz dich.« Noddino schlug Niklas freundschaftlich auf die Schulter und ließ sich dann schwerfällig auf einen der Hocker sinken. »Und schieß los.«

Niklas blieb dezidiert stehen. »Ich war gestern bei der Prozession zu Ehren der Heiligen Agnes von Montepulciano.«

»Ho capito, ich hab schon verstanden.« Der Alte tat einen tiefen, resignierten Atemzug, schloss die Augen und fuhr sich mit beiden

Händen durchs Haar. Dann sah er Niklas an und nickte. »Es war nur eine Frage der Zeit. Tut mir Leid, Niccó.«

Niklas packte die blanke Wut. »Es tut Euch Leid?«, schrie er. Mit einem Satz war er am Tisch, stützte die Arme auf und brachte sein Gesicht ganz nah an das seines Meisters. »Es tut Euch Leid, ach ja? Dass Ihr mich immer wieder belogen habt, dass Ihr mich benutzt habt, Euch mein Vertrauen erschlichen habt? Dass Ihr mich in Eure verbrecherischen Machenschaften hineingezogen habt? Porco dio, Noddino, ich weiß zwar immer noch nicht genau, was in Eurer Werkstatt vor sich geht, aber eins ist mir klar: Ihr habt mich zum Kriminellen gemacht!«

Noddino schenkte sich aus dem halb vollen Krug einen Becher Wein ein und stürzte ihn in einem Zug hinunter.

»Hai raggione, Niccó, hai raggione.« Seine trüben Augen fixierten etwas in der Ferne. »Ich bin ein Verbrecher, ja, ein Gauner und Betrüger. Ein Säufer und Versager. Wenn ich mich im Spiegel sehe, könnt ich kotzen. Mein Leben ist ein einziger Pfusch. Und ich hab zugesehen, wie sie dich da hineingezogen haben. Das verzeih ich mir nie.« Er goss einen zweiter Becher Wein dem ersten hinterher.

Niklas spitzte die Ohren. »Sie? Wer sind ›sie‹«? Seine Augen wurden schmal. »Noddino, ich will jetzt alles wissen!«

»Jetzt setz dich schon endlich.« Der Alte unterdrückte einen Rülpser. »Das ist eine lange Geschichte. Ich bin froh, wenn ich sie endlich loswerde.«

»Du wirst schön das Maul halten, Noddino.« Im offenen Durchgang zum Nebenzimmer stand Bruno, beide Arme in den Türstock gestemmt. Jetzt kam er zum Tisch herüber und machte eine ruckartige Bewegung mit dem Kinn. »Verzieh dich da rüber.«

Der Alte stand auf, schnappte sich seinen Becher und hockte sich aufs Bett.

Niklas hatte die Szene ungläubig beobachtet. Er kannte Bruno von Anfang an; der massige, untersetzte Mann mit dem spärlichen Haarwuchs und dem hängenden Augenlid war schon Noddinos Geselle gewesen, als Niklas in der Werkstatt angefangen hatte. Bruno war immer mürrisch und hatte zu niemandem ein gutes Verhältnis. Auch sein handwerkliches Können hielt sich in Grenzen, weshalb er immer nur gröbere Arbeiten verrichtete und Entwürfe zeichnete, worin er leidlich gut war. Niklas hatte sich schon oft gefragt, warum Noddino den Mann behielt. Jetzt glaubte er, die Antwort zu ahnen. Bruno setzte sich ihm gegenüber und fixierte ihn mit kalten Augen.

»Ich hätte nicht gedacht, dass es so lange dauert, bis du aufmuckst, Kleiner.« Er zog sein Essmesser, schnitt ein Stück Käse von dem Brocken, der auf dem Tisch lag und kaute langsam. »Weißt du, du darfst dem armen Noddino nicht Unrecht tun. Er ist nur ein Rädchen im Getriebe, wenn auch ein wichtiges. Ein Teil der famiglia. Leider wird es mit seinen Augen immer schlimmer, und auch mit dem Wein, tja. Ich denke, jetzt ist der Zeitpunkt für dich gekommen, ihn abzulösen.«

Niklas glaubte, nicht recht gehört zu haben. »Ablösen? Du machst wohl Witze. Bruno, ich bin raus aus diesem schmutzigen Geschäft. Ihr habt mich lange genug an der Nase herumgeführt. Ich werde jetzt gleich durch diese Tür gehen, und dann vergesst mich.«

Bruno lächelte dünn. »Nicht so voreilig, mein lieber Niccó. Es ist nicht gut, die famiglia vor den Kopf zu stoßen.«

»Famiglia, famiglia, wer soll das überhaupt sein, he? Ihr könnt mich nicht zwingen.« Niklas merkte, wie die Wut in ihm hochstieg. Er sah zornig zu, wie Bruno in aller Ruhe das nächste Stück Käse verspeiste.

»Gut. Ich erzähle dir jetzt, was du wissen musst.« Bruno fuhr mit einer Hand unter sein Hemd und holte eine Laus aus seiner behaarten Achselhöhle, die er zwischen den Fingernägeln zerdrückte. Dann fuhr er fort. »Die famiglia ist eine mächtige, einflussreiche und wohlhabende Organisation, quasi eine Kette mit vielen Gliedern. Diese Organisation macht, sagen wir, Geschäfte aller Art. Eines dieser Geschäfte hat mit Gold und Edelsteinen zu tun, vor allem mit Reliquien – falschen und echten. Jeder hat in der famiglia seine Aufgabe, die er zugeteilt bekommt, und alle arbeiten zusammen. Wer zu uns gehört, ist wie ein Bruder. Er führt ein gutes Leben und kann immer mit der Hilfe und Unterstützung der famiglia rechnen. Wer sich allerdings gegen uns wendet ...« Bruno schnalzte bedauernd mit der Zunge.

Niklas wurden immer mehr Dinge klar. »Und mein Vorgänger, der damals tot aus dem Kanal gefischt worden ist, der hat sich wohl gegen euch gewendet?«

»Essattamente.« Bruno schürzte die Lippen und zuckte bedauernd mit den Schultern. »Er hat ein paar Fragen zu viel gestellt.«

»Und wenn ich jetzt ginge, ohne noch mehr Fragen zu stellen, würde ich mich dann auch mit einem Messer im Bauch im Kanal wieder finden?«

»Niccó.« Der Geselle zog die letzte Silbe in die Länge und schüttelte lächelnd den Kopf. »Was redest du da? Du bist ein Mitglied der famiglia, schon lange, du gehörst zu uns. Keiner will dir etwas tun, Hand aufs Herz. Aber du musst uns verstehen – wir können dich nicht gehen lassen. Wer soll all die schönen Stücke fertigen? Noddino«, er wies mit einer verächtlichen Kopfbewegung auf das Bett, »schau ihn dir an – er ist fertig. Die anderen? Keiner hat dein Talent und dein Können. Nein, Tudesco, du bist der kommende Mann. Es wird dein Schaden nicht sein, das kann ich dir versprechen.«

Niklas stand auf und machte einen Schritt zum Ausgang hin. »Danke für das Angebot, Bruno, aber ich will das nicht. Ihr könnt mich umbringen, aber zwingen könnt ihr mich nicht.«

Mit einer Schnelligkeit, die man ihm nicht zugetraut hätte, war Bruno aufgesprungen und verstellte Niklas den Weg.

»Lass uns weiterreden, amico, per favore.« Er breitete mit einem geradezu herzlichen Lächeln die Arme aus. »Mein Freund, wir wollen dich doch nicht umbringen, diu ce ne guardi! Was denkst du von uns? Es war uns immer wichtig, die Dinge friedlich zu regeln. Wer will denn gerne ein Blutvergießen? Senti, Niccó, wir können dich nicht entbehren, du bist viel zu wichtig für die famiglia. Außerdem weißt du zu viel. Wer allerdings weniger wichtig ist, wäre dein kleiner Lehrling, der seit einiger Zeit bei uns arbeitet. Matteo heißt er, nicht? Netter Junge, geschickt und fleißig. Wär doch schade um ihn. Du weißt es vielleicht nicht, aber manchmal treibt er sich in der gefährlichen Gegend beim Hafen herum, wie schnell kann man da in Schwierigkeiten geraten …«

Niklas war weiß um die Nase geworden. Er ließ sich wieder zurück auf den Stuhl sinken, während Bruno weitersprach.

»Seine Mutter ist die Wirtin vom ›Stör‹, nicht wahr? Vanozza, jaja. Du hast was mit ihr, stimmt's? Und seine kleine Schwester, ein hübsches Ding, wie alt ist sie jetzt, zehn, elf? Sie wird mal eine richtige Schönheit, hm. Was meinst du, wer die Kleine noch nimmt, wenn wir mit ihrem Gesichtchen fertig sind? Und wer soll im ›Stör‹ den wunderbaren Stockfischeintopf kochen, wenn deiner Freundin etwas zustößt?«

Niklas hatte sich bisher nur mühsam beherrscht. Jetzt sprang er mit einem Wutschrei auf und ging Bruno an die Gurgel. Seine Hände klammerten sich um den Hals des anderen, bis er in der Magengegend die Spitze des Messers spürte, das ihm der andere in die Haut bohrte. Schwer atmend ließ er die Arme sinken. Dort, wo ihn die Klinge geritzt hatte, zeigte sich auf dem weißen Hemd ein kleiner Blutfleck. Bruno steckte gelassen das Messer wieder weg.

»Was soll das, Niccó?« Er schüttelte mitleidig den Kopf. »Sei doch vernünftig und mach uns und deinen Leuten keine Schwierigkeiten.«

»Ich brauche Bedenkzeit.«

Bruno nickte. »Bene. Aber keine Mätzchen. Geh jetzt heim und sei morgen früh pünktlich zur Arbeit wieder da.« Er lächelte breit und schlug Niklas beinahe freundschaftlich auf die Schulter. »Ich bin sicher, amico mio, du wirst die richtige Entscheidung treffen.« Damit drehte er sich um, steckte das Messer ein und verließ die Wohnung.

Niklas wandte sich verzweifelt zu Noddino um, der immer noch auf dem Bett saß.

»Gesú, Noddino, was genau geht hier vor? Was ist das für eine Organisation? Die gehen über Leichen! Herrgott, Noddino, sag doch was!« Er packte den Alten und schüttelte ihn. Der hob zur Abwehr beide Arme.

»Frag Nazareno!«

Niklas starrte Noddino an. Dann drehte er sich um und stürmte hinaus.

Der junge Goldschmied rannte im Laufschritt zum »Stör« zurück. Sein bester Freund! Ausgerechnet und von allen Nazareno hatte ihn verraten und verkauft!

»Pippina!«

Das Mädchen erschien auf der Treppe.

»Du weißt, wo Nazareno wohnt, nicht wahr? Geh zu seiner Wohnung in San Polo und sag, er soll zum Mittagessen da sein.« Mittags war der »Stör« noch geschlossen.

»Ist gut.«

Niklas sah ihr nach, wie sie fröhlich die Gasse hinunterhüpfte. Er hatte sie in Gefahr gebracht, sie, Matteo und Vanozza. Irgendwie musste es ihm gelingen, da wieder herauszukommen, er wusste nur noch nicht, wie. Er ging hinein, um mit Vanozza zu reden.

Der Zwerg erschien mit dem Elf-Uhr-Läuten. Es war nicht ungewöhnlich, dass ihn Vanozza und Niklas zum Essen einluden. Die Kinder mochten ihn wegen seiner Späße, und für Nazareno waren die vier beinahe so etwas wie Familie. Meist brachte er eine Kleinigkeit mit, einen Krug besonderen Wein oder eine Nascherei. So auch heute. Vergnügt trat er in die leere Gaststube, eine Tüte mit Süßigkeiten in der Hand.

»Ah, carissimi, welch wunderbare Idee, diesen Tag mit einem gemeinsamen Mittagessen zu verschönen. Ich ...«

Niklas' Faust traf ihn mit voller Wucht mitten im Gesicht, die Tüte mit Konfekt flog durch die Luft und der Zwerg taumelte rückwärts zu Boden.

»Verdammt, was soll das?« Nazareno setzte sich auf, griff sich mit beiden Händen an die blutende Nase und stöhnte. »Bist du übergeschnappt?«

»Das war für zehn Jahre falsche Freundschaft, du Schwein.«

Niklas half dem Zwerg, sich hochzurappeln, und Vanozza eilte mit einem nassen Lappen herbei. Sie bugsierten den Verletzten auf einen Stuhl; er legte den Kopf in den Nacken und drückte das Tuch auf die Nase, aus der immer noch das Blut schoss. Vanozza nahm sich einen Hocker neben ihm und Niklas setzte sich ihm gegenüber.

»So. Und jetzt wirst du uns alles sagen, du elender Hund, alles, sonst prügle ich es aus dir heraus. Das gerade war erst der Vorgeschmack. Du hast mich in einen Fälscherring hineingezogen, und jetzt sind auch Vanozza und die Kinder in Gefahr. Und ich hab geglaubt, du seist mein Freund!«

Der Zwerg richtete sich auf und zog vorsichtig Luft in die schmerzende Nase, die bereits zu beeindruckender Größe anschwoll.

»Du hast Recht, Niccó, ich bin ein Schwein«, näselte er. »Es ist alles meine Schuld, und ich wünschte, ich könnte es wieder gutmachen.«

»Du kannst gleich damit anfangen, Nano. Erzähl, was du weißt, und zwar von Anfang an.« Niklas stützte erwartungsvoll das Kinn auf beide Fäuste, und Vanozza verschränkte die Arme.

»Allora.« Der Zwerg drückte das nasse Tuch wieder auf die Nase. »Damals, als du vor zehn Jahren nach Venezia gekommen bist, war die famiglia zufällig gerade auf der Suche nach einem Goldschmied, du weißt, warum. Du bist überall herumgelaufen und hast nach Arbeit gesucht, und das ist natürlich nicht verborgen geblieben. Was dir damals nicht klar war, war die Vergeblichkeit deines Unterfangens. Kein Meister in der ganzen Serenissima würde jemals einen Tudesco in seine Werkstatt aufnehmen. Die venezianischen Handwerker haben viel zu viel Angst davor, dass einer ihre Techniken erlernt und dann mit seinem geklauten Wissen wieder ins Ausland abhaut. Aber für uns warst du der richtige Mann. Deshalb haben sie mich geschickt, um dich anzusprechen.«

Vanozza brachte Gläser und einen Krug verdünnten Wein. »Und was genau verbirgt sich hinter dieser ›famiglia‹?«

Nazareno trank durstig. »Die famiglia ist eine Organisation, die ihre Finger in vielen dunklen, aber auch legalen Geschäften stecken hat. Sie ist wie ein Krake mit zahllosen Armen. Ganz oben sitzt der padrone als Kopf der Bande; ihn kennen nur wenige, ich jedenfalls nicht, und auch nicht Noddino. Vielleicht Bruno, wer weiß? Die Werkstatt ist das Herzstück des Reliquiengeschäfts der famiglia. Natürlich wird sie zur Tarnung betrieben wie eine ganz normale Goldschmiede, deshalb hast du so lange nichts gemerkt, Niccó. Schmuck, Tafelgeschirr, all das stellt ihr für den normalen Verkauf her. Aber dazwischen werden Kästchen und Behälter auf eine Zeichnung hin angefertigt – das sind die gefälschten Reliquiare.«

»Welche Funktion hast du in dem Spiel?«

»Ich führe die Bücher. Weißt du, Niccó, als ich von Ferrara hierher gekommen bin, war mir so ziemlich alles egal. Damals konnte mir die ganze Menschheit den Buckel runterrutschen. Und mit meiner Ausbildung in Buchführung und den Rechenkünsten war ich für die famiglia ein gefundenes Fressen. Sie haben mich erst die legalen Bücher führen lassen, und mich dann Schritt für Schritt in die anderen Sachen eingeweiht. Mir war's recht. Ich hatte ein gutes Auskommen und war mein eigener Herr – glaubte ich. Als mir langsam klar wurde, dass die famiglia mich nie mehr weglassen würde, war es natürlich zu spät.«

»Und Noddino?«

»Ja, der Alte. Sie haben ihn gebraucht, als sie mit dem Reliquienhandel angefangen haben. Noddino war damals zwar schon ein Wrack, aber immer noch der beste Goldschmied der Stadt. Als er zufällig mal nüchtern war und gemerkt hat, worauf er sich da eingelassen hat, wollte er aussteigen. Da haben sie ihm eine abgeschnittene Locke seines Sohnes präsentiert – der mit seiner Mutter heute noch irgendwo bei Bergamo lebt – und ihm unmissverständlich klargemacht, dass der Junge den Tag, an dem Noddino die famiglia verlässt, nicht überleben würde. Seitdem ist der Alte ohne Widerstand dabei. Du darfst ihm nicht Unrecht tun; er hängt an dir wie an einem Sohn, aber er hat nicht gewagt, dir reinen Wein einzuschenken. Außerdem haben sie ihm Bruno als Aufpasser beigegeben; handwerklich ist er zwar eine Niete, aber er ist der eigentliche Kopf der Werkstatt.«

»Was ist das für ein Geschäft mit falschen Reliquien?«, fiel Vanozza ein.

»Ganz einfach.« Der Zwerg legte vorsichtig den Finger an die Nase und stöhnte auf. »Es gibt überall unglaublich reiche Leute, die Reliquien sammeln und bereit sind, dafür irrwitzige Summen auszugeben: Adelige, hohe geistliche Würdenträger, reiche Kaufleute, nicht nur in Italien, sondern auch in anderen Ländern. Die Spanier sind zum Beispiel ganz wild auf das Zeug, genauso die Deutschen.« Er wandte sich an Niklas. »Da gibt es in Sachsen einen Fürsten, den sie Friedrich den Weisen nennen, der ist einer unserer besten Kunden. Man sagt, er besäße inzwischen an die achttausend Reliquien. Erklär mir mal, was daran weise sein soll! Und du kennst vielleicht noch von früher die Nürnberger Kaufmannsfamilie Muffel. Sie sammeln schon lange und dürften es auf etliche hundert Stücke gebracht haben. All diese Sammler wissen, dass sie bei uns – natürlich kennen sie nur eine Deckadresse – hundertprozentig echte Ware bekommen. Und das ist ihnen viel Geld wert.«

»Also die Kunden bekommen echte Ware? Und was ist mit den Fälschungen?« Niklas konnte sich keinen Reim darauf machen.

Nazareno lachte. »Das ist ja der Trick. Passt auf: In den Kirchen werden jahrein, jahraus die echten Reliquien aufbewahrt, meist eingeschlossen im Reliquiengrab, das sich im Altar befindet. Nur einmal im Jahr oder gar alle paar Jahre werden diese Reliquien dem Volk gewiesen, am Geburts- oder Sterbetag des betreffenden Heiligen. Wer bemerkt da schon, wenn in der Zwischenzeit jemand heimlich das Reliquiengrab öffnet, das corpus delicti herausholt, und die Öffnung wieder perfekt verschließt? Das Reliquiar wird abgezeichnet – normalerweise macht das Bruno – und der Inhalt wird entnommen. Nun fertigst du, Niccó, nach dieser Zeichnung eine hervorragende Fälschung. Statt, sagen wir, des echten Stücks vom Schleier der heiligen Mutter Maria wird irgendein alter Fetzen da hineinfabriziert. Die Fälschung mit dem Fetzen kommt anschließend wieder ins Reliquiengrab, und bei der nächsten Weisung ist das Ding unverändert wieder da und keiner hat was gemerkt. Die echte Reliquie mit ihrem echten Aufbewahrungsgefäß wechselt dagegen für viel Geld den Besitzer und verschwindet in einer privaten Sammlung. Gerissen, was?«

»Das heißt, der Silberfuß mit dem Knöchel der Heiligen Agnes, den ich gestern auf der Prozession gesehen habe, war wirklich meine Fälschung, und der echte Fuß ist inzwischen an einen Sammler verkauft.«

»Genau.«

Vanozza runzelte die Stirn. »Aber damit macht sich der Auftraggeber doch genauso schuldig; wenn er zum Beispiel einen Tropfen vom Blut Christi bestellt, weiß er doch ganz genau, dass die echte Reliquie in San Marco aufbewahrt liegt, oder nicht?«

»Natürlich. Sammler sind seltsame Menschen, meine Liebe. Diesen Leuten ist egal, ob San Marco hinterher noch eine Reliquie besitzt oder nicht. Hauptsache, das Stück, das sie haben wollen, gehört ihnen. Und sie können sich, wenn sie Geschäfte mit der famiglia machen, hundertprozentig darauf verlassen, dass ihr Name nirgendwo genannt wird.«

Niklas kratzte sich nachdenklich am Kinn. »Mein Gott, und das alles geht schon seit vielen Jahren so. Ich möchte wissen, wie viele von den Heiltümern in den Kirchen der Stadt noch echt sind!«

Nazareno winkte ab. »Hast du eine Ahnung, mein Freund, wie viele Reliquien es in Venezia gibt! Außerdem werden die Stücke auch aus Kirchen in Rom oder anderswo geholt. Wichtig ist dabei immer, dass ein gefälschter Ersatz zurückgebracht wird – ein Reliquienraub würde unglaubliches Aufsehen erregen und die Bewachung würde verstärkt. Und natürlich wollen die Kunden nicht, dass jemand erfährt, dass sie eine gestohlene Reliquie besitzen. So aber weiß niemand etwas von dem Raub, und alle sind zufrieden.« Er breitete die Arme aus und lächelte.

»Und die Menschen, die an die Kraft dieser Heiltümer glauben?« Niklas hatte wieder die Prozession vor Augen, tiefgläubige Frauen und Männer, die sich vom bloßen Anblick einer Reliquie Trost und Heilung versprachen. »Wir treiben Schindluder mit ihrem Glauben und ihren Gefühlen!«

Nano hob spöttisch eine Braue. »Mal ehrlich, Niccó, du glaubst doch nicht etwa an diesen ganzen Reliquien-Hokuspokus? Denk doch mal: Aus den Splittern vom Kreuz Christi, die überall in den Kirchen aufbewahrt werden, könnte man mühelos einen ganzen Wald zusammensetzen, und die Kettenglieder von den Fesseln des Heiligen Petrus würden, aneinander gereiht, dreimal von hier bis Chiogga reichen. Die Heilige Klara müsste, als sie noch lebte, so ungefähr fünf bis sieben Kinnladen gehabt haben, und zwölf der zehn Finger von San Francesco befinden sich derzeit im Besitz diverser römischer Kardinäle, der Rest liegt im Grab in Assisi. Das ist doch alles blühender Unsinn. Außerdem, die einfachen Leute wissen ja nicht, dass sie gar nicht die vermeintlich echte Reliquie anbeten – für sie bleibt alles gleich.«

Vanozza schüttelte den Kopf. »Es ist trotzdem nicht recht.«

Niklas vergrub das Gesicht in den Händen. »Merda! Und ich stecke mitten drin in diesem miesen Geschäft und kann nichts dagegen tun.«

Nazareno sah ihn betrübt an. »Sie haben damit gedroht, Vanozza und den Kindern etwas anzutun, nicht wahr?«

»Das ist offenbar ihre bewährte Methode, ja«, sagte Niklas. »Und damit haben sie mich in der Hand.«

»Und dir macht es wirklich nichts aus, für diese Verbrecher zu arbeiten, Nano? Das kann ich nicht glauben.« Vanozza hatte ein neues nasses Tuch für Nazarenos Nase gebracht.

»Ach weißt du, Nozzá, ich hab keine hehren Prinzipien, und gläubig bin ich auch nicht. Bisher hat es mich nicht größer gestört. Aber wenn ich sehe, wie übel sie Niccó mitspielen – und ich hab ihn auch noch in diese missliche Lage gebracht –, dann wurmt mich das schon gewaltig. Und dass du und die Kinder da mit hineingezogen werden und in Gefahr seid, macht mich richtig wütend.«

»Es muss doch einen Weg geben, da rauszukommen«, meinte Niklas nachdenklich. »Eine Möglichkeit, die Bande hochgehen zu lassen ...«

Nazareno blies die Backen auf und ließ dann langsam Luft ab. »Nur, wenn du den Kopf der famiglia kennen würdest, den Mann, der ganz oben steht und alles in der Hand hat – und das ist nicht der Fall. Wenn du lediglich die Werkstatt hochgehen lässt, würde dir das gar nichts nützen. Die famiglia rächt sich an denen, die sie verraten. Du wärst so gut wie tot.«

Niklas zuckte die Schultern. »Wenn die Werkstatt auffliegt, weil die Fälschungen entdeckt werden – und irgendwann wird sie auffliegen –, bin ich auch tot. Die Gesetze der Signoria sind da eindeutig. Dio boia, mir geht's von zwei Seiten an den Kragen! Ich hab die Wahl zwischen Teufel und Beelzebub!« Er sah Vanozza an, und sein Mund verzog sich zu einem bitteren Lächeln. Dann wandte er sich wieder an Nazareno.

»Wenn ich schon draufgehen soll, Nano, dann wenigstens als ehrlicher Mann. Also überleg mal genau: Über die Geschäftsbücher und Rechnungen lässt sich kein Name an der Spitze herausfinden?«

Der Zwerg schüttelte den Kopf. »Nur Strohmänner, Wechsel, anonyme Konten bei diversen Banken und Firmen. Ich habe nicht einmal einen Anhaltspunkt. Bis jetzt jedenfalls.«

Vanozza mischte sich ein. »Heißt das, du würdest Niccó helfen?«

Nazareno seufzte. »Ich bin schuld, dass er bei der famiglia gelandet ist – also werde ich ihm wohl auch meine Hilfe angedeihen lassen, wenn er wieder weg will. Niccó, Nozzá, glaubt mir, es tut mir Leid. Ihr seid meine Freunde, und wenn ich etwas wieder gutmachen kann, dann werde ich es tun. Ihr könnt auf mich rechnen.«

»Das hab ich gehofft.« Niklas lächelte müde. »Nur bleibt uns jetzt nichts anderes übrig, als weiterzumachen wie bisher. Irgendwann werden wir herausfinden, wer der padrone ist, wir müssen nur Augen und Ohren offen halten. Wie Noddino zu mir gesagt hat: Es ist nur eine Frage der Zeit ...«

Vanozza stand auf. »Passt auf, dass ihr euch Matteo gegenüber nicht verplappert. Er ist noch so jung ... Und jetzt, denke ich, können wir eine gute Mahlzeit gebrauchen. Es gibt Vermicelli mit Hühnerleber.«

Der Zwerg rieb sich den Bauch und strahlte. »Ah, mein Leibgericht!«

Vanozza brachte eine große Schüssel und drei Löffel. »Das sagst du jedesmal, bugiardo«, grinste sie.

Nürnberg, Mai 1505

In der Ratsstube, die im alten Ostflügel des Nürnberger Rathauses lag, herrschte reger Betrieb. Eine außerordentliche Versammlung des Ratsausschusses war einberufen worden. Der Ausschuss war hochkarätig besetzt: Zu ihm gehörten sechs Alte Bürgermeister, vier Alte Genannte, die beiden Losunger sowie einige ausgewählte Ratsherrn. Einige saßen, in dunklen Samt gekleidet, auf Bänken und gepolsterten Stühlen entlang der holzgetäfelten Wände, die mit Wappen und Einlegearbeiten geschmückt waren. Die anderen standen in

Grüppchen im Raum und diskutierten leise. Die Stimmung war miserabel an diesem Tag, galt es doch, eine Art Strafaktion an einem der eigenen Mitglieder durchzuführen.

Anton Tetzel, der dazu ausersehen war, die Sitzung zu leiten, war über seine Aufgabe alles andere als erbaut. Er zupfte ein paar Strohhalme von seiner schweren pelzverbrämten Robe, stand auf und wandte sich an die anwesenden Ausschussmitglieder.

»Ihr hochehrwürdigen, rechtschaffenen, redlichen und aufrechten Herrn vom Rat, Gott zum Gruß und des Allmächtigen Hilfe und guter Ratschlag zuvor! Wir sind heute aus einem besonderen Grund versammelt, der zu meinem und unser aller Bedauern kein angenehmer ist. Es gilt, Ansehen und Ehre des gesamten Rats zu wahren und zu schützen. Konrad Heller, seid so gut und tretet vor.«

Konrad stutzte. Die ganze Sache war ihm von Anfang an merkwürdig vorgekommen. Keiner hatte im Vorfeld mit ihm geredet, keiner ihm den Grund der Versammlung erklärt. Man war ihm ausgewichen, hatte ihn gemieden. Er war bei den älteren Herren des Rats nicht beliebt, das wusste er wohl; sein Rückhalt war eher bei den Jungen, die in den Ämtern nachkamen, aber noch wenig Einfluss hatten, und von denen er viele zu seinem Freundeskreis rechnete. In der Vergangenheit hatte er schon mehrfach den Unmut der Rats-Älteren auf sich gezogen; es hatte Ermahnungen wegen Glücksspiels gegeben, Strafbefehle wegen seiner ständigen Verstöße gegen die Kleiderordnung – hier war ein Pelzbesatz zu breit, da ein Barett mit zu viel Gold besetzt, dort eine Silberkette zu schwer gewesen –, erst kürzlich war ein Ordnungsruf ergangen wegen einer Schlägerei, in die er verwickelt gewesen war. Konrad störte das nicht weiter. »Dieser Haufen ältlicher Glotzböcke und Korinthenkacker«, hatte er am Vorabend in der Herrentrinkstube betont, »schert doch einen Heller nicht.« Der Feststellung war eine eindeutige Aufforderung gefolgt, die Räte mögen ihm nicht nur den Buckel herunterrutschen, sondern dabei, sofern es ihnen schmecke, doch an einem bestimmten Körperteil …

Jetzt kam sich Konrad allerdings nicht mehr so stark vor wie im Kreise seiner Sauf- und Spielkumpane. Er sah sich nach mehreren Seiten hin um und trat dann in die Mitte des Raumes.

»Was wird denn hier gespielt, Ihr Herren? Soll das etwa ein Strafgericht sein, ein Tribunal?«

»Wenn Ihr es so nennen wollt.« Tetzel schnaufte erst noch einmal tief durch, bevor er zu seiner unangenehmen Pflicht schritt.

»Konrad Heller. Ihr seid nunmehr seit sieben Jahren in den hochachtbaren Rat der Stadt berufen. Ein solches Amt bedeutet Pflicht und Ehre; wer es ausfüllt, hat sich an gewisse Regeln zu halten. Schon in Eurer Zeit als Alter Genannter habt Ihr immer wieder gegen diese Regeln verstoßen. Ihr habt wissentlich und immer wieder gegen Verordnungen und Mandate des Rats gehandelt, sei es durch verbotenes Glücksspiel in Euerm eigenen Haus, sei es durch anstößiges Benehmen, et cetera. Mehrfach hat Euch der Rat Ermahnungen zukommen lassen, die jedoch fruchtlos geblieben sind. Doch nicht nur das. Euer Anspruch und Hoffahrt führt Euch immer öfter an den Hof des Markgrafen von Ansbach, der, wie jedermann bekannt ist, kein Freund unserer Stadt ist. Er bezahlt Euch sogar, wie uns zu Ohren gekommen ist, ein jährliches Dienstgeld. Man hört, Ihr kleidet und gebt Euch dort wie ein Ritter, und nicht wie ein seines Standes bewusster Bürger dieser Stadt. Auch dies Verhalten hat der Rat mehrfach gerügt, in der Befürchtung, der Markgraf könnt Auskünfte von Euch erhalten, die uns zum Nachteil gereichen. Ihr habt auf diese Rügen nichts gegeben. So hat der Rat nun, nach langer und reiflicher Überlegung, folgenden Beschluss gefasst.«

Tetzel trank einen Schluck Wein aus einem Becher, den ein Ratsdiener ihm reichte, und faltete dann ein Schriftstück auf.

»Beschluss eins erbarn Raths, die unnutze Hochfahrt des Konrad Heller betreffend. Item so hat sich derselb zu Schaden und Minderung des Ansehns des gesamten Raths geführet, nemlich dadurch, dass er

zum Ersten über Jar hinweg der großen Spiel in seinem Haus gestatt hat, was allzeit bei Androhung schwerer Straff verbotten ist. Dass er

zum Zweitten entgegen aller guten Ermanung stets wider die gülttige Kleyder Ordnungk verstossen hat. Dass er

zum Dritten sich in Raufhendel einlasset, was dem Rat und ime grosse Nachrede bringet. Dass er

zum Virtten sich offt und, stehet zu vermutten, zu Merung des

Nachteyls der Stadt Nüremberg bei frembden Fürstenhöffen auffhelt.

Also hat der Rath billigst entschieden, nachdeme alle gutwillig Ermanung und Vorwürff nit gewürcket haben, den Konrad Heller mit dem heutigen Tag auszuschliessen von seinen Emtern, ime Ratsmanttel und Hut abzunemen, damit nit noch mehr Unbill für Rath und Stadt entstehen mögen.

Datum den Freytag vor Pfingsten anno 1505.«

Tetzel ließ das Schriftstück sinken, setzte sich umständlich wieder an seinen Platz und war sichtlich froh, seine Aufgabe hinter sich gebracht zu haben. Die anwesenden Räte hatten zu seinen Ausführungen ernst genickt; einigen stand die Schadenfreude im Gesicht geschrieben. Konrad überlief es heiß und kalt, er spürte, wie ihm unter dem Hemd ein Schweißbächlein den Rücken hinunterrann. Ungläubig starrte er in die Runde. Manche wichen seinem Blick aus, andere sahen ihn mit unverhohlener Abneigung an.

»Das könnt ihr nicht mit mir machen!« Er reckte trotzig das Kinn und drehte sich mit geballten Fäusten im Kreis. »Ich bin einer von euch!«

Schließlich erhob sich einer der Alten Bürgermeister. »Grad deshalb, Konrad Heller, grad deshalb. Ihr habt unseren Stand in üble Nachrede gebracht. Das haben wir lange geduldet. Doch der Rat muss sich letztlich vor denen schützen, die seinem Ansehen schaden. Unser Beschluss steht fest. Darf ich um Euren Mantel und Hut bitten.« Der weißhaarige Alte streckte die Hand aus.

Konrad erkannte, dass er verloren hatte. Blanke Wut packte ihn. Er riss sich den Mantel vom Leib, knüllte ihn zu einem unförmigen Bündel zusammen und schleuderte ihn auf den Boden. Den Hut ließ er folgen.

»Ich scheiß auf euch, damit ihr's alle wisst!« Seine Stimme überschlug sich. »Ihr könnt mich meinetwegen alle am Arsch lecken.«

Dann stürmte er zur Ratsstube hinaus. Er nahm sich nicht einmal mehr die Zeit, seine Trippen umzuschnallen, bevor er in den Mairegen hinauslief. Seine feinen Lederstiefel versanken bis zu den Knöcheln im Morast, als er mit Riesenschritten an der Mauer des Sebalduskirchhofs entlanglief, eine Verwünschung nach der anderen ausstoßend. Köpfe drehten sich nach ihm um. Am Weinmarkt angekommen, riss er polternd die Haustür auf, schüttelte sich und schleuderte sein durchgeweichtes Wams in die nächste Ecke. In den schmutzigen Stiefeln betrat er die Wohnstube, wo Helena mit Konrad neben einem wärmenden Kohlebecken saß und ihm Geschichten erzählte. Die Zwillinge kauerten auf dem binsenbestreuten Boden und spielten mit Schnitztierchen und allerlei Kram. Als der kleine Konrad seinen Vater hereinkommen sah, rannte er voll Freude auf ihn zu und umklammerte seinen Oberschenkel.

»Vater, Vater, hast du mir was mitgebracht?«

»Hau ab«, knurrte Konrad böse und ließ sich schwerfällig auf einen der Stühle fallen. Doch der Kleine hörte nicht und versuchte stattdessen in seinem kindlichen Überschwang, zu ihm hochzuklettern.

»Vater, spielst du mit mir? Bitte, bitte!« Er patschte in die Hände und lachte.

»Lass mir meine Ruh!« Konrad schob seinen Sohn mit dem Ellbogen zur Seite, doch der ließ sich nicht abwimmeln. Noch bevor Helena es verhindern konnte, gelang es ihm, sich auf den Schoß des Vaters hochzuziehen.

»Herrgottsdonnerwetter, verschwind!« Konrad versetzte dem Sechsjährigen einen wütenden Stoß, sodass der Junge seitwärts durch das Zimmer taumelte und mit der Stirn hart gegen die Tischkante rumpelte. Er fiel auf den Boden, sah seinen Vater erst ungläubig an, verzog dann das Gesicht und begann, vor Schmerz und Enttäuschung lautstark zu heulen.

Helena war mit einem Schritt bei ihm, hob ihn auf und wiegte ihn in ihren Armen. »Schscht. Ist schon wieder gut, mein Büble, der Vater hat's nicht so gemeint.« Sie pustete auf die Beule, die sich an seiner Stirn bildete. Auch die Zwillinge fingen an zu weinen. Konrad, dem es jetzt endgültig reichte, öffnete die Tür und schrie in den Gang hinaus: »Apollonia!«

Die Alte erschien und nahm Helena den brüllenden Buben ab. »So, Konradle, wir zwei gehen jetzt in die Küche und tun ein Stück rohes Fleisch auf die Stirn, damit das Horn nicht noch größer wird.« Im

Gehen packte sie noch Rupprecht an der Hand und zog ihn mit; die kleine Grete lief heulend hinterher.

Konrad hatte derweil zum Bierkrug gegriffen, der auf dem Tisch stand. Helena schloss die Tür und stellte sich vor ihn hin. Ihre Stimme bebte vor Zorn.

»Dein Sohn hat dir nichts getan! Wie kannst du deine Launen an einem unschuldigen, wehrlosen Kind auslassen! Nicht genug damit, dass du mich schlägst – musst du jetzt auch noch die Hand gegen deine Kinder heben?«

Sie duckte sich vergeblich, als Konrad aufsprang, und es klatschte, als seine Handfläche auf ihre Wange traf. »Du und deine Bankerten«, brüllte er, »ich bin euch keine Rechenschaft schuldig!«

»Nein, das bist du nicht. Aber du bist uns eine anständige Behandlung schuldig.« Helena zitterte vor Aufregung. »Konrad, ich sag dir, wenn du jetzt auch noch anfängst, die Kinder zu malträtiern, dann bring ich die Sache am Sonntag bei der Frühmesse vor. Und ich bring's vor den Rat.«

Er packte sie grob bei den Schultern. »Sie haben mich grad aus dem Rat geworfen«, zischte er, »und ich weiß auch genau, wer dahintersteckt: Dein Vater und seine sauberen Freunde, der Tetzel, der Tucher und all die anderen. Unmöglich haben sie mich gemacht vor aller Welt!«

Helena versuchte, sich von ihm loszureißen. Sie konnte sich nicht beherrschen, obwohl sie wusste, was kommen würde. »Ach, jetzt hat mein Vater an allem Schuld? Und wohl dein Sohn auch, dem du grad wehgetan hast? Nein, Konrad, du hast dir das alles selber zuzuschreiben! Dein Spiel, deine Schulden, deine Saufereien, dein Getändel mit feilen Weibern … es ist ein Wunder, dass sie dich überhaupt so lang im Rat gelassen haben.«

Mit einem Wutschrei ging Konrad auf Helena los, während sie vergeblich versuchte, zur Tür hinauszuflüchten. Ihre Perlenkette verfing sich an seinem Siegelring und riss, und die großen Perlen rieselten zu Boden. Seine Fäuste trafen sie überall, er verfolgte sie quer durch den Raum. Schließlich strauchelte sie und fiel mit dem Rücken gegen die Kante der Silbergeschirrtruhe. Ein stechender Schmerz fuhr ihr durch den Körper und nahm ihr für kurze Zeit den Atem. Neben der Truhe blieb sie auf dem Boden liegen, zusammengekrümmt wie ein Kind. »Hör auf«, schluchzte sie, und sie hasste sich selbst dafür, dass sie vor ihm kapitulierte. Was schlimmer war, Schmerz, Zorn oder Ohnmacht – sie hätte es nicht sagen können.

Er stand keuchend über ihr, mit hochrotem Kopf, das Gesicht zur Fratze verzerrt. Dann trat er zu. Die Spitze seines Stiefels traf sie in der Magengegend, und trieb ihr einen dunklen, hässlichen Laut in die Kehle. Dann ließ er endlich von ihr ab, drehte sich um und ging.

Als er weg war, kam Helena mühsam auf Hände und Knie und erbrach sich würgend in die Binsen.

Am nächsten Morgen verließ Agnes Dürer bei schönstem Sonnenschein das Haus unter der Veste und ging die Gasse hinunter bis zum Weinmarkt. Sie trug ein zusammengerolltes Stück Papier in der einen Hand und in der anderen ein Bündel, in das sie ein Paar frische Strümpfe und ein Unterkleid geknüpft hatte. Wie jeden Freitag wollte sie Helena zum gemeinsamen Bad abholen, doch als sie diesmal an die Tür des Hellerschen Hauses klopfte, öffnete Mina mit verlegener Miene.

»Die Hausfrau ist nicht wohl, Dürerin, sie geht heut nicht mit ins Rosenbad.«

Agnes war enttäuscht. Sie hatte sich auf einen Vormittag mit gemütlichem Plausch gefreut. »Was hat sie denn?«

Mina wusste nicht, was sie sagen sollte, und lügen wollte sie auch nicht, also blieb sie die Antwort schuldig und machte ein betretenes Gesicht. Agnes beschloss, wenigstens ihr Geschenk abzugeben.

»Na, dann bring ich der Helena nur schnell etwas und geh dann allein.« Sie schob sich energisch an der Hausmagd vorbei in den Flur und ging die Treppe zu den Wohnräumen hoch. Im Vorbeigehen warf sie einen wehmütigen Blick ins Kinderzimmer, wo sich die alte Apollonia gerade mit Konrad, Grete und Rupprecht beschäftigte. Schließlich fand sie Helena in der Wohnstube, wo sie mit einer Näharbeit beim Fenster saß.

»Ich denk, du bist krank?« Agnes legte ihr Bündel auf den Tisch und setzte sich Helena gegenüber auf einen Sidelhocker. »Willst du wirklich nicht mit ins Bad?«

Helena schüttelte den gesenkten Kopf.

»Ja, warum denn nicht? Die Margret aus der Weißgerbergasse kommt auch.«

Jetzt endlich hob Helena den Kopf. Ihre Oberlippe war dick angeschwollen, und unter dem nur halb geöffneten rechten Auge befand sich ein dunkler Bluterguss. Agnes unterdrückte einen Aufschrei.

»Ja, du lieber Heiland, was ist denn mit dir passiert?« Im selben Moment wusste sie auch schon die Antwort. »Der Konrad?«, fragte sie vorsichtig.

Helena nickte. »Wir haben gestritten, gestern.« Sie begann, leise zu weinen. Agnes nahm sie in den Arm und streichelte tröstend ihren Rücken. Sie merkte, wie die Freundin zusammenzuckte, als sie die Stelle berührte, wo diese an die Truhe gestoßen war.

Schließlich richtete sich Helena wieder auf und putzte sich mit dem Ärmel die Nase. »Ach, Agnes, ich bin überall grün und blau, und schau mein Gesicht an! So kann ich nicht ins Bad, und in die Kirche geh ich in nächster Zeit auch nicht. Jeder würde doch sofort sehen, was los ist.«

Agnes sah die Freundin forschend an. »Das ist nicht das erste Mal, dass er dich geschlagen hat, stimmt's?«

Helena nickte zustimmend. »Aber so schlimm war's noch nie. Agnes, du müsstest seine Augen sehen dabei ... ich hab Angst gehabt, er bringt mich um.« Sie unterdrückte ein Schluchzen.

»Der widerliche Lump. Und vom Gesinde hilft dir keiner?«

»Die haben doch alle selber Angst vor ihm. Und die Apollonia, die garstige alte Hexe, hasst mich sowieso.«

Agnes dachte eine Weile stumm nach. »Und wenn du ihn verlässt?«

Helena lachte trocken auf. »Meinst du, ich hätt mir das nicht schon tausend Mal überlegt? Aber wohin soll ich denn gehen? Zu meinem Vater zurück, der mir damals mein Glück nicht gegönnt hat, der mir mein erstes Kind wegnehmen hat lassen und der diese Heirat eingefädelt hat? Nein, Agnes – außerdem würde mir Konrad nie und nimmer die Kinder lassen, und ohne sie geh ich nicht.«

»Das versteh ich.«

Helena ballte die Hände zu Fäusten. »Ich hasse ihn so«, stieß sie hervor. »Ich wollt, er wär tot.«

Draußen rumpelte es, und Helena sah in einem Anflug von Panik zur Tür. »Hoffentlich kommt er jetzt nicht. Ach, Agnes, sei froh, dass du in dem Albrecht einen so guten Mann hast.«

Die Dürerin schüttelte mit einem bitteren Lächeln den Kopf. »Glaub bloß nicht, dass du allein unglücklich bist.« Sie hielt kurz inne, als ob sie einen Entschluss fasste. »Kannst du ein Geheimnis für dich behalten, Lene? Schwör mir, dass du nichts sagst.«

Helena hob die drei Schwurfinger in die Höhe.

»Der Albrecht ... verhält sich wider die Natur.« Auf Agnes' Wangen zeigten sich rote Flecken.

»Du meinst ...«

Sie nickte. »Er liegt Männern bei, Gott vergib ihm. Ich hab ihn gesehen, mit dem Pirckheimer. Es ist ... anders, als wenn er mit mir ... Seitdem weiß ich auch, warum wir keine Kinder haben. Es liegt nicht an mir. Der Herrgott straft uns damit für Albrechts Sünde, das glaub ich ganz bestimmt.«

Helena runzelte die Stirn. »Aber um Gottes willen, Agnes, das darf nie einer erfahren. Auf so etwas stehen schwere Leibstrafen.«

»Ich weiß.« Die Dürerin wischte sich eine Träne aus dem Augenwinkel. »Aber ich bin trotzdem froh, dass ich's dir erzählt hab. Es lastet auf mir wie ein Alb. Ganz gleich, was ist – ich lieb ihn doch so! Der Albrecht ist halt was ganz Besonderes. Und er ist gut zu mir, so gut er's eben kann. Ich werd niemals zulassen, dass ihm etwas geschieht. Deshalb hab ich auch darauf gedrungen, dass er wieder nach Venedig geht, so schwer mich das auch ankommt. Aber vielleicht vergisst er dort den Pirckheimer – die welschen Frauen sollen ja so schön sein.« Sie lächelte unter Tränen. Dann fiel ihr Blick auf die Papierrolle, die sie immer noch in der Hand hatte.

»So, Lene, aber jetzt zeig ich dir, was ich mitgebracht hab. Schau! Vom Albrecht.«

Sie rollte das Papier auf, und zum Vorschein kam – ein Hase! Das Langohr hockte in typischer Hasenhaltung ruhig da, die Vorderpfoten nebeneinander gelegt, die Ohren schräg nach hinten gestellt. Jedes Härchen saß an seinem Platz. Man ahnte förmlich das zarte Vibrieren der langen Barthaare, fühlte sich dazu verleitet, das feine, flauschige Fell zu berühren. Helena wäre kaum erstaunt gewesen, wenn das Tier angefangen hätte, zufrieden vor sich hin zu mümmeln.

»Das ist ... unglaublich!« Sie war ehrlich begeistert. »Gleich springt er aus dem Bild.«

»Schön, wenn er dir gefällt«, meinte Agnes. »Er ist für den kleinen Konrad, weil er doch die Tiere so liebt. Der Albrecht hat den Hasen schon vor drei Jahren gemalt, aber niemand will ihn kaufen. Weißt du, die reichen Leute möchten immer bloß sich selber gemalt haben oder Sachen aus der Bibel. Das hängen sie sich dann in die Stube und geben damit an. Für Dinge der Natur haben sie keinen Sinn. Dabei sind das seine schönsten Bilder.«

Es klopfte, und die alte Apollonia trat ein. »Der Speiseplan für diese Woche muss noch besprochen werden, Hausfrau, und der Einkauf der Vorräte.« Sie warf einen unfreundlichen Blick auf Agnes, die jetzt aufstand.

»Dann geh ich jetzt wohl, Lene.« Sie drückte die Freundin an sich. »Sei tapfer«, flüsterte sie, »ich komm nach der Sonntagsmesse wieder vorbei.«

Venedig, Ende September 1505

»Niccó, Niccó, subito, vieni qua, komm schnell! Drunten steht ein unheimlicher Mann, mit zottigen Haaren bis zur Brust und einem wilden Bart! Er spricht ganz komisch und fragt nach dir!« Pippina war sichtlich aufgeregt.

Niklas, der gerade mit seiner morgendlichen Rasur fertig war, zog schnell ein Hemd über und kam in die Schankstube herunter. Als er sah, wer da an der Tür wartete, stieß er einen freudigen Überraschungsschrei aus.

»Na, endlich hab ich diesen ›Stör‹ gefunden! Hättest du nicht ein bisschen näher am Markusplatz logieren können?« Dürer grinste breit, und er und Niklas fielen sich lachend in die Arme. Dann hielt der Maler den Freund ein Stück von sich weg und betrachtete ihn prüfend.

»Zehn Jahre ist das jetzt her! Menschenskind, du bist erwachsen geworden, mein Freund.«

»Und du hast dich überhaupt nicht verändert. Immer noch die gleiche Mähne wie früher! Und berühmt bist du geworden, hab ich gehört!«

Dürer lachte. »Berühmt vielleicht, aber leider nicht reich.«

»Seit wann bist du in der Stadt, wo wohnst du, und wie lang wirst du bleiben?«

»Ich bin vor drei Tagen angekommen und wollte eigentlich im Fondaco wohnen, doch dann hab ich erfahren, dass der vor kurzem abgebrannt ist. Jetzt habe ich eine Kammer in der deutschen Wirtschaft des Peter Pender im Canareggio-Viertel, angenehm, aber teuer. Ich will mir möglichst schnell eine eigene Unterkunft suchen, wo ich gut malen kann. Und bleiben kann ich so lange, wie ich hier gute Aufträge bekomme – ich hoffe, bis nächstes Jahr.«

»Das ist ja wunderbar!« Niklas überlegte kurz. »Hör zu, Albrecht, ich muss jetzt zur Arbeit. Aber wenn du Lust hast, hole ich dich am Abend bei deinem Quartier ab.«

»Einverstanden.« Dürer verabschiedete sich, und Niklas machte sich zusammen mit Matteo auf den Weg zur Werkstatt. Er hatte an diesem Tag eine wichtige Arbeit zu vollenden, einen Auftrag, der erst vor drei Wochen hereingekommen war. Bruno hatte ihn an jenem Tag zu sich gewinkt.

»Senti, Niccó, ich hab da eine schöne Aufgabe für dich: einen Ring für eine Dame. Aber nichts Gängiges – es muss etwas ganz Besonderes werden. Der Preis spielt keine Rolle. Also, lass dir was einfallen.«

Später, als Niklas schon über dem Entwurf brütete, war Noddino an seinem Zeichenplatz vorbeigeschlurft. Er hatte sich zu ihm hinuntergebeugt und ihm ins Ohr geflüstert: »Gib dir bloß ordentlich Mühe, Niccó, und plane die besten Steine mit ein, die wir haben. Der Ring ist für den padrone.«

Niklas war zunächst misstrauisch gewesen. »Woher weißt du das? Bist du sicher?«

Der Alte hatte gekichert. »Ich seh zwar nicht mehr viel, aber hören tu ich noch ganz gut, mein Lieber. Einer der Kerle, die abends manchmal zu Bruno kommen und ihm die Aufträge übermitteln, hat's gesagt.«

Es widerstrebte Niklas, ein Schmuckstück für das Oberhaupt der Bande fertigen zu müssen. Seit er von der Existenz der famiglia wusste, hatte er gezwungenermaßen weitergearbeitet, immer geduldig Augen und Ohren offen haltend. Mit dem alten Noddino hatte er sich ausgesöhnt, und Bruno war seitdem betont freundlich zu ihm. Die Lage war mehr als erträglich, solange er nicht ins Grübeln kam und über Moral und Ehrlichkeit nachdachte.

Obwohl er sich mit gemischten Gefühlen an die Arbeit für den Ring gemacht hatte, war das Ergebnis prachtvoll geworden. Um einen moosgrün funkelnden ovalen Smaragd von außergewöhnlicher Klarheit hatte er kleine Rubine und Saphire so arrangiert, dass die Gestalt eines Vogels sichtbar wurde. Schnabel und Auge waren aus schwarzglänzendem Onyx, und die Schwanzfedern wurden von langen, spitz geschliffenen Citrinen gebildet. Der Vogel ließ sich hochklappen, und darunter befand sich ein Hohlraum, in den man ein parfümgetränktes Schwämmchen einlegen konnte. Um den Duft nach außen dringen zu lassen, hatte Niklas winzige Löchlein in die Zwischenräume zwischen den Steinfassungen gebohrt.

Jetzt war nur noch die Schlussarbeit zu erledigen, das Polieren des Ringbandes. Niklas ließ Matteo die Vorbehandlung mit Schmirgelpaste und Polierholz machen. Die Druckpolitur mit dem Hämatit, mit der sich der edelste Glanz erreichen ließ, übernahm er selber. Am Nachmittag war der Ring fertig, und er brachte ihn zu Bruno.

»Auf den letzten Drücker, was?«, brummte der. »Ich hab mir schon Sorgen gemacht, dass du nicht fertig wirst.« Aber er konnte sich ein bewunderndes Nicken nicht verkneifen, als er das kleine, funkelnde Kunstwerk mit dem bunten Vogel sah.

Gegen Abend, als die Sonnenstrahlen ihre sengende Kraft verloren hatten, machte sich Niklas auf ins Sestiere Canareggio, wo Dürer schon vor dem Penderschen Gasthaus wartete. Sie schlenderten durch die Gassen der Stadt, sprachen über alte Zeiten, und die frühere Vertrautheit stellte sich schnell wieder ein. Es war beinahe wie damals vor zehn Jahren, als sie gemeinsam die beschwerliche Reise über die Alpen gemacht hatten.

»Ich muss schon sagen, Niklas, dein Fränkisch ist nicht mehr ganz so flüssig wie früher«, frotzelte der Maler. »Und ich höre bei der Aussprache einen gewissen welschen Zungenschlag!«

Der Angesprochene machte eine entschuldigende Geste. »Du bist der Erste seit Jahren, mit dem ich wieder in meiner Muttersprache rede. Ich träume inzwischen sogar auf Venezianisch.«

»Und liebst du auch auf Italienisch?«

Niklas hörte den ernsten Unterton der Frage und lächelte dem Maler zu. »Auf Deutsch hab ich's ja nie wirklich gelernt, wenn ich's recht bedenk. Aber um deine Frage ernsthaft zu beantworten, ja, ich bin mit einer Frau zusammen, lange schon. Es ist die Wirtin vom ›Stör‹, Vanozza heißt sie. Sie ist ein paar Jahre älter als ich, hat zwei Kinder, und wir verstehen uns gut. Ich bin's zufrieden.«

Sie setzten sich auf ein paar wackelige Stühle, die der Wirt eines Bacaro draußen an der Hauswand stehen hatte, und bestellten Wein. Die letzten Sonnenstrahlen brachen sich auf den Wellenkämmen des Kanals und tauchten die Fassaden der Häuser in rötliches Licht.

»Wenn wir schon beim Thema Liebe sind …«, fuhr Albrecht fort, »… dann hat's dir also gar nichts ausgemacht, dass zwischen dir und deiner Helena keine Briefe mehr hin und her gehen? Die Agnes hat mir davon erzählt.«

Niklas nippte bedächtig an seinem Friularo. »Sie wollte plötzlich nicht mehr, dass wir uns schreiben«, sagte er. »Ich versteh's nicht ganz. Und wenn ich ehrlich bin, macht's mir doch was aus. Culo di merda!« Er fluchte leise auf Venezianisch und kippte den Rest seines Bechers hinunter. »Sag, weißt du was von der Lene? Wie geht's ihr und was macht sie?«

Dürer brummte leise und schürzte die Lippen unter dem dichten braunen Bart. »Hm. Die Agnes hat mir zwar eingeschärft, dir nichts zu erzählen, aber ich sag's dir trotzdem: Schlecht geht's ihr, und unglücklich ist sie. Ihr Mann bringt langsam, aber sicher das Vermögen durch, spielt, säuft und prügelt sie übermäßig, und sie hasst ihn. Auf die Kinder geht er allem Anschein nach auch los. Sie hat euren Briefwechsel deshalb beendet, weil er einen Brief von dir entdeckt und sie dazu gezwungen hat. Sie hat sich nicht einmal getraut, mir einen Gruß an dich mitzugeben. Sie meint, es sei wohl besser so, wie es jetzt ist.«

Niklas war betroffen. »Mein Gott, die arme Lene. Das hat sie mir nie geschrieben. Kennst du diesen Konrad Heller näher?«

»Nur flüchtig. Wir haben uns ein paarmal in der Herrentrinkstube unterhalten, über unwichtiges Zeug. Er macht eigentlich einen leutseligen Eindruck, aber sein Ruf ist schlecht.«

»Mistkerl.«

Dürer schlug dem Freund gutmütig auf die Schulter. »Tja, so ist das nun mal. Denk nicht drüber nach, du kannst ihr sowieso nicht helfen, mein Lieber. Komm, trinken wir noch eins.«

Sie zogen noch durch ein, zwei weitere Schänken; der Wein begann Wirkung zu zeigen, und Niklas' getrübte Laune besserte sich wieder. Viele Leute drehten die Köpfe nach Dürer um, der selbst im weltoffenen Venedig eine außergewöhnliche Erscheinung darstellte. Sie trafen ein Grüppchen grell geschminkter Kurtisanen, die ihnen eindeutige Avancen machten, aber beide hatten kein Interesse, obwohl der Maler die freizügig gekleideten Frauen neugierig beäugte.

»Die Venezianerinnen genießen nicht zu Unrecht den Ruf, zu den schönsten Frauen Europas zu gehören«, meinte er. »So herrliches rotes Haar sieht man selten.«

Niklas kicherte. »Eidechsenfett, Schwalbennesterschlamm, Affenschmalz gemischt mit Kamille ... jede hat da ihr eigenes Rezept, das sie sich ins Haar schmiert. Das beste Ergebnis bringt angeblich eine Mischung aus Salz und zermusten roten Schnecken, die man in den Colli Euganei findet. Sagt zumindest Vanozza. Und anschließendes Abspülen des getrockneten Breis mit Salpeterlösung.«

»Pfui Teufel!« Dürer schüttelte sich. »Aber die Farbe, die müsste man auf der Palette nachmischen können ... wie ich gehört habe, soll dieser junge Bellini-Schüler, wie heißt er doch gleich, Tiziano oder so ähnlich, ein besonderes Talent für Rottöne haben. Ich muss mich unbedingt mit ihm unterhalten ...«

Die beiden schlenderten weiter durch die engen Gässchen, in denen jetzt, da die Nacht anbrach, die ersten Fackeln und Feuerpfannen angezündet wurden.

»Ah, der Laden von Nonna Ombretta ist noch offen. Warte, hier gibt's was Feines.« Niklas lief zu der hölzernen Verkaufsbank, die vor einem Fenster heruntergelassen war, und kam kurz darauf mit zwei großen Muschelschalen zurück, auf die mit einem Spatel ein kleiner Berg weißliche, breiige Masse gestrichen war. »Da. Eine Spezialität, schmeckt gut!«

Dürer nahm eine Muschelschale und biss herzhaft in den weißen Brei. Ein plötzlicher Schmerz durchfuhr seine Zähne; er gab einen erschrockenen Laut von sich und warf die Muschel in hohem Bogen in den Kanal.

»Spinnst du?« Niklas sah den Freund verblüfft an.

»Das lässt einem ja sämtliche Zähne ausfallen!« Dürer verzog angeekelt das Gesicht. An seinen Bartspitzen zitterten kleine weiße Tröpfchen.

Der junge Goldschmied amüsierte sich. »Du darfst nicht hineinbeißen. Es schmilzt im Mund. Sie nennen es gelato, Gefrorenes, und machen es aus Zucker, Zitrone und Schnee, den sie aus den Bergen hertransportieren. Hier, nimm meins!«

»Lass nur. Wieso sollte ich Schnee essen?« Der Maler tippte sich an die Stirn. »So was Verrücktes kann auch nur den Welschen einfallen!«

Währenddessen waren sie bei Yussufs Palazzo angekommen. Der riesige Komplex war mit vielen Fackeln hell erleuchtet, und aus allen Fenstern drang flackerndes Kerzenlicht. An der Anlegestelle dümpelte eine ganze Menge herrschaftlicher Gondeln im Wasser; etliche Sänften, deren Träger lässig auf der Gasse herumlümmelten, waren im Eingangsbereich abgestellt. Ettore stand in seiner Feiertagslivree am Tor, um dafür zu sorgen, dass kein Unberechtigter Zutritt erhielt.

»Wo führst du mich denn hin?« Dürer sah Niklas überrascht an.

»Ein Freund von mir lebt hier. Er ist Diamantenhändler und hat mir alles über Edelsteine beigebracht. Wir haben sogar zusammen ein Buch darüber geschrieben. Außerdem helfe ich ihm nebenbei bei seiner Handelskorrespondenz. Er macht viel Geschäfte mit den Augsburger Welsern, die sich von allen deutschen Handelsgesellschaften am stärksten am Diamantenhandel beteiligen, und ich übersetze oft Briefe und Bestellungen, all so was. Heute gibt es ein großes Fest, und ich bin eingeladen. Komm nur.«

Drinnen war die Feier schon in vollem Gang. Die Säle waren voller edel gekleideter Gäste, die herumspazierten oder in Grüppchen zusammenstanden. Musikanten sorgten für gebührende Untermalung, und Bedienstete wieselten eifrig mit Tabletts herum, auf denen weingefüllte Pokale aus leuchtend buntem Muranoglas standen. Überall waren Tischchen verteilt, die sich unter Bergen von Süßigkeiten oder Obst bogen. Der Boden war dicht mit duftenden Rosenblüten bestreut, und auf unzähligen Kohlebecken glommen Kräutersträußchen und allerlei Räucherwerk. Von den Fenstern zum Innenhof aus konnte man einen Feuerschlucker beobachten, über dem auf einem quer durch die Luft gespannten Seil ein Seiltänzer seine atemberaubend gefährlichen Übungen machte. Auf einem Podest im Salotto verknotete sich gerade anmutig ein weiblicher Schlangenmensch sämtliche Gliedmaßen. Die Gäste klatschten begeistert Beifall.

Dürer wandte sich schmunzelnd an Niklas. »Das kommt mir vor wie eine fröhliche Beerdigungsfeier. Ich hatte ganz vergessen, dass der Stadtadel in Venedig ausschließlich Schwarz trägt.«

»Nur die Männer und die verheirateten Frauen. Ausnahme sind der Doge und die Dogaressa – die gehen zu besonderen Anlässen in Weiß und Gold. Vermutlich sind sie auch da. Heute Abend ist hier ist alles vertreten, was in der Stadt Rang und Namen hat. Schau dich nur um – so viel erlesenen Schmuck und teure Stoffe auf einmal wirst du vermutlich nie wieder sehen.« Niklas blickte sich suchend um. »Ah, da drüben ist Yussuf. Komm, ich mache euch bekannt.«

Der Mohr begrüßte Niklas mit einer herzlichen Umarmung. »Wen hast du denn da mitgebracht?«, wollte er wissen.

»Darf ich vorstellen: Maestro Albrecht Dürer, der weltberühmte Maler und Kupferstecher aus Nürnberg. Er weilt für einige Zeit in der Stadt, um den bedeutendsten Signori und Signore Gelegenheit zu geben, sich von ihm porträtieren zu lassen.«

Yussuf war hoch erfreut. »Willkommen in meinem Haus, Maestro! Ich habe von Euch gehört; die hiesigen Künstler sprechen mit größter Hochachtung von Euch, vor allem der greise Giovanni Bellini, den ich zu meinen Freunden zählen darf. Es ist mir eine Freude, Euch heute Abend bewirten und meinen Gästen vorstellen zu dürfen.«

Er nahm den Maler unter seine Fittiche und ging mit ihm und Niklas herum. Innerhalb kürzester Zeit hatte Dürer vier Aufträge für Porträts und einen für ein Altarbild in der Tasche. Auch für Unterkunft war schnell gesorgt; einer von Yussufs Kunden stellte ihm eine Zimmerflucht in einem seiner Häuser zur Verfügung, so lange er in der Stadt bleiben wollte. Dürer war glücklich.

Als es schließlich Mitternacht schlug, wurde die ganze Gesellschaft in den Innenhof beordert. Auf dem obersten Absatz der Freitreppe erschienen der Gastgeber und seine Frauen, gefolgt von der kleinen Giulia und Piero Contarini Zemelli, dem giudice del proprio, den Niklas schon kennen gelernt hatte. Giulia war Yussufs älteste Tochter, eine hübsche, liebreizend aussehende Vierzehnjährige, die von der Hautfarbe her ganz nach ihrer venezianischen Mutter kam. Nur die großen, schwarzen Augen und die kaum zu bändigenden braunen Kringellöckchen hatte sie vom Vater geerbt. Ihr sonnengelbes, tief ausgeschnittenes Kleid war der einzige Farbtupfer auf der Empore und leuchtete hell im Licht der Fackeln. Yussuf trat ans Geländer und klatschte in die Hände, dann breitete er lächelnd die Arme aus.

»Carissimi amici e ospiti, meine lieben Freunde und Gäste! Ihr werdet euch schon gefragt haben, was wohl der Anlass für dieses bescheidene Fest in meinem Hause sein mag. Jetzt, da wir alle gegessen und getrunken und damit die Bedürfnisse unseres Körpers gestillt haben, möchte ich auch eure Neugier befriedigen. Heute ist ein besonderer Abend für mich und meine Familie. Eine neue Verbindung wird geschlossen, eine Verbindung zwischen meinem Haus und einer der edelsten Familien Venedigs. Ich will nicht viele Worte machen. Hier seht ihr meine Älteste, Signorina Giulia, eine Blüte, die einer wunderbaren Union aus Afrika und Europa entsprossen ist.« Er hielt inne, sah seine erste Frau liebevoll an und führte dann seine Tochter an der Hand nach vorne. »Und dort steht einer der edelsten und ehrenwertesten Männer unserer Stadt, Ser Piero Contarini, ihr kennt ihn alle.«

Der Kriminalrichter trat vor und neigte grüßend den Kopf.

»Mein lieber Piero, nehmt nun Ihr die Hand meiner Tochter Giulia, Ihr wisst wohl, welchen Schatz ich Euch anvertraue. Freunde, feiert nun mit uns das Verlöbnis zwischen diesen beiden. Möge ihr gemeinsames Leben lange und glücklich sein! Evviva!«

Die Gesellschaft brach in donnernde Hochrufe aus. Das Paar hielt sich an der Hand und winkte in die Menge, und aus einem Netz, das hoch oben über den Köpfen gespannt war, ergoss sich ein Blumenregen über die Gäste. Dann krachte und knallte es ohrenbetäubend: Ein Feuerwerk begann, das bunte, glitzernde Fontänen in den Himmel zeichnete. Sonnenräder sprühten, Farben explodierten, überall am nächtlichen Firmament sprühte, glitzerte, funkelte und schimmerte es. Die ganze Stadt erglühte in einem märchenhaften Lichtermeer. Den Abschluss bildete ein wahrer Funkenregen in Rot und Blau, den Farben der Contarini.

Danach begannen die Musiker im großen Saal zum Tanz zu spielen. Alles lachte und lärmte durcheinander, und die Gratulationen nahmen kein Ende. Niklas und der Maler trafen sich irgendwann auf einer der vielen Innentreppen wieder und hatten gerade beschlossen heimzugehen, als die beiden Verlobten vorbeikamen. Niklas nickte Contarini zu und verbeugte sich vor Giulia.

»Ich freue mich sehr für dich, carina, und wünsche euch beiden Gottes Segen und alles Glück der Welt.«

Das Mädchen strahlte. »Ich danke dir, Niccó! Ich bin ja so glücklich! Heute ist der schönste Tag in meinem Leben. Sieh nur, was mir Piero zur Verlobung geschenkt hat.« Sie streckte in betont graziöser Haltung die linke Hand vor, an deren Ringfinger es blitzte und funkelte.

Niklas beugte sich vor – und war mit einem Schlag hellwach und so nüchtern wie man nur sein konnte. Der Vogelring! Contarini hatte der kleinen Giulia den Vogelring geschenkt! Der junge Goldschmied konnte kaum etwas sagen; er stammelte irgendein Kompliment, aber Giulia war von ihrem Verlobten schon wieder weitergezogen worden.

»Ein wunderbares Paar«, meinte Dürer anerkennend. »Sie in der Blüte ihrer Jugend, er ein schöner Mann in den besten Jahren. Man müsste die beiden schier malen … Hast du was, Niklas?« Er sah den Freund wie entgeistert dem Jubelpaar nachstarren. »Was ist los mit dir?«

Niklas packte den Maler am Arm. »Hör zu, Albrecht, ich habe gerade etwas Wichtiges entdeckt. Meinst du, du findest allein zu deinem Quartier zurück? Es ist nicht weit, und ich muss dringend etwas mit Yussuf besprechen.«

Dürer nickte verblüfft und sah zu, wie Niklas in der Menge verschwand.

»Das ist eine ungeheuerliche Anschuldigung, die du da vorbringst, Niccó.«

Yussuf kratzte sich am kahlen Schädel. Er hatte sich mit Niklas ins Studiolo zurückgezogen, um ungestört reden zu können, und jetzt drehte er mit großen Schritten Runden um seinen Schreibtisch. Seine nackten Füße machten auf den Fliesen klatschende Geräusche. »Ich kann das einfach nicht glauben.«

Niklas lehnte am Fenster; müde fuhr er sich mit beiden Händen über die Augen.

»Yussuf, du kannst mir glauben, dass mir dies alles nicht leicht fällt. Ich bin zu dir gekommen und habe mich dir als Verbrecher offenbart. Du hast mich jetzt in der Hand, mein Freund. Ein Wort von dir zur Stadtwache oder zu Contarini, und ich bin ein toter Mann. Aber ich kann einfach nicht tatenlos dabei zuschauen, wie du deine Tochter an einen Verbrecher gibst. Und ich bin mir sicher, dass Contarini der padrone ist. Außerdem meine ich, dass ihm an dieser Ehe nur liegt, weil er auf diese Art und Weise am leichtesten an dein Geschäft herankommt.«

»Aber Contarini ist ein reicher Mann, er hat das gar nicht nötig!«

Niklas blieb beharrlich. »Yussuf, du hast nur Töchter, und Giulia ist deine Älteste. Wer erbt dein Handelsimperium? Habt ihr schon Vereinbarungen getroffen?«

Yussuf tat einen tiefen Atemzug. »Er hat darauf gedrängt, dass wir alles vor der Hochzeit regeln, ja. Sobald die Eheschließung vollzogen ist, tritt Contarini mit zwei Schiffen als mein Partner ins Geschäft ein. Ein Testament zu Giulias und seinen Gunsten, in dem allerdings auch die anderen Mädchen und meine Ehefrauen abgesichert werden, lasse ich gerade von einigen Juristen entwerfen.«

»Aber das Unternehmen fällt dann an Contarini?«

»Im Falle meines Todes. Ja.«

»Mein Gott, Yussuf, das ist genau, was er will.«

Der Mohr schüttelte den Kopf. »So alt bin ich nun auch wieder nicht, dass er damit rechnen könnte, mich in den nächsten Jahren zu beerben.«

Niklas schlug mit der Faust gegen die Wand. »Gesù, verstehst du denn nicht! Mein Freund, die famiglia und dieser Mann gehen über Leichen. Ein spitzes Messer, ein Sturz aus dem Fenster, ein schnell wirkendes Gift – es gibt viele Möglichkeiten, jemanden aus dem Weg zu räumen. Wenn deine Tochter Piero Contarini heiratet, dann bist du in höchster Gefahr. Bitte, du musst mir glauben. Übergib mich der Stadtwache, kündige mir die Freundschaft, mach, was du willst, aber glaub mir einfach!«

Yussuf ließ sich auf einen Sessel sinken und vergrub das Gesicht in den Händen.

»Ich weiß nicht mehr, was ich denken soll. Hast du Beweise?«

Niklas schüttelte den Kopf. »Außer dem Ring noch nichts.«

»Den Ring kann auch jemand anders für ihn bestellt haben, oder die Aussage deines Meisters könnte falsch sein, das kann ich nicht gelten lassen.« Yussuf sah Niklas ernst an. »Du bist mein Freund, und ich schätze dich. Aber nur dein Wort kann hier nicht genügen. Du hast Zeit, die Hochzeit ist in einem Jahr. Bring mir Beweise.«

»Du kannst dich drauf verlassen«, gab Niklas mit entschlossener Stimme zurück. Noch in derselben Nacht erzählte er Nazareno von seiner Entdeckung.

Nürnberg, Februar 1506

Es regnete seit Tagen unaufhörlich. Der ganze Winter war nass und warm gewesen, auf den Straßen und Gassen Nürnbergs gab es vor lauter Schlamm kaum noch ein Durchkommen. Die Feuchtigkeit drang in die Häuser, und alles war klamm, von den gewirkten Wandteppichen bis hin zum Bettzeug. Stroh und Binsen faulten auf den Fußböden. In den Kellern der Häuser am Fluss begann es von kleinen schwarzen Molchen zu wimmeln. Sie kamen zu Tausenden die Treppen hoch, krabbelten an den Wänden entlang und fielen in Betten und Suppentöpfe. Es war den glitschigen Tieren nicht beizukommen und sie verbreiteten sich mit unglaublicher Geschwindigkeit in der ganzen Stadt. Besonders abergläubische Leute munkelten, die Molchsinvasion künde von einer neuen furchtbaren Seuche, andere wieder machten die besondere Konstellation der Sterne dafür verantwortlich.

Der kleine Konrad war glücklich. Er war soeben im Innenhof auf seinen ersten Molch gestoßen und hatte das Tierchen in einem irdenen Topf gefangen. Vergeblich hatte er versucht, den schwarzen Gesellen mit Brotbrocken und Mehlwürmern zu füttern, und ihn dann, tierlieb wie er war, zur Pegnitz getragen und dort freigelassen. Außerdem hatte er heute seine erste Hose bekommen, braune Beinkleider aus festem Wollstoff, und trug sie stolz wie ein Pfau. Eigentlich hätte er, wie es üblich war, erst mit dem siebten Geburtstag die Mädchenkleidung ablegen dürfen, aber er war groß für sein Alter und hatte seiner Mutter schon seit Weihnachten pausenlos in den Ohren gelegen.

Helena war zum dritten Mal in ihrer Ehe hochschwanger und sah der Niederkunft in zwei oder drei Wochen entgegen. Seit einigen Monaten hatte sie sich mit ihrem Mann recht gut arrangiert. Er ließ sie in Ruhe, denn es war schließlich allgemein bekannt, dass die fleischliche Beiwohnung einer Schwangeren zu Missgeburten führte, zu Buckeln, Wolfsrachen, Klumpfüßen und Hinkebeinen. Konrad wollte unbedingt noch einen gesunden Sohn – Söhne hoben das Ansehen und waren der beste und augenscheinlichste Beweis für Potenz und Virilität eines Mannes. Um gar nicht erst in Versuchung zu kommen, hatte sich Konrad ein Schlafzimmer weit abseits von allen anderen im Nordflügel des Hauses einrichten lassen, dort wo die Wäschekammern und Arbeitsräume lagen. Hier empfing er, wie Helena nicht verborgen blieb, in schöner Regelmäßigkeit Hübschlerinnen; schließlich, so fand er, konnte niemand von ihm verlangen, zu leben wie ein Mönch. Helena war es zufrieden, auch wenn sich die Klatschweiber schon das Maul darüber zerrissen. Hauptsache, Konrad ließ sie nachts in Ruhe. Auch seine Tätlichkeiten waren weniger geworden; zu mehr als ein paar schnellen Ohrfeigen war es in letzter Zeit nicht gekommen, und das war in jeder Ehe durchaus üblich. Auch die Kinder atmeten sichtlich auf. Der ständige Streit zwischen den Eltern war ihnen nicht verborgen geblieben und sie litten unter der Situation, besonders Rupprecht, der für einen Buben recht zart besaitet war und vor den Ausbrüchen seines Vaters panische Angst hatte, und die kleine Margarete, die sich oft bang vor Konrad versteckte.

An diesem Tag war Konrad schon früh nach Bamberg abgeritten. Helena saß allein in der Küche und schnippelte Winteräpfel für süßes Mus, als einer der Lagerknechte zögernd hereintrat.

»V… v… verzeiht mir, Ha… hausfrau, aber ich hätt was zu m… melden.«

Helena legte das Messer hin. »Ja, komm nur herein, Wenzel. Was gibt's denn?«

Der schüchterne junge Mann, ein dunkelhaariger, hübscher Kerl mit schmalem Gesicht und Silberblick, knetete verlegen seine Kappe. Wie immer, wenn er aufgeregt war, stotterte er.

»Es ist, w… weil ich doch jetzt seit J… ja… januar die Aufsicht über das G… g… gewürzlager hab. Und ich ha… ha… hab dem Herrn auch sch… schon vor drei Wochen gemeldet, dass der Safran das Sch… sch… schimmeln anfängt. Jetzt wird's immer sch… schlimmer, und der Herr hat immer noch nicht B… befehl zum Verk… k… kauf gegeben. Neben dran bei der M… muskatblüte geht's auch schon los. Wenn wir das sch… schlechte Zeug nicht schnell aus dem Lager b… bringen, geht uns alles ka… ka… kaputt.«

Das war die längste Rede, die Wenzel jemals gehalten hatte, und er atmete erst einmal tief durch. Helena stand auf und schob die Schüssel mit den Apfelschnitzen zur Seite.

»Zeig mir die Gewürze.« Sie band die Schürze ab und ließ sich von dem Knecht hinunter in die Lagerräume führen, die im Erdgeschoss lagen und sich um den Innenhof gruppierten.

Ihr stieg sofort der leicht modrige Geruch in die Nase, der von einer Anzahl an Säcken ausging, die in einem der Räume fast bis unter die Decke gestapelt waren. Schon von außen waren große schwarze Stockflecken auf dem Rupfen zu sehen. Wenzel hob einen der Säcke herunter und schlitzte ihn mit seinem Messer auf. Die Safranfäden hatten ihre orangerote Färbung verloren und waren an manchen Stellen zu einer schwärzlichbraunen, schmierigen Masse verklumpt.

»Ich ha… ha… hab's ja gewusst. D… da ist nichts mehr zu m… m… machen«, seufzte Wenzel mit traurigem Blick auf die Bescherung.

Ein Geflecht grünlichen Schimmels durchzog den Inhalt des nächsten Sackes, den sie überprüften. Und auch die Muskatblüte in den Säcken auf der anderen Seite des Raums fing bereits an zu modern. Die gelben getrockneten Blüten waren feucht und klebrig. Helena fasste einen Entschluss.

»Wenzel, du holst dir jetzt ein paar von den Taglöhnern, die immer am Weinmarkt auf Arbeit warten. Dann macht ihr alle Säcke auf. Alles, was noch verkauft werden kann, packt ihr in trockenes Rupfenzeug um, den Rest werft ihr ins große Schlammloch beim Spittlertor. Oder nein, frag vorher den Stadthirten, ob er es für seine Schweine gebrauchen kann. Ich kümmere mich um alles andere.«

Nachdem Wenzel sich gesputet hatte, ging Helena alleine durch das Lager. In etlichen Räumen stapelten sich noch Ballen bestickten Damasts aus der Herbstlieferung von Gent, vermischt mit größeren Posten Atlasseide und des robusteren Barchents aus Brügge. Dort, wo das Wachstuch, mit dem alles zugedeckt war, nicht mehr ausgereicht hatte, waren Spuren von Mäusefraß zu erkennen. In zwei weiteren Räumen lagerten Harnischplatten, riesige Drahtrollen und Kisten voller Nägel, daneben entdeckte Helena in einer Ecke mindestens fünfzig Kettenhemden, die allesamt schon vom Rost befallen waren.

Das restliche Lager war leer geräumt. Helena wusste, dass Konrad in der nächsten Woche dringend eine größere Lieferung Salzheringe in Tonnen aus Lübeck erwartete – Heringe waren eine der wichtigsten und begehrtesten Fastenspeisen, und in der fleischlosen Zeit ließen sich damit hervorragende Geschäfte machen. Jedes Jahr in den Wochen vor Ostern war das Erdgeschoss des Hellerschen Hauses voll davon, und der durchdringende Fischgeruch hielt sich hartnäckig noch wochenlang nach den Feiertagen. Mitten unter einem Stapel Holzkisten mit Wachskerzen fand Helena schließlich noch einen Posten Ingwer, der schon trocken und verschrumpelt war, und etliche Säcke mit Rosinen und Mandeln. Die Zitronen, die in mehreren Kisten auf dem Gang standen, waren allesamt grün und schimmlig und rochen beißend streng.

Helena war entsetzt über den Zustand des Lagers. Stirnrunzelnd ging sie nach oben ins Kontor. Wie konnte Konrad nur alles so verwahrlosen lassen? Jetzt musste jedenfalls gehandelt werden, und zwar sofort, bevor die Gewürze endgültig nicht mehr zu retten waren. Sie setzte sich an den Schreibtisch und griff nach Feder und Papier.

Nachdem Konrad Heller in Bamberg zwei Tage lang mit einem Sekretär des Erzbischofs verhandelt hatte, war ihm schließlich ein ordentlicher Abschluss gelungen. Das Bistum erwarb fünfhundert armdicke Bienenwachskerzen, zwanzig Ballen hochwertigen Stoff für Altartücher, drei Ballen goldbestickten Samt für ein neues Pluviale des Bischofs und fünf Säcke besten gekrümelten Weihrauch. Alles in allem brachte das einen dicken Batzen Geld, der Konrad für einige Wochen aus seinen ewigen Zahlungsschwierigkeiten helfen würde. Trotz der unangenehmen Kälte und des ständigen Nieselregens ritt er sofort wieder ab in Richtung Nürnberg und traf schließlich drei Tage nach seiner Abreise zu Hause ein. Seine gute Laune verflog schlagartig, als er die Lagerräume sah.

»Heda, Wenzel«, raunzte er den Lagerknecht an, »was geht hier vor? Die Gewürze sind weg, und von den Stoffen fehlt auch einiges. Du weißt doch ganz genau, dass ohne meine Anordnung nichts verkauft werden darf!«

Wenzel zog den Kopf unwillkürlich zwischen die Schultern, als wolle er sich ducken. Seine Gesichtsmuskeln zuckten unkontrolliert, als er versuchte, zu sprechen. »D… d… die Ha… hausf… f… frau, Herr …«

Konrad fuhr herum. »Mein Weib hat dir hier im Lager was angeschafft?«

Der Knecht nickte und wollte noch etwas sagen, brachte aber vor lauter Stottern kein vernünftiges Wort mehr heraus, während Konrad schon die Treppe hoch ins obere Stockwerk polterte. Er fand Helena am Tisch in der Stube, wo sie Windeln zusammenlegte. Für eine Begrüßung nahm er sich nicht die Zeit.

»Du mischst dich in meine Geschäfte ein«, knurrte er gereizt. »Hinter meinem Rücken! Kaum, dass ich aus dem Haus bin, veranlasst du Dinge ohne mein Wissen. Erklär dich!«

Helena legte ihre Näharbeit zur Seite. Halb hatte sie damit gerechnet, dass er wütend auf sie sein würde, aber andererseits war sie von der Richtigkeit ihres Tuns überzeugt. Sie wusste, sie hatte sich in Männerdinge eingemischt, und das war ganz und gar nicht die Aufgabe einer Ehefrau. Doch Konrad war schließlich nicht dumm; er würde einsehen, dass sie zum Wohle des Geschäfts gehandelt hatte. Vielleicht war er ihr sogar dankbar, dass sie sich um Dinge gekümmert hatte, die ihm offenbar entfallen waren oder ihn nicht interessierten.

»Lass mich erzählen, Konrad. Ich hab's nur gut gemeint.«

Er setzte sich neben sie und stützte das Kinn auf die Hände. »Da bin ich aber gespannt.«

»Schau, der Safran war durch die Feuchtigkeit beinahe völlig verdorben, und die Muskatblüte auch. Jeder Tag hätte mehr Verluste gebracht. Da hab ich das Schlechte wegwerfen lassen und das, was gerade noch gut war, unseren Gewürzkrämern in der Stadt verkauft. An den Stoffballen im hinteren Lager waren die Mäuse; ich hab sie aufrollen, das Angefressene wegschneiden und alles von den Mäusekötteln befreien lassen. Und die Kettenhemden hab ich zu Meister Endres in die Werkstatt am Zottenberg geschickt, damit er sie vom Flugrost befreit und neu einölt, bevor der Rost tiefer dringt. Er hat nur zwei Ort für jedes Stück verlangt, das war von allen Harnischschlagern und Plattnern das billigste Angebot.« Sie streifte Konrad mit einem ängstlichen Blick. Er musste doch einsehen, dass sie richtig gehandelt hatte. Jetzt saß er mit gerunzelter Stirn da und überlegte. Plötzlich schlug er mit der Faust auf den Tisch.

»Herrgottsakrament, du hast nicht im Lager herumzuschnüffeln, wenn ich fort bin, Weib. Meine Geschäfte gehen dich nichts an. Gewürze verkaufen, bist du wahnsinnig? Du hast doch keine Ahnung, was die kosten! Ich seh schon die Krämer feixen, ha! Die werden dich schön übers Ohr gehauen haben.«

»Nein, Konrad, bestimmt nicht.« Helena hob beschwichtigend die Hände. »Der Safran hat im Einkauf zwanzig Gulden das Pfund gekostet – ich hab für den guten Rest noch zweiundzwanzig Gulden bekommen und für die fast verdorbene Ware immerhin noch fünfzehn. Das Pfund Muskatblüte ist für sechs Gulden gekauft worden, ich hab's für das Gleiche hergegeben, weil es schon merkwürdig säuerlich geschmeckt hat. Die Weinbeerlein hab ich für drei Ort billiger verkauft als sonst; sie waren schon aufgequollen. Der Ingwer hat noch einen Gulden das Pfund gebracht, und das Pfund Mandeln ein Ort. Alles in allem haben wir kaum Verlust gemacht.«

Konrad sah seine Frau ungläubig an und fühlte blanke Wut in sich aufsteigen. Sie hatte gut gerechnet, wenn es wirklich stimmte, dass die Gewürze kurz vor dem Verderb gestanden hatten, und er gönnte ihr den Triumph nicht. Wer war er denn, wenn er sich von seinem Weib auf der Nase herumtanzen ließe? Ein Trottel? Ein Schwächling? Er kniff die Augen zusammen.

»Woher weißt du die Preise, he?«

Helena lächelte. »Ich hab im Hauptbuch nachgesehen.«

Es ging so blitzschnell, dass sie nicht ausweichen konnte. Er packte sie am Hinterkopf und schlug ihr Gesicht hart auf den Tisch.

»Im Hauptbuch? Du hast das Hauptbuch angefasst?«, brüllte er. Helena sprang auf, ihre Nase blutete. Jeder ihrer Muskeln war zum Zerreißen gespannt; sie hatte nur einen Gedanken: Flucht. Doch er war schneller, vertrat ihr den Weg, packte sie mit beiden Händen am Hals und begann, sie zu würgen. Seine Augen traten aus den Höhlen, als er ihr die Luft abdrückte.

»Nur einer fasst das Hauptbuch an, du verdammtes Weibstück, nur einer, und das bin ich!«

Irgendwie gelang es ihr, seine Finger wegzubiegen und wieder Luft in ihre Lungen zu bekommen. Sie flog am ganzen Körper; Todesangst stieg in ihr auf. Sie sah sein wutverzerrtes Gesicht und wusste, dass er sich nicht mehr unter Kontrolle hatte. Und plötzlich wusste sie auch, dass es gar nicht um ihre Einmischung in die Geschäfte ging. Alles, was er wollte, war, sie zu demütigen, zu erniedrigen. Er wollte sie vor sich am Boden sehen, ganz gleich aus welchem Grund. Er schlug wieder zu, einmal, zweimal, traf sie am Kopf, und als sie schützend die Arme vorstreckte, an den Oberarmen und an der Schulter. Doch er vergaß sich dabei nicht so weit, dass er ihren schwangeren Leib verletzt hätte. Bei aller Wut setzte er seine Treffer kalt und mit Bedacht.

Irgendwann schaffte sie es schluchzend durch die Tür bis zum Flur. Draußen standen stumm und mit großen Augen die Kinder, die Helenas Schreie gehört hatten und genau wussten, was im Zimmer vorging. Fassungslos sahen sie das Blut im Gesicht ihrer Mutter.

»Weg«, schrie Helena in Panik, »geht weg!«

Kurz vor dem Treppenabsatz bekam Konrad sie wieder zu fassen, doch gleichzeitig hängte sich die kleine Grete an sein Hosenbein. »Tu der Mama nichts«, flehte sie mit ihrem piepsigen Stimmchen, »bitte, bitte.«

Konrad brüllte zornig auf und versuchte vergeblich, die Kleine abzuschütteln. Schließlich versetzte er Helena unwillig einen letzten Stoß. Sie taumelte rückwärts zur Treppe; ihre Hände suchten vergeblich nach Halt, griffen ins Leere, als sie die Stufen hinabfiel. Alles, was sie noch fühlte, war ein wilder Schmerz im Unterleib, der ihren ganzen Körper wie eine Welle überflutete, dann wurde alles finster um sie.

Als sie die Augen öffnete, lag sie immer noch am Fuß der Treppe. Sie spürte Nasses zwischen ihren Beinen und hob mühsam den Kopf. Ihr Rock war hochgeschoben, und alles war voll Blut. Apollonia und Mina machten sich an ihr zu schaffen. Die Alte legte ihr die Hand auf die Schulter.

»Keine Angst, Hausfrau, das Kind lebt. Ich hab's vorhin ganz deutlich strampeln spüren. Bleibt jetzt ruhig liegen, die Hebamme und der Doktor Schedel müssen jeden Augenblick da sein.«

Helena konnte sich nicht erinnern, was passiert war. Alles, was sie fühlte, war der Schmerz in ihrem Unterleib, der ihren Bauch wie ein Schraubstock zusammenpresste. Nach einer Ewigkeit rumpelte es an der Haustür, und Schedel stürmte völlig außer Atem in den Flur, in der Hand die abgewetzte Ledertasche mit den wichtigsten medizinischen Utensilien. Er ging ächzend neben Helena in die Knie und legte zwei Finger an ihre Halsschlagader.

»Hellerin, könnt Ihr mich verstehen?«

Helena versuchte zu nicken, aber ihr Kopf schmerzte so sehr, dass sie aufstöhnte. Schedel ertastete vorsichtig eine Beule an ihrem Hinterkopf, und als er die Hand wieder hervorzog, klebte es rot an seinen Fingern. Er registrierte Helenas aufgeplatzte Lippe, das verkrustete Blut unter ihrer Nase und die Schwellung an ihrem rechten Auge. Im gleichen Augenblick kam die Hebamme.

»Was ist passiert?«, wandte sie sich an die beiden Frauen.

»Sie ist die Treppe hinuntergefallen«, erklärte Apollonia, noch bevor Mina den Mund aufmachen konnte, »und jetzt will das Kind kommen. Blut und Wasser gehen schon ab.« Wie zur Bestätigung krampfte sich Helenas Körper unter einer Wehe zusammen, und sie stöhnte laut auf.

»Hier kann sie jedenfalls nicht liegen bleiben«, meinte Schedel. »Hellerin«, er tätschelte Helena, die mit geschlossenen Augen dalag, die Wange, »Hellerin, wann seid Ihr geboren, und wie heißen Eure drei Kinder?«

Sie murmelte die richtige Antwort, und der Arzt war zufrieden. »Brav. Also, ihr Mägde, sie ist bei Sinnen und wir können sie ins Bett tragen.«

Mit vereinten Kräften hoben sie Helena auf ein breites Brett und brachten sie ins Schlafzimmer. Ihr Weg war von einer Blutspur gekennzeichnet. Konrad ließ sich nicht blicken.

»Hat sie Verletzungen, die unbedingt behandelt werden müssen?« Die Wehfrau begann, Helena zu entkleiden und horchte mit einer Art Hörrohr an ihrem nackten Bauch.

Schedel verneinte. »Ich denke, die Geburt hat jetzt Vorrang. Tut Ihr das Eure; ich warte draußen.« Allein der Anblick des entblößten Unterleibs der Hellerin war ihm schon peinlich; alles, was jetzt noch kam, war Weibersache.

Die Hebamme übernahm sofort das Kommando. »Heißes Wasser, Tücher, warmen Wein, mehr Licht. Eilt euch!« Sie kramte in ihrem Stoffsack nach einem Bündel getrockneten Frauenmantels, der wehentreibende Wirkung hatte. Es musste jetzt schnell gehen, damit der Blutverlust nicht zu hoch wurde. Sie rieb zwei Finger ihrer rechten Hand mit einer grünlichen Schmiere aus Gänsefett und Kräutern ein und schob sie bis zum Muttermund und durch dessen Öffnung. Dann löste sie vorsichtig das untere Ende der Fruchtblase ab. Als sie die Finger wieder herauszog, kam ein Schwall Blut und Fruchtwasser nach.

Mina, die mit einem Becher warmen Weins hereinkam, schrie auf, als sie das viele Blut sah. »Oh lieber Gott, sie stirbt!«

Die Hebamme bröselte die Kräuter in den Wein und flößte Helena das Getränk Schluck für Schluck ein.

»Noch ist sie nicht tot«, brummte sie. »Aber es hängt alles davon ab, wie schnell das Kind kommt. Dauert die Geburt zu lange, wird sie verbluten. Massier ihr den Bauch, von oben nach unten, aber nicht zu zaghaft.« Mina gehorchte, und während ihre Hände über Helenas Leib strichen, betete sie laut und jammervoll zu den vierzehn Nothelfern.

Helena nahm alles wie durch einen Schleier wahr. Immer wieder fielen ihr zwischen den Wehen die Augen zu und sie wollte in eine Ohnmacht hinübergleiten, aber die Hebamme klatschte ihr jedes Mal unbarmherzig nasse Lappen ins Gesicht und auf die Brust.

»Wach bleiben, Hellerin, nicht einschlafen! So schnell lass ich Euch nicht gehen!«

Irgendwann spürte Helena keine Wehe und keinen Schmerz mehr, sie tat nur wie in Trance, was ihr Körper und die Wehfrau, deren Stimme wie von fern zu ihr drang, von ihr verlangten. Und dann war plötzlich alles vorbei, und sie sank in unendliche Ruhe hinab, immer weiter, wie in watteweiche Wolken gebettet. Sie hörte nicht mehr den Schrei des Neugeborenen, nahm nicht mehr den mit blutstillender

Hirtentäscheltinktur getränkten Schwamm wahr, der in ihre Scheide geschoben wurde. Auch die Nadel des Arztes, die dünn gezwirbelten Schafsdarm durch ihre Kopfhaut zog, als er die Platzwunde vernähte, spürte sie nicht. Erst als das Kind kraftlos an ihrer Brustwarze sog, kam sie wieder zu sich und hörte die Stimme der Hebamme, die in ihr Ohr flüsterte.

»Es ist ein Sohn, Hellerin, und Ihr wart tapfer wie ein Landsknecht.«

»Wird er leben?« Ihr war bewusst, dass das winzige Wesen viel zu klein war. Sein Gewicht an ihrer Brust war kaum zu spüren.

Die Wehfrau atmete tief durch.

»In den ersten Stunden und Tagen hängt ein Leben immer am seidenen Faden, das wisst Ihr so gut wie ich. Das Kind ist zwei oder drei Wochen zu früh dran, schätze ich. Und eine solchermaßen erzwungene Geburt ist immer eine Belastung. Aber ich denke, es wird leben, Hellerin, sofern nicht Zugluft hinkommt oder die Abweiche einsetzt.«

Dass ihr Helenas Zustand mindestens genauso viel Sorgen machte, sagte sie nicht. Der Blutverlust war hoch gewesen, aber jetzt war die Blutung Gott sei Dank versiegt, und Helena schlief ein, noch während das Kind an ihrer Brust die ersten Tropfen der nahrhaften Vormilch einsog.

Die Hebamme verließ auf Zehenspitzen das Zimmer und ging nach draußen, wo sie auf Hartmann Schedel traf, der seine Tasche wieder zusammenpackte.

»Und«, meinte der Arzt, »was sagt Ihr als Hebamme?«

»Mit Gottes Hilfe werden es beide überstehen, Mutter und Kind. Für den Kleinen würd ich raten, gleich den Pfarrer zu holen und die Taufe vornehmen zu lassen – man weiß ja nie. Die Hellerin braucht jetzt Ruhe und jeden Tag ein halbes Pfund rohe Leber, die macht gutes Blut. Aber sie wird keine Kinder mehr haben. Es ist etwas in ihrem Innern gerissen. Das wird jetzt vernarben und die Gebärmutter untauglich für die Austragung einer neuen Leibesfrucht machen.«

Schedel senkte den Kopf. »Gottes Wille geschehe. Wir müssen es dem Hausherrn sagen.«

Die Wehfrau schnaubte. »Ich halt mich da raus, Doktor Schedel, ich kann jetzt nichts mehr tun und geh heim. Beredet Ihr das unter Männern, ich bin nur für die Frauen zuständig. Und vielleicht fragt Ihr dabei den Kindsvater nach den blauen Flecken, dem geschwollenen Auge und all den anderen Verletzungen ...« Ihr Ton war hart geworden, und bevor Schedel nachhaken konnte, drehte sie sich um, packte ihr Bündel und ging.

Der Arzt beschloss, sich auf die Suche nach dem frisch gebackenen Vater zu machen und wanderte durchs Haus. In einem der Zimmer hörte er Kinderstimmen und trat ein. Als die Zwillinge den Arzt sahen, der sie schon so manches Mal wegen Fieber, Warzen und Bauchweh behandelt hatte, rannten sie voll Freude auf ihn zu.

»Eurer Mutter geht es gut«, erzählte er, »und ihr habt ein kleines Brüderchen.«

Grete schien sich nicht dafür zu interessieren. Vielmehr zupfte sie Schedel am Ärmel und stellte die Frage, die sie schon seit langem beschäftigte. »Doktor Schedel, warum ist die Mama immer unartig?«

Schedel verstand nicht. »Unartig? Wieso?«

»Weil, wenn der Papa die Mama aushaut, da muss sie doch unartig gewesen sein.« Sie blickte mit ihren großen, unschuldigen Augen zu ihm auf, und Schedel sah seine Befürchtungen bestätigt.

»Macht er das denn oft, euer Vater?«

Konrad, der Älteste, kam hinzu und nickte ernst. »Die Mama weint dann immer und ist krank.«

Der kleine Rupprecht mischte sich ein. »Heut hat er die Mama sogar zur Treppe hinuntergeschubst. Und zu mir sagt er immer, ich darf die Grete nicht schubsen.«

Schedel kannte viele Ehen, in denen die Frauen von ihren Männern gemäß Recht und Herkommen gezüchtigt wurden. Bisher war er von der Richtigkeit dieser Praxis überzeugt gewesen – schließlich waren Frauen grundsätzlich schwach und unwissend und gingen deshalb oft irr. Zurechtweisung tat da Not, und Missverhalten durfte nicht geduldet werden. Doch hierbei musste die Verhältnismäßigkeit der Mittel gewahrt bleiben. Strafe ja, aber Gefährdung des Lebens – niemals!

»Wisst ihr was?« Er ging neben den Kindern in die Hocke. »Ich denke, ich rede einmal mit euerem Vater. Vielleicht wird dann alles besser.«

Alle drei nickten hoffnungsvoll, als er das Zimmer verließ.

Schedel fand Konrad schließlich in seinem Kontor, wo er über dem geheiligten Hauptbuch brütete. Er machte nicht den Eindruck eines Mannes, dessen Frau und Neugeborenes gerade knapp dem Tod entronnen waren. Der Arzt nahm auf dem Besucherstuhl Platz.

»Eure Frau und das Kind haben das Schlimmste überstanden, Heller. Es ist übrigens ein Sohn, eine Frühgeburt. Die Hebamme denkt, dass beide über den Berg sind.«

Konrad klappte erfreut das Buch zu. »Ein Sohn, sagt Ihr? Und zu früh? Na, der Kerl wird schon werden – ist ja schließlich von mir, und wir Hellers waren schon immer aus hartem Holz geschnitzt. Kommt, darauf trinken wir einen guten Tropfen.« Er stand auf und ging zur Anrichte, wo eine Karaffe mit silbernen Bechern stand. Schedel wehrte ab.

»Nein, Heller, ich möchte nichts. Ich bin nur gekommen, um Euch ins Gewissen zu reden. Was ist zwischen Euch und Eurem Weib vorgefallen?«

Konrad riss verwundert die Augen auf und breitete dann lächelnd die Arme aus. »Ich weiß gar nicht, was Ihr meint, Doktor. Sie ist gestürzt, ich konnte sie nicht mehr auffangen. Manchmal ist sie wirklich ungeschickt. Gottlob ist nichts Schlimmeres geschehen!«

Schedel hatte Konrad Heller noch nie besonders gemocht, aber jetzt fühlte er Abscheu in sich aufsteigen. »Heller, Ihr könnt mir nichts weismachen. Ich habe gesehen, in welchem Zustand Euer Weib war. Natürlich habt Ihr jedes Recht der Welt, sie für Verfehlungen zu bestrafen, aber das, was Ihr heute getan habt, geht zu weit! Eine Hochschwangere zu misshandeln! So weit dürft Ihr Euch nicht vergessen, Ihr seid doch ein Ehrenmann! Als Arzt muss ich Euch eines sagen: Wenn Ihr das Leben Eurer Frau wiederum gefährdet, dann fühle ich mich verpflichtet, vor den Rat zu treten. Ihr habt Euer Züchtigungsrecht missbraucht, und das ist verwerflich. Und der Herrgott hat die Strafe auch auf den Fuß folgen lassen: Euer Bund wird nicht durch weitere Kinder gesegnet sein. Ihr werdet keine Söhne mehr bekommen, Heller. Nehmt dies als Zeichen und behandelt Eure Frau in Zukunft maßvoll.«

Konrads Lächeln war zur Grimasse erstarrt. »Sie hat Euch wohl eingewickelt, Schedel, dass Ihr Euch erfrecht, mir diese Predigt zu halten. Jetzt hört mir gut zu: Was zwischen mir und meinem Weib geschieht, geht Euch einen Kehricht an, das ist ganz allein meine Sache. Ich brauch keinen Quacksalber, der mir Manieren beibringt. Und ich möchte Euch bitten, in Zukunft mein Haus nicht mehr zu betreten. Es gibt in der Stadt genug Ärzte, die sich nicht in die Angelegenheiten ihrer Patienten mischen.« Er nestelte an seinem Geldbeutel und warf ein Geldstück vor Schedel auf den Tisch. »Da. Für Eure Mühe.«

Der Arzt ließ den Gulden liegen, drehte sich auf dem Absatz um und verließ das Haus.

Dank der Bemühungen der Hebamme, die in den nächsten beiden Wochen täglich vorbeikam und Helena mit Unmengen roher Leber fütterte, erholte sich die Wöchnerin erstaunlich schnell. Dennoch erschrak Agnes Dürer, als sie die Freundin zum ersten Mal nach der Geburt besuchte. Helenas Gesicht war schmal, fast eingefallen, und immer noch war sie weiß wie ein Laken. In ihren Armen schlief der winzige Säugling.

»Du brauchst gar nichts zu sagen«, meinte Agnes, und das Mitleid stand in ihren Augen, als sie sich ans Bett setzte. »Ich weiß Bescheid, die Mina hat mir alles erzählt. Dieser Unhold, der grässliche! Man müsste ihn …«

Helena lächelte. »Lass gut sein. Ich lebe, und der kleine Endres gedeiht. Er ist zwar zart und zerbrechlich, aber die Wehfrau sagt, das wächst sich aus. Und die Amme hat gute Milch.«

»Hat sich der Konrad wenigstens entschuldigt? Schließlich hätt er euch beide fast umgebracht! Das kann ihm doch nicht gleichgültig sein.«

»Entschuldigt?« Helena lachte freudlos auf. »Der Konrad weiß gar nicht, was ein schlechtes Gewissen ist! Ach Agnes, ich hab so schreckliche Angst vor ihm. Als er das erste Mal hereingekommen ist, hab ich am ganzen Körper zu zittern angefangen, ich konnt's einfach nicht unterdrücken. ›So ist's recht‹, hat er mir ins Ohr geflüstert, ›hab ich dir endlich Respekt beigebracht‹.« Sie verbarg das Gesicht in den Händen. »Ich weiß nicht, wie ich weiter mit ihm leben soll. Mit dieser Angst. Jedesmal, wenn ich draußen seine Schritte hör, schlägt mir das Herz bis zum Hals. Wenn ich bloß daran denk, dass er wieder zu mir ins Bett kommt, wird mir schlecht.« Sie schloss resigniert die Augen.

Agnes nahm Helenas Hände. »Hör mir zu, Helena. Du kannst das nicht länger mitmachen. Wend dich an den Rat und stell einen Antrag auf Auflösung deiner Ehe.«

»Um Gottes willen, Agnes, der Konrad bringt mich um.«

»Nein, das tut er nicht, weil er weiß, dass er dann auf dem Richtplatz endet, und blöd ist er ja nicht. Wenn der Rat über Konrads Gewalttätigkeit Bescheid weiß, kann der dich nicht mehr so behandeln wie bisher. Er wird Besserung geloben und sich zurückhalten, weil er nämlich dein Geld braucht. Ohne die Aussicht auf das Brandauersche Erbe, das er irgendwann einmal bekommen wird, ist er doch nirgends mehr kreditfähig – jeder, der Geschäfte mit ihm macht, weiß doch, dass er das Hellersche Vermögen schon längst durchgebracht hat. Die Kaufmannschaft handelt nur deshalb noch mit ihm, weil das Brandauersche Besitztum als Sicherheit im Hintergrund steht – das weiß ich alles vom Albrecht. Deshalb muss er die Ehe mit dir beibehalten, er kann sich eine Scheidung nicht leisten. Und wenn du mich fragst, ist das auch der Grund dafür, dass er dich schlägt. Er ist auf dich angewiesen, von deinem Geld abhängig, und dafür hasst er dich.«

In Helenas Kopf wirbelten die Gedanken. Agnes hatte Recht, das war eine Möglichkeit. Und was hatte sie schon zu verlieren? Er würde sie ohnehin wieder und wieder misshandeln, egal was sie tat. Es konnte nur besser werden.

»Du hast Recht.« Auf Helenas blassem Gesicht erschienen vor Aufregung rote Flecken. »Ich werde an den Rat schreiben.«

Nachdem Agnes gegangen war, ließ sie sich Tinte, Feder und Papier bringen.

Schreiben der Helena Heller an den Rat zu Nürnberg vom 28. Februar 1506

Elena Hellerin, Hausfrau des Konrad Heller, Kauffmann vom Weinmarkt, an den hochlöblichen ernfesten Rath zu Nüremberg.

Gottes Gruss und des Allerhöchsten Rath und Beistandt zuvor, Ihr wolgebornen, gescheiten und weysen Herren vom Rath. Item ich wendt mich an Euch in der Noth, da mir nyemands anders helffen kann. Ihr kennet mich, ich bin ein frommes anstendigs Weib, das seinem Ehwirt unter Schmertzen vier Kinder geborn und iren Pflichtten sorgsam und bestendig nachkommet, dies alles wisst Ihr wohl. Dennoch hab ich in den Jarn, die ich verheyrat bin, von meim Gatten weder Lieb noch Achtungk erfahrn. Vilmehr molestiret er mich offtmals mit Schlagen und anderm, so arg und übermeßig, dass ich davon tage langk kranck bin und dem teglichen Kirchgangk entsagen muss. Dafür, dass dies offt geschehn, kann der gnedige Herr Pfarrer von Sanckt Sebald Zeugnuß ablegen. Aus blancker Missgunst und Wuth gehet mein Ehwirt mit Feußten, Gürtteln, Stieffelknecht und anderm auf mich loß, dabey stehn unsre unschuldigen Kindtlein und begreiffen die Welt nit mer. Nun hat er mich im hoch schwangern Zustandt die Stieg hinuntter gestürtzet, dass das Kindt zu früe aus dem Leyb trat. Nun ist mein Inners zerrissen und dergestalt verletztet, dass ich, Gott und allen Heyligen seis geklagt, keine Kinder mehr haben werd. Darzu mögt Ihr alß Zeugin hörn die Elspeth Schallerin Hebamm und auch den Doctor Hartmann Schedel, der ja auch im Rath sitzet.

Mein Angst ist seither so grosz, daß ich fürcht, mein Ehwirt schlegt mich eins Tages todt. Die Unthaten und Beschedigungk, die er gegen mich geübt, wiegen so schwer, dass ich unser Ehverheltnis nit mer ertragen will noch kann. Item so bitt ich den erbarn Rath, dieße Ehe per decretum aufzulösen. Verhelffet dadurch eim unschuldigen Weyb zu irem Recht, Gott wird's Euch vergelten.

Geschriben mit eigner Handt am Sambstag vor Invocavit anno 1506.

Elena Hellerin, geborne Brandauerin, zu Nürnbergk am Weinmarkt.

Viertes Buch

Nürnberg, März 1506

Hans Behringer drehte mit einem wehmütigen Lächeln auf den Lippen den riesigen geschmiedeten Schlüssel zweimal im Türschloss um. Es war das letzte Mal, dass er die Pfandleihe am Paniersberg beim Spittlertor absperrte, und das Herz wurde ihm schwer. Fast dreißig Jahre seines Lebens hatte er in den staubigen Räumen des Ladens verbracht, stets umgeben von bunten Sammelsurien an Gegenständen, die von allen möglichen Menschen versetzt worden waren, weil sie gerade dringend Geld brauchten. Von einfachsten Gebrauchsgegenständen bis hin zu kostbarstem Schmuck hatte er alles gehortet, wieder ausgelöst oder nach einer gewissen Zeitspanne weiterverkauft, und es war ihm und seiner Familie stets gut gegangen bei diesem Geschäft. Jetzt war er alt, und die Zeit war gekommen, alles an die nächste Generation zu übergeben.

Behringer seufzte und schlurfte mit schweren Schritten den kurzen Weg über die matschige Gasse zum Haus seines Sohnes. Er trug ein gut genährtes Kugelbäuchlein vor sich her, das ihm prall über den wie immer zu eng geschnürten Gürtel hing. Das schüttere Haar fiel ihm bis auf die Schultern, nur ganz oben bedeckt von einem runden Mützchen, mit dem er seine beginnende Glatze wärmte. Unter kleinen, listigen Äuglein saß eine fleischige, vom Weingenuss gerötete Nase, aus der graue Stoppeln wuchsen. Das Auffälligste an dem alten Pfandleiher war der breite Mund mit der gespaltenen Oberlippe – Überbleibsel einer Rauferei in jungen Jahren.

»Wer daheim?« Behringer schnallte die schmutzigen Trippen ab und stapfte in die Küche, wo sein Sohn und dessen Frau schon beim Abendessen saßen. Der Alte ließ sich schnaufend auf einem Dreibein am Tisch nieder und legte den großen Schlüssel wortlos neben den Tiegel mit dem sauren Linsengemüse.

»Was soll denn das bedeuten?« Marquart, Behringers einziger

Sohn, legte den Löffel hin und runzelte unwillig die Stirn, während seine dickbackige Frau ungerührt weitermampfte.

»Die Pfandleihe gehört ab heute dir, Marx. Morgen geh ich aus der Stadt.«

Marquard saß da wie vom Donner gerührt. »Du willst weg? So plötzlich? In deinem Alter? Ja wohin denn und warum?«

Behringer klopfte seinem Sohn beruhigend auf die Schulter. »Reg dich nicht auf, mein Sohn, sondern hör mir zu: Ich reise als Pilger ins Heilige Land. Du weißt, ich hab's damals deiner Mutter auf dem Sterbebett versprochen. Jetzt ist's an der Zeit, das Versprechen einzulösen, bevor ich selber die letzte Fahrt antrete.«

Marquard tippte sich an die Stirn. »Lieber Gott, Vater, du wirst nicht einmal bis über den Brenner kommen! Du hast jetzt sechzig Jahre auf dem Buckel, da bleibt man daheim auf der Ofenbank! Meinetwegen lass mich das Geschäft allein führen und ruh dich aus, aber mach um Himmels willen keine Eseleien!«

»Ich hab's deiner seligen Mutter gelobt, dass ich für sie in Jerusalem eine Kerze anzünde, und auch für mein Seelenheil wird's nicht schaden.« Behringer ließ sich nicht verunsichern. »Versuch's gar nicht erst, mich davon abzubringen. Ich hab gewusst, dass du eine Pilgerfahrt für Blödsinn halten würdest, deshalb hab ich's dir auch erst jetzt gesagt. Ob ich hinkomme, und ob ich wieder heimkehre, dass entscheidet der liebe Gott allein.«

»Herrgottszeiten, das ist eine Reise von Monaten. Wenn du unterwegs krank wirst oder dir den Fuß verstauchst, was passiert dann? Dann bist du ganz allein! Keiner wird dir helfen.«

»Doch.« Der Alte blieb hartnäckig. »Die Heilige Walburga wird über mich wachen.« Er zog eine silberne Kette aus der Hosentasche, an der ein kleines, perlenbesetztes Fläschchen baumelte und sah das schöne Stück ehrfurchtsvoll an. »Schau, Marx, das hier ist eine Reliquie mit heiligem Öl vom Grab der Walburga in Eichstätt. Eine junge Seelfrau hat sie mir vor Jahren gebracht und nie wieder ausgelöst. Sie wird mich nach Zion führen und mich vor Unbill beschützen, daran glaub ich ganz fest.«

Marquard seufzte. Er kannte seinen Vater, er konnte stur sein wie ein Ziegenbock, wenn er sich etwas in den Kopf gesetzt hatte. Und er wusste, dass ihm das Andenken seiner verstorbenen Frau heilig war; die beiden hatten eine lange und glückliche Ehe geführt, ganz im Gegensatz zu ihm selbst, der mit einem sauertöpfischen, zänkischen Weibsbild geschlagen war. Da war alles gute Zureden für die Katz. Er versuchte es trotzdem und redete eine Stunde lang auf den Alten ein wie auf ein krankes Pferd. Vergeblich. Schließlich stand Behringer auf, um zu gehen, und Marquart kniete sich mit gesenktem Kopf vor ihn hin.

»Alsdann, gib mir halt deinen Segen, Vater.«

Der Alte legte ihm mit feuchten Augen die Hand auf die Stirn. Dann drehte er sich um und stampfte mit langsamen Schritten heim in seine Dachkammer über der Pfandleihe.

Am nächsten Morgen bei Sonnenaufgang packte Behringer sein Bündel und verließ das Haus, ohne sich auch nur einmal umzusehen. Er ging zum Pferdehändler am Jakobsmarkt, wo er in der Woche vorher ein Reittier erstanden hatte, und nahm es gesattelt und gezäumt in Empfang. Es war ein schwerer, breiter Gaul mit tief durchhängendem Rücken, zäh und gutmütig, wie es für die fränkischen Kaltblüter typisch war. Behringer war in seinem Leben nur selten auf einem Pferd gesessen und brauchte ein braves Tier ohne Temperament, das ihn und seine spärlichen Reitkünste dulden würde. Der Reitknecht schnallte das Bündel des Pfandleihers hinter den Sattel, befestigte die Muschel, das Zeichen des Pilgers, an einen Riemen am Pferdehals, und ging dann mit gefalteten Händen in die Knie. Behringer ließ sich mühsam hochhieven und plumpste dann schwerfällig in den Sattel. Er zog den dicken Pilgermantel aus braunem Loden fest um sich und nahm ungeschickt die Zügel in die Hand. Nach mehrmaligem Schnalzen mit der Zunge setzte sich der Gaul gottergeben in Bewegung und ließ sich aus dem Hof hinauslenken. Fünf Minuten später passierte Behringer das Spittlertor und ritt auf der Fernstraße in Richtung Süden. Dabei betete er unablässig ein Vaterunser nach dem anderen. Voller Gottvertrauen dachte er an Jerusalem, die Stadt der Städte, und mit jedem Schritt seines Pferdes wurde ihm leichter ums Herz.

Zu Augsburg schloss er sich einer Gruppe Mönche aus Norddeutschland an. Es war eine angenehme Gesellschaft, und da die Männer zu Fuß unterwegs waren, ging es langsam genug, sodass Behringer seine Kräfte nicht überforderte. Zwar taten ihm vom Reiten anfangs sämtliche Knochen weh, doch nach einigen Tagen wich der Schmerz einer angenehmen Taubheit, und irgendwann hatte sich sein Körper daran gewöhnt. Nachts machten sie Station in Raststätten oder den vielen Pilgerherbergen, die am Weg lagen, schliefen im Stroh am Feuer oder zu zweien und dreien in harten Betten voller Ungeziefer. Die Unbequemlichkeit machte Behringer nichts aus, im Gegenteil, durch die körperlichen Anforderungen der Reise war er jedes Mal so müde, dass er schlief wie ein Stein, da konnten die Wanzen beißen, so viel sie mochten.

Bei der Überquerung der Alpen hatte die kleine Pilgerschar Glück: Das Wetter war trocken und warm und hielt, bis sie über den Brenner waren. Sie nahmen sich viel Zeit, ruhten oft ein, zwei Tage zwischen den Etappen aus, und so brachte auch Behringer die anstrengende Strecke besser hinter sich, als er erwartet hatte. Schließlich erreichten sie Ende Mai glücklich Venedig, von wo sich der Pfandleiher ins Heilige Land einschiffen wollte. Er verabschiedete sich von seinen Reisegefährten, die weiter nach Rom zogen, und nahm Quartier in einer der zahllosen Pilgerunterkünfte der Serenissima. Die erste Etappe der beschwerlichen Reise hatte Behringer glücklich hinter sich gebracht.

Am Abend vor seiner Abreise mit einem Pilgerschiff saß er in der Schankstube seiner Herberge und trank genüsslich den angenehm milden Weißwein aus dem Veneto, der ihm im Gegensatz zu den sauren heimischen Tropfen kein nächtliches Sodbrennen verursachte. In den letzten Tagen hatte er sich mit einem ehemaligen Landsknecht aus Worms angefreundet, der für die vielen Toten, die er erschlagen hatte und die schwer auf seinem Gewissen lasteten, mit einer Pilgerschaft ins Heilige Land Buße tun wollte.

»Morgen um diese Zeit bin ich schon auf hoher See, mein Freund«, lächelte er. »Stell dir vor, ich war noch nie in meinem Leben auf einem Schiff.«

Der Landsknecht, ein Riese mit einer narbigen Brust so breit wie eine Scheunentor, schlug dem Pfandleiher mit Schwung seine riesige Pranke auf die Schulter. »Meiner Seel, Behringer, ich bewundere Euch! Dass ein Mann in Eurem Alter noch all diese Strapazen auf sich nimmt! Es hat schon Jüngere als Euch gegeben, die es nicht einmal bis über die Alpen geschafft haben. Ich wünschte, ich hätte in zwanzig Jahren Euren tiefen Glauben und Eure Robustheit, falls ich überhaupt so alt werde und nicht vorher irgendwo im Suff krepiere.«

Behringer war stolz auf sich, und das Lob des Landsknechts war Wasser auf seine Mühlen. »Unkraut verdirbt halt nicht«, meinte er gutmütig. »Außerdem hab ich eine mächtige Beschützerin, die ihre Hand über mich hält.«

»So? Wen denn?«

Der Pfandleiher zog lächelnd das Medaillon, das er um den Hals trug und bisher wie seinen Augapfel gehütet hatte, unter dem Hemd hervor und zeigte es her.

»Die Heilige Walburga beschützt mich auf allen Wegen. Seht, das ist eine Reliquie mit ihrem heilkräftigen Öl. Solange ich sie bei mir trage, wird mir kein Leid geschehen.«

Der Landsknecht sah fast ein wenig neidisch auf das Fläschchen herab. »Ihr seid ein Glückspilz, mein Freund. Da braucht man Euch wohl kaum mehr gute Reise zu wünschen. Na, ich tu's trotzdem, schaden kann's ja nicht!« Wieder landete ein schwerer Schlag auf Behringers Schulter, der gute Miene dazu machte.

In diesem Augenblick erhob sich vom Tisch nebenan ein junger, dunkelhaariger Venezianer, ein Galgenvogel mit geschlitzter Nase, der ein abgerissenes, schmutziges Hemd trug, das ihm aus der knielangen Hose hing. Er schob sich an den beiden Pilgern vorbei und warf einen lauernden Blick auf das Medaillon, bevor er eilig die Wirtschaft verließ.

Eine Stunde später hatten Behringer und der Landsknecht einen weiteren Krug Wein geleert. Der Wormser verabschiedete sich und wünschte dem Alten alles Gute; ihn zog es zu den Kurtisanen, die sich jeden Abend auf der Gasse vor der Herberge für die Pilger bereithielten – fleischliche Verfehlungen konnte man sich schließlich immer noch vergeben lassen, wenn man in Jerusalem angekommen war. Außerdem war der Landsknecht Junggeselle und beging somit keine wirkliche Sünde, und es gab auch keine Vorschrift, dass man sich während der Pilgerschaft des Gebrauchens von Weibern enthalten sollte.

Der Pfandleiher saß noch eine Weile alleine da und sinnierte über die Dinge des Lebens nach, als ein kleiner, verdreckter Junge, kaum zehn Jahre alt, auf ihn zukam und ihn am Ärmel zupfte.

»Du, komm!«, radebrechte der Bub auf Deutsch. »Du, komm!« Dann stieß er einen Schwall italienischer Worte aus und machte mit Gesten und Zeichen deutlich, dass es dringend war. Behringer dachte an den Landsknecht und folgte dem Jungen auf die Gasse. Draußen war es dunkel, Mond und Sterne waren hinter einer dichten Wolkenschicht verschwunden. Der Alte sah sich um, aber niemand war da. Der Junge war schon weitergegangen und winkte ihm zu. Behringer folgte ihm um die Ecke der Wirtschaft. Als er sah, dass der Bub plötzlich Fersengeld gab und wieselflink davonrannte, war es zu spät. Jemand hielt ihm von hinten den Mund zu, Arme packten ihn und warfen ihn zu Boden. Er landete unsanft im Dreck; sofort war ein Mann über ihm, ein anderer stopfte ihm einen Lappen in den Mund. Hastige Befehle wurden geflüstert. Finger nestelten an seinem Hemd, während er sich erbittert zu wehren versuchte, und zogen die Kette mit dem Medaillon hervor. Nein, dachte er, nicht das, nehmt mein Geld, aber lasst mir meine Beschützerin! Es gelang ihm, den Lappen mit der Zunge aus dem Mund zu stoßen, und er schrie Zeter und Mordio. Die Kette riss, und dann spürte er etwas an seinem Hals. Einen Wimpernschlag später war alles vorbei. Die beiden Diebe flüchteten und tauchten im Gewirr der Gassen und Kanäle unter.

Behringer blieb liegen. Er hatte keine Schmerzen, aber sein Körper war schwer wie Blei, und er fühlte sich wohlig matt. Er hörte das Plätschern des Wassers und die Geräusche, die aus den Fenstern der Wirtschaft drangen, roch die salzige, fischige Meerluft, schmeckte den süßen welschen Wein auf der Zunge. Warum war er nur so müde, so müde? In der Ferne sah er undeutlich etwas auftauchen, einen Hügel,

Häuser, Mauern. Ungläubiges Staunen überkam ihn. Das verschwommene Bild wurde klarer, immer klarer, ja, es war eine herrliche Stadt, auf einem sanften Hügel gelegen, mit goldenen Dächern und Zinnen, festen Toren und hohen Türmen, eine Stadt, über der ein unglaubliches, himmlisches Leuchten lag, ein Leuchten, so strahlend wie die Sonne. Behringer schloss die Augen. Eine Woge unendlichen Glücks und tiefer Dankbarkeit durchströmte ihn. Er war am Ziel.

Tage später zogen Fischer die bäuchlings im Wasser schwimmende, aufgedunsene Leiche eines alten Mannes aus dem Kanal. Kein Tropfen Blut war mehr in ihm; seine Kehle war von einem Ohr zum anderen sauber aufgeschlitzt. Trotzdem lag um seinen Mund ein seliges Lächeln, als sei das Sterben die schönste Sache der Welt gewesen.

Antwort des Nürnberger Rats an Helena Heller, die Auflösung ihrer Ehe betreffend, vom 3. April 1506.

Gottes Gruß und den unsrigen zuvor, liebwerthe Elena Hellerin, also lassen wir Euch Antwortt zukommen auf Euer Begehr, die heylige Eh mit Eurem Ehwirtt Konrad Hellern zu lösen. So wisset, daß der Rath mit Fleyß und Sorgfalt darüber disputiret und dartzu die Ratschleg der Raths Consulenten gehört, und auch von Kirchenleutten und studirten Männern der Juristerey eingeholt hat. Denn die Eh ist nit nur ein christlichs Sacrament sonndern auch ein Rechts Vertragk, geschloßen zwischen Mann und Weyb.

Item so gehen die Gäng auf unsrer Weltt offt dergestalt, dass unter den Menschen Unfried, Zanck und Zwistigkeyt sich einstelln mögen. Da liegt es nunmer an unß selber, daß wir uns wiedrum gütlich vertragen und zusammentheidigen. Hellerin, bedencket: Ein Weyb hat wider ires Manns Willen keyn Gewalt. Wenn Weyber stoltz sind, so ist das an inen nit zu loben. Es ist kein Rock oder Kleidt, das einer Frau übler anstehet, alß wenn sie irem Mann nit folgen wollen. Auch wenn der Ehwirt mit Schlegen und anderm sein Weyb überläuft, so ist das sein billigs Recht, an dem die Obrigkeyt nit rütteln kann.

Item darumb können wir in eine Scheydung nit willigen. Aber dieweil wir vom Rath wissen und gewar sind, dass der Konrad Heller schon des öftern andre mit Rauffhendeln angegangen und wol die Faußt aus Zorn und eim Übermaß an Reitzbarkeyt schnell auß der Taschen holet, so wollen wir ime mit eim Rathsmandat ins Gewißen reden, das ime der Fronbote überbringen wirdt.

Unser Ermanung an Euch, Elena Hellerin, lauttet so: Zu zeiten gibt es eine Stund, die in Jaren nit hat gefunden werden mögen. Nutzet sie zur Versönung mit Euerm Gatten. Denn es ist beßer, dem Mann in allen Dingen liebs zu thun und nit zu zancken, weder mit Widerwortten noch mit anderm. Auch wollet Ihr ime mit Beiwohnung zimblich gewartten, wie es ein Ehwirt von seinem Weyb verlangen darf. Dann werden die Dingk zwischen Euch sich zum Beßren wenden.

Gegeben und ausgefertigt zu Nürnbergk am Freytag vor Ambrosi anno 1506 von den hochweysen Herrn vom Rath etc. etc.

Mandat des Nürnberger Rats an Konrad Heller, Kaufmann zu Nürnberg, vom selben Tag.

Gottes Gruß zuvor, Konrad Heller, und Hülf und Rathschlag des Allmechtigen immerdar. Uns hat ein Schreyben erreicht von Euerm Weyb, in dem sie bitterlich Klag und Beschwerd füret über Euer handgreyflich Unthaten gegen sie. Der Rath ist darauf hin zusammen getretten und hat auch etlich Zeugen gehöret. Item wir sind zu dem Schluss kommen, dass Ihr Euer Recht als Ehwirt zu starck in Anspruch nemet. Derhalben weysen wir Euch an, Euerm Weib Frieden zu geloben und in Zukunfft nit thetlich gegen sie zu handeln. In einer Zeyt, die wir Euch setzen, nemlich den gantzen Verlauff des Jares 1506 hindurch, sollt Ihr Euer Hausfrau nit mer schlagen oder beschedigen, wofür wir

Euch befehlen, zu irer Versicherung 50 Goldgulden bei einem der Raths Consulenten als Bürgen zu hinterlegen.

Item wir sindt festen Glaubens, dass ein gütlichs Vertragen zwischen Euch und Euerm Weyb wiedrum hergestelt werden mag. Darumb haben wir das Ersuchen auf Lösung Euers Bunds Euerm Weyb abgeschlagen. Dartzu, dass wir unser Meynungk nit endern, müßt Ihr nun das Eurige beytragen.

Gegeben und ausgefertigt zu Nürnbergk am Freytag vor Ambrosi anno 1506 von den hochweysen Herrn vom Rath etc. etc.

Schreiben des Konrad Heller an den Rat zu Nürnberg vom 5. April 1506

An den hochernwerten und achtbarn Rath zu Nuremberg. Gott zum Gruß. Ihr Herren, mit groszem Staunen hab ich Euer Mandat gelesen. Kann niemals die Red davon sein, dass ich mein Weyb verechtlich oder hartt behandelt hett. Sie ist, Gott seys geklagt, ein missgünstig Dinck, das mir in allem nit gut sein will. Derhalben ist mein guts Recht, sie in Maßen zu züchtigen, wenn sie widerspenstig gegen mich handelt. Wo würd's hinführn, wenn ein Mann seim Weyb nit mer Zucht und Willigkeyt beybringen dürfft?

Auch wenn ich Euern Entscheyd nit begreiffen noch billigen kann, so will ich doch mein guten Willen beweysen und die 50 Gulden als Pfandt bezalen, in der gröszten Sicherheyt, sie am End des Jars wiedrum zu erhaltten. Ihr werdet aus meinem Hauß am Weinmarckt kein Klag mer hören.

Geschriben von Conrad Heller mit eygner Hand am Sonntag Palmarum Anno 1506.

Venedig, Juni 1506

Niklas setzte konzentriert die letzten Linien einer Wappengravur auf einem Prunkteller, einer Bestellung des Herzogs von Ferrara. In der Werkstatt war es glühend heiß, weil beide Öfen schon seit Stunden auf höchster Flamme gehalten wurden. Der junge Goldschmied hatte das Hemd ausgezogen und arbeitete mit nacktem Oberkörper, auf dem der Schweiß glänzte; die schulterlangen Haare hatte er im Nacken zusammengefasst, damit sie ihn nicht beim Ziselieren störten. Endlich setzte er den letzten Schlag mit dem Ziselierhammer und gab die Platte an Matteo zum Polieren weiter. Dann nahm er einen tiefen Schluck aus dem Krug mit verdünntem Wein, der im Sommer immer für die Arbeiter bereitstand.

»Salute.« Bruno war neben ihn getreten, das Gesicht krebsrot vom Anheizen des Feuers. »Hör mal, Niccó, du weißt ja, dass Gelsomino krank ist. Seine Mutter meint, es wär die Schwindsucht, schöne Scheiße. Ich muss seine Arbeiten auf alle verteilen, da kann ich für dich keine Ausnahme machen. Auf deinem Tisch liegen ein paar Sachen, lauter Kleinigkeiten: Ein Ring, bei dem noch der Stein eingesetzt werden muss, zwei silberne Pokale, denen noch der letzte Schliff fehlt, alles legale Geschäfte. Ach ja, eine Reliquie ist auch dabei, die Kette ist gerissen. Eine Kopie lohnt sich nicht, dafür ist das Stück nicht wertvoll genug, also mach einfach ein paar neue Kettenglieder dran. Dann verkaufen wir das Ding weiter an einen unserer besonderen Sammler.«

»Kannst du die Reliquie nicht Noddino geben?« Niklas hasste es immer noch, an den unsauberen Geschäften der Werkstatt mitwirken zu müssen.

Bruno schüttelte den Kopf. »Den hab ich schon gefragt, aber der Alte ist mit einem Zwölfersatz Becher für die nächste Zeit vollauf beschäftigt. Nein, mach du das nur.«

»Wenn's denn sein muss.« Wenigstens war es keine Fälscherarbeit! Niklas wischte sich mit einem Handtuch den Schweiß von Stirn und Oberkörper, legte es sich um den Nacken und hockte sich an seinen Arbeitsplatz beim Fenster. Auf einem kleinen Lederuntersatz sah er den Ring, daneben die beiden unfertigen Pokale und ein Stoffpäckchen. Langsam wickelte er das Päckchen auf. Es war in schmutziges, zerrissenes Leinen eingeschlagen, das widerlich nach altem Fisch roch. Dann hielt er das Medaillon in der Hand, und sein Herz setzte für einen Moment aus. Vor seinen Augen stand sofort ein Bild, eine Erinnerung: Helena, wie sie als Zwölfjährige war, ein dünnes Ding mit Zöpfen bis zur Taille, braunen Rehaugen und viel zu großem Mund, das lachend und tanzend auf den Hof lief, wo er selber, ein schlaksiger, zerzauster Lausbub, mitten im Dreck saß und gerade mit einem fetten, blaugrün schillernden Käfer spielte. Schau, sagte sie, heut hat mir die Mutter gegeben, was mir die Großmutter vor ihrem Tod geschenkt hat, weil heut doch mein Geburtstag ist. Schön, gell? und hielt ihm in der Hand ein silbernes Fläschchen hin ...

Das konnte doch nicht möglich sein! Helenas Perlenmedaillon, die Reliquie ihrer Großmutter, hier in Venedig? Mit zitternden Fingern öffnete Niklas das Fläschchen. Da war sie, die winzige Phiole mit den paar Tropfen vom Öl der Heiligen Walburga. Und er fand auch den Kratzer am Stöpsel, der entstanden war, als sie damals heimlich versucht hatten, die Phiole zu öffnen. Helenas Vater hatte sie auf dem Dachboden dabei erwischt und ihnen eine gehörige Tracht Prügel verabreicht, an die beide noch lange dachten.

Niklas ging zu Noddino hinüber, der gerade den Griff in Gestalt einer sich ringelnden Schlange an einen Becher lötete.

»Senti, Noddino, weißt du was über diese Reliquie?« Er hielt dem Alten das Fläschchen hin. Der legte seine Arbeit zur Seite und wischte sich den Schweiß von der Stirn. Er roch durchdringend nach Alkohol, und seine vom Alter faltigen Hände zitterten leicht, als er sich übers unrasierte Kinn fuhr.

»Totó und Natale haben sie vor ein paar Tagen gebracht«, meinte er, »du weißt schon, die beiden Galgenvögel, die sich auf das Ausrauben von Pilgern spezialisiert haben. Ab und zu erwischen sie mal einen Ring oder sonst etwas Wertvolles, und das kaufen wir ihnen dann meist ab. Diesmal haben sie einen ganz guten Fang gemacht. Sie sagen, es sei die Reliquie einer deutschen Heiligen, den Namen hab ich vergessen. Ein Fläschchen mit wundertätigem Öl, irgend so etwas.«

»Und der Besitzer?«

Noddino machte ein unmissverständliches Zeichen, indem er den Blick gen Himmel richtete und sich mit zwei zusammengelegten Fingern quer über den Hals fuhr.

Niklas krampfte sich das Herz zusammen. »War es eine Frau? Sag schon!«

Der Meister sah ihn verdutzt an. »Ach wo, irgendein alter Mann. Sie haben gesagt, der wäre sowieso nicht mehr bis nach Jerusalem gekommen.«

Der junge Goldschmied atmete auf und schlug Noddino leicht auf die Schulter. »Danke. Hat mich bloß mal interessiert.«

Als er an diesem Abend nach Hause ging, trug er das Medaillon unter seinem Hemd.

»Was ist das?« Vanozza hatte gesehen, wie Niklas das Fläschchen auf die Kleidertruhe legte, und nahm es vorsichtig in die Hand. Die beiden waren gerade dabei, sich ihrer Kleider zu entledigen und zu Bett zu gehen.

»Eine Reliquie aus meiner Heimat«, antwortete Niklas. »Eigentlich dürfte ich sie gar nicht mit hierher nehmen.«

Vanozza flocht sich das flammendrote Haar auf und entwirrte es mit einem grobzinkigen hölzernen Kamm. »Und warum hast du's dann getan, hm?« Sie gähnte; es war ein Abend voller Trubel im »Stör« gewesen.

Niklas zuckte mit den Schultern. »Das ist mir selber nicht ganz klar.« Er setzte sich zu Vanozza aufs Bett. »Ich kenne das Medaillon von früher. Es hat der Lene gehört, weißt du, meinem Mädchen damals.«

»Der du noch so lange geschrieben hast?«

»Ja. Sie hat es als Kind von ihrer Großmutter geerbt. Später hat sie es verloren, oder es wurde gestohlen. Und heute, so viele Jahre später, bekomme ich es hier in Venedig auf meinen Tisch.« Er schüttelte den Kopf. »Die Welt ist klein, nicht wahr?«

Natürlich wusste Vanozza von Niklas' alter Liebe. Mit der Intuition einer erfahrenen Frau war ihr auch stets klar gewesen, dass sie selber für ihn in all diesen Jahren immer nur zweite Wahl gewesen war. Aber es hatte ihr nichts ausgemacht. Sie liebte den mehr als zehn Jahre jüngeren Mann, genoss jeden Tag mit ihm, solange es eben dauerte. Und es hatte schon viel länger gedauert, als sie zu hoffen gewagt hatte. Illusionen über eine Ehe hatte sie sich nie gemacht; ihr genügte es, dass er bei ihr war. Irgendwann würde es vorbei sein, würde er eine Frau kennen lernen, jünger und schöner, die ihn mehr faszinierte als eine alternde Kneipenwirtin, deren Haut schon faltig wurde und die ihm keine Kinder mehr schenken konnte. Oder er würde zu seiner Helena zurückkehren, eines Tages ...

Sie schlüpfte nackt unter die Laken und stützte sich auf den Ellbogen. »Und jetzt willst du die Reliquie behalten? Als Andenken?«

Niklas stieg mit der brennenden Kerze aufs Bett und hielt die Flamme unter eine Wanze an der Decke, die kurz davor war, sich fallen zu lassen. Das Insekt verbrannte mit einem leisen Brutzeln.

»Ich weiß es noch nicht, ehrlich.« Er stellte die Kerze hin, legte sich zu Vanozza und nahm sie in den Arm. »Du musst nicht eifersüchtig sein, mia ben. Ich überlege, ob ich es ihr irgendwie zurückschicken kann. Es ist nämlich so, dass die Reliquie ihr Glücksbringer war. Und sie glaubt fest daran, dass sie kein Glück mehr im Leben hat, weil sie das Fläschchen nicht mehr besitzt, das hat sie geschrieben. Der Dürer hat mir erzählt, dass sie inzwischen in einer unglücklichen Ehe lebt, mit einem Mann, der sie schlägt und den sie hasst.«

»Und jetzt glaubst du, wenn sie das Medaillon wieder bekommt, wird sich für sie alles zum Guten ändern?« Vanozza war skeptisch.

»Ach, ich weiß nicht, was ich glauben soll. Seit ich in diese verdammten Reliquienfälschungen verstrickt bin, hab ich an so manchen Dingen meine Zweifel! Ob diesen Heiltümern – sofern sie echt sind – überhaupt eine besondere Kraft innewohnt? Ich bin mir nicht mehr sicher. Meine Weltsicht ist mir verrückt, an Dinge, die früher ganz klar waren, kann ich heute nicht mehr recht glauben. Was meinst du, Nozzá?«

Vanozza schürzte die Lippen und dachte nach. »Caro, hier geht's doch gar nicht darum, ob du daran glaubst. Sie glaubt ja offensichtlich an die Kraft der Reliquie. Und wenn sie das Ding zurückbekommt, chissà, vielleicht wird dann alles für sie besser? Andererseits, wenn du ihr das Fläschchen zurückschickst, was passiert dann mit dir? Glaubst du, in der Werkstatt lassen sie dir einfach durchgehen, dass du eine Reliquie wegnimmst?«

»Ich könnte ein Duplikat machen.« Er grinste schräg. »Schließlich ist das meine Spezialität. Und das echte Stück geb ich dem Albrecht mit, wenn er nach Nürnberg zurückkehrt.« Er blies die Kerze aus. An der Wand tanzte silbern das Mondlicht, das sich in den Wellen des rio spiegelte. Beide lagen nebeneinander, Vanozza zusammengerollt wie eine Katze, Niklas auf dem Rücken. Nachdenklich starrte er mit offenen Augen in die Dunkelheit.

»Nozzá?«

»Mmh?«

»Glaubst du an die Kraft von Reliquien?«

Sie drehte sich zu ihm um. »Ja, natürlich, wenn sie echt sind. Dafür sorgt der Herrgott schon. Er hat für alles einen Plan. Und jetzt hör auf zu grübeln und schlaf, morgen ist auch noch ein Tag.« Sie zog die Decke über ihre Schultern.

Aber er konnte nicht schlafen.

Der nächste Tag war ein Sonntag. Niklas stand bei Tagesanbruch auf, zog sein sauberes Feiertagshemd und seine zweite Hose an und machte sich auf den Weg zu Dürer. Der Maler wohnte in einem kleineren Palazzo direkt an der Promenade der Giudecca, wo er sich von einer Haushälterin versorgen ließ und in irrwitziger Geschwindigkeit ein Bild nach dem anderen malte. Längst schon hatte er alle Kritiker Lügen gestraft, die ihm zu Anfang gehässig nachgesagt hatten, dass er zwar ein hervorragender Kupferstecher sei, beim Malen aber mit Farben nicht umgehen könne. Die Kunstkenner und Mäzene Venedigs lagen ihm zu Füßen.

Niklas wusste, dass Dürer schon früh am Morgen mit der Arbeit begann, weil das Licht zu dieser Zeit so fein und durchscheinend und von besonderer Klarheit war. Er stieg an der Riva degli Schiavoni in eines der kleinen Fährboote, die schon auf Kundschaft warteten, und ließ sich für ein paar Soldi nach Spinalonga übersetzen.

Dürer stand schon in seinem Atelier, Palette und Pinsel in der Hand, als Niklas ankam.

»Oh, Morgenstund hat Gold im Mund! Na so was, Niklas, du bist doch sonst nicht so früh auf den Beinen. Was verschafft mir denn das zeitige Vergnügen?« Dürer legte seine Utensilien zur Seite und wischte sich die Finger an einem buntfleckigen Lumpen ab.

Der junge Goldschmied trat näher und begutachtete Dürers neuestes Werk, ein großes Tafelbild, das die Rosenkranzbruderschaft in Auftrag gegeben hatte, eine Vereinigung etlicher in der Serenissima ansässiger deutscher Kaufleute. Es sollte in fertigem Zustand den Altar der rechten Chorkapelle von San Bartolomeo schmücken, der hiesigen Kirche der Deutschen. Die Szene wurde von der im Zentrum thronenden Gottesmutter beherrscht; vor ihr knieten anbetend Kaiser und Papst, dahinter eine große Menge weiterer Figuren. Ganz hinten unter einem Baum stehend hatte sich Dürer selbst verewigt. Niklas war beeindruckt von der Leuchtkraft der Farben, die der Maler gerade aufgetragen hatte: Das Kleid der Madonna strahlte in herrlichem Blau, der Mantel des Kaisers in prächtigstem Rot, beide noch feucht und glänzend.

Niklas ließ sich in einen Armsessel fallen, der beim Fenster stand, und erzählte von dem Medaillon, während Dürer im Atelier herumräumte. Schließlich setzte sich der Maler zu ihm.

»Du kannst sie einfach nicht vergessen, hm? Nach all den Jahren!« Dürer griff sich eine Feige und biss hinein.

Der Goldschmied schüttelte den Kopf. »Ich hab die ganze Nacht darüber nachgedacht. Meinst du nicht, dass es ein Wink des Herrgotts ist, dass die Reliquie ausgerechnet bei mir gelandet ist? Das kann doch kein Zufall sein, das ist ein Zeichen!«

Dürer pflichtete ihm bei. »Es gibt keine Zufälle. Alles liegt in Gottes Hand.«

»Ich bin fest davon überzeugt, dass die Reliquie mich wieder zu Helena heimführen soll.« Niklas fuhr sich über die müden Augen. »Bloß wie? Ich kann hier doch nicht weg – die famiglia würde das nie zulassen.«

Dürer, der über alles Bescheid wusste, nickte ernst. »Aber du und

Nazareno, ihr wollt den ganzen Schwindel doch auffliegen lassen. Wie weit seid ihr denn mit euren Nachforschungen über diesen Oberganoven Contarini?«

»Das ist es ja! Nichts haben wir gegen ihn in der Hand, so gut wie nichts. Nazareno tut, was er kann, und ich halte in der Werkstatt Augen und Ohren offen, aber alles vergeblich. Wir kennen inzwischen so ziemlich jedes Mitglied der famiglia in Venedig, aber ohne Beweise gegen Contarini können wir noch nichts unternehmen. In sein Kontor müsste man eindringen können und seine Papiere durchsuchen, aber der Palazzo Contarini ist wie eine Festung. Da kommt keiner rein.«

»Höchstens ich.« Dürer stand auf und warf die Schale seiner Feige aus dem Fenster. Dann kratzte er sich nachdenklich am Bart. »Ich könnte ihn porträtieren. Pass auf, es ist ganz einfach: Du sagst Yussuf, er soll zur Hochzeit zwei Bilder in Auftrag geben, eins von seiner Tochter und eins von seinem künftigen Schwiegersohn. Contarini wird sich dem nicht verweigern, warum sollte er auch? Dann komme zumindest ich in den Palazzo hinein – alles andere wird sich weisen.« Der Maler grinste und war stolz auf seine Idee, doch Niklas winkte ab.

»Ich kann dich da nicht mit hineinziehen, Albrecht. Es ist einfach zu gefährlich. Aber danke für das Angebot. Ich bin eigentlich auch nur hergekommen, um dich zu fragen, ob du das Medaillon mit zurück nach Nürnberg nehmen würdest, wenn ich bis zu deiner Abreise nicht freigekommen bin.«

Dürer breitete die Arme aus. »Natürlich, mein Freund. Es ist nur so, dass ich noch nicht weiß, ob ich überhaupt so schnell heimfahre. Behalt's für dich: Der Doge hat mir angeboten, in die Dienste der Serenissima zu treten.«

»Lorenzo Loredan? Ich dachte immer, er hat für Kunst nicht besonders viel übrig?«

»Er nicht, aber seine Frau!« Der Maler zwinkerte Niklas zu und lachte. Ganz Venedig wusste, wie sehr der Doge daheim unter dem Pantoffel stand. »Tja, mein Freund, du musst deiner Lene das Medaillon wohl doch selber bringen.«

Niklas schwieg, und Dürer begann, wieder an dem Tafelbild weiter zu malen.

»Hat sie sich eigentlich sehr verändert?« Der Goldschmied ging zum Fenster und betrachtete die plätschernden Wellen des Giudecca-Kanals, der die Stadt von der lang gezogenen Insel trennte.

»Wer, Helena?« Der Maler seufzte und wischte seinen Pinsel ab. »Weiß ich doch nicht; schließlich hab ich sie damals, als du Nürnberg verlassen hast, noch nicht gekannt. Ich kann dir höchstens beschreiben, wie sie vor einem knappen Jahr ausgesehen hat, als ich aus Nürnberg abgereist bin.«

»Dann beschreib sie doch einfach.« Niklas' Augen bekamen einen sehnsüchtigen Schimmer.

»Warte.« Dürer ging zu einem Stapel Holzplatten, die in einer Ecke an der Wand lehnten, und klappte eine nach der anderen um. »Ah, hier.«

Er griff sich ein Rechteck aus Ulmenholz und stellte es auf eine leere Staffelei. Auf der Platte war ein unfertiges Damenporträt zu sehen: Das rostrote Kleid war bis auf eine Schleife, die noch in schwarzer Untermalung dastand, fertig, ebenso das Dekolleté mit der Perlenkette. Die Frisur – blondes, in der Mitte gescheiteltes Haar, das seitlich in Locken frei herabhing und hinten von einem golddurchwirkten Häubchen zusammengefasst wurde, war bis auf Kleinigkeiten ebenfalls fertig. Die Kinnlinie war erst vorgezeichnet, das Gesicht fehlte noch völlig.

»Das hätte die kleine Lucia Cecchini werden sollen, armes Ding. Vor fünf Wochen ist sie gestorben – ein Flohbiss hinter dem Ohr, der sich entzündet hat. Das hitzige Hirnfieber hat sie innerhalb von zehn Tagen aufgezehrt, Gott sei ihrer Seele gnädig. Sie hätte bestimmt nichts dagegen, wenn ich ihr Bild jetzt hernehme.«

Er griff sich einen Kohlestift und begann Strich um Strich die Umrisse eines Gesichts im Schrägprofil zu skizzieren: Ein rundes Kinn, volle, sinnliche Lippen, dunkle, etwas melancholische Augen unter fein geschwungenen Brauen. Mit braunstichigem Inkarnat grundierte er dann die Hautflächen, bis sie einen zarten sonnengebräunten Ton erreicht hatten, anschließend tupfte er die Lippen in Rotbraun aus.

Vor Niklas' Augen entstand so ganz langsam das Gesicht einer erwachsenen Frau: Helena, älter, gereifter als er sie kannte, aber immer noch genauso schön. Nur der ernste, traurige Ausdruck ihrer Augen war ihm neu.

Niklas starrte das Porträt an. Es rührte an so vieles, das er in sich begraben geglaubt hatte. Dieses Gesicht zog ihn mit einer Macht an, dass es ihm fast den Atem nahm. Es war, als ob die Zeit seit damals stehen geblieben sei, als ob zwölf Jahre plötzlich nichtig und ausgelöscht waren. Sein Herz krampfte sich zusammen. Und ihm wurde klar, dass er diese Frau nach all der Zeit immer noch liebte.

Am Mittag machte er sich auf den Weg zu Nazareno nach San Polo. Er war entschlossen, die Nachforschungen noch einmal voranzutreiben. Seit seiner Entdeckung, dass Contarini der padrone war, hatten sie nichts Greifbares erreicht. Das musste endlich anders werden. Du bist ja verrückt, schalt er sich unterwegs, was willst du von ihr, sie ist verheiratet! Es ist völlig sinnlos, nach Nürnberg zu reisen, nur um ihr die Reliquie zurückzubringen! Und da war ja auch noch Vanozza. Niklas wollte ihr nicht wehtun. Sie hatte ihm keinen Grund dafür gegeben, sie zu verlassen, hatte nicht verdient, dass er sie schlecht behandelte. Und dennoch, es zog ihn heim, mit jeder Faser seines Herzens.

Er fand Nazareno an seinem Arbeitstisch über einem Wust von Papieren brütend. Der Zwerg freute sich über die Unterbrechung.

»Grazie a diu, dass du kommst, Niccó. Ich dachte schon, ich müsste den ganzen Sonntag mit meinen Rechnungen verbringen. Gehen wir was trinken?«

Niklas schüttelte den Kopf. »Wir müssen uns unterhalten. Ich will endlich etwas gegen Contarini unternehmen.«

Der Zwerg pfiff durch die Zähne. »Wieso hast du's auf einmal so eilig? Ich glaube nicht, das unser gesammeltes Material schon ausreicht, um ihn zu überführen.«

Niklas setzte sich breitbeinig auf einen Hocker und verschränkte die Arme über der Brust. »Lass uns zusammenfassen, was wir bis jetzt haben.«

»Da gibt's nicht viel. Am ehesten könnten wir Contarini mit dem Bau seines Sommerhauses packen. Ich bin letzte Woche auf die Terra Ferma gefahren und hab mir die Villa am Brentaufer angesehen. Sie ist jetzt fast fertig – ein Prachtbau, wie man ihn selten sieht. Ich hab ein bisschen mit dem Architekten geredet. Er sagt, dass die Villa das teuerste Lustschlösschen ist, das er je gebaut hat. Nur edelste Materialien, nur das Beste. Und er sagt, dass Contarini äußerst pünktlich zahlt, und zwar in bar, stell dir vor! Dies vor dem Hintergrund, dass in den letzten Monaten zwei seiner Handelsschiffe samt Ladung verschollen gemeldet wurden. In Kaufmannskreisen heißt es, er sei momentan ziemlich blank. Da stellt sich doch die Frage: Woher hat er das Geld? Und warum zahlt er nicht mit Wechseln, was doch viel bequemer und einfacher ist, sondern schleppt höchstpersönlich Geldsäcke zu seinem Baumeister aufs Festland?«

Niklas fuhr sich mit allen zehn Fingern durch das glatte schwarze Haar. »Viel ist das nicht. Aber vielleicht reicht es aus, um ihm die Stadtpolizei auf den Hals zu hetzen.«

»Meinst du, die Signori della Notte gehen aufgrund bloßer Vermutungen gegen einen der obersten Kriminalrichter vor? Das glaubst du doch selber nicht!«

»Doch. Ich denke schon, dass sie wenigstens Nachforschungen anstellen werden. Warum sollte es sonst das vielgerühmte Löwenmaul am Dogenpalast geben?«

Die bocca di leone war eigentlich nur ein Loch in der Mauer des Zentralquartiers der Stadtwache, das sich im Erdgeschoss des Dogenpalastes befand. Auf beiden Seiten, außen und innen, war die Öffnung durch ein Flachrelief in Form eines Löwenkopfes verziert, dessen Rachen weit aufgerissen war. Man hatte die bocca angebracht, um den Bürgern zu ermöglichen, anonym Verbrechen gegen den Staat anzuzeigen. Sie konnten einen Brief hineinwerfen oder gar selber hineinsprechen, ohne dabei ihre Identität preisgeben zu müssen.

Der Zwerg blieb skeptisch. »Aber die famiglia begeht schließlich kein Verbrechen gegen die Republik. Sie ist lediglich ein Fälscherring.«

»Was, glaubst du, wird in der Stadt los sein, wenn herauskäme, dass einer ihrer bedeutendsten Amtsträger der Kopf einer kriminellen Organisation ist? Das trifft das Ansehen der Serenissima mitten ins Mark. Und was, glaubst du, würde geschehen, wenn die Menschen erfahren, dass die Heiltümer in ihren Kirchen gefälscht sein könnten?«

»Du hast Recht«, meinte Nazareno. »Das gäbe blanken Aufruhr!«

Niklas breitete die Arme aus. »Ecco! Also, worauf wartest du? Setz dich wieder hin und schreib: ›An den hochehrenwerten, edlen und mächtigen Rat der Zehn der Republik Venedig ...‹«

Eine Stunde später waren sie mit dem Briefentwurf fertig und übertrugen ihn in Reinschrift auf gutes Papier. Dann erstellten sie noch eine weitere Abschrift, die an den Patriarchen von Venedig gerichtet war. Es musste schließlich dessen ureigenstes Interesse sein, die Echtheit seiner Reliquien zu bewahren.

Nazareno, der mit einem der Sekretäre des Patriarchen bekannt war – er teilte mit dem jungen Geistlichen die Vorliebe für eine ganz bestimmte Kurtisane –, wollte es übernehmen, den zweiten Brief an den Mann zu bringen. Niklas dagegen hatte vor, sich im Schutz der Nacht nach San Marco zum Löwenmaul zu schleichen. Sie verabschiedeten sich voneinander mit dem gegenseitigen Versprechen, vorsichtig zu sein.

Abends, kurz nach der Sperrstunde, als auch der letzte Gast den »Stör« verlassen hatte, nahm Niklas Vanozza beiseite.

»Senti, cara, ich muss noch mal weg.«

»Was hast du vor?« Vanozza band sich die Schürze ab und sah Niklas misstrauisch an. Der warf sich einen dunklen Umhang um.

»Es geht los, Nozzá. Nazareno und ich haben ein Schreiben an den Rat der Zehn verfasst, das die famiglia verrät. Das werf ich jetzt in die bocca di leone. Wir haben, so wie es aussieht, genug in der Hand, um auch Contarini dranzukriegen. Es wird eine Untersuchung geben, bei der er nicht ungeschoren davonkommt. Hör zu, cara«, er nahm die Wirtin bei den Händen. »Ich möchte, dass du deine Sachen und die der Kinder packst und gleich morgen früh nach Mazzorbo zu deiner Schwester fährst. Wer weiß, was in nächster Zeit passiert.«

Vanozza schüttelte unwirsch den Kopf. »Ich soll den ›Stör‹ zumachen? Kommt nicht in Frage. Nein, das geht auf keinen Fall. Außerdem lass ich dich nicht alleine. Die Kinder schick ich morgen hin, aber ich bleibe.«

Niklas seufzte und zuckte mit den Schultern. Er kannte Vanozzas Dickkopf zur Genüge und fing gar nicht erst an, mit ihr zu diskutieren. »Ich kann dich nicht zwingen, Nozzá.«

»Wäre ja auch noch schöner!« Sie grinste, wurde aber sofort wieder ernst. »Sei vorsichtig, amore.«

Niklas tastete mit einer Hand nach dem Brief, den er immer noch unter dem Hemd trug, und gab ihr einen Kuss auf die Stirn. »Bin bald wieder da.«

Dann zog er den Umhang fester und trat hinaus in die Dunkelheit.

Es war sternenklar, nur ein paar vereinzelte Wolken zogen über den schwarzblauen Nachthimmel. Die Stadt war ruhig. Nach der Sperrstunde trieb sich kein anständiger Mensch mehr auf den Gassen herum – die signori della notte führten ein strenges Regiment, und niemand riskierte ohne triftigen Grund, von ihnen aufgegriffen zu werden. In den Häusern waren die Lichter schon erloschen; alles schlief. Die allgegenwärtigen Katzen waren unterwegs, immer auf der Jagd nach Mäusen und den fetten Ratten, die sich nachts gern aus ihren Unterschlüpfen wagten. Alles war still, nur ein paar Zikaden zirpten in den wenigen Bäumen, und die Wellen schlugen in gleichmäßigem Takt gegen die steinernen Mauern der Kanäle. Irgendwo jaulte ein Hund. Niklas huschte auf leisen Sohlen durch das Gassengewirr; wo er konnte, nutzte er die schwarzen Schatten der Häuser aus, die das Mondlicht warf. Auf dem Campo Bandiera e Moro wäre er beinahe in eine Streife der Stadtwache gelaufen, konnte aber gerade noch rechtzeitig in einem Torbogen verschwinden und den Atem anhalten. Die beiden Herren der Nacht gingen in einer Armlänge Entfernung an ihm vorüber, ohne ihn zu bemerken. Schließlich erreichte er den Markusplatz und schlüpfte lautlos in den Durchgang, wo sich das Löwenmaul befand. Er holte den Brief heraus und tastete mit einer Hand an der Wand nach dem Relief, um das Loch zu finden, als er hinter sich ein leises Geräusch hörte.

Der Schlag traf ihn, noch bevor er herumwirbeln konnte. In seinem Kopf explodierte Schmerz, und gleißende Lichter tanzten vor seinen Augen. Ohne einen Laut brach Niklas zusammen.

Reichsstadt Nürnberg, Juni 1506

Es nieselte, und die Schafskälte hatte eingesetzt. Ein für die Jahreszeit viel zu kühler Wind blies durch die Stadt, fuhr in Bäume und Büsche und bauschte die Röcke der Frauen, die in den Gassen unterwegs waren. Die Männer hielten ihre Hüte und Kappen gut fest, damit sie nicht in den Pferde- und Schweinemist auf dem morastigen Boden fielen, und stiegen vorsichtig über die tiefen, mit Wasser und Jauche gefüllten Spurrillen der unzähligen Handelskarren und Planwagen hinweg, die jeden Tag durch Nürnberg zogen.

Philipp trat aus dem Eingang zu den Lochgefängnissen, die unter dem Rathaus lagen, und raffte seine Kapuze tief in die Stirn. Gerade hatte er einem der armen Kerle, die dort unten in lichtlosen Zellen eingesperrt waren, die Beichte abgenommen. Es war ein als Brandstifter auf frischer Tat ertappter alter Mann, der sich in der Untersuchungshaft den Bluthusten geholt hatte und wohl den morgigen Tag nicht mehr erleben würde. Besser so, dachte der Mönch, besser ein friedlicher Tod im Loch als das elende, langsame Sterben am Galgen. Er überquerte den gepflasterten Hauptmarkt mit seinen zahllosen Buden, lief bis zur Pegnitz hinunter und ging mit gesenktem Kopf am Ufer entlang auf die Barfüßerbrücke mit ihren steinernen Bögen zu. Plötzlich wurden seine Schritte von einer Menschentraube gehemmt, die sich um den alten Bäckergalgen gesammelt hatte, eine kranähnliche Vorrichtung aus Holz, an deren Spitze an einem Seil eine Art Käfig angebracht war. Aufgeregtes Stimmengesumm drang an seine Ohren, und er schaute auf.

Vor dem Holzkran, dessen langer Arm zum Ufer geschwenkt war, stand in seiner dunklen Amtstracht der Löw', amtlicher Marktaufseher und Gehilfe des städtischen Nachrichters, wie man den Henker nannte. Neben ihm waren zwei ältere Männer, an ihren Amtsketten als Geschworene des Bäckerhandwerks zu erkennen, in eine ernste Diskussion vertieft. Überall um sie herum verteilt hatten sich Neugierige gruppiert. Ein geschäftstüchtiger Bauchladner war ebenfalls zur Stelle und bot den Schaulustigen lautstark weiße Semmeln und Rosinenwecken an. Philipp ahnte, was hier gleich geschehen würde, und beschleunigte seine Schritte. Zielstrebig drängte er sich durch die Menge, um über die Brücke ins Barfüßerkloster zu kommen. Doch einer der Büttel hielt ihn am Ärmel zurück.

»Verzeiht, ehrwürdiger Vater, aber wärt Ihr vielleicht so freundlich, dazubleiben und die Exekution der Leibstrafe mit anzusehen? Der Kaplan ist gerade dringend zu einer letzten Ölung gerufen worden, und ohne einen Geistlichen können wir nicht anfangen.«

»Was wird denn für ein Urteil vollstreckt?«

Der Büttel, ein dürres, kleines Männchen mit spitzer Nase, dessen Gesicht und Hände mit einer Unzahl winziger Warzen übersät waren, zog Philipp in das Zentrum des Geschehens. »Oh, ein Urteil des Geschworenen Bäckerhandwerks«, versetzte er achselzuckend. »Der fette Endres Rößner aus dem Brunnengässlein hat zu große Wecken gebacken. Bei der gestrigen Schau haben sie's gemerkt. Es ist schon das zweite Mal, dass sie ihn erwischen – kriegt seinen gierigen Hals einfach nicht voll, der alte Gauner. Da hockt er.« Dabei deutete der Büttel mit seinen warzigen Fingern auf eine unförmige Gestalt, die zusammengekauert und mit Ketten an den Füßen unter dem Bäckergalgen saß, bewacht von zwei mürrisch dreinblickenden Stadtknechten. Hinter dem Delinquenten stand mit verweintem Gesicht offenbar seine Frau, ein kleines Mädchen an der Hand und einen jammernden Säugling auf dem Arm.

So sehr Philipp den öffentlichen Vollzug von Leibstrafen verabscheute, der in seinen Augen nur ein hässliches Schauspiel für die sensationslüsterne Menge darstellte, konnte er sich der Bitte des Büttels doch nicht entziehen. »Gut, ich bleibe, in Herrgotts Namen«, erklärte er und stellte sich zu den anwesenden Amtsträgern. Nachdem er dem unglücklichen Betrüger und auch dem Löwen seinen Segen erteilt hatte, begann die Prozedur.

Eine Bäckertaufe zählte nicht zu den harten Strafen der Zeit, war sie doch nicht mit körperlichen Schäden verbunden und bereitete auch keine Schmerzen. Das mehrmalige, quälend lange Untertauchen des Delinquenten führte lediglich zu vorübergehender Todesangst, wenn auch manchmal bis hin zur Bewusstlosigkeit. Es kam darauf an, den Käfig rechtzeitig wieder hochzuholen, bevor der darin Eingeschlossene ertrank, aber auch nicht zu früh, um die Strafe nicht zu leicht ausfallen zu lassen.

Der Löwe, ein großer, bulliger Glatzkopf mit der zu seinem Beruf passenden Leichenbittermiene, war durch häufige Praxis Experte auf diesem Gebiet. Er führte nun den Bäcker zur geöffneten Tür des Käfigs und bedeutete ihm mit einer knappen Handbewegung, hineinzukriechen, was der Fettwanst auch gottergeben tat. Er hatte Schwierigkeiten, seine Leibesfülle in das Gittergehäuse zu quetschen, zog den Kopf ein, presste die Arme an den Körper, drückte und wand sich und saß schließlich drinnen. Sein teigiges, bartloses Vollmondgesicht zeigte die nackte Angst, schließlich wusste jeder, dass bei Bäckertaufen auch schon Todesfälle vorgekommen waren. Er streckte die Arme hilfeflehend durch das Gitter und sah den Löwen Mitleid heischend an. Die Menge johlte.

»Ins Wasser mit ihm!«, kreischte die heisere Stimme einer Frau. In Philipp stieg etwas wie Ekel hoch.

Der Löwe und sein Gehilfe kurbelten den Seilzug mit dem Käfig hoch und schwenkten den Galgen über den Fluss. Dann ließen sie die Haspel langsam abrollen und der Käfig senkte sich aufs Wasser hinab. Der Fettwanst holte noch einmal tief Luft, bevor er untertauchte. Der Löwe zählte laut fünfmal hintereinander bis zehn, während Luftbläschen an die Oberfläche stiegen. Dann gab er das Kommando zum Aufziehen. Als sein Kopf wieder auftauchte, sog der Bäcker laut und verzweifelt Luft ein, die Augen weit aufgerissen. Er japste und keuchte, seine Arme ruderten wild.

»Einmal getunkt!«, schrien die Zuschauer, und schon senkte sich der Käfig erneut. Diesmal zählte der Löwe bis sechzig.

»Zweimal getunkt!«

Siebzig.

Philipp wurde übel.
»Dreimal getunkt!«
Das Gesicht des Delinquenten war blaurot, die Augen aus den Höhlen getreten, als er wieder auftauchte. Pfeifend und gurgelnd holte er Atem, das Pegnitzwasser troff in Bächen an ihm herab, während sie ihn hochkurbelten. Der Käfig pendelte hin und her, als sich plötzlich der Gehilfe des Löwen mit einem Aufstöhnen an den Rücken griff und dabei die Kurbel losließ. Der Löwe konnte das Gewicht allein nicht halten, musste ebenfalls loslassen, und der Käfig sauste blitzschnell nach unten und verschwand in der Pegnitz. Noch bevor jemand es verhindern konnte, rollte sich das Seil in seiner gesamten Länge ab.

Das Weib des Bäckers schrie in höchster Panik, Leute kreischten, der Löwe brüllte Befehle. Philipp, der direkt neben dem Galgen stand, riss sich aus seiner momentanen Erstarrung. Er schob den Gehilfen zur Seite und begann, gemeinsam mit einem der Stadtknechte, zu kurbeln. Innerhalb kürzester Zeit war er schweißgebadet. Es dauerte eine Ewigkeit, bis sie endlich Gewicht am Seil spürten und den Käfig Umdrehung für Umdrehung nach oben brachten. Helfende Hände schwenkten den Kran ans Ufer, und ein Aufstöhnen ging durch die Menge: In dem Gittergestell bewegte sich nichts mehr.

»Den Priester, den Priester, schnell!«

Philipp, der sich völlig entkräftet neben der Kurbel hatte fallen lassen, raffte sich wieder auf und drängte sich zum Käfig durch. Jemand hatte das Türchen geöffnet und den Bäcker irgendwie herausgezogen. Der unförmige Mann lag jetzt mit ausgebreiteten Armen auf dem Rücken wie ein gestrandeter Wal. Sein bläulichweiß angelaufenes Gesicht war in Todesqual verzerrt, Augen und Mund weit aufgerissen. Und auf diesem Gesicht lag ein Ausdruck, den Philipp nur zu gut kannte, ein Ausdruck, den er so lange und so verzweifelt versucht hatte, aus seinem Gedächtnis zu verbannen, zu verdrängen – vergeblich. Wie in Trance kniete er sich neben die Leiche, schlug mechanisch das Kreuzzeichen, sprach eine lateinische Formel, tat das, was man von ihm erwartete. Ganz langsam streckte er die Hände aus. Er musste sich unter Aufbietung all seiner Willenskraft zwingen, dem Bäcker mit zitternden Fingern die Augen zu schließen und die Hände über der Brust zu falten. Dann setzte irgendetwas in seinem Kopf aus.

Er rannte. Lief gegen Mauern, Menschen, Häuserwände. Weg, nur weg. Fort von diesem Gesicht, diesen Augen, die ihn anstarrten. Und plötzlich waren es nicht mehr die toten Augen des Bäckers, die er sah, sondern andere – blaue, weit aufgerissene Kinderaugen voll unbändiger Panik, voll des fassungslosen Vorwurfs. Augen, die sonst vor Leben blitzten, die lachen konnten, spotten und sich lustig machen. Sie ließen ihn nicht los, diese Augen, die geisterhafte Blässe der Haut, das Wasser in den Haaren, die Reglosigkeit und Eiseskälte des Todes. Die Furien, vor denen er so lange davongelaufen war, waren zum Leben erwacht, jagten ihn mit gnadenloser Unerbittlichkeit, sprangen ihn an mit geifernden Lefzen, ein Rudel bösartiger Raubtiere. Schuldig!, riefen ihre Stimmen im Chor. Mörder! Das Wort hallte in Philipps Kopf nach wie der Schlag einer Glocke, unerträglich laut und unerträglich wahr. Buße? Umsonst. Sühne? Unmöglich. Schuld? Unendlich. Philipp spürte nicht den stärker werdenden Regen, der ihm entgegenschlug, merkte nicht, dass er im Morast die Sandalen verlor, dass ihn ein Ast am Kopf streifte und er blutete. Er rannte, bis er nicht mehr weiter konnte. Irgendwo, irgendwann sackte er, von trockenem Schluchzen geschüttelt, an einer Hausecke zusammen.

Lass mich sterben, Jesus.

Venedig, Juni 1506

Als Niklas erwachte, war alles um ihn herum stockfinster. Er lag auf dem Boden, mit Stricken an den Handgelenken gefesselt, über dem Kopf einen schmutzigen, ekelhaft stinkenden Sack, der am Hals zugeschnürt war und ihm fast den Atem nahm. Sein Mund war trocken, und in seinen Ohren dröhnte es wie sämtliche Glocken von San Marco. Als er sich herumwälzte, konnte er ein Stöhnen nicht unterdrücken. Sein ganzer Kopf fühlte sich an wie ein mit hämmernden Schmerzen voll gesogener Riesenschwamm. Er blieb schließlich auf dem Bauch liegen; eine bequemere Stellung ließ sich nicht finden. Irgendwo in weiter Ferne glaubte er Stimmen zu hören.

Er hätte nicht sagen können, wie lange er so gelegen hatte. Nach einer Ewigkeit – wenigstens kam es ihm so vor – öffnete sich knarzend eine Tür, und er fühlte sich von mehreren Armen unsanft hochgezerrt. Halb schleiften sie ihn über Holzdielen, halb lief er mit, bis ihn schließlich ein harter Tritt wieder zu Boden beförderte. Ein Messer zerschnitt seine Fesseln, der Sack wurde von seinem Kopf gezerrt. Ungeschickt rappelte sich Niklas auf und blinzelte in den Schein mehrerer Kerzen und Öllampen.

Er befand sich in einem der Hinterzimmer der Goldschmiede, schattenhafte Gestalten standen im Kreis um ihn herum. Es dauerte einige Zeit, bis sich seine Augen an das Licht gewöhnt hatten, und dann erkannte er die meisten davon. Es waren etliche Männer aus der Werkstatt darunter, allen voran der dicke Scipione, dann Lauro, der Ofenheizer, Michele, der ein besonderes Talent für Formen hatte, der kleine, immer fröhliche Annibale und auch Tonino, dessen großes sichelförmiges Blutschwämmchen auf der Stirn leuchtete. Bruno lehnte finsteren Blicks und mit verschränkten Armen an der Wand. Zwei oder drei andere kannte Niklas nur vom Sehen. Und ganz hinten, in einer Ecke, halb verdeckt von zwei Galgenvögeln mit narbigen Gesichtern, stand mit betont gleichgültiger Miene Piero Contarini – der padrone.

»Traditore«, zischte jemand, »canaglia! Faccia di culo!«

Niklas spürte, wie die Angst in ihm hochkroch und wie eine glühend heiße Welle von ihm Besitz nahm. Sie würden ihn das nicht überleben lassen, dessen war er sich sicher. Ich bin ein toter Mann, schoss es ihm durch den Kopf, es ist vorbei. Einen Augenblick glaubte er, schreien zu müssen, fühlte einen unwiderstehlichen Drang, einfach blind loszulaufen, doch dann bemächtigte sich seiner eine merkwürdige Ruhe. So endete es also. Ein Menschenleben konnte man in Sekunden auslöschen, ohne Mühe. Wie man einen Fisch auf den Kopf schlug oder einem Huhn den Hals umdrehte, wo war der Unterschied? Niklas' Gedanken verselbständigten sich. Vanozza und die Kinder würden um ihn weinen, ja. Und Lene, würde sie es je erfahren? Würde sie seinen Tod betrauern? Er erinnerte sich an seine Kindheit und daran, was seine Mutter ihm zum Trost gesagt hatte, bevor sie in Frieden eingeschlafen war: Sterben geht ganz leicht, hatte sie geflüstert, man muss keine Angst davor haben. Etwas wie Trotz stieg mit einem Mal in ihm auf. Sie konnten ihn umbringen, aber er würde ihnen den Triumph nicht gönnen, ihn um sein Leben betteln zu sehen. Langsam stand er auf, rieb seine schmerzenden Handgelenke und sah sich dabei im Kreis um, sah einem nach dem anderen ins Gesicht. Als er Brunos Blick begegnete, wurden ihm dann doch die Knie weich. Der capo hatte die Augen zu hasserfüllten Schlitzen verengt und gab nun den anderen einen kurzen Wink mit dem vorgereckten Kinn.

»Er gehört euch, amici, fürs Erste.«

Niklas konnte sich nicht wehren; es wäre auch sinnlos gewesen. Der erste Schlag traf ihn im Magen, der zweite an der Schläfe, und er sackte mit einem dumpfen Aufstöhnen auf die Knie. Jemand riss ihn an den Haaren hoch, dann erwischte ihn eine Faust am Mund. Er schmeckte Blut. Vor seinen Augen begann es zu flimmern, und er kippte mit einem erstickten Schrei vornüber. Wuchtige, wütende Tritte traktierten seinen Rücken, seinen ganzen Körper, während er hilflos dalag, ein zusammengekrümmtes Bündel. Alles war Schmerz, Kopf, Rücken, Arme, Beine. Er musste seine ganze Kraft aufbringen, um nicht aufzuheulen wie ein Hund.

»Basta.« Das war Contarinis Stimme, leise und gelangweilt, und die Schläge hörten auf.

Irgendjemand leerte einen Eimer Meerwasser über Niklas, der sich halb bewusstlos auf dem Boden wand. Das Wasser machte ihn wieder halbwegs wach, und er versuchte, tief durchzuatmen, um den Schmerz unter Kontrolle zu bringen und die aufsteigende Übelkeit einzudämmen. Er blinzelte und wischte sich Blut und Wasser aus den Augen; jede kleinste Bewegung tat ihm weh, als er sich auf Hände und Knie rappelte. Alles, was er durch die Tropfen, die aus seinen nassen Haaren fielen, erkennen konnte, war ein Paar lederne Stiefel.

»Du bist ein toter Mann, Tudesco.« Bruno, zu dem die Stiefel gehörten stand direkt vor ihm. »Wer die famiglia verrät, hat sein Leben verwirkt. C'è la legge.«

Niklas hob langsam den Kopf; er hatte Mühe, zu sprechen. »Halt keine Predigt, Bruno. Mach ein Ende.«

Der capo zuckte mit den Schultern und seufzte. »Gesú, ich versteh dich nicht, Niccó, non ti capisco. Perché? Warum wolltest du uns verraten? Du hast gut verdient. Die famiglia hat dich mit offenen Armen aufgenommen, das weißt du. Du hättest dir niemals Sorgen machen müssen: Wäre dir etwas zugestoßen, deine Wirtin vom ›Stör‹ und ihre Kinder wären von uns versorgt worden. Hättest du nicht mehr arbeiten können – wir hätten uns um dich gekümmert, deinen Lebensabend gesichert, so wie wir es für Noddino tun. Die famiglia hat noch nie jemanden im Stich gelassen. Aber du ... du glaubst, du müsstest dich nach deinem Ehrgefühl richten. Scusami si rido! Du bist ein beschissener Idiot!« Er spuckte aus. »Und was ich noch von dir wissen will: Wem hast du von uns erzählt?«

»Niemandem. Das alles war ganz allein meine Sache.« Die Worte kamen stockend von Niklas' blutenden, aufgesprungenen Lippen.

»Was ist mit dem jungen Matteo und der Wirtin vom ›Stör‹?«

»Denkst du im Ernst, ich hätte die beiden mit hineingezogen? Wofür hältst du mich? Matté ist fast noch ein Kind, er hätte niemals den Mund halten können. Und Vanozza ... wenn alles geklappt hätte, wäre ich bei Nacht und Nebel verschwunden, heim nach Nürnberg, endlich.«

»Was ist mit dem Zwerg? Ihr wart immer dicke Freunde.«

Jetzt war es an Niklas, auszuspucken. »Der Scheißkerl. Er hat mich damals zur famiglia gelockt, ohne ihn säße ich jetzt nicht hier. Auf solche Freunde kann ich verzichten. Das Schwein gehört zu euch, nicht zu mir.«

Bruno sah Niklas nachdenklich an. Er kratzte sich ausgiebig die dicht behaarte Brust im Hemdausschnitt. »Ich weiß nicht recht, ob ich dir glauben soll, Tudesco. Aber selbst wenn du nicht die Wahrheit sagst: Deine kleine Familie wird nicht wagen, etwas gegen uns zu unternehmen. Wir schicken ihnen morgen eine Locke von dir in den ›Stör‹ – Vanozza wird Bescheid wissen. Und Nazareno – der steckt selber zu tief drin.« Er sah kurz zu Contarini hinüber, um dessen Zustimmung einzuholen. Der padrone schloss die Augen und nickte. Dann wandte sich der capo wieder an Niklas, der sich Mühe gab, seine Erleichterung nicht zu zeigen.

»Noch eine letzte Frage, amico. Warum zum Teufel hast du bloß diese zweitrangige Reliquie geklaut? Ich kann's dir ja ruhig sagen – sie hat dir das Genick gebrochen. Hätte ich den Diebstahl gestern Abend nicht entdeckt und deshalb ein paar Leute zum ›Stör‹ geschickt, wäre dein Plan vermutlich sogar aufgegangen. Merkwürdig, Niccó: Einerseits spielst du den Ehrenmann, und andererseits bist du ein Dieb? Wer soll das bloß verstehen?«

Niklas lachte bitter und wischte sich das Blut von den Lippen. »Du wirst es mir nicht glauben, Bruno, aber dieses Medaillon hat jemandem gehört, den ich früher gut kannte. Ich wollte es zurückgeben, daheim in Nürnberg.«

»Na, jetzt kannst du's ja an uns zurückgeben, Tudesco.« Der capo grinste. »Wo hast du's versteckt, he? Im ›Stör‹ jedenfalls nicht, da haben wir schon gesucht.«

Der junge Goldschmied stutzte. Sie hatten es also nicht gefunden. Er beschloss, nichts zu sagen. Er selber war ohnehin so gut wie tot, und wenn Vanozza das Medaillon in Sicherheit gebracht hatte, würde Dürer vielleicht dafür sorgen, dass Helena es wiederbekam.

»Ich hab's verloren.« Er lachte Bruno beinahe ins Gesicht.

Der capo machte ein Zeichen und ein Tritt von hinten in die Kniekehlen ließ Niklas wieder zu Boden gehen. Zwei Männer knieten sich auf ihn.

»Hör zu, Niccó«, zischte Bruno, »du kannst schnell sterben oder langsam – es ist deine Entscheidung. Überleg's dir gut. Sag uns jetzt, wo du die Reliquie versteckt hast. Die famiglia verschenkt nichts.«

»Vaffanculo!« Niklas drehte den Kopf zur Seite.

Bruno bleckte die Zähne.

»Du hast's so gewollt, Arschloch. Weißt du, Tudesco, bei uns gibt es eine altbewährte Strafe für Leute, die die famiglia bestehlen.« Er schnippte mit den Fingern. »Avanti.«

Ein paar Männer drehten ihn auf den Bauch, knieten sich auf ihn und zwangen seinen rechten Arm nach vorne. Er fragte sich angstvoll, was jetzt kommen würde und hoffte, dass niemand sein Zittern bemerkte. Dann trat Bruno mit dem Stiefelabsatz zu.

Niklas glaubte zu spüren, wie jeder einzelne Knochen seiner rechten Hand brach. Er schrie auf vor Schmerz und versuchte verzweifelt, den Arm zurückzuziehen, aber sie hielten ihn eisern fest. Dann ging der capo einen Schritt zurück und machte für den Nächsten Platz. Ein Stiefel nach dem anderen traf Niklas' rechte Hand mit voller Wucht, wieder und wieder. Sehnen, Knochen, Gewebe – nichts blieb heil, alles wurde gequetscht, zerrissen, zersplittert. Niklas schrie sich heiser; die Qual wollte kein Ende nehmen. Jeder Einzelne im Raum kam an die Reihe. Schließlich war nur noch Contarini übrig. Er trat mit langsamen Schritten aus seiner Ecke, die er die ganze Zeit über nicht verlassen hatte, und stellte sich neben Niklas, der am ganzen Körper flog. Sein rechter Arm mit der Hand, die zu einem unförmigen Klumpen angeschwollen war, zitterte unkontrolliert bis hinauf zur Schulter. Er keuchte, biss die Zähne zusammen und konnte doch nicht verhindern, dass er immer noch laut stöhnte. Der Padrone sah mit kurzem Blick auf ihn herab und hob den Fuß. Dann überlegte er es sich anders, spuckte aus, drehte sich auf dem Absatz um und ging.

Auch der capo wandte sich zum Gehen. Bevor er den Raum verließ, gab er noch den letzten Befehl.

»All'aqua.«

Niklas verlor das Bewusstsein.

Ein paar Männer fassten ihn unter den Armen und schleiften ihn zum Hintereingang der Goldschmiede. Sie fesselten seine Handgelenke auf dem Rücken und banden einen Ziegelstein an seinen Füßen fest, den sie von einer nahen Baustelle gestohlen hatten. Einer schnitt noch mit dem Messer eine Strähne von Niklas' schwarzem Haar ab und steckte sie ein. Dann schleppten sie ihre Last zu viert aus der Werkstatt hinaus.

Draußen war noch finstere Nacht; eine dicke Wolkenbank verdeckte den Mond. Die Sonne würde erst in einer Stunde aufgehen, doch erste Schwaden des weißen Morgennebels lagen schon dicht über dem Wasser. Die Männer zogen den noch immer Bewusstlosen quer über den gepflasterten Weg, vorbei an einem steilen Treppenabgang zum rio, an dessen Ende ein Pfahl aus den Fluten ragte. Ein kleines Ruderboot war an dem Holzpflock vertäut; mit Wachstuch abgedeckt dümpelte es in den sachte schaukelnden Wellen.

Einer gab das Kommando. Mit leisem Platschen landete Niklas' Körper im Wasser und ging innerhalb von Sekunden unter. Die Männer hielten sich nicht auf und verschwanden wortlos und eilig, jeder in einer anderen Richtung, im Dunkel der Nacht.

Reichsstadt Nürnberg, Juni 1506

Linhart trabte mit gesenktem Kopf und den Händen in den Hosentaschen durch den Regen heimwärts. Er war pudelnass bis auf die Haut, aber es machte ihm nichts aus, denn in seiner linken Faust hielt er ein paar Haller Pfennige fest umschlossen. Das Geld hatte er dafür bekommen, dass er den ganzen Morgen über auf dem Heumarkt beim Abladen von Heu und Grummet geholfen hatte. Wenn man ihm genau sagte, was er zu tun hatte, war er ein guter Arbeiter; wegen seiner Bärenkräfte kannte man ihn auf allen Nürnberger Märkten gut und holte ihn, wenn besonders Schweres zu tragen war. Er freute sich schon auf Annas Lob und Cillis anerkennenden Blick, wenn er die Münzen daheim auf den Tisch legen würde. Mit seiner hohen, weichen, fast kindlichen Stimme begann er, eine Melodie zu trällern. Er bog um eine Ecke, wich dem scharf riechenden Inhalt eines Nachtgeschirrs aus, den irgendjemand gerade auf die Gasse schüttete, und wäre dabei beinahe über ein Paar Füße gestolpert.

»'oppla!« Linhart blieb stehen und sah sich das Hindernis genauer an. Da hockte ja einer wie das Elend Christi mitten im Dreck, völlig in sich zusammengesunken, den Rücken an einen hölzernen Verschlag gelehnt. Und er trug auch noch die Kutte der Barfüßer, deren Kapuze ihm ganz übers Gesicht hing. Linhart dachte kurz nach und fand es nicht recht, dass der Mönch hier im Regen saß.

»Du, auf.« Der kindliche Riese stieß den Mönch leicht mit der Schuhspitze an. Der rührte sich nicht.

»Du, auf.« Linhart bückte sich und rüttelte den Mann an der Schulter. Philipp hob langsam den Kopf und sah ihn an, gab jedoch kein Zeichen des Erkennens von sich. Aber dafür erkannte Linhart ihn; er lächelte glücklich, klatschte vor Freude in die Hände und radebrechte Philipps Namen.

»Komm.«

Philipp schüttelte nur müde den Kopf. Kleine Wasserbäche liefen ihm übers Gesicht. Linhart schwante, dass etwas nicht in Ordnung war. Er begann, an Philipp zu rütteln und zu ziehen, aber der machte keine Anstalten, aufzustehen. Schließlich fiel Linhart nichts anderes ein, als sich den Mönch wie einen Sack auf den Rücken zu laden. Dann marschierte er mit seiner Last heim in die Wunderburggasse.

Anna und Cilli zogen Philipp aus und packten ihn in Annas Schlafkammer ins Bett. Er ließ willenlos alles mit sich geschehen, schluckte den heißen Wein, den sie ihm einflößten, ließ sich die von der Kälte steifen Glieder mit Arnikasalbe aus Gänsefett einreiben. Schließlich bekam er Fieber. Anna saß bei ihm, während er phantasierte und Unverständliches stammelte, hielt ihn, als er weinte, tupfte den Schweiß von seiner Stirn. Ein Schüttelfrost ließ ihn an allen Gliedern schlottern, und sie wärmte ihn mit ihrem Körper. Er klammerte sich an sie wie ein Ertrinkender, redete wirres Zeug, warf sich hin und her. Irgendwann schlief er ein.

»Das ist kein gewöhnliches Fieber«, meinte Cilli kopfschüttelnd in der Küche. »Ich glaub, das kommt von hier drinnen.« Sie tippte sich an die Schläfe.

Anna rührte in dem Krug mit gesüßtem Würzwein. »Du hast Recht. Etwas ist mit ihm geschehen. Ein großer Schreck oder ein schlimmes Erlebnis, ich weiß es nicht. Er spricht irr, und ich versteh nicht, was er sagen will. Ich glaub, da ist etwas, das unbedingt aus ihm heraus muss.«

»Sollen wir dem Kloster Bescheid geben oder vielleicht den Physikus holen?«

Anna überlegte kurz. »Das hat bis morgen Zeit. Ich mein, er braucht jetzt bloß Ruhe und Schlaf.«

Cilli nickte. »Geh nur wieder hinauf zu ihm. Wenn später der junge Nützel kommt, sag ich, dass du krank bist.«

Den Krug in der Hand stieg Anna die Treppe hoch. Leise betrat sie die Kammer, stellte den Wein hin und setzte sich zu Philipp aufs Bett. Er schlief immer noch, unruhig zwar, aber das Fieber schien gesunken zu sein. Immer wieder warf er sich hin und her, und sie sah, wie sich seine Augäpfel unter den geschlossenen Lidern bewegten. Ihr war klar, dass er träumte.

»Lass mich die Schlittschuhe tragen; du schmeißt sie ja dauernd hin«, sagte Martin, der Jüngere, und schnappte sich die Tragriemen. Die Buben marschierten über den steinhart gefrorenen Schnee zum Pegnitzufer hinunter, beide dick in ihre Winterumhänge eingemummt, Martin mit einer blauen Filzmütze auf dem Kopf, Philipp mit einer braunen. Ihre Hände steckten in warmen Fäustlingen, in die ihre Mutter noch zusätzlich einen auf dem Herd heiß gemachten Kieselstein hineingetan hatte; deshalb waren Philipp die Schlittschuhe zum dritten Mal hinuntergefallen. Jetzt hob Martin die schuhähnliche Lederkonstruktion mit den knöchernen Kufen daran auf und trug sie beidhändig an die Brust gepresst. Er war knapp anderthalb Jahre jünger als sein Bruder, aber beinahe gleich groß, und wenn sie miteinander rauften, gewann er meistens, weil er der Wendigere und Listigere von beiden war. Im Gegensatz zu Philipp, der einen dichten braunen Schopf und honigfarbene Augen hatte, war Martin blond, mit blauen Augen und heller Haut. Sie vertrugen und sie schlugen sich, wie das bei Brüdern eben so war.

Die Schlittschuhe hatten sie zu Weihnachten bekommen, und zu ihrer größten Freude war kurz nach Neujahr das Wetter umgeschlagen. Beißende, trockene Kälte hatte überall in Franken Einzug gehalten und hielt das Land in eisigem Griff – so schlimm, dass sogar die Pegnitz teilweise zugefroren war, was nur alle hundert Jahre einmal vorkam, wie die Alten sagten.

Die Sonne schien gleißend aus dem tiefblauen Himmel, was der

Kälte jedoch kaum Abbruch tat – ihre Strahlen hatten noch keine Kraft, aber sie ließen den Reif und die Schneekristalle auf Dächern und Fenstern glitzern wie tausende Diamanten. Der Atem der Buben bildete dichte weiße Wölkchen vor ihren Gesichtern, während sie frohgemut durch die weißverschneiten Gassen zum Säumarkt stapften, dorthin, wo der Fluss sich in zwei Arme teilte und ein Inselchen umfloss. Einer der Arme, wo das Wasser besonders langsam floss, war beinahe auf seiner ganzen Länge zugefroren, und die Nürnberger Kinder trafen sich seit einer Woche jeden Tag dort zum Schlittschuhlaufen.

Es war schon viel los auf der Eisfläche. Direkt beim Inselufer hatten die Mädchen sich mit Besen eine lange, glatte Hetschelbahn freigefegt, auf der sie jetzt nacheinander in ihren Schuhen entlangschlitterten und dabei vor Begeisterung kreischten. Die meisten der Buben waren auf Schlittschuhen unterwegs, ganz einfachen Schnallengestellen aus Holz und Leder. Alles schrie und lachte durcheinander.

Martin und Philipp warfen eine Münze, um zu entscheiden, wer zuerst die Kufenschuhe anziehen durfte, und Philipp gewann. Abwechselnd zogen sie ihre Kreise, fielen immer wieder auf den Hosenboden, machten Wettrennen mit den anderen Buben und ärgerten die Mädchen. Es war ein herrlicher Tag. Jeder der Brüder passte auf wie ein Heftlesmacher, dass der andere nicht etwa länger auf Schlittschuhen stand als er selbst, und jedes Mal gab es vor dem Wechseln erbitterte Diskussionen. Als sie Hunger bekamen, kauften sich die beiden von den mitgebrachten Pfennigen zwei Eierbrezen – ein geschäftstüchtiger Bauchladner hatte mittags am Ufer Position bezogen und bot süße Sachen feil. Die Backen der Kinder waren rot vor Kälte, aber ihre Augen glänzten vor Begeisterung, und die Bewegung hielt ihre Körper warm. So blieben sie bis zuletzt, bis es allmählich dunkel wurde und die anderen Spielkameraden nach und nach heimgegangen waren.

»Schnall ab, Martin, wir müssen langsam heim«, meinte Philipp schließlich bedauernd, »es ist schon bald Zeit fürs Nachtmahl.«

Der Jüngere maulte und stellte sich stur.

»Wenn du willst, können wir das erste Stück noch auf der Pegnitz gehen«, lockte Philipp, der nicht nur wegen seines Altersvorsprungs

der Vernünftigere von beiden war. »Dann kannst du noch ein bisschen fahren.«

»Meinswegen.« Martin fügte sich mit einem Seufzer.

Philipp begann, am Ufer entlang heimwärts übers Eis zu traben, während Martin mit schwungvollen Schlittschuhschritten neben ihm herlief und dabei die wildesten Faxen machte. Sie unterquerten den hölzernen Schleifersteg und näherten sich dem Wehr am Ende der Insel. Dass es unter ihren Füßen knackte und gluckerte, je näher sie dem Wehr kamen, hörten sie nicht. Und im dämmrigen Zwielicht konnten sie auch nicht erkennen, dass dort, wo sich das Wasser staute, bevor es abwärts schoss, das Eis schon in einzelne Schollen zerbrochen war.

»Da vorn müssen wir ans Ufer«, sagte Philipp und zeigte auf eine Stelle, wo hinter den Schuppen der Schleifmühle eine kleine Wiese bis zum Wasser reichte. »Schnall jetzt ab und komm.«

»Ich will aber noch nicht!« Martin drehte dem Bruder eine lange Nase und zirkelte weiter seine Kreise. In Philipp stieg Ärger hoch. Sie waren sowieso schon zu spät dran, und wie immer würde der Vater ihn dafür verantwortlich machen. Womöglich setzte es Schläge mit dem Ledergürtel, wie so oft.

»Komm endlich, du Blödian.« Er erwischte Martin unsanft am Zipfel seines Umhangs. Der Jüngere fiel hin, rappelte sich aber sofort wieder auf und schubste wütend zurück.

»Geh doch allein heim, du Schisser. Ich komm nach.«

»Gib jetzt die Schlittschuhe her!«

»Du hast mir gar nix zu sagen!«

»Hab ich doch. Ich bin der Ältere!« Philipp war inzwischen richtig zornig.

»Rutsch mir doch den Buckel runter!«

Die Brüder standen sich feindselig gegenüber, bis schließlich Philipp dem Jüngeren mit beiden geballten Fäusten einen kräftigen Stoß vor die Brust versetzte. Martin taumelte rückwärts, verlor das Gleichgewicht, und es zog ihm die Beine unter dem Bauch weg. Mit voller Wucht fiel er hin. Das Eis brach mit einem hässlichen Knacken.

Philipp hörte noch einen überraschten Ausruf seines Bruders und sah verblüfft, wie zuerst Martins Oberkörper und dann die Beine in dem Loch verschwanden. Dann tauchten Kopf und Arme wieder auf. Martin schluckte Wasser, gurgelte und schlug in höchster Not um sich. Er kämpfte verzweifelt, konnte aber nirgendwo Halt finden. Die Ränder des Eislochs brachen immer weiter ein. Philipp stand stocksteif vor Schreck. Dann wurde ihm mit einem Schlag klar, dass es hier um Leben und Tod ging. Er lief näher an Martin heran, konnte aber nicht weiter, weil das Eis schon überall Risse hatte und barst.

»Helf mir doch!« Der Jüngere schrie nach ihm und streckte ihm die Arme entgegen, die Augen voller Angst weit aufgerissen.

»Ich kann nicht!« Philipp schaute sich panisch um, aber es war niemand in der Nähe. Er wusste nicht, was er tun sollte. Lieber Gott, hilf, betete er, der Martin kann doch nicht schwimmen. Und dann musste er hilflos und ungläubig zusehen, wie sein Bruder mit einem letzten Aufbäumen im Wasser der Pegnitz verschwand und von der Strömung unter das Eis gezogen wurde.

»Martin!« Sein Schrei hallte durch die Dämmerung über den Fluss. Dann drehte er sich um und schlitterte in wilder Flucht ans Ufer. In seiner Panik dachte er nicht daran, gleich an die nächste Tür zu klopfen und Hilfe zu holen, sondern rannte stattdessen den ganzen Weg bis nach Hause, um den Vater zu alarmieren. Mit angstschriller Stimme berichtete er, was vorgefallen war. Aber das Schlimmste wagte er nicht zu beichten, das Unglaubliche, Schreckliche, Unfassbare: dass er ganz allein an allem schuld war, weil er Martin gestoßen hatte. Er war ein Mörder, ein elender, feiger, gemeiner Mörder. Er hatte seinen eigenen Bruder umgebracht!

Eine Suchmannschaft, die unter Führung seines Vaters mit Fackeln loszog, kam um Mitternacht erfolglos zurück. Die Mutter brach weinend zusammen, und Philipp wurde irgendwann von der Hausmagd ins Bett gesteckt. Er schlief vor Erschöpfung schnell ein, wachte aber immer wieder schweißgebadet auf. In seinen Träumen sah er immer wieder die ausgestreckte Hand des Bruders vor sich, seinen fassungslosen, verzweifelten, anklagenden Blick, bevor er im Wasser verschwand.

Der nächste Tag war wie ein Albtraum. Philipp hörte seine Mutter, die in der Schlafkammer lag, nach ihrem Sohn schreien, den Herrgott um Gnade anflehen. Sämtliche Männer aus der Nachbarschaft beteiligten sich an einer weiteren Suche, doch am Abend gaben sie schließlich auf. Die Brandauerin flehte nach Martins Leiche.

Am zweiten Tag nahm ihn sein Vater mit zum Fluss, um sich die genaue Stelle noch einmal zeigen zu lassen. In der Nacht hatte Tauwetter eingesetzt. Sie gingen suchend am Ufer entlang, passierten das Wehr, die Fleischbrücke, die Barfüßerbrücke. Plötzlich fing Heinrich Brandauer an zu rennen wie ein Verrückter. Gegenüber der Stelle, wo das Heilig-Geist-Spital über die Pegnitz gebaut war, befand sich ein Grünstreifen am Ufer, dessen Bäume direkt am Wasser standen. Herabgefallene Äste hatten sich dort angesammelt und stauten die Strömung leicht auf. Am Rand hatte sich Eis gebildet, doch weiter drinnen war es schon weggetaut und das Wasser floss glucksend unter den steinernen Bögen des Spitals durch. Dort, wo der letzte Bogen das Ufer berührte, unter einer alten Trauerweide, hatte Brandauer die Leiche seines jüngsten Sohnes entdeckt. Sie hatte sich in dem Gehölz verfangen und war dort festgefroren. Philipp sah unter einer dünnen Eisschicht das Gesicht seines Bruders, die Augen weit offen, der Mund immer noch wie zum Schrei geöffnet. Irgendwo, in einem winzigen Winkel seines Gehirns, hatte Philipp immer noch gehofft, dass dies alles nur ein böser Traum sei, dass Martin plötzlich grinsend zur Tür hereinmarschieren würde, irgendeinen seiner unverschämten Sprüche auf den Lippen. Aber jetzt war auch die letzte Hoffnung dahin. Martin würde nie mehr zurückkommen. Und er war schuld daran. Es tat so weh, aber er konnte nicht weinen.

Heinrich Brandauer kratzte und brach den kleinen Körper aus dem Eis, bis seine Hände bluteten. Er erlaubte keinem der Männer, die sich inzwischen um ihn versammelt hatten, ihm zu helfen. Nach einer Ewigkeit hatte er Martin freibekommen. Er nahm ihn in die Arme und trug seinen Sohn, dessen steif gefrorene Arme grotesk vom Leib abstanden, mit versteinerter Miene heim. Philipp lief hinterher und wünschte sich, er möge vom Blitz getroffen werden. Ich sollte tot sein, dachte er immer wieder, ich, und nicht der Martin. Die Last auf seinem Gewissen begann ihn zu erdrücken …

Philipp erwachte, als Anna den Röhrenleuchter anzündete. Jede Kleinigkeit seines Traums war ihm noch bewusst, und er fühlte sich bleischwer.

»Der Linhart hat Euch gefunden, Vater, und hierher gebracht.« Anna setzte sich zu ihm. »Ihr hattet Fieber und wart in einem seltsamen Zustand.«

Jetzt erinnerte sich Philipp wieder. Die Bäckertaufe. Die toten Augen des Ertrunkenen. Die Gespenster, die wieder gekommen waren. Er verbarg das Gesicht in den Händen. Dann spürte er Annas Berührung an der Schulter.

»Wollt Ihr mir nicht sagen, was auf Euch lastet?«

Es war längst an der Zeit. Philipp konnte nicht mehr schweigen, nicht mehr lügen. Er schloss die Augen und sagte eine Zeit lang nichts. Dann begann er, mit brüchiger Stimme zu erzählen. Anna hörte zu, stumm und ernst. Sie unterbrach ihn kein einziges Mal, bis er zu Ende gekommen war.

»Ich habe nie jemandem meine Schuld gestanden, aus Angst, aus Feigheit, ich weiß es nicht genau. Ich hab's einfach nicht fertig gebracht.« Philipp lehnte sich zurück und atmete tief durch. »Meine Mutter hat Martins Tod nicht lang überlebt. Bis zum Schluss hab ich ihr nicht mehr in die Augen schauen können. Später hab ich mich an den Gedanken geklammert, dass ich für meine Tat dadurch sühnen könnte, dass ich ins Kloster gehe. Aber der Herrgott hat mir keine Verzeihung gewährt – es gibt ja auch keine. Immer wieder sucht mich die Erinnerung heim, verfolgt mich, macht mir das Leben zur Hölle. Und dann quälen mich diese Kopfschmerzen. Manchmal glaub ich, ich werde verrückt. Das ist meine gerechte Strafe. Ich hab kein Glück verdient, Anna.«

Sie schüttelte den Kopf; in ihren Augen schimmerten Tränen. »Das darfst du nicht sagen.« Unwillkürlich war sie zum vertrauten Du gewechselt.

Philipp ballte die Fäuste und schaute ihr mit bitterem, verzweifeltem Blick ins Gesicht. Dann packte er sie an den Schultern und schüttelte sie. »Sieh mich an, Anna, sieh genau hin! Ich trage das Kainsmal auf der Stirn, und kein Wasser der Welt kann es abwaschen. Graut dir vor mir, ja? Auf meinem Gewissen lastet das schlimmste Verbrechen, das es gibt: Ich bin der Mörder meines eigenen Bruders. Ich bin verflucht.« Er begann, lautlos zu weinen.

Anna nahm ihn in die Arme und wiegte ihn wie ein Kind. »Nein, Philipp«, flüsterte sie, »mir graut nicht vor dir. Wie könnt das auch sein, wo du mir doch der liebste Mensch auf der Welt bist?« Sie legte zwei Finger sacht auf seine Stirn. »Da ist kein Mal. Du warst ein Kind, Philipp, und es war ein Unglück.«

Er sah gequält zu ihr auf. »Ich wollte ihn nicht umbringen, Anna.«

»Ich weiß doch.« Sie fühlte unendliche Zärtlichkeit. Sanft nahm sie sein Gesicht in beide Hände, küsste ihn auf Wangen, Augen, Stirn und Mund, und er ließ es geschehen, gab sich ihren Liebkosungen hin, genoss sie wie heilende, erlösende Berührungen. In seinem Inneren löste sich etwas, öffnete sich, das Herz ging ihm über. Irgendwann erwiderte er leidenschaftlich ihre Küsse, hielt sie fest, als wolle er sie niemals mehr loslassen. Seine Finger ertasteten blindlings ihren Körper, nestelten ungeschickt ihr Kleid auf, fanden weiße Haut, strichen zitternd über ihre Lippen, ihre Brüste. Anna half ihm, wo er nicht weiterwusste, führte ihn sicher, zeigte ihm, was zu tun war. In diesem Augenblick wurde ihr staunend klar, dass kein Mann zuvor sie wirklich berührt hatte. Zum ersten Mal in ihrem Leben fühlte sie sich im Bett nicht als Hure, vollführte sie keinen seelenlosen Akt, sondern ein Werk der Liebe, der grenzenlosen Hingabe. Mit einem Lächeln zog sie ihn über sich, nahm ihn in sich auf, spürte, wie er sich in ihr bewegte. Und zum ersten Mal in ihrem Leben ließ sie zu, dass ein Mann ihr Lust bereitete, gab sich hin, kostete den Höhepunkt aus wie ein wunderbares Geschenk.

Als Philipp mit einem letzten Aufstöhnen über ihr zusammensank und den Kopf schwer atmend an ihrer Halsbeuge vergrub, war sie so glücklich, dass es fast wehtat.

Drunten in der Küche saßen Linhart und Cilli im trübgelben Schein eines Unschlittlämpchens am Tisch beieinander. Linhart glotzte bekümmert vor sich hin; eine dicke Träne rollte an seiner Nase entlang und tropfte auf die hölzerne Tischplatte. Cilli tätschelte ihm gutmütig die Hand.

»Ja, ja«, sagte sie mit ihrer heiseren, dunklen Stimme, »wo die Liebe hinfällt ... Musst aber nicht traurig sein, Linhart. Schau, die Anna hat dich doch immer noch genauso gern. Und ich auch.«

Der kindliche Riese nickte, schniefte und wischte sich mit dem Hemdsärmel den Rotz weg. Dann stand er auf und rollte sich auf seinem Schlafplatz vor dem Herd zusammen. Auf seinem Gesicht lag schon wieder ein Lächeln.

Cilli erhob sich ebenfalls und stieg schwerfällig die Treppe hoch. »Geh mit, Maunzer«, lockte sie den Kater, der gerade im Hausgang nach Mäusen schnupperte, »dann müssen halt wir zwei miteinander vorlieb nehmen, gell?«

Philipp erwachte nach tiefem, traumlosem Schlaf beim ersten Hahnenschrei. Es dauerte einen Moment, bis er wieder wusste, wo er war, dann fiel sein Blick auf Anna, die neben ihm lag. Ihre Wangen waren rosig und sie atmete ruhig und gleichmäßig. Eine Strähne ihres dunklen Haares fiel ihr übers Gesicht. Eine Zeit lang schaute er sie nur an, versuchte, sich nicht zu rühren, um sie nicht aufzuwecken.

Was hatte er getan? In einem Augenblick der Schwäche seinen niedersten Trieben nachgegeben, alle Regeln missachtet, nach denen er bisher gelebt hatte. Aus Verzweiflung? Aus Wollust? Aus Liebe? Zu einer Frau, die ihren Körper verkaufte? Er, ein Franziskanermönch, der seinem Gott Keuschheit gelobt hatte? Wie hatte er sich so vergessen können? Er sah, wie Annas Lider flatterten, wie sie sich bewegte und neu in die Kissen kuschelte. Dann schlug sie die Augen auf, sah ihn an. Und plötzlich wusste er, dass er sie liebte, ganz gleich, was war.

Lange fanden sie beide keine Worte; Verlegenheit, Scham und das Wissen, sich über ein Verbot hinweggesetzt zu haben, standen unsichtbar zwischen ihnen. Schließlich sprach Anna aus, was beide bewegte: »Bereust du es?«

Er schüttelte den Kopf. »Ich kann nicht. Obwohl ich jetzt nicht nur ein Brudermörder, sondern auch ein gescheiterter Mönch bin.«

Sie setzte sich auf. »Du bist kein Mörder, Philipp. Es war ein Unfall. Aber ich, ich hab jemanden umgebracht, mit Absicht und voller Hass.« Sie strich sich das Haar aus der Stirn. Es war an der Zeit, dass auch sie ihre Vergangenheit preisgab. »Gestern hast du mir dein Geheimnis erzählt, jetzt sollst du auch meines kennen. Erinnerst du dich an Grimm, meine Wölfin? Ich hab ihr vor Jahren befohlen, einen Mann zu töten. Er wollte mir Gewalt antun – damals, ich war fast noch ein Kind. Grimm hatte ihn schon gepackt, und er war wehrlos. Ich hätt ihn am Leben lassen können, aber ich wollte Rache. Ich wollte, dass dieses widerwärtige, ekelhafte, gemeine Schwein starb, und so hat ihm Grimm die Kehle durchgebissen. Es war furchtbar, und ich werd's nie vergessen. Danach bin ich nach Nürnberg geflohen, wo mich und die Wölfin niemand finden würde. Mein Verbrechen ist viel schlimmer als deines, denn ich wollte seinen Tod. Verurteilst du mich jetzt genauso wie dich selber?«

Philipp sah sie ernst an, dann zog er sie voll Zärtlichkeit an sich. »Wir haben wohl beide unser Scherflein an Schuld zu tragen, du und ich«, sagte er mit rauer Stimme.

Sie fuhr ihm durchs Haar und ertastete dabei die Tonsur, glatt und rund. Er zuckte leicht zusammen, und sie nahm ihre Hand fort.

»Was willst du jetzt tun, Philipp? Ins Kloster zurück? Sie werden dich schon vermissen.«

Er ließ sie los und stand auf. Nachdenklich schaute er aus dem winzigen Fenster in die Richtung des Barfüßerkonvents. »Anna, ich weiß nicht, wie es weitergehen soll. Wie kann ich zurück, nach dem, was zwischen uns war? Wäre das nicht eine Verhöhnung Gottes? Aber wohin sollte ich sonst gehen? Ich hab doch keine andere Heimat als das Kloster und meinen Glauben. Nulla salus extra ecclesiam – es gibt keine Erlösung außerhalb der Kirche. Wie kann ich eine Sünde an die andere reihen und trotzdem leben?« Verzweiflung klang in seiner Stimme.

Sie wollte ihn nicht verlieren, aber sie wusste, dass er erst seinen Frieden mit sich selbst machen musste. Die Worte fielen ihr schwer.

»Geh zurück, beichte. Das mit mir und das mit deinem Bruder. Lass dir Zeit, du musst dich nicht sofort entscheiden. Der liebe Gott wird dir schon den rechten Weg zeigen, und wenn er dich nur halb so sehr liebt wie ich, wird er dir auch verzeihen. Und wenn du die Antwort auf deine Fragen gefunden hast, Mönchlein, dann komm zu mir zurück. Ich wart auf dich.«

Er nickte. Langsam zog er sich an, warf die Kutte über und sah damit plötzlich aus wie ein Fremder. Dann trat er ans Bett, nahm ihre Hände.

»Ich lieb dich, Anna, Gott ist mein Zeuge. Aber ich weiß nicht mehr, wohin ich gehöre. Und ich kann dir nicht sagen, ob ich wiederkomme.«

Sie drückte seine Finger; in ihrer Kehle brannte es. Dann verließ er das Zimmer. Vom Fenster aus sah sie ihm nach, wie er durch die Gasse ging. Seine weite Kutte flatterte im Wind wie eine schwarze Fahne.

Venedig, Juni 1506

Nazareno erwachte, weil er seltsame Geräusche hörte. Er setzte sich im Bett auf und spitzte die Ohren: Tatsächlich, jemand rief leise seinen Namen und schmiss dabei irgendwelches Zeug durch sein offenes Fenster. Mit einem Satz war der Zwerg aus dem Bett und sah auf die Gasse hinunter.

»Diu, endlich!« Noddino atmete auf und ließ das morsche Holzstück fallen, das er gerade aufgelesen hatte, um es in Nazarenos Schlafkammer zu werfen. »Komm schnell, sie haben Niccó!«

Noch nie in seinem Leben hatte sich der Zwerg so schnell angezogen; eine Minute später stand er neben dem Alten.

»Was ist passiert?«

»Ich weiß nicht genau. Ich bin irgendwann aufgewacht, du weißt ja, meine Blase … Und dann ist mir aufgefallen, dass Bruno nicht da war. Ich hab nach ihm geschaut, und gerade als ich die Treppe hinunter wollte, haben sie Niccó gebracht, gefesselt und mit einem Sack über dem Kopf, ich hab ihn nur an seinen Stiefeln erkannt. Und in der Werkstatt waren etliche Männer versammelt. Das ist ein Tribunal, Nano!« Noddino war außer sich. Den ganzen Weg nach San Polo war er gerannt, so schnell es seine Lunge und seine gichtigen Gelenke zugelassen hatten.

»Santa Trinitá!« Nazareno begann schon zu laufen. »Nimm die Beine in die Hand, Noddino.« Der Alte keuchte schwerfällig hinter ihm her.

Eine Viertelstunde später passierten sie den Haupteingang des Arsenals und schlichen ab da langsam das letzte Stück Wegs durch die Gassen, bis sie in die Nähe der Goldschmiede kamen. Die Stadt lag in tiefem Schlaf, außer dem Plätschern der Wellen war kein Laut zu hören. Erst als Nazareno und Noddino direkt vor der Werkstatt standen, vernahmen sie von drinnen gedämpfte Stimmen. Nazareno schlich zur Rückseite des Hauses, um durch ein kleines Fenster ins Innere hineinzuspähen, als plötzlich die Hintertür aufging. Der Zwerg machte einen geschickten Sprung und rettete sich hinter die Hausecke, wo Noddino wartete. Die beiden sahen zu, wie zuerst Contarini zusammen mit Bruno die Werkstatt verließ und beide ein Boot bestiegen, das auf dem rio gewartet hatte. Dann kamen nach und nach die anderen Mitglieder der famiglia aus der Werkstatt. Minuten vergingen.

»Wir kommen zu spät«, flüsterte Noddino und senkte den Kopf. Doch da öffnete sich die Tür ein weiteres Mal, und sie beobachteten, wie vier Männer einen fünften zum Kanal schleiften und ins Wasser warfen.

Nazareno hielt den Alten, der schon vorpreschen wollte, eisern zurück, bis die vier bricconi verschwunden waren. Dann legte er seinen Umhang ab und glitt von der Treppe aus lautlos in den Kanal.

Niklas erwachte durch den plötzlichen Kälteschock und die Feuchtigkeit. Es dauerte einen Augenblick, bis er begriff, wo er war, bis ihm klar war, dass er ertrank. Er hielt den Atem an, während ihn der Stein mit unabwendbarer, stetiger Kraft nach unten zog. Er strampelte und zuckte, kämpfte, wand sich – vergeblich. Verzweifelt und unter unerträglichen Schmerzen versuchte er, die Hände freizubekommen, aber die Stricke hielten, er erkannte, dass er keine Chance hatte. Seine Lungen brannten wie Feuer und verlangten immer dringender nach Luft. Sein Herz schlug schwer und schnell wie ein riesiges Uhrwerk, er konnte es in seinen Ohren dröhnen hören. Einige Schläge noch, dann würde sich die Sperre in seinem Gehirn lösen, würde ein tiefer Atemzug unweigerlich das Meerwasser in seine Lunge saugen. Da spürte er Hände am Rücken, Hände, die sich tiefer tasteten, bis zu seinen Füßen. Ein kurzer Schnitt, und das Gewicht, das ihn nach unten zog, war fort. Niklas schoss nach oben, durchbrach die Wasseroberfläche, und als seine Lungen sich weiteten, sog er endlich, endlich Luft ein. Er hustete, spuckte, röchelte, ging wieder unter, strampelte sich hoch, schluckte Wasser, aber er atmete. Ein zweiter Schnitt befreite seine Hände, und er begann mit letzter Kraft, Schwimmbewegungen zu machen. Jemand zog ihn zum Rand des Kanals.

»Santa vergine, Niccó, kannst du nicht leiser husten? Die kommen sonst zurück!«

Dem Himmel sei Dank, das war Nazarenos Stimme! Niklas versuchte mit aller Macht, das Husten und Röcheln zu unterdrücken. Der Zwerg bugsierte ihn zu der Treppe, die ins Wasser führte, und gemeinsam mit Noddino zog er den völlig Erschöpften auf das Pflaster der Gasse. Niklas würgte und erbrach Salzwasser. Seine Retter saßen schwer atmend, aber glücklich neben ihm.

»Du liebe Güte, der hat ja die halbe Lagune ausgesoffen«, meinte Nazareno grinsend, während Noddino ihm auf die Schulter schlug. »Drüben im Arsenal liegen bestimmt sämtliche Schiffe auf Grund.«

»Wir müssen ihn wegschaffen.« Der alte Goldschmied sah sich misstrauisch um. »Bruno wird irgendwann zurückkommen.«

Nazareno nickte. Sie halfen Niklas hoch, der aufschrie, als sie dabei seine verletzte Hand berührten. Er war so entkräftet, dass er kaum stehen konnte, und so schleppten sie ihn mit vereinten Kräften die Gasse entlang.

»Wohin?«, fragte Noddino schnaufend. »Weit kommen wir so nicht mit ihm.«

»Zum ›Stör‹. Was Besseres fällt mir nicht ein.«

Vanozza und die Kinder hockten im winzigen Vorratskeller der Wirtschaft auf einem Sack Bohnen und zwei Fässern Wein und ängstigten sich entsetzlich um Niklas. Gegen Mitternacht waren plötzlich Männer aufgetaucht, um nach dem Perlenmedaillon zu suchen. Bevor sie unverrichteter Dinge wieder das Haus verließen, hatten sie die kleine Familie zur Falltür hinuntergestoßen und die Klappe verriegelt. Seitdem saßen die drei im Finstern. Alles Rufen und Hämmern gegen die hölzerne Klappe war vergeblich gewesen; die Nachbarn schliefen ganz offenbar den Schlaf der Gerechten, und von der städtischen Nachtwache, die sonst so oft die Einhaltung der Sperrstunde kontrollierte, kam ausgerechnet heute keiner vorbei.

Pippina hob plötzlich den Kopf und horchte. »Da ist was!«

Jetzt hörten es die anderen beiden auch. Droben in der Wirtsstube rumpelte es. Leise Stimmen ertönten. Matteo sprang auf und drosch mit beiden Fäusten gegen die Falltür.

»Heda, hier sind wir, hier unten«, schrie er. »Lasst uns raus!«

Die Klappe wurde hochgehoben, und Nazarenos Gesicht erschien im rötlichen Licht einer Kerze. Aus seinen Ringellöckchen und von seiner Nasenspitze tropfte das Wasser.

»Gott sei Dank ist euch nichts passiert«, stieß er erleichtert hervor. »Kommt rauf.«

»Was ist mit Niccó?«, fragte Vanozza mit Angst in der Stimme.

»Er lebt. Wir haben ihn hier.«

»Grazie al cielo.« Sie bekreuzigte sich und stieg als Erste die Leiter hoch. Dann kniete sie sich neben Niklas, den seine Retter halb ohnmächtig auf dem Boden abgelegt hatten. Als sie seine rechte Hand sah, ein schwarzblau geschwollener Klumpen, kam ein erstickter Schrei aus ihrer Kehle. »Was haben sie mit dir gemacht, diese Tiere.« Sie streichelte sein zerschundenes Gesicht, und Tränen traten in ihre Augen. Er würde mit dieser Hand nie mehr ein Schmuckstück zustande bringen, nie mehr eines der herrlichen Kunstwerke aus Gold und Silber schaffen, an denen sein Herz hing. Ihr Blick und der Noddinos trafen sich, und einer wusste, was der andere dachte. Der Alte strich ihr ungeschickt übers Haar. »Er ist am Leben, Nozzá, das ist das Wichtigste. Alles andere wird sich finden, mit Gottes Hilfe.«

Gemeinsam trugen sie Niklas nach oben, zogen ihn aus und legten ihn aufs Bett. Vanozza wusch seine Wunden vorsichtig mit verdünntem Wein, gab ihm zu trinken und hüllte ihn dann in dünne Laken.

»Du machst dich jetzt besser davon«, meinte Nazareno derweil zu Noddino. »Die Sonne geht gleich auf. Wenn Bruno wiederkommt und du bist nicht da, wird er misstrauisch werden.«

»Ich geh schon, aber nur keine Sorge.« Der Meister winkte ab. »Weißt du, in meinem Alter hat man keinen guten Schlaf mehr. Ich bin nachts oft unterwegs, geh ein bisschen vor die Tür oder werkle irgendwo herum. Bruno ist das gewohnt. Wenn die Werkstatt aufmacht und ich bin da, ist alles in Ordnung. Aber bevor ich gehe, noch etwas: Ihr habt Niccós Hand gesehen. Dafür braucht er den besten Arzt, den ich kenne.«

»Und wer ist das?«, fragte Pippina.

»Ich weiß gar nicht, ob er überhaupt noch Kranke behandelt – er dürfte ein ganzes Stück älter sein als ich. Aber wenn jemand diese Hand retten kann, ist er es. Sein Name ist Mardocheo, ein Jude, er lebt irgendwo beim Campo dei Mori im Canareggio, in der Nähe der alten Zanetti-Gießerei. Früher kannte ihn in Venedig jedes Kind; sogar der Doge hat ihn regelmäßig rufen lassen – obwohl er unrechten Glaubens war. Versucht, ihn zu finden.« Mit diesen Worten ging er.

»Pippina, lauf hin. Frag nach diesem Dottor Mardocheo und komm mir nicht ohne ihn wieder.« Vanozza bugsierte ihre Tochter zur Tür und gab ihr einen kleinen Schubs.

»Ich beeil mich, Mama.« Die Kleine flitzte die Treppe hinunter, und Nazareno folgte ihr.

»Ascolti, Nozzá, ich werde mich in nächster Zeit hier nicht mehr blicken lassen. Du kannst darauf wetten, dass sie mich überwachen. Also sorg gut für Niccó und pass auch auf dich und die Kinder auf. Keiner darf wissen, dass er noch am Leben ist! Und du, Matté«, er wandte sich an den Vierzehnjährigen, der die ganze Zeit wachsam am Fenster gestanden und die Gasse beobachtet hatte, »du gehst später ganz wie gewohnt zur Arbeit. In der Werkstatt erzählst du, dass Niccó heute Nacht nicht heimgekommen bist. Spiel ruhig den Besorgten. Und mach deine Sache gut – sein Leben hängt davon ab, dass sie dir glauben.«

»… und unseres auch!« Vanozza war sich völlig im Klaren darüber, dass ihre kleine Familie in höchster Gefahr schwebte.

Der Junge hatte vollkommen verstanden. »Du kannst dich drauf verlassen, Nano. Und du auch, Mutter.«

Der Zwerg nickte und machte sich auf den Heimweg.

Als Matteo aus dem Haus war und die Sonne schon hell durchs Fenster schien, setzte sich Vanozza zu Niklas aufs Bett.

»Ich bin so froh, dass du noch lebst«, flüsterte sie.

Niklas drehte den Kopf in ihre Richtung. »Nozzá, wie soll es jetzt bloß weitergehen? Meine Hand ist zerstört, ich werde nie wieder arbeiten können. Und hier bleiben kann ich auch nicht mehr – wenn sie mich finden, bringen sie mich endgültig um. Und ihr seid jetzt auch in höchster Gefahr.« Er versuchte, sich aufzurichten, sank aber mit einem Stöhnen wieder in die Kissen zurück. »Scht«, machte Vanozza. »Es wird sich eine Lösung finden, amore. Werd jetzt erst einmal gesund, alles Weitere fügt sich. Uns wird schon was einfallen.«

Ihre Stimme klang beruhigend, obwohl ihr die Furcht fast die Kehle zuschnürte. Die famiglia würde keine Gnade kennen, wenn jemand erfuhr, dass ihre kleine Familie den Verräter versteckte. Vanozza dachte voller Angst an Matté und Pippina. Man würde ihre Kinder nicht verschonen. Wie sollte das alles enden?

»Wo ist eigentlich die Reliquie?« Niklas erinnerte sich plötzlich wieder an das Medaillon. »Sie haben sie nicht gefunden.«

Vanozza grinste trotz ihrer Sorgen. »Als es drunten geklopft hat, mitten in der Nacht, hatte ich schon so ein Gefühl. Ich hab Pippina geweckt und ihr das Fläschchen in die Hand gedrückt. Sie sollte es verstecken, während ich die Tür aufmache. Da hat sie es in die Schüssel mit dem Fischgekröse geworfen, die Matteo Gott sei Dank vergessen hatte, in den rio zu kippen. Sie haben alles auf den Kopf gestellt, aber in das glibberige Zeug hat keiner hineingelangt.«

Niklas musste wohl oder übel lachen, auch wenn seine gebrochenen Rippen dabei höllisch wehtaten. Wenigstens das Perlenmedaillon war gerettet. Fünf Minuten später schlief er tief und fest.

»O Adonai.« Der alte Mardocheo, ein gebückt gehender Greis mit hellen Augen unter dichten Brauen, scharf geschnittener Nase und einem Gesicht voller Runzeln, strich sich mit knochigen Fingern über den langen Bart, der ihm bis weit auf die Brust reichte. »Wer hat das getan?«

Niklas biss sich auf die Lippen, während der Arzt die Hand abtastete, so vorsichtig er nur konnte. Sie war heiß und fast zur doppelten Größe angeschwollen. Er nahm sich einen Finger nach dem anderen vor, versuchte, die Gelenke zu bewegen, Brüche zu lokalisieren, gerissene Sehnen und Kapseln zu ertasten.

»Das Kind sagt, du bist Goldschmied von Beruf?«

»Bis gestern.« Niklas war grau im Gesicht, der Schmerz war kaum auszuhalten.

Schließlich legte Mardocheo die Hand vorsichtig auf Niklas' Brust zurück. »Ich will ehrlich zu dir sein. Das sieht böse aus, ich weiß nicht, ob sich die Hand überhaupt noch retten lässt. Die Gefahr ist der Wundbrand, der sich in solchen Fällen oft einstellt. Kommt er hinzu, muss ich dir die Hand über dem Gelenk abnehmen, dann ist nichts mehr zu machen. Lässt sich der feuchte Brand verhindern, können wir versuchen, dir durch Ruhigstellen der Glieder noch möglichst viel Bewegungsfreiheit zu sichern. Aber eins ist klar: Die Hand wird verkrüppelt bleiben.«

Niklas schloss die Augen. Nie wieder einen Ring schmieden, nie mehr eine Blättergirlande ziselieren, keinen Stein mehr als Krönchen fassen. Nie mehr ein gelungenes Schmuckstück, eine fertige Komposition aus Gold, Silber und Edelsteinen mit zufriedenem Stolz betrachten können, im Bewusstsein, dass dieses Kunstwerk seine ureigenste Schöpfung war. Die Juwelierskunst war für ihn immer mehr gewesen als ein bloßer Broterwerb, er hatte sie als Berufung empfunden, als Leidenschaft. Jetzt würde es damit vorbei sein, vorbei auch mit seinem bisherigen Leben. Er konnte nicht verhindern, dass ihm die Tränen in den Augen brannten.

Der Arzt stand auf und strich mit von Altersflecken gezeichneten Händen seinen gestreiften Kaftan glatt. Dann wandte er sich an Vanozza.

»Wir brauchen Schnee, wie sie ihn auf dem Fischmarkt jeden Morgen aus den Bergen bekommen. Möglichst viel, ein, zwei große Eimer mindestens. Daraus machst du ihm immer wieder Wickel um die

Hand. Wenn es sein muss, die ganzen nächsten Tage. Die Kälte lässt die Schwellung zurückgehen.« Er öffnete eine lederne Tasche und nahm etliche Fläschchen heraus, aus denen er helle Flüssigkeiten in einem kleinen Becher mischte.

»Arnikatinktur, Beinwell, Odermennig, Ringelblume und Rainfarn. Das Beste gegen Quetschungen und bei Brüchen. Du gibst einen Teil dieser Tinktur zu drei Teilen Salzwasser und machst ihm damit zwischendurch Umschläge. Das hier«, er drückte Vanozza ein weiteres Fläschchen in die Hand, »ist eine Essenz aus Myrte, Rosskastanie und Steinklee. Einige Tropfen davon in Wein aufgelöst soll er alle zwei Stunden trinken. Mehr kann ich im Augenblick nicht tun. Sobald die Schwellung besser ist, lass mich wieder holen, dann kann ich die Knochen einrichten. Und sei so gut, achte darauf, ob er blutigen Urin hat – wie ich sehe, wurde er verprügelt, und ich muss wissen, ob die Niere verletzt ist.«

Vanozza nickte, und der Jude machte sich daran, zu gehen.

»Wer hat euch übrigens zu mir geschickt?« Die Augen des Alten blinzelten neugierig unter der faltigen Stirn. »Ich arbeite schon lange nicht mehr als Arzt – es gibt Jüngere, die jetzt an der Reihe sind.«

»Noddo Bottini, der Goldschmied. Er sagte, Ihr seid der Beste.«

»Ah. Ich erinnere mich. Traurig, was aus ihm geworden ist. Vor vielen Jahren habe ich einmal seinem kleinen Sohn das Bein eingerichtet; eine schwere Kiste hatte ihm den Knochen zersplittert.«

Im Hinausgehen drückte Vanozza dem Arzt eine Goldmünze in die Hand. »Ich bitte Euch noch um eines, Dottor: Verschwiegenheit. Keiner darf erfahren, dass Ihr hier einen Kranken behandelt. Es geht um Leben oder Tod – diejenigen, die ihn so zugerichtet haben, wollten ihn umbringen. Wenn Ihr kommt, dann als Gast in meiner Wirtschaft.«

»Ich habe verstanden«, erwiderte Mardocheo mit seiner hohen, knarzenden Greisenstimme. Dann packte er seine Tasche mit festem Griff, raffte den Kaftan und schlurfte mit einem Nicken die Treppe hinunter.

Eine knappe Woche später machte Pippina sich erneut auf den Weg zum Canareggio-Viertel. Eigentlich war es Juden verboten, in der Serenissima zu wohnen, sie lebten in Mestre, auf Spinalonga oder am Lido. Nur einige wenige besaßen eine Ausnahmegenehmigung und hatten sich am nördlichen Stadtrand in der Nähe der Metallgießereien angesiedelt. Zu ihnen gehörte Mardocheo, dem sein ausgezeichneter Ruf als Heiler schon vor Jahrzehnten zu diesem Privileg verholfen hatte.

Gegen Mittag kam der Arzt beim »Stör« an, er hatte sich in einem Boot herrudern lassen. Die Schwellung an Niklas' Hand war viel besser, wenn auch die Schmerzen kaum nachgelassen hatten. Mardocheo begutachtete erneut die zertrümmerten Finger, dann verabreichte er Niklas eine gute Portion Mohnsirup und steckte ihm ein weiches Beißholz zwischen die Zähne.

»Du wirst jetzt einiges aushalten müssen, mein Freund«, meinte er. »Aber ohne das geht es nicht, wenn du die Hand jemals wieder benutzen willst.«

Er zog aus seiner Tasche eine von ihm selbst gebastelte faustgroße, flache Halbkugel aus gebranntem Lehm, die verschiedene Längsrillen aufwies und auf einer hölzernen Schiene steckte. Diese Schiene legte er so an Niklas' Unterarm, dass die Halbkugel unter der Handfläche zu liegen kam. Dann begann er vorsichtig, den ersten gebrochenen Finger aufzubiegen, gerade zu richten und in eine der Rillen zu drücken. Niklas konnte sich das Schreien trotz des Schmerzmittels und des weichen Holzstücks zwischen den Zähnen nur mühsam verbeißen. Sein Atem ging stoßweise. Beim zweiten Finger standen ihm schon die Schweißperlen auf der Stirn, beim dritten trieb es ihm das Wasser in die Augen. Als Mardocheo endlich von der Hand abließ, war Niklas am ganzen Körper schweißgebadet, aber die Finger saßen alle an der richtigen Stelle. Der Arzt umwickelte die gesamte Konstruktion fest mit Leinenbinden.

»Ecco. Das bleibt jetzt mindestens vier Wochen so. Versuch gar nicht erst, etwas zu bewegen. Die Hand heilt nur, wenn sie völlige Ruhe hat. Ich sehe alle paar Tage nach dir.« Der Alte betrachtete zufrieden sein Werk und klopfte Niklas auf die Schulter. »Was macht der Urin? Noch blutig?«

Niklas verneinte. Er hatte zwar überall am Rücken Blutergüsse, aber innere Verletzungen waren ihm erspart geblieben.

»Die Rippen? Hast du Schmerzen?«

»Nur wenn ich atme.« Niklas grinste schief.

»Ich sehe, du hast deinen Humor nicht verloren«, erwiderte der Arzt schmunzelnd. »Das ist gut. Wenn's zu schlimm wird, lass dir feste Binden um den Oberkörper wickeln, dann geht es besser. Und jetzt ist die Zeit dein bester Doktor.«

Die folgenden Wochen zogen sich hin wie zähflüssiges Blei. Niklas konnte es nicht wagen, die Schlafkammer zu verlassen, und je mehr die Schmerzen nachließen, desto schwerer fiel ihm das Eingesperrtsein. Vor allem Pippina pflegte ihn aufopfernd; sie rasierte ihn jeden Morgen, schnitt ihm das Essen vor, rieb seine wunden Stellen mit Salbe ein und unterhielt ihn so gut sie konnte mit allerlei Geschichten. Matteo ging jeden Tag wie gewöhnlich zur Arbeit; in der Werkstatt lief alles seinen normalen Gang. Offenbar hatte niemand Verdacht geschöpft, alle wähnten Niklas auf dem Grund der Lagune. Nazareno und Vanozza hatten das Ihre dazu getan und überall von Niklas' plötzlichem, mysteriösem Verschwinden herumerzählt. Nicht einmal Yussuf oder Dürer kannten die Wahrheit. Dennoch ertrug Vanozza die ständige Unsicherheit kaum. Jeden Tag schickte sie erleichtert ein Stoßgebet zum Himmel, wenn sie Matteo nach der Arbeit durch die Wirtshaustür treten sah und er ihr mit dem verabredeten Zeichen signalisierte, dass alles in Ordnung war. Und nachts schlief sie schlecht, schrak immer wieder hoch und lauschte in die Dunkelheit. Und sie grübelte darüber nach, wie es für sie alle weitergehen sollte, wenn Niklas wieder gesund war ...

Nürnberg, Juni und Juli 1506

Bruder Jacobus, der Prior, kratzte sich hinter dem linken Ohr, wo ihn in der letzten Nacht ein Floh gepiesakt hatte. Eben hatte ihn einer der Novizen aufgesucht und berichtet, dass Bruder Philipp wieder da war. In seiner gesamten Laufbahn als Mönch war ihm noch nicht vorgekommen, dass ein Ordensbruder die Nacht nicht im Kloster verbracht hatte. Eigentlich musste ein solcher Regelverstoß harte Konsequenzen nach sich ziehen. Jacobus, der Philipp gern mochte und persönlich wenig von Strafmaßnahmen hielt, hoffte, dass der Abtrünnige eine gute Erklärung parat haben möge. Er schob seine Schreibarbeit zur Seite und schloss den Deckel des Tintenfässchens. Noch bevor er Philipp zu sich rufen lassen konnte, klopfte es schon und der Übeltäter stand gesenkten Hauptes vor ihm.

»Bruder Prior, ich bitte euch demütig um eine Unterredung.« Es war unschwer zu erkennen, dass Philipp eine aufwühlende Nacht hinter sich hatte. Tiefe Linien zogen sich um Mund und Augen; seine Gesichtsfarbe war bleich wie nach einer Krankheit.

Jacobus breitete die Arme aus. »Gut, dass du von selber kommst, mein Sohn. Ich nehme an, du hast mir viel zu erzählen. Seit gestern Abend bist du Gesprächsstoff für das ganze Kloster.« Der Prior nahm Philipp am Ellbogen und dirigierte ihn zur Tür hinaus. »Lass uns in den Kreuzgang gehen. Beim Wandeln redet sich's besser.«

Im Kreuzgang war es angenehm schattig und ein leichtes Lüftchen wehte durch die wunderbar verzierten Säulen. Sie schritten eine Weile nebeneinander her, und Jacobus wartete, bis der Jüngere die richtigen Worte gefunden hatte.

»Vater, ich möchte beichten.« In seiner Kehle sträubte sich etwas dagegen, es auszusprechen, doch dann stieß Philipp den Satz mit rauer Stimme aus: »Ich habe gestern bei einer Frau gelegen.«

Der Prior zog die Augenbrauen hoch, sagte aber nichts. Er hörte schweigend zu, wie Philipp stockend von der Bäckertaufe berichtete, seinem Umherirren in der Stadt, dem Abend und der Nacht in der Wunderburggasse. »Ich weiß nicht mehr, wohin ich gehöre, Vater«, schloss er. »Immer war ich auf der Suche, habe gezweifelt, mit mir gehadert, mich selber verflucht, Ihr wisst es. Nie habe ich wirklichen Frieden gefunden, und jetzt? Jetzt habe ich einem Weib fleischlich beigewohnt, und zum ersten Mal in meinem Leben hatte ich das Gefühl, alles ist richtig und gut. Sie war wie ein Teil von mir … mit unserem Herrn Jesus war das nie so, wie sehr ich es mir auch gewünscht habe. Ich habe niemals die Liebe Gottes so empfunden wie gestern die Liebe dieser Frau. Und jetzt warte ich auf die Strafe des Allmächtigen, der Himmel helfe mir.«

Sie setzten sich auf eine steinerne Bank im Kräutergarten und hörten eine Weile dem Plätschern des Brünnleins in der Mitte des Innenhofs zu. Schließlich begann Jacobus zu sprechen.

»Es ist nicht jedermanns Berufung, ein Mönch zu sein, das wissen wir alle. Aber wenn einer das Gelübde ablegt, dann hat er sich entschieden. Du hast das vor langen Jahren getan, Bruder, und damit auf ein weltliches Leben da draußen verzichtet. Auf Dinge, die anderen Menschen alles bedeuten: Familie, eine Frau, Kinder … Du hast Gott ein Versprechen gegeben. Jetzt höre ich aus deinen Worten heraus, dass du mit dem Gedanken spielst, die Gemeinschaft zu verlassen …«

Philipp nickte. »Wer sich so mit Sünde befleckt hat wie ich, kann kein Teil der frommen Gemeinschaft mehr sein.«

Der Prior beobachtete eine Biene, die am blühenden Rosmarin naschte. »Du hast es dir doch sonst nie so leicht gemacht, mein Sohn? Ich weiß, dass du oft mit dir selber im Zwiestreit gelegen hast, dass dir das Keuschheitsgebot schwer gefallen ist – wie übrigens uns allen anderen auch. Aber bisher hast du der Versuchung immer widerstanden. Ich frage mich, warum dieses Mal nicht?« Er pflückte ein Salbeiblatt und zerrieb es zwischen seinen Fingern. »Warum hat dich diese missglückte Bäckertaufe wohl so aus dem Gleichgewicht gebracht? Du betreust seit Jahren die armen Teufel im Lochgefängnis, hast viele von ihnen zur Hinrichtung begleitet. Der Tod ist dir also nicht neu. Was war dieses Mal anders?«

Philipp atmete tief durch. Jetzt musste es gesagt sein. »Vater … es gibt etwas, dass ich seit fünfundzwanzig Jahren mit mir herumtrage, ungesühnt und ungebeichtet. Es hat mich fast umgebracht, aber ich konnte nie darüber sprechen.« Er machte eine lange Pause, bevor er fortfuhr. »Ich habe Euch nie den eigentlichen Grund dafür genannt, dass ich ins Kloster gegangen bin. Jetzt sollt Ihr ihn wissen: Ich bin der Mörder meines Bruders.« Und er sprach mit leiser Stimme von dem, was ihm seit seiner Kindheit das Leben zur Hölle machte.

Als er am Ende angelangt war, trat lange Stille ein.

»Es ist gut, dass du mir alles erzählt hast, mein Sohn. Schweigen hilft nicht. Kein Ding auf der Welt lässt sich dadurch ungeschehen machen, dass man es totschweigt. Es frisst an einem, zerstört einen, nimmt einem den Frieden. Viele von uns haben einen Grund, aus dem sie ins Kloster gegangen sind, eine Schuld, für die sie sühnen wollen. Aber ich glaube, du wolltest gar nicht Sühne leisten – du wolltest dich damit bestrafen, dass du dir ein normales, glückliches Leben versagst. Du hast nicht bedacht, dass es nur einem zusteht, die Menschen zu belohnen oder zu strafen, nämlich unserem Herrn und Gott. Ja, du bist schuld am Tod deines Bruders, aber trotzdem bist du nicht wie Kain. Du warst ein Kind, du wolltest nicht, dass er stirbt, und du hast tief bereut. Deine Sünde kann ich dir hier und jetzt im Namen des Allmächtigen vergeben. Ich erlege dir als Buße drei Tage Fasten und Beten auf.« Er sprach das Ego te absolvo und segnete Philipp, der sich vor ihn auf den Kies gekniet hatte. Dann redete er ruhig weiter.

»Wovon ich dich allerdings nicht freisprechen kann, ist der Bruch deines Gelübdes mit dieser Frau. Das ist eine Sache ganz allein zwischen dir und deinem Gott. Und ich kann dir auch die Entscheidung über dein zukünftiges Leben nicht abnehmen. Aber ich meine, du brauchst jetzt viel Zeit und Ruhe, um nachzudenken. Deshalb ist es das Beste, du verlässt uns für eine Weile. Ich schicke dich für ein Jahr mit Bruder Paulus in unser Mutterhaus nach Bamberg, dort hast du die Ungestörtheit, die du brauchst. Als Buße für deinen Fehltritt sollst du diese Frau bis zu deiner Rückkehr nicht wiedersehen und mit ihr auch keine Verbindung halten.«

Philipp neigte den Kopf in Demut. So sollte es sein. Ein Jahr Bedenkzeit, weit weg, ohne Anna, das würde ihm vielleicht mit Gottes Hilfe den richtigen Weg weisen. Nach den dreitägigen Bußübungen brach er zu Fuß in Richtung Bamberg auf. Es fiel ihm schwer, doch wie es der Prior von ihm verlangt hatte, ließ er Anna keine Nachricht zukommen.

Anna versuchte in den nächsten Tagen und Wochen, die ständigen Gedanken an Philipp aus ihrem Kopf zu verbannen, so gut es ging. Dennoch ertappte sie sich immer wieder dabei, wie sie aus dem Fenster sah, ihre Augen auf der Suche nach einer schwarzen Kutte die Gasse entlangschweifen ließ. Sie war so durcheinander, dass sie sich kaum auf die einfachsten Arbeiten konzentrieren konnte. Was hat diese Nacht nur mit mir gemacht, fragte sie sich. Wie kann ich, die ich schon so lange davon lebe, vielen Männern zu Willen zu sein, plötzlich für einen einzigen Mann so viel empfinden? Mich so nach ihm sehnen, dass mir das Herz in der Brust zerspringen möchte? Allein der Gedanke, für Geld bei einem anderen liegen zu müssen, erfüllte sie mit Ekel. Sie konnte es einfach nicht über sich bringen, und so ließ sie sich von Cilli eine Zeit lang wegen Krankheit entschuldigen. Doch wie sollte es jetzt weitergehen? Schließlich lebte nicht nur sie allein von dem, was ihr ihre Freier bezahlten, sondern auch noch Cilli und Linhart. Sie trug die Verantwortung für zwei weitere Menschen. Verzweifelt rang sie mit sich selbst. Sollte sie nicht versuchen, ihre Gefühle für Philipp wieder zu ersticken? Sie gab sich alle Mühe, doch es gelang ihr nicht, den Geliebten aus ihrem Kopf zu verbannen. Aber die Wochen vergingen ohne eine Nachricht von ihm, und irgendwann musste sie schließlich ihre Arbeit wieder aufnehmen.

»Sei nicht dumm«, hatte Cilli gemahnt. »Eins hab ich in meinem Leben gelernt: Richt dich niemals nach einem Mann. Der Philipp ist ein feiner Mensch, aber vielleicht kommt er nie wieder. Und du musst schließlich leben.«

Also tat Anna widerstrebend ihre Pflicht, aber es war nicht mehr wie vorher. Bei jedem Freier, den sie empfing – ob es der alte Düll war, der Deichsler oder jemand anderes –, hatte sie das Gefühl, etwas Falsches, ja, Abstoßendes zu tun. Der seelenlose Vollzug eines Liebesaktes widerte sie an, und es fiel ihr immer schwerer, ihren Körper an Männer zu verkaufen, für die sie nichts empfand und die sie nur als

Instrument ihrer Lust benutzten. Dennoch machte sie weiter. Die Zeit verging, und mit jedem Tag sank ihre Hoffnung auf Philipps Rückkehr.

Der Kunde, bei dem Anna ihre Arbeit am schwersten fiel, war Konrad Heller. Ohnehin hatte sie ihn nur ungern angenommen, aber er zahlte viel und er hielt sich an ihre Abmachung. Er war höflich und äußerst zuvorkommend zu ihr; manchmal konnte er gar einen erstaunlichen Charme entwickeln. Trotzdem mochte sie ihn und seinen offensichtlichen Hang zur Gewalttätigkeit nicht. Irgendwann hatte er sie um einen Hausbesuch gebeten, und seitdem kam sie nachts öfters in das große Haus am Weinmarkt. Er hatte sich eine Schlafkammer weit abseits von den Wohnräumen der Familie und des Gesindes eingerichtet, wo sie ungestört waren.

Auch am Freitag vor Jacobi hatte er einen Gassenbuben mit der Botschaft in die Wunderburggasse geschickt. Anna sollte nach Einbruch der Dunkelheit kommen und wie gewöhnlich ein Steinchen gegen das Fenster seiner Kammer werfen, damit er ihr die Haustür öffnen konnte.

Wie es ihre Gewohnheit war, besuchte Anna vorher die Badstube. Seit sie in der Wunderburggasse wohnte, ging sie ins nahe gelegene Sonnenbad, das älteste Nürnberger Bad gegenüber dem alten Judenkirchhof. Sie ließ sich von der jungen Badersmagd einseifen und massieren, mit Bimsstein die Hornhaut an Füßen und Ellbogen wegrubbeln und schließlich am ganzen Körper rasieren – ihre Kunden schätzten diese alte Sitte, nicht zuletzt weil sich dadurch weniger Ungeziefer hielt und die Haut nicht von Bissen entstellt wurde. Dann setzte sich Anna noch in den Zwagstuhl, und der Bader selbst, ein kräftiger Kerl mit dicht behaarter Brust und muskulösen Armen, wusch ihr das Haar mit Seifenlauge und kämmte es mit einem grobzinkigen Hornkamm glatt und glänzend. Am Ende schlüpfte sie in das frische graue Kleid, das sie sich mitgebracht hatte, warf sich das Hurentuch um und ging hinaus in die Dunkelheit.

Es war eine sternenklare Nacht, warm wie im Hochsommer. Um die Feuerpfannen, die an den Ecken mancher Häuser und entlang der

Hauptstraßen angebracht waren, schwirrten die Motten und Nachtfalter. Hie und da huschte eine Ratte über die Gasse, und trotz des Ratserlasses, die Tiere nicht frei herumlaufen zu lassen, wühlten noch einige aufgeregt grunzende Stadtschweine mit ihren feuchten, schmutzigen Schnauzen in den allgegenwärtigen Abfallhaufen nach Fressbarem. Der Hauptmarkt lag schon still, und vom Sebalder Kirchhof klang der Ruf eines Käuzchens. Anna zählte: So oft der Vogel rief, hieß es, so viele Jahre blieben einem noch. Da schlug irgendwo ein Fensterladen, und das Käuzchen verstummte vor Schreck.

Konrad empfing sie wie immer an der Hintertür, mit einem Lächeln und einem Becher Wein, den sie sonst immer ablehnte. Heute aber hatte sie das Gefühl, ein paar Schlucke des Casteller Rebensafts würden ihr gut tun und die Sache erleichtern. Der Patrizier führte sie durch das schlafende Haus bis in seine Kammer, die im flackernden Licht vieler teurer Bienenwachskerzen eine angenehme Gemütlichkeit ausstrahlte. Der Boden war dick mit gewirkten Teppichen ausgelegt, die Wände mit Lindenholz getäfelt, am Bett mit seinen gedrechselten Pfosten hingen dicke Samtvorhänge. Es roch nach Rosmarin und Nelkenöl. Konrad Heller schloss die Fensterläden und leerte ein zweites Glas Wein, bevor er sich ihr zuwandte. Anna wusste, was er von ihr erwartete. Es war ein Spiel mit festen Regeln: Sie würde sich zunächst widersetzen und versuchen, sich ihm zu entziehen, sich endlich aber doch von seiner Kraft und Männlichkeit bändigen lassen. Doch diesmal musste sie sich kaum dazu zwingen, sich zu wehren, der Widerstand gegen Heller kam wie von selbst, und diesmal war er ernst gemeint. Sie ertappte sich dabei, dass sie ihn wütender zurückstieß, stärker kratzte, ihn fester in die Hand biss, die an ihren Busen langte, als eigentlich verabredet. Konrad hielt ein-, zweimal erstaunt inne, um jedesmal mit spürbar stärkerer Erregung fortzufahren. Annas neues Verhalten spornte ihn an, ließ ihn heißblütiger und leidenschaftlicher werden. Schließlich besann sich Anna, gab nach, nahm sich zurück und ließ ihn gewähren.

Hinterher räkelte er sich genüsslich neben ihr und verschränkte selbstgefällig die Arme hinter dem Kopf.

»Hab ich's doch gewusst, dass du ein heißblütiges Weibstück bist«, grinste er. »Erst nicht zugeben, dass sie das alte Spielchen mag, aber dann kommt doch irgendwann die wilde Katz' durch. Ha! Einem rechten Frauenzimmer gefällt's, wenn es von einem ordentlichen Mannsbild mit Gewalt gebändigt wird – und ich hab damals gleich gesehen, dass du so eine bist!«

Anna drehte angewidert das Gesicht zur Seite.

»Na los, du kleine Kratzbürste, gib's zu, sag, dass ich's dir gut gemacht hab.« Er langte zur Weinkaraffe hinüber und goss sich erneut ein. Anna stand auf und zog sich an. Sie ekelte sich vor sich selbst.

»Ich geh jetzt, Herr. Wenn Ihr so gut wärt ...«

Konrad runzelte kurz die Stirn, stieg dann aber aus dem Bett und holte ein Beutelchen mit drei Gulden aus seiner Kleidertruhe.

»Hier. In den nächsten Wochen bin ich nicht in der Stadt, aber danach lass ich dir Nachricht zukommen, mein widerspenstiges Liebchen. Bis zum nächsten Mal dann.« Er strich ihr mit dem Fingernagel langsam am Hals entlang abwärts, dort, wo er sie im Eifer des Gefechts gekratzt hatte.

Anna nahm das Geld und verließ fluchtartig das Zimmer. Sie schwor sich, dass es kein nächstes Mal geben würde.

Draußen richtete sie erst einmal ihr hastig übergeworfenes Kleid, bändigte ihr Haar mit einer dicken Kordel und schnürte die Schuhe fester. Sie hatte vergessen, eine Kerze mitzunehmen, aber um nichts in der Welt wäre sie noch einmal zurückgegangen. Also tastete sie sich im Finstern durchs Haus und die Treppe hinunter.

Helena war gegen Mitternacht aufgewacht, weil sie den kleinen Endres weinen hörte. Die Amme, ein üppiges Lebküchnersweib aus dem Lorenzer Viertel mit Brüsten wie Kuheuter, hörte auf einem Ohr nichts, weshalb sie oft verschlief, wenn der Säugling seine Blähungen hatte. Helena war es recht, sie kümmerte sich gern um ihren Jüngsten, der so zart und zerbrechlich war. Sie holte den Kleinen aus der Wiege und ging mit ihm in die Küche hinunter, um niemanden zu stören. Der Bub brüllte aus voller Kehle, und als sie ihn beim Schein der großen Unschlittlampe auswickelte, spürte sie das harte, verspannte Bäuchlein. Mit kreisenden Bewegungen begann sie, seinen Leib mit Kümmelöl zu massieren, und ab und zu flößte sie ihm ein Löffelchen von dem Fenchelabsud ein, der in der Nacht stets bereitstand. Endlich aus dem engen Leinenkokon befreit, begann Endres zu strampeln, und die aufgestaute Luft entwich hörbar aus seinem Babypopo. Helena ging mit ihm auf und ab und sang ihn dabei leise zurück in den Schlaf. *Ich hört ein Sichelein rauschen, wohl rauschen durch das Korn; ich hört mein Feinslieb klagen, er hätt sein Lieb verlorn …* Sanft klang das uralte Lied von Liebe und Leid. Immer leiser wurde Helenas Stimme, bis dem Kleinen mit dem Daumen im Mund wieder die Augen zugefallen waren. Sie setzte sich noch eine Zeit lang mit ihm auf die Küchenbank und genoss die Stille der Nacht.

Gerade als sie das Kind wieder zurückbringen wollte, hörte sie draußen im Flur ein Geräusch. Vermutlich war jemand vom Hausgesinde wach geworden. Vorsichtig legte sie Endres auf der Bank ab, nahm die Lampe in die Hand und ging nachsehen. Doch als sie die Küchentür öffnete, stand im Licht der flackernden Flamme eine junge Frau, die auf dem Weg zur Haustür erschrocken wie ein ertappter Dieb innehielt. Im Bruchteil einer Sekunde erfassten beide Frauen die Situation. Annas Wangen färbten sich feuerrot.

»Einen guten Abend, Jungfer.« Helena sprach zuerst. »Ihr hättet ein Licht mitnehmen sollen, die Treppe ist steil und vor der Wäschekammer ist eine Diele locker.«

Anna wäre vor Scham am liebsten im Boden versunken. »Verzeiht, Hausfrau. Mein Name ist Anna, die Anna aus der Wunderburggasse. Es tut mir Leid, wenn ich Euch gestört habe. Ich …«

»Ihr braucht Euch nicht zu schämen, Jungfer.« Helena sah der anderen im Schein geradewegs in die Augen. »Es hätte meinem Mann besser angestanden, Euch hinauszubegleiten.«

Anna senkte den Kopf, und Helena sah den Kratzer an ihrem Hals. Einer plötzlichen Eingebung folgend, zog sie die Küchentür weit auf.

»Kommt herein, Anna aus der Wunderburggasse, und trinkt einen Schluck Wein mit mir. Ich glaube, ich muss mich bei Euch bedanken.«

Anna war viel zu verblüfft, um sich der Einladung zu widersetzen.

Sie hockte sich neben das schlafende Kind und beobachtete, wie die Hausherrin zwei grünlich-trübe Noppengläser mit Wein füllte und an den Tisch brachte. Helena trank der Hübschlerin zu und lächelte sie an.

»Auf Euer Wohl, Jungfer. Ihr ertragt, was eigentlich meine Pflicht wäre.«

Anna vergaß, an ihrem Becher zu nippen. »Ihr meint, Ihr seid froh darüber, dass ich … hierher komme?«

Helena atmete tief durch und trank einen Schluck Wein. »Euretwegen habe ich Nächte, in denen mich dieses Ungeheuer, das ich geheiratet habe, in Ruhe lässt. Gott segne Euch dafür.«

»Verabscheut Ihr Euren Mann so sehr?«

»Würdet Ihr einen Menschen lieben, der Euch mit Lust misshandelt, Eure Würde mit Füßen tritt, Eure Kinder und Euer eigenes Leben gefährdet?« Helena berührte ganz leicht den Kratzer an Annas Hals. »Ich sehe, dass er auch Euch verletzt hat – wie könnt Ihr das freiwillig ertragen?«

Anna schüttelte den Kopf. »Das war heute das erste Mal. Aber Ihr habt Recht, Hellerin, es ist kein Geld dieser Welt wert. Ich werde nicht wiederkommen.« Sie sah den Schmerz in Helenas Augen. »Ihr tut mir Leid. Ihr könnt nicht einfach gehen, so wie ich.«

Helena lachte freudlos auf. »Wisst Ihr noch, unsere Hochzeit, damals im Rathaussaal? Ich hab Euch vorhin sofort wiedererkannt, Ihr habt mit der Gesellschaft getanzt, wie es der alte Brauch verlangt. Damals hab ich Euch und Euresgleichen verachtet. Jetzt scheint mir, Ihr habt das bess're Los gezogen.«

Anna konnte es nicht verstehen. »Ist er denn so schlecht zu Euch?«

»So schlecht, dass ich fast den Kleinen verloren hätt, der neben Euch so selig schläft. Er schlägt mich, demütigt mich, dass jeder Tag eine Qual ist.« Helena fuhr sich über die Augen. »Habt Ihr jemals wirklich Angst vor jemandem gehabt, Jungfer? Angst, dass er Euch umbringen könnte? Solche Angst, dass Ihr am liebsten in ein Mäuseloch gekrochen wärt? Habt Ihr jemals das Gefühl gehabt, in einer schwarzen Falle zu hocken, Euch nicht bewegen zu können? Habt Ihr

Euch jemals gewünscht, tot zu sein? Ich schon. Er hat mich so weit gebracht.«

»Könnt Ihr Euch nicht wehren?«

»Wie denn? Er ist mein Mann, mehr gibt es nicht zu sagen. Er hat Gewalt über mich nach Gesetz und Religion. Und über die Kinder.«

Anna fühlte Mitleid in sich aufsteigen. »Mir hat er nie etwas getan«, erzählte sie. »Er wollte immer nur, dass ich mich ein bisschen gegen ihn auflehne. Es war ein Spiel, eine Abmachung. Er hat geschworen, mir nicht wehzutun, und bis heute hat er sich daran gehalten. Aber ich hab heute Nacht den Hass in seinen Augen gesehen. Er ist ein Tier.«

Helena nahm den Jungen auf, der sich im Schlaf bewegte und mit dem Mund schmatzende Geräusche machte. »Nein«, sagte sie leise, aber bestimmt, »er ist kein Tier. Ein Tier tut nichts, was ihm die Natur nicht vorgibt, ein Tier ist niemals nur böse. Es freut sich nicht über das Unglück anderer. Aber er, er befriedigt sich an meinem Leid. Am Anfang hab ich gedacht, sie kommt einfach über ihn, diese Wut, diese furchtbare Lust am Dreinschlagen. Ich hab geglaubt, er könnte sich nicht dagegen wehren, er sei außer sich und habe keine Macht mehr über das, was er in seinem Jähzorn tut. Aber das stimmt nicht. Ich hab ihn vor Monaten beim Rat angezeigt, und er musste schwören, mich nicht mehr anzugreifen, unter Androhung einer hohen Geldstrafe. Seitdem schlägt er mich nur noch da hin, wo es keiner sehen kann. Er tut es mit Ziel und mit Bedacht, mit einer klammheimlichen Freude, weil er weiß, dass ich mich niemals öffentlich ausziehen würde, um seine Grausamkeit zu beweisen. Er ist nicht mein Mann. Er ist mein Folterknecht.«

Die beiden Frauen saßen einander in seltsamer Vertrautheit gegenüber. Helena spielte ein bisschen verlegen mit ihrem Weinglas. Sie wusste selber nicht, warum sie, eine stolze Patrizierin, sich der anderen offenbart hatte. Aber sie spürte, dass es ihr gut tat, mit dieser Hübschlerin zu reden, sie fühlte sich von ihr verstanden. Anna erforschte derweil das Gesicht der anderen. Konnte es sein, dass sie etwas von Philipps Zügen bei seiner Halbschwester wieder erkannte? Die hohe Stirn, den melancholischen Blick ihrer Augen, das liebevolle Lächeln? Einen Augenblick lang war sie versucht, nach Philipp zu fragen, aber dann hatte sie doch Angst, ihre Beziehung zu dem Mönch durch ein falsches Wort preiszugeben. So schwieg sie lieber und verscheuchte ihre Gedanken an Philipp wieder. Stattdessen dachte sie an die Vergangenheit zurück, über die Hellersche Hochzeit hinaus, auf der sie den Reigen getanzt hatte, bis zu dem Abend, an dem sie das Perlenmedaillon der Brandauerstochter vom Boden aufgehoben und eingesteckt hatte. Sie beschloss, ihr Gewissen zu erleichtern und hob den Blick.

»Ich muss Euch etwas gestehen, Hellerin, und Euch um Verzeihung bitten. Ich ... war im Haus Eurer Eltern, vor vielen Jahren, als die Liebschaft mit Eurem Vetter herausgekommen ist ...«

Helena fühlte sich wie vom Blitz durchzuckt.

»Ihr wart da?«

Anna nickte. »Der nächtliche Hausbesuch einer Hure bei einem der Bediensteten Eures Vaters, ja. Ich war im Flur und hab alles gesehen und gehört. Auch das mit dem Kind. Und ich sah Eure Reliquie auf dem Boden liegen, die Kette war gerissen. Da hab ich sie einfach mitgenommen. Später hab ich das Medaillon versetzt, um mir von dem Geld ein Haus zu kaufen. Eure Reliquie hat mir ein freies Leben ermöglicht. Wenn man so will, verdanke ich Euch alles, was ich jetzt bin und hab.«

Die Aufregung ließ Helenas Hände zittern. »Zu welchem Pfandleiher habt Ihr das Medaillon gebracht?«

»Zu dem am Vestnertor. Er hat es sicher längst weiterverkauft.« Anna ließ den Kopf hängen. »Es tut mir Leid.«

Helena spürte, dass Anna es ernst meinte. »Die Reliquie hat mir viel bedeutet, Jungfer.« Nachdenklich ließ sie die Flechten ihres Zopfes durch die Finger gleiten. »Vielleicht hätt ich an Eurer Stelle genauso gehandelt, wer weiß. Habt Dank für Eure Offenheit. Jetzt kann ich wenigstens versuchen, mein Perlenmedaillon wiederzubekommen.« Sie stand auf und hob den schlafenden Kleinen hoch. Gleich morgen würde sie sich im Leihhaus nach der Reliquie erkundigen.

Anna ging durch die leeren Gassen heimwärts. Unterwegs traf sie auf den bulligen Jonas von der Stadtwache, der die Einhaltung der Sperrstunde auf seinen Rundgängen kontrollierte. Narben-Jonas nannte man ihn, denn er war als Kind ins offene Herdfeuer gefallen, die untere Hälfte seines Gesichts war schlimm entstellt. Er lächelte ihr zu und hob grüßend seine Laterne, und sie winkte zurück. Anständige Leute durften sich nachts von ihm nicht mehr auf offener Straße erwischen lassen, aber für Hübschlerinnen machte die Stadtwache stillschweigend eine Ausnahme.

Als Anna daheim ankam, war es weit nach Mitternacht. Müde stieg sie die Stufen zu ihrer Kammer hoch und ging zu Bett. Trotzdem fand sie lange keinen Schlaf. Sie dachte über Helena nach, eine misshandelte, unglückliche Frau, über Philipp, den sie so sehr vermisste, und darüber, dass sie jetzt von beiden das tiefste Geheimnis kannte. Konnte es ein Zufall sein, dass sie den Geschwistern so nahe gekommen war? Oder war es eine göttliche Fügung, ein Fingerzeig? Hatte der Himmel eine Verbindung zwischen ihnen geschaffen, sollte die nächtliche Begegnung mit Philipps Schwester etwas für die Zukunft bedeuten? Sie seufzte und wälzte sich unruhig zwischen den Laken. Und sie spürte deutlicher als je zuvor, dass ihr das Leben als Hübschlerin verhasst geworden war.

Venedig, Ende Juli 1506

Langsam wickelte Mardocheo die Leinenstreifen von Niklas' Hand und Unterarm, während Vanozza und die Kinder andächtig herumstanden und zuschauten. Schließlich kamen die Finger zum Vorschein, und der Arzt nahm vorsichtig die Schiene mit der Lehmkugel weg.

»Die Hand ist ja ganz dünn und schmal geworden, und auch der Arm«, stellte Pippina fest. Mardocheo nickte.

»Du hast ganz Recht, piccola. Das kommt davon, weil die Muskeln wochenlang keine Beschäftigung hatten. Sie müssen erst wieder dick und stark werden. Niccolo, versuch, die Finger zu bewegen.«

Niklas strengte sich an. Es tat nicht sehr weh, aber viel mehr als eine angedeutete Greifbewegung brachte er nicht zustande. Die Streckung gelang gar nicht. Sein Zeigefinger war am ersten und zweiten Glied leicht abgeknickt, ebenso der Ringfinger. Der Mittelfinger war nach unten gekrümmt, und der kleine Finger in sich verdreht. Am besten sah noch der Daumen aus. Niklas' Enttäuschung war ihm an den Augen anzusehen. Seine schlimmsten Befürchtungen hatten sich bestätigt. Er griff nach einem halb vollen Becher Wein, der auf dem Tisch stand, hob ihn einige Zentimeter hoch, doch dann entglitt das Gefäß seinen kraftlosen Fingern und zerbrach auf dem Boden.

»Du darfst anfangs nicht zu viel wollen«, sagte Mardocheo und massierte die schlaffe Hand mit kreisenden Bewegungen. »Das wird besser, ich verspreche es dir.« Er zog einen kleinen, mit getrockneten Erbsen gefüllten Lederball aus der Tasche seines Kaftans. »Hier. Den wirst du kneten, so oft und so lange du kannst. Und zwischendurch immer wieder die Glieder strecken, sieh her, so. Dann kommt die Kraft in die Muskeln zurück und die Bewegungsfähigkeit der Finger stellt sich wieder ein. Das geht natürlich nicht von heute auf morgen, aber ich denke, im Herbst wirst du wieder ganz gut zugreifen können.«

Von diesem Tag an bearbeitete Niklas den Erbsenball wie ein Besessener. Er knetete und quetschte, bis seine erschlafften Muskeln vor Überbeanspruchung schmerzten, aber die Übung half: Die Handmuskulatur kräftigte sich, er konnte seine Finger wieder benutzen, allerdings noch ungeschickt und langsam. Eines Abends, als Pippina ihm das Essen nach oben brachte, gelang es ihm zum ersten Mal wieder, einen Löffel festzuhalten und ein Stück Tintenfisch aus der Schüssel zu fischen. Stolz bugsierte er es in seinen Mund, und Pippina drückte ihm vor Freude einen Kuss auf die Wange. Dann lief sie in Windeseile hinunter in die Küche.

»Mama, Matté, er kann wieder einen Löffel halten!«

Einer der Männer, die in der Schankstube saßen, hob den Kopf und starrte das Mädchen mit gerunzelten Brauen nachdenklich an.

»Sst, piano.« Matteo winkte verzweifelt hinter Vanozzas Rücken ab, und Pippina erschrak. »Drüben sitzt einer aus der Werkstatt, und jetzt hat er dich gehört. Merda!«

Pippina biss sich entsetzt auf die Lippen. »Lieber Gott, was machen wir denn jetzt?« Verängstigt flüchtete sie sich in die Arme ihrer Mutter.

Vanozza zog die Kleine fest an sich. Jetzt war womöglich das eingetreten, vor dem sie alle in Angst gelebt hatten. Ihr wurde heiß und kalt, doch dann riss sie sich zusammen. Es musste gehandelt werden. Sie taxierte den Goldschmied, der gerade einen Teller mit Sardinen verspeiste und dazu seinen fünften Becher Vernaccia trank. »Wenn wir Glück haben, ist er zu betrunken, um wirklich Verdacht zu schöpfen«, flüsterte sie. »Aber wir dürfen nichts riskieren. Niccó muss hier schnellstens weg. Es wäre ohnehin auf Dauer zu gefährlich, wenn er hier bliebe. Pippina, du holst Nazareno, avanti. Matté, du gehst nach oben und sagst Niccó Bescheid. Er soll seine Sachen packen. Und ich versuche dem Kerl da draußen noch einen Krug Wein unterzujubeln. Beeilt euch.« Sie warf entschlossen ihren roten Zopf nach hinten, griff sich den nächstbesten Krug und ging hüfteschwenkend in die Wirtsstube.

Nazareno erschien zwei Stunden später. Es war das erste Mal nach Wochen, dass er den »Stör« besuchte.

»Auf, mein Freund, wir nehmen die Hintertreppe. Wenn das Affengesicht dort drunten etwas ahnt, bist du keine Sekunde mehr sicher. Vanozza weicht ihn zwar gnadenlos mit dem übelsten Fusel ein, den sie zu bieten hat, aber man weiß nie. Ich habe Yussuf informiert. Er lässt fragen, warum du nicht gleich zu ihm gekommen bist.«

Niklas packte sein Bündel, holte das Perlenmedaillon aus seinem Versteck in der Kleidertruhe und hängte es sich um. Dann schlüpfte er in seinen weiten Kapuzenmantel und küsste Vanozza, die gerade auf einen Sprung nach oben gehastet kam.

»Der Kerl ist besoffen wie zehn Matrosen«, vermeldete sie triumphierend. »Wenn der sich an irgendwas erinnert, fress ich einen Besen. Trotzdem musst du weg, Niccó. Ich habe sonst keine Ruhe mehr.« Sie umarmte ihn und schob ihn dann in Richtung Hinterausgang. »Pass auf dich auf, amore. Und gib mir Nachricht, wie es weitergeht.«

Dann verschwanden Nazareno und Niklas in der Nacht.

»Wie geht's deiner Hand?« Nazareno musterte Niklas' Rechte mit einem prüfenden Blick. Er hatte sofort bemerkt, dass der Freund fast alles mit der linken Hand machte.

»Ich kann sie benutzen.« Niccó zuckte die Schultern. »Aber Kunstwerke werde ich damit nicht mehr schaffen.« Er bewegte seine verkrüppelten Finger vor Nazarenos Nase. »Womit ich in Zukunft meinen Lebensunterhalt bestreiten kann, ist mir noch nicht eingefallen.« Seine Worte klangen bitter.

Der Zwerg knuffte Niklas in die Seite. »Sieh's doch mal so, Niccó: Es hätte schlimmer kommen können. Du könntest tot sein.«

Niklas fand das nicht besonders tröstlich. Wortlos gingen sie eine Weile nebeneinander her.

»Gestern habe ich im Übrigen meinen Verbindungsmann zum Patriarchen wieder getroffen.« Nazareno brach das Schweigen.

»Und?«

»Der kluge Kirchenmann hat unser Schreiben für einen schlechten Scherz gehalten. Er hat den Brief zerrissen, aber immerhin angeordnet, dass in Zukunft jede Reliquie vor der Weisung auf ihre Echtheit hin überprüft werden muss.«

Niklas schnaubte. »Das wird Jahre dauern. So kommen wir nicht weiter. Aber eins schwör ich dir, Nazareno, mit diesen Schweinen bin ich noch nicht fertig.«

»Willst du einen zweiten Brief an den Rat der Zehn schreiben und diesmal in die Bocca stecken, ohne dir vorher eins über den Schädel hauen zu lassen?«

»Ach, ich weiß nicht. Vielleicht halten die ehrenwerten Herren das Ganze genauso für einen Witz wie der Patriarch.« Der Goldschmied betrachtete nachdenklich den Mond, dessen blassweiße Sichel genau über der Kuppel von San Marco stand. »Mir geht das alles zu langsam. Schließlich kann ich mich nicht ewig verstecken. Ich glaube, das Einzige, was uns zum Ziel führt, ist ein heimlicher Besuch in Contarinis Schreibstube. Der Dürer hatte da so einen Gedanken …«

Während Niklas dem Zwerg Dürers Idee erläuterte, waren sie bei Yussufs Palazzo angelangt. Ettore ließ die beiden ein, und drinnen wurden sie trotz der späten Stunde vom Herrn des Hauses selber empfangen. Der Mohr umarmte Niklas herzlich und breitete dann einladend die Arme aus.

»Mein Haus gehört dir, amico, so lange du hier bleiben willst. Ich habe dir ein Zimmer herrichten lassen.«

Niklas nahm Yussuf an beiden Oberarmen und sah ihm eindringlich in die Augen. »Yussuf, ich weiß es jetzt ganz sicher. Contarini ist der padrone.«

Der Diamantenhändler stieß einen Fluch aus. »Erzähl mir alles. Kommt mit in den salotto.« Die drei betraten den mit Kerzen erleuchteten Empfangsraum.

»Da gibt's gar nicht viel zu erzählen. Contarini war dabei, als sie mich ... als sie mir das angetan haben.« Niklas streckte Yussuf die verkrüppelte rechte Hand hin, und der Mohr prallte entsetzt zurück.

»O Allah. Bist du ganz sicher?«

»Todsicher.«

Yussuf ließ sich auf einen gepolsterten Diwan sinken und schüttelte den Kopf. Beinahe wäre seine Familie das Opfer übelster Machenschaften geworden! Seine Tochter wäre die Frau eines Verbrechers geworden, und er selber hätte sich seines Lebens keinen Augenblick mehr sicher sein können! Wilder Zorn packte ihn, und er ballte die Fäuste. »Als Erstes werde ich die Verlobung sofort lösen! Und dann setze ich den Rat der Zehn ins Bild. O Allah, meine arme Giulia. Wie soll ich ihr das erklären? Es wird ihr das Herz brechen.«

Nazareno legte ihm beruhigend die Hand auf die Schulter. »Unternehmt jetzt nichts Überstürztes, Messer Yussuf! Wenn Ihr den Bund zwischen Eurer Tochter und Contarini aufsagt, schöpft er Verdacht und verschwindet auf Nimmerwiedersehen. Und der Rat der Zehn wird nichts geben auf eine Anschuldigung, die von unserem Freund hier kommt.« Er deutete auf Niklas. »Schließlich hat Niccó selber zu der Fälscherbande gehört, sein Wort ist nichts wert. Contarini würde es ein Leichtes sein, die Vorwürfe zu entkräften.«

Yussuf kratzte sich den kahlen Schädel. »Beim Propheten, das ist richtig.« Er trank einen Schluck Wein aus einem goldenen Pokal und feuerte diesen dann plötzlich mit einem Fluch in die Ecke. »Der Gedanke, dass dieser Hundesohn ungeschoren davonkommen soll, macht mich wahnsinnig.«

Niklas setzte sich neben den Mohren. »Senti, Yussuf, es gibt vielleicht eine Möglichkeit, Contarini das Handwerk zu legen, aber dazu brauchen wir deine Hilfe.« Er berichtete von Dürers Plan. »Albrecht wird einen Weg finden, uns in Contarinis Palazzo hineinzubringen. Alles, was er braucht, ist dein Auftrag für ein Bild.«

Die Miene des Mohren hellte sich auf, und er nickte. »Ihr könnt mit mir rechnen.«

Nürnberg, August 1506

Helena ging mit dem kleinen Konrad an der Hand über den Tiergärtnertorplatz und dann die Schmiedgasse entlang. Es war ein schwüler Hochsommertag, und die tieffliegenden Schwalben kündeten Gewitter an. Konrad deutete mit der Hand auf den riesigen Festungskomplex hoch über ihren Köpfen.

»Wohnt da droben der Kaiser, Mutter?«

Helena lachte und schüttelte den Kopf. »Aber wo, mein Schatz. Der Kaiser kommt nur zum Reichstag nach Nürnberg. Dann wohnt er mit seinen Rittern und Edelleuten dort droben im Palas, siehst du, das ist das lang gezogene Gebäude mit den vielen Fenstern und dem hohen Dach.«

Konrad riss sich los und hüpfte auf einem Bein übers Kopfsteinpflaster. Dann galoppierte er auf einem imaginären Pferd um Helena herum.

»Wenn ich groß bin, will ich auch Ritter werden. Dann zieh ich in den Kampf und schlag alle Feinde tot. Da, da und da. Nimm das, Verräter.« Er hopste vor und zurück und fuchtelte mit dem Arm, als ob er ein Schwert führte.

Helena fuhr ihm lächelnd durch die blonden Locken. »Geh du nur erst einmal brav in deine Schreib- und Rechenschule zu Meister Julius. Ein guter Ritter muss nämlich erst einmal etwas lernen.«

»Ooch.« Konrad verzog das Gesicht. Seit einem halben Jahr ging er zum Unterricht, was ihm nicht viel Vergnügen bereitete. Viel lieber spielte er mit seinen Geschwistern im Hof anstatt Buchstaben und Zahlen zu pauken, und nur allzu oft landete das Stöckchen des Lehrers auf seinen Fingern, weil er wieder keine Aufgaben gemacht hatte. Helena bereitete seine Faulheit Sorgen, während Konrad die Sache eher auf die leichte Schulter nahm und meinte, Buben seien halt ein bisschen wild und ein kleiner Heller müsse sich von keinem Schulmeister etwas sagen lassen.

Schließlich erreichten die beiden den Paniersplatz beim Vestnertor. Helena kaufte von einer jungen Bäuerin ein Spankörbchen mit frisch gezupften Walderdbeeren, drückte es dem kleinen Konrad in die Hand und führte ihn zu einer hölzernen Bank, die im Schatten der großen Linde in der Mitte des Platzes stand.

»Hier bleibst du schön sitzen, Konradle, und rührst dich nicht weg, bis ich wieder da bin. Es dauert nicht lang.«

Sie konnte es fast nicht mehr erwarten. Mit schnellen Schritten eilte sie auf die Pfandleihe im Erdgeschoss eines schmalen Fachwerkhauses zu. Die Tür stand offen, und sie trat ein.

Drinnen war es stickig und heiß. Auf Regalen an den Wänden lagerten in wunderlichem Durcheinander die unterschiedlichsten Dinge: Töpfe, Kruzifixe, Werkzeug, Pelze, Musikinstrumente, Stiefel, Bücher, Kerzenleuchter – alles, was man eben im Notfall zu Geld machen konnte. Auf einem speckigen alten Turniersattel hockte ein ausgestopfter Iltis; daneben lehnte ein rostfleckiges Schwert in der Ecke. Helena entdeckte neben einer alten Leier ein kleines, holzgerahmtes Bild, das einen Windhund zeigte und dem Stil nach nur von Dürer stammen konnte. Schließlich sah sie sich suchend nach jemandem um.

Ganz hinten im Raum saß hinter einem Verkaufstisch eine beleibte Frau in mittleren Jahren und zählte Münzen. Sie trug ein moosgrünes Kopfgebinde, dessen Bänder auch das Kinn verdeckten, sodass nur ihre dünnen Lippen, ein Paar kleine, schlaue Augen, die dicken Backen und die gekrümmte Nase frei blieben. Hinter ihr stand, mit einem Kerbholz in der Hand, ein Mann, bärtig und mit gutmütiger Miene. Das musste der Pfandleiher sein. Er sah auf und grüßte Helena mit einer Verbeugung, denn an ihrer Kleidung und dem Schmuck hatte er sofort die Patrizierin erkannt. Solch vornehme Kundschaft kam nicht allzu oft in seinen Laden.

»Einen schönen Tag, Euer Achtbarkeit. Was führt Euch zu mir und womit kann ich dienen?« Er legte das Kerbholz hin und trat einen Schritt vor.

Helena spürte, wie die Aufregung ihre Hände zittern ließ. »Guter Herr, ich bin auf der Suche nach einer Reliquie, die jemand vor Jahren zu Euch gebracht hat. Sie hat die Form eines Fläschchens mit Stöpsel, ist mit Perlen besetzt und hängt an einer goldenen Kette.«

Marx Behringer legte die Stirn in Falten. »Ein Fläschchen, hm.« Das kam ihm bekannt vor, aber er konnte sich nicht genau erinnern. »Ich will gleich nachsehen, Euer Freundlichkeit. Den Schmuck bewahren wir in einer Truhe im Hinterzimmer auf, zur Sicherheit, Ihr versteht …«

Helena nickte, und der Pfandleiher verschwand durch eine Seitentür. Helena konnte hören, wie er herumkramte. Ihre Finger zupften unruhig an der Perlenkette, die sie trug. Schließlich kam Behringer mit leeren Händen zurück.

»Leider hab ich nichts finden können.« Er zuckte bedauernd die Schultern. »Vermutlich ist die Reliquie wieder verkauft worden.«

Die Pfandleiherin hatte inzwischen die Münzen in ein Säckchen geschüttet und sah nun interessiert auf. »Ein Fläschchen, sagt Ihr?«

»Ja, mit dem Öl der Heiligen Walburga.«

»Und einer riesigen Perle in der Mitte?«

Helena wurde ganz heiß. »Ja, und einer zweiten im Stöpsel.«

Die Frau sah den Pfandleiher missbilligend an. »Da hast du's! Das hat dein Vater im Frühjahr mit ins Heilige Land genommen, weißt du noch? Zum Kuckuck, und jetzt könnten wir's verkaufen.« Der Ärger war ihr anzuhören.

Behringer wandte sich entschuldigend an Helena. »Jetzt fällt's mir auch wieder ein. Ja, mein greiser Vater ist heuer auf Pilgerschaft gegangen und hat das Stück mitgenommen. Die Heilige Walburga wird über mich wachen, hat er gesagt. Tja. Vielleicht, wenn er zurückkommt … Aber Ihr wisst ja, wie das ist, so eine Reise kann Jahre dauern, und er ist ein alter Mann.«

»Aber wir hätten da etwas anderes für Euch, liebe Frau.« Die Behringerin mischte sich ein. »Den wahrhaftigen Daumennagel des Heiligen Severin von Köln. Ein fremder Weinhändler hat ihn vor ein paar Wochen versetzt. Wir haben ihn erst kürzlich der ehrenwerten Familie Muffel angeboten, aber die besitzt schon eine Severin-Reliquie. Wartet.«

Sie holte ein Ebenholzkästchen mit Perlmuttintarsien aus dem Hinterzimmer und hielt es Helena hin. Die schüttelte abwehrend den Kopf.

»Nein, ich dank Euch schön. Ich wollte nur diese eine Reliquie. Herr, wenn Euer Vater zurückkommen sollte«, wandte sie sich wieder an den Pfandleiher, »würdet Ihr mir ganz bestimmt Bescheid geben? Ich bin die Helena Heller vom Weinmarkt.«

Behringer nickte, und Helena wandte sich zum Gehen.

»Wir würden Euch den Fingernagel recht günstig geben, liebe Frau«, ertönte die Stimme der Pfandleiherin in Helenas Rücken, doch sie drehte sich nicht mehr um. Die Enttäuschung trieb ihr die Tränen in die Augen.

Draußen holte sie Konrad von der schattigen Bank ab, wo er immer noch brav wartete. Sein Mund und Kinn waren vom Erdbeersaft rot verschmiert.

»Mutter, warum weinst du?« Mit großen Augen sah er zu ihr auf.

Helena riss sich zusammen und wischte die Tränen weg. »Ach weißt du, Konradle, ich wollt mir was Schönes kaufen, aber das hat's dort im Laden nicht mehr gegeben. Und jetzt komm, kleiner Mann, zum Brunnen da drüben, damit wir dein Göschlein sauber machen können.«

Danach beeilten sie sich, um noch vor dem Gewitter nach Hause zu kommen. Helena schalt sich selbst eine Närrin. Wie hatte sie erwarten können, dass das Medaillon nach so vielen Jahren noch beim

Pfandleiher läge? Immerhin wusste sie jetzt, wer das Fläschchen hatte. Und wenn es Gottes Wille war und der alte Pfandleiher aus Jerusalem zurückkehrte, dann würde sie ihr Eigentum vielleicht zurückbekommen. Sie beschloss, ganz fest daran zu glauben.

Venedig, September 1506

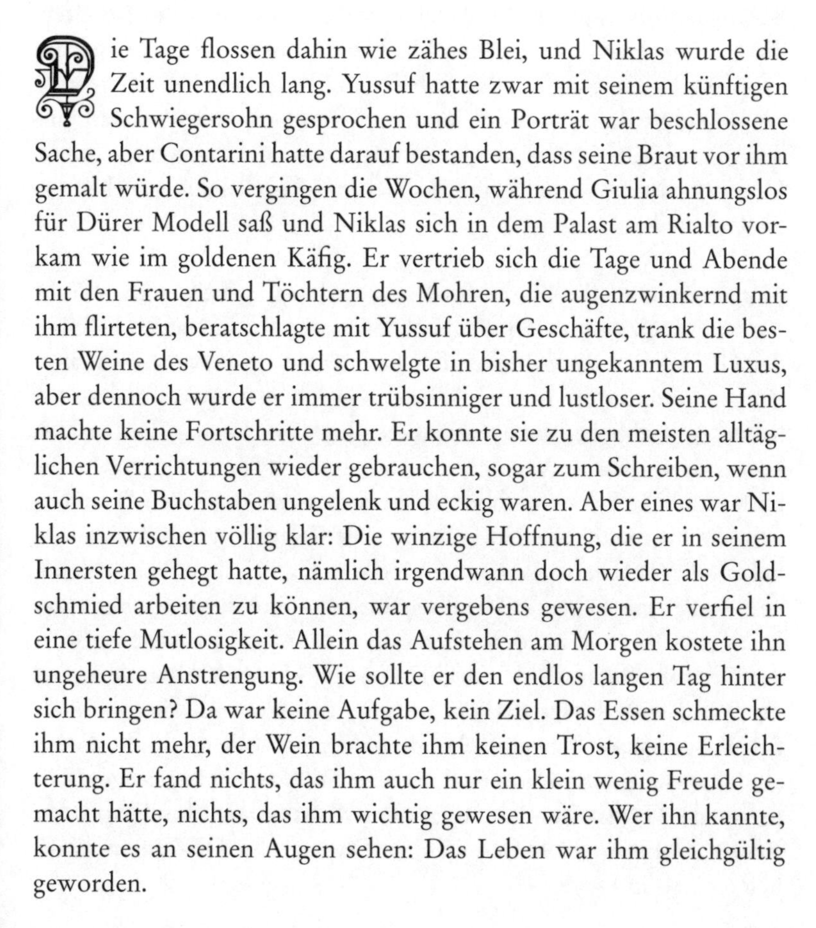

Die Tage flossen dahin wie zähes Blei, und Niklas wurde die Zeit unendlich lang. Yussuf hatte zwar mit seinem künftigen Schwiegersohn gesprochen und ein Porträt war beschlossene Sache, aber Contarini hatte darauf bestanden, dass seine Braut vor ihm gemalt würde. So vergingen die Wochen, während Giulia ahnungslos für Dürer Modell saß und Niklas sich in dem Palast am Rialto vorkam wie im goldenen Käfig. Er vertrieb sich die Tage und Abende mit den Frauen und Töchtern des Mohren, die augenzwinkernd mit ihm flirteten, beratschlagte mit Yussuf über Geschäfte, trank die besten Weine des Veneto und schwelgte in bisher ungekanntem Luxus, aber dennoch wurde er immer trübsinniger und lustloser. Seine Hand machte keine Fortschritte mehr. Er konnte sie zu den meisten alltäglichen Verrichtungen wieder gebrauchen, sogar zum Schreiben, wenn auch seine Buchstaben ungelenk und eckig waren. Aber eines war Niklas inzwischen völlig klar: Die winzige Hoffnung, die er in seinem Innersten gehegt hatte, nämlich irgendwann doch wieder als Goldschmied arbeiten zu können, war vergebens gewesen. Er verfiel in eine tiefe Mutlosigkeit. Allein das Aufstehen am Morgen kostete ihn ungeheure Anstrengung. Wie sollte er den endlos langen Tag hinter sich bringen? Da war keine Aufgabe, kein Ziel. Das Essen schmeckte ihm nicht mehr, der Wein brachte ihm keinen Trost, keine Erleichterung. Er fand nichts, das ihm auch nur ein klein wenig Freude gemacht hätte, nichts, das ihm wichtig gewesen wäre. Wer ihn kannte, konnte es an seinen Augen sehen: Das Leben war ihm gleichgültig geworden.

Yussuf beobachtete den Freund mit wachsender Besorgnis. Um ihn abzulenken und aufzumuntern, bezog er ihn täglich mehr in seine Geschäfte ein, und innerhalb kürzester Zeit überließ er dem jungen Goldschmied sämtliche Geschäftsverhandlungen mit den Augsburger Welsern, seinen wichtigsten Handelspartnern in Deutschland. Niklas machte seine Sache gut, doch zu Yussufs Enttäuschung besserte sich seine Stimmung nicht nachhaltig. Oft verkroch er sich regelrecht in der kleinen Werkstatt neben der Schreibstube und beschäftigte sich mit den Edelsteinen, die dort gerade herumlagen. Er verglich, machte Echtheitsproben, schliff die verschiedensten Formen – alles Arbeiten, die er mit seiner verkrüppelten Hand recht gut schaffte. Yussuf, der sah, dass der Umgang mit den Juwelen Niklas gut tat, ließ ihn gewähren. Er sorgte dafür, dass sich immer neue Steine in der Werkstatt fanden, und erteilte Niklas kleine Aufträge, was er mit ihnen tun sollte. Und irgendwann legte er ein Säckchen mit Rohdiamanten neben die Schleifscheibe ...

Niklas verstand die Herausforderung. Ab da verließ er die Werkstatt nur noch zum Essen und Schlafen, und selbst im Schlaf ließ ihm der Gedanke an das Schleifen der Diamanten keine Ruhe. Sein alter Ehrgeiz und die alte Energie kehrten zurück, erst nur ab und zu für kurze Augenblicke, dann beständiger und anhaltender. Er bastelte, konstruierte, machte Versuche. Es musste doch einen Weg geben, die herkömmliche Schleifmethode so zu verbessern, dass auch Diamantkristalle bearbeitet werden konnten. Die Technik war Niklas längst bekannt: Normalerweise benutzten die venezianischen Steinschleifer eine waagrecht liegende Metallscheibe, die immer wieder mit einer Paste aus Olivenöl und Schmirgel oder Korundstaub bestrichen wurde. Der rohe Stein wurde mithilfe von fest klebendem Baumharz an der Spitze eines Holzstäbchens befestigt und dann auf die rotierende Scheibe gedrückt. Eine einfache, aber wirkungsvolle Methode, die bei allen Juwelen gut funktionierte. Manche Edelsteine von geringer Härte, wie der Granat, konnten sogar ohne Rotation, nur durch einfaches Reiben, in Form geschliffen werden. Das kam für Diamanten natürlich niemals in Frage.

Zunächst ließ sich Niklas von Ettore einen Satz dickere und härtere Schleifscheiben aus bestem Schmiedstahl besorgen. Dann versuchte er, die Rotationsgeschwindigkeit zu vergrößern, indem er die Übersetzung des Kurbelantriebs umbaute. Umsonst. Alle Versuche mit den neuen Scheiben schlugen fehl. War der Diamant doch unbezwingbar? Aber man hörte doch von erfolgreichen Bearbeitungsversuchen in Paris und den Niederlanden! Niklas gelangte zu der Überzeugung, dass der Schlüssel zur Diamantbearbeitung weder in der Scheibe noch in deren Drehgeschwindigkeit, sondern im Schleifmaterial liegen musste. Er begann, dem Brei aus Korundstaub und Olivenöl, der auf die Scheiben gestrichen wurde, allerlei Materialien zuzusetzen: Metallspäne, Schmirgel, Flüssigharz, ja sogar Bocksurin und Hühnerblut – ohne Erfolg. Es war zum Verrücktwerden. Nichts funktionierte. Aber je mehr Niklas tüftelte und probierte, desto besser ging es ihm. Langsam tauchte er aus der Tiefe seiner Depression an die Oberfläche. Er hatte nun eine Aufgabe, die ihn gefangen nahm, und die würde er lösen, irgendwann, auf irgendeine Art. Fast vergaß er über seinen Experimenten seine offene Rechnung mit Contarini …

Dürer war nervös wie selten zuvor, als ihn der padrone erstmals in seinen Palazzo bestellte. Das Damenporträt war fertig; er trug es unter dem Arm, um es dem Bräutigam zu zeigen. Giulia sah auf dem Bild reizend aus, ein hellblaues Kleid ließ das noch etwas kindliche Dekolleté frei, riesige Saphirohrringe brachten ihre dunklen Augen zum Leuchten, das rötlichbraune Haar kringelte sich in winzigen, widerspenstigen Löckchen um die Ohren. Dürer war besonders stolz darauf, den außergewöhnlichen Rotton ihrer Lippen exakt getroffen zu haben.

Der Palazzo des Kriminalrichters lag direkt am Canal Grande und gehörte zu den imposantesten Bauwerken Venedigs. Einer seiner Vorfahren, Marino Contarini, hatte das prunkvolle Gebäude vor siebzig, achtzig Jahren errichten lassen und dabei weder Kosten noch Aufwand gescheut. Eine große Anzahl Spitzbogenfenster und orientalische Dekorationselemente verliehen der Fassade eine verspielte Leichtigkeit. Sämtliche sichtbaren Mauerteile waren mit roten und blauen Fresken bemalt, und die Zinnen und Verzierungen leuchteten in echtem Gold, was dem Palazzo den Namen Ca' d'oro eingebracht hatte, goldenes Haus.

Contarinis Gondel hatte den Maler mit seinen gesamten Utensilien gegen Mittag auf Spinalonga abgeholt und zur Ca' d'oro gebracht. Jetzt stand er im Portiko des Erdgeschosses und registrierte mit aufmerksamen Blicken die beiden Wachen, die links und rechts des mittleren Torbogens postiert waren und sich lässig an ihre Piken lehnten. Noch während die Staffelei und mehrere Kisten mit Farben und Pinseln ausgeladen wurden, kam der Hausherr selbst lächelnd und mit ausgebreiteten Armen die Innentreppe herunter.

»Maestro! Welche Freude!«

Der Richter war, wie immer, tiefschwarz gekleidet, aber über und über mit Goldschmuck angetan. Dürer, der ihn heute nach Yussufs Verlobungsfeier erst zum zweiten Mal sah, taxierte ihn mit unverhohlener Neugier. Die breiten Lippen, die hoch geschwungenen Brauen, die Narbe auf der Wange – ein ausgesprochen gut aussehender Mann, dachte der Maler, dunkel, mit einem leicht maurischen Einschlag. Das würde, abgesehen von allem anderen, ein interessantes Porträt werden. Dürer verbeugte sich tief.

»Buon giorno, Messer Contarini, ich bin hoch erfreut, Euch mit meiner Kunst dienen zu können. Und darf ich Euch zu Eurem herrlichen Haus beglückwünschen?«

Contarini senkte geschmeichelt den Kopf. Er führte Dürer ins zweite Obergeschoss, wo seine persönlichen Wohnräume lagen und er in einem der Salons bereits alles hatte herrichten lassen.

»Ich dachte mir, hier wäre es am besten«, meinte er zu Dürer. »Als Hintergrund die grüne Wand dort drüben und vielleicht die Säule dazu …«

Dürer tat, als sähe er sich gründlich um, betrachtete den Lichteinfall, ließ den Richter sich hierhin und dorthin postieren, ging ein paar Schritte vor und wieder zurück und schürzte dann die Lippen.

»Leider, leider, Euer Gnaden, ich fürchte, dies ist nicht der richtige Ort. Das Licht, wisst Ihr, es lässt Euch blass erscheinen, was Ihr natürlich in Wirklichkeit gar nicht seid …«

Contarini war verblüfft. »Was haltet Ihr denn für den richtigen Ort?«

Dürer wagte die Bitte. »Messer, wenn Ihr so freundlich wärt, mir die Räume des Hauses zu zeigen, dann könnte ich den geeignetsten aussuchen …«

Der Richter hatte nichts dagegen. »Dann folgt mir, Maestro. Wir werden doch wohl das rechte Licht finden.«

Sie machten einen Streifzug durch den Palazzo, aber an jedem Raum hatte Dürer etwas auszusetzen. Hier war es zu dunkel, dort zu hell, da der Hintergrund zu wenig vorteilhaft. Schließlich erreichten sie Contarinis Schreibstube, ein geräumiges Zimmer an der Südostecke des dritten Stockwerks. Ein viereckiges und ein Spitzbogenfenster gingen auf den großen Kanal hinaus, ein weiteres doppeltes Bogenfenster ging nach Osten. Die Rückwände des Raums waren mit Büchern voll gestellt, die Mitte nahm ein riesiger Marmorschreibtisch mit gepolstertem Lehnstuhl und Fußbänkchen ein. Mehrere Truhen standen neben der Tür und unter den Fenstern.

»Hier!« Dürer gab sich Mühe, enthusiastisch zu wirken. »Das ist es! Seht, wie das Sonnenlicht durch dieses Ostfenster hereinleuchtet und alles in ein samtiges Licht taucht! Würdet Ihr Euch freundlicherweise dorthin stellen? Ja, genau so. Ah!« Er machte eine ausladende Geste. »Hier werde, hier muss ich Euch malen, Euer Liebden.«

Contarini war ein wenig verblüfft, schien aber keinen Verdacht zu schöpfen. Er klatschte in die Hände, und sofort erschien ein Diener, gekleidet in Blau und Rot, den Farben der Contarini.

»Lass die Ausrüstung des Maestro hierher schaffen, Annibale. Und bring uns Wein und Früchte.«

»Keinen Augenblick lässt er mich alleine, dieser saubere Gentiluomo.« Dürer seufzte. »Entweder er ist selber mit im Zimmer und steht mir Modell, dann kann ich nichts für euch tun. Oder er schickt mir, wenn ich ihn nicht brauche, einen Aufpasser – diesen triefäugigen Annibale mit den Hängebacken. Der steht dann an der Tür und tut so, als sei er ein Schafskopf, aber mit seinem lauernden Blick durchbohrt er mir beim Malen schier den Rücken.«

Nach fast zwei Wochen des Porträtierens in der Ca' d'oro erstattete Albrecht Dürer bei Niklas und Yussuf Bericht. Noch immer hatte sich keine Gelegenheit ergeben, das Büro Contarinis genauer unter die Lupe zu nehmen.

»Maledizione.« Niklas durchmaß den Salon mit großen Schritten. Er war mit seiner Geduld am Ende. »Dann müssen wir eben irgendwie nachts, wenn alles schläft, in die Ca' d'oro hinein, Teufel noch mal. Es muss doch einen Weg geben!« Er warf den Apfel, den er gerade angebissen hatte, zornig zurück in die Schale.

»Das ist aussichtslos, Niklas.« Der Maler schüttelte den Kopf. »Unten bei den Arkaden, wo die Gondeln anlegen, stehen ständig zwei Wachen. Ein Mann ist an der Innentreppe postiert, die nach oben in die Wohnräume führt, und einer am Hintereingang von der Gasse aus. Und in den beiden oberen Stockwerken kommt keiner an der Dienerschaft vorbei. Die sind wachsam wie die Hunde. Contarini schließt die Schreibstube jedes Mal ab, wenn wir sie verlassen, ich bin mir sicher, dass er das auch über Nacht tut. Da ist kein Durchkommen.«

Yussuf verschränkte die Finger und knackte mit den Knöcheln. »Ihr habt erzählt, Messer Dürer, die Schreibstube habe drei Fenster …«

Der Maler nickte. »Zwei nach vorne auf den Canal Grande, ein Säulenfenster zur Seite. Aber wie soll man da hineinkommen? Das Zimmer liegt im obersten Stock, und es ist unmöglich, einfach so von unten die Fassade hinaufzuklettern. Außerdem würden es die Wachen sofort sehen – der Palazzo ist nachts mit Fackeln beleuchtet.«

»Aber nur die Kanalseite.« Yussuf überlegte. »Wenn ich mich recht erinnere, ragt die Ca' d'oro ein Stück aus der Häuserreihe in den Kanal vor, sodass die seitlichen Fenster auch noch über Wasser liegen, aber von vorne nicht gesehen werden. Wenn man also ein kleines Boot direkt um die Ecke unter dem Seitenfenster der Schreibstube festmacht, könnte man von dort aus ungesehen die Hausmauer hochklettern.«

»Ja, wenn man ein Affe ist«, meinte Dürer trocken. Er kaute lustlos auf einem Dattelkern herum. »Da ist kein Vorsprung, keine Ritze, kein Sims, nichts. Ich hab mir alles genau angesehen.«

»Dann musst du uns vom Fenster aus ein Seil herunterlassen.« Niklas fasste neuen Mut.

»An dem du dich mit deiner kaputten Hand nicht festhalten kannst … Tut mir Leid, Niccó.« Yussuf sah den Freund betrübt an und legte ihm tröstend die Hand auf die Schulter. »So geht's nicht.«

Niklas ließ sich auf den Diwan fallen und vergrub das Gesicht in den Händen.

»Dann muss Nazareno das eben allein machen.« Dürer spuckte seinen Dattelkern aus. »Abgesehen davon, dass ich keine Ahnung habe, wie ich ein Seil in die Schreibstube hineinbringen und auch noch am Fenster befestigen soll, ohne dass mich einer dabei sieht. Und ohne dass dieses Seil später bemerkt wird.«

»Ich hab's!« Niklas sprang auf. »Hör zu, Albrecht. Du schmuggelst unter deinem Umhang ein dünnes, aber festes Garn ins Zimmer, an dessen zwei Enden ein kleines Gewicht geknotet ist. Dann sorgst du unter einem Vorwand dafür, dass dein Aufpasser kurz verschwindet und hängst das Garn in der Mitte so um eine der Fenstersäulen, dass beide Enden bis hinunter zum Wasser reichen. Das fällt von innen überhaupt nicht auf. Nazareno und ich befestigen dann nachts eine Strickleiter an dem einen Ende des Garns und ziehen sie hoch, das geht wie bei einem Rollenzug. Eine Leiter kann ich auch mit meiner rechten Hand benutzen. Hinterher ziehen wir Leiter und Garn durch und nehmen beides wieder mit. Nichts wird mehr zu sehen sein.«

»Und während die Tür der Schreibstube abgeschlossen ist, könnt ihr beide drinnen in aller Ruhe nach Unterlagen suchen, die Contarinis Schuld beweisen.« Yussuf blies die Backen auf. »Das ist gut, sehr gut sogar. Um nicht zu sagen: Das ist die einzige Möglichkeit.«

Dürer war skeptisch. »Und wie soll ich diesen Galgenvogel Annibale dazu bringen, mich allein zu lassen, he?«

Niklas grinste. »Dir wird schon was einfallen.«

Die Erleuchtung kam, als er in der Badstube des Palazzos in der Wanne saß und sich von einem der nachtschwarzen afrikanischen Dienstmädchen Yussufs den Rücken schrubben ließ. Quer über dem Holzbottich lag ein Brett vor ihm, auf dem ein gläserner Weinpokal, rote Trauben und Walnüsse arrangiert waren. Gedankenverloren nahm er zwei Nüsse in die Hand und drückte sie nach althergebrachter Manier gegeneinander, um sie zu knacken. Zufrieden stellte er fest, dass die alte Kraft fast gänzlich wieder in seine verkrüppelten Finger zurückgekehrt war. Dann traf ihn die Erkenntnis so plötzlich, dass er wie von der Tarantel gestochen aus dem heißen Wasser hüpfte.

»Mein Leintuch!«

Die verblüffte Dienerin reichte ihm das Tuch und versuchte, ihm aus dem Zuber zu helfen. Ungeduldig scheuchte er sie davon und trocknete sich notdürftig ab. Dann lief er, mit tropfenden Haaren und nur mit dem Linnen um die Hüften, quer durch den Palast in die Werkstatt. Mit fliegenden Fingern befestigte er zwei große, grobe Rohdiamanten mit Harzklumpen an den hölzernen Schleifstäben. Dann begann er, die Steine so fest er konnte aneinander zu reiben. Erst tat sich nicht viel. Er rieb und rieb; die Schmerzen schossen wie spitze Pfeile durch seine schlimme Hand. Doch dann, kurz bevor er aufgeben wollte, begannen sich winzige Splitter zu lösen, so klein wie Sandkörnchen. Die Teilchen rieselten lautlos auf die lederne Unterlage. »Ich hab's«, dachte er und hätte am liebsten laut geschrien, »jetzt hab ich's!«

Es knackte, und einer der Steine löste sich aus seinem Harzbett.

»Diu can!« Niklas fluchte. Offenbar hielt die Klebekraft des Harzes dem Reibungsdruck nicht stand. Dabei war es allerbestes Mastix aus Chios! Herrgott, er war so nahe dran …

Etliche Tage und zahllose Versuche später fiel ihm eine mögliche Lösung ein. Wieder schickte er Ettore, diesmal, um beim Schmied eine Anzahl dünne, hohle Kupferstäbchen und etliche Lot Schmelzblei zu besorgen. Dann sandte er den kleinen Mohren, der für Yussuf die Botengänge machte, in den »Stör«. Er brauchte unbedingt jemanden, der ihm half, weil seine Hand immer mehr schmerzte.

Matteo kam sofort und umarmte ihn freudestrahlend.

»Keiner hat mich verfolgt«, beteuerte der Vierzehnjährige stolz und mit lausbübischem Grinsen, »ich hab genau aufgepasst.«

»Sehr gut, Matté.« Niklas schlug dem Jungen auf die Schulter. »Senti, ich brauche einen Gehilfen, und du bist der Richtige dafür.«

»Was willst du denn machen?«

»Diamanten schleifen.«

»Sonst noch was?« Matteo lachte Niklas ins Gesicht. »Auf den Arm nehmen kann ich mich selber.« Er drehte sich um und tat so, als wolle er wieder gehen.

Niklas erwischte ihn gerade noch am Ohr und zog ihn zurück. »Nicht so schnell, mein Lieber! Komm mit, du wirst staunen ...«

Gemeinsam schürten sie den kleinen Ofen in der Ecke der Werkstatt an und schmolzen in einem Schnabeltiegel etwas Blei, das sie dann in zwei Kupferröhrchen gossen. Kurz bevor sich das flüssige Metall wieder verfestigte, drückten sie die Diamanten im richtigen Winkel hinein. Dann kühlten sie das Ganze in kaltem Wasser, bis das Blei hart war.

»So, und jetzt: Nimm in jede Hand ein Röhrchen und reib, was das Zeug hält!« Niklas stellte sich hinter Matteo, der folgsam die Steine aneinander drückte und mit aller Kraft zu reiben anfing. Es ging viel besser als mit der Mastixfassung. Nach einiger Zeit sammelten sich feinste graue Splitter auf der Unterlage, und die Reibflächen der Diamanten wurden grau und annähernd glatt. Es klappte! Unglaublich, aber es klappte! Niklas frohlockte innerlich in den höchsten Tönen.

»Wenn du auf diese Weise genügend Diamantstaub zusammenkriegen willst, um mit der Schleifscheibe zu arbeiten, reibst du aber ein paar Jahre.«

Matteo machte Niklas' Frohsinn mit seiner nüchternen Bemerkung wieder zunichte.

»Du hast Recht«, sagte er und seufzte. »Das muss schneller gehen.«

»Hast du nicht mal erzählt, dass sich der Diamant mit einem Hammer spalten lässt?« Matté hielt mit dem Reiben inne und drehte sich zu Niklas um.

»Hm«, machte der. »Schon. Aber in so kleine Teile, dass Schleifstaub daraus wird?«

»Probier's doch mal!«

Niklas dachte angestrengt nach. Dann suchte er aus seinem Diamantvorrat den schlechtesten Stein aus, legte ihn in eine flache Eisenpfanne und zertrümmerte ihn zielsicher mit einem schweren Hammer. Erst lagen vier Teile da, dann, nach zahllosen weiteren Schlägen, eine ganze Menge unregelmäßiger, sandkorngroßer Kristalle.

»Und jetzt der Mörser«, murmelte Niklas, auf dessen Backen plötzlich hektische rote Flecken brannten. Er griff sich den schwersten Eisenmörser, tat eine kleine Menge der Splitter hinein und stampfte kräftig mit dem Metallstößel. Es dauerte lange, und die beiden wechselten sich immer wieder ab. Sie schwitzten und arbeiteten verbissen. Aber am Ende blieb auf dem Boden des Mörsers ein graues, feines Pulver aus lauter in winzigste Teile zersplitterten Kristallen übrig. Der komplette Diamant war zu kristallinem Staub zermörsert!

Bis zum Abend hatten Niklas und Matteo zwei weitere Diamanten zerkleinert. Dann schickte Niklas seinen Helfer nach Hause.

»Kannst du morgen früh wieder kommen?«, fragte Niklas.

Matteo grinste nur.

»Aber gleich nach Sonnenaufgang!«, rief ihm Niklas durch den Gang nach. »Und kein Wort zu irgendjemandem!«

Nach etlichen weiteren Tagen harter Arbeit hatten sie ihr Ziel erreicht. Die Mischung aus Olivenöl und Diamantstaub war zähflüssig genug, die Scheibe drehte sich schneller als früher üblich, der Winkel, in dem die geschliffenen Flächen zueinander standen, war gut. Es gelang ihnen, Diamantflächen zu schleifen, die glänzten, als seien sie von Tau beglitzert, der hell im Mondlicht schimmerte. Niklas verbesserte die Technik täglich, verdichtete das Schleifmaterial, rechnete die Schleifwinkel neu aus, konstruierte ein neben der Schleifscheibe senkrecht installiertes Brett, durch dessen schräg gebohrte Löcher die Kupferröhrchen gesteckt wurden, um einen immer gleichen Schleif- und Aufsetzwinkel für die Diamantflächen zu garantieren. Endlich fand er, die Zeit sei reif, um Yussuf einzuweihen. Er schickte Ettore.

Der Mohr kam prompt, platzte er doch schier vor Ungeduld. Ihm war natürlich nicht entgangen, dass sein Schützling in der letzten Zeit die Werkstatt fast nicht mehr verlassen hatte, und auch Matteos Besuche hatte er jedes Mal aufmerksam registriert. Er wusste, da war etwas Bedeutsames im Gange! Mit großen Schritten eilte Yussuf also durch die Gänge des Palazzo, gefolgt von Moca, die geschmeidig hinter ihm her trabte.

»Was gibt's Neues?« Er betrat die Werkstatt und ließ sich auf die steinerne Fensterbank sinken. Die Neugier stand ihm ins Gesicht geschrieben. Moca plumpste neben ihm auf den Boden; er hob den Fuß und kraulte sie mit seinen nackten Zehen.

Niklas trat zu ihm hin, ein triumphierendes Lächeln umspielte seine Lippen. Dann öffnete er stumm die Faust. Auf seinem Handteller lag ein funkelndes, schimmerndes Etwas, das die Strahlen des Sonnenlichts heller reflektierte als die glitzerndsten Wellen des Kanals. Yussuf beugte sich vor; seine Augen weiteten sich.

»Bei allem, was mir heilig ist, Niccó, das ist das Schönste, was ich je gesehen habe!«

Langsam und vorsichtig nahm er den blitzenden Diamanten zwischen Daumen und Zeigefinger und drehte ihn im Licht hin und her. Dann begutachtete er ihn unter der Lupe, zählte die geschliffenen Flächen, prüfte die Kanten mit dem Fingernagel. Dabei murmelte er Worte in einer Sprache – seiner Sprache –, die Niklas nicht verstand. Nur Moca spitzte verwundert die Ohren und beobachtete ihren Herrn aufmerksam. Schließlich legte Yussuf den Stein weg, hob den Kopf und sah Niklas mit staunendem Kopfschütteln an.

»Allah muss dich sehr lieben, mein Sohn.«

Er stand auf, breitete die Arme aus, und sein Mund verzog sich zu dem breitesten, strahlendsten Grinsen, das Niklas je an ihm gesehen hatte. Dann fuchtelte er mit den Händen wild in der Luft herum und stieß etwas aus, was Niklas als afrikanischen Kriegsschrei deutete – jedenfalls schrak die Leopardin von ihrem Platz hoch und schoss pfeilschnell und mit eingeklemmtem Schwanz aus der Werkstatt. Endlich packte der Mohr Niklas an den Schultern und zog ihn so fest an seine breite Brust, dass dem jungen Goldschmied beinahe die Luft wegblieb.

»Beim Bart von Mohammeds Lieblingsweib! Du Teufelskerl!« Yussuf schlug Niklas seine riesige Pranke auf den Rücken. »Du bist ein gemachter Mann, mein Freund«, lachte er. »Und ich dazu.«

Nürnberg, Ende Oktober 1506

Allerheiligen stand kurz bevor, und der Oktober ging mit Nebel, Regen und Wind zu Ende. Jetzt kam die triste Zeit, in der man am liebsten müßig zu Hause saß, wenn es nicht so viel gegeben hätte, was man vor dem Winter noch erledigen musste: Für genügend Feuerholz sorgen, die Dächer abdichten, Ritzen im Fachwerk stopfen, die Krautfässer mit frisch gehobeltem und gestampftem Weißkohl füllen, den Wintervorrat an Trockenobst und Eingemachtem in Keller und Speis bringen. Anna füllte gerade einen Bettbezug mit neu gekauften Gänsedaunen, als es an der Haustür klopfte. Draußen stand ein zerlumpter, vom Nieselregen durchnässter Bub und rieb frierend die nackten Füße aneinander.

»Der Torwart vom Frauentor schickt mich.« Seine Stimme war heiser, und er musste husten. »Der Siechmeister von Sankt Peter war bei ihm. Ich soll Euch sagen, mit der Eva geht's dahin.«

Anna versuchte, den Kloß in ihrem Hals wegzuatmen. Sie gab sich Mühe, den Jungen anzulächeln und drückte ihm einen Haller Pfennig in die Hand, den der Kleine ungläubig anstarrte. Als er noch einmal zu ihr hochsah, nickte sie. »Ist schon recht, nimm nur, Bursch.«

Während der Kleine wie ein geölter Blitz die Gasse hinunterflitzte, zog sie die dicken ledernen Ochsenmäuler an, schnallte die Trippen darunter und legte ihr Hurentuch um. Dann trat sie in den Regen hinaus.

Also war es jetzt so weit. Schon seit dem letzten Winter hatte sich Evas Zustand verschlimmert. Nach Neujahr hatte sie eine Zehe verloren, und im Februar stellten sich die ersten Lähmungserscheinungen an den Beinen ein. Mit den Augen war es schon lange schlechter geworden – die Lider ließen sich immer weniger schließen, sodass die Hornhaut langsam austrocknete und ledrig hart wurde. Seit dem Herbst war Eva so gut wie blind. Wie es in ihrem Gesicht aussah, wusste Anna nicht, weil sie den Schleier, der alles bedeckte, nie ablegte. Zu alldem kam, dass sich Eva im Sommer eine schwere Erkältung geholt hatte, die ihren Zustand schlagartig verschlimmerte – von da an hatten sich Schmerzen an den inneren Organen eingestellt. Schon bei

Annas letztem Besuch in Sankt Peter hatte der Siechmeister prophezeit, dass es nun wohl nicht mehr lang dauern würde.

Anna hing traurigen Gedanken nach, während sie im Regen durch die schlammigen Gassen der Stadt marschierte. Es war mühsam, mit den Trippen so weit zu gehen, aber ohne die Holzgestelle wären die Schuhe nach solch einem weiten Weg völlig ruiniert. Die Menschen hasteten mit gesenkten Köpfen an ihr vorbei; eigentlich jagte man bei diesem Wetter keinen Hund vor die Tür. Von den Dächern tropfte unaufhörlich das Wasser, und der Wind blies von Norden her. Noch bevor Anna das Stadttor erreichte, waren ihre Kleider klitschnass.

Der Siechkobel lag still, keiner der Kranken saß heute zum Betteln vor dem Zaun. Als Anna in den Hof trat und die kleine Glocke läutete, kam der Siechmeister aus seinem Häuschen.

»Sie hat nach Euch verlangt, Jungfer Anna. Es geht zu Ende. Wenn Ihr dort ans offene Fenster tretet, könnt Ihr mit ihr sprechen. Ich habe ihr Bett dorthin stellen lassen.«

Anna wehrte ab. »Ich möchte zu ihr hinein.«

Noch bevor der Siechmeister sie zurückhalten konnte, trat sie durch die Tür des Siechhauses. Sie war noch nie in der Wohnstatt der Aussätzigen gewesen, immer hatte sie sich mit Eva im Freien getroffen. Schon im Flur roch es dumpf nach Krankheit und Tod, säuerlich-faulig nach schwärenden Wunden und menschlichen Exkrementen. Anna versuchte, flach zu atmen und betrat den Frauensaal, der auf der rechten Seite des Ganges lag. Drinnen war es dunkel, weil die kleinen, mit Pergament bespannten Fenster kaum Licht einließen. Um einen langen Tisch in der Mitte gruppierten sich an den Wänden entlang neun einfache Bettstellen, die meisten davon mit Lumpen bedeckt. Die gesünderen Frauen saßen mit Handarbeiten beim Tisch und unterhielten sich leise, andere kauerten oder lagen stumpf in ihren Betten. Neben einem Korb mit gebrauchten Leinenbinden kratzte sich ein magerer Hund das gelbstruppige Fell. Im Kochkamin brannte ein kleines Feuer, über dem auf einem Dreifuß ein Wassertopf stand, das aber kaum für Wärme im Raum sorgte. Das Elend war spürbar, greifbar, und legte sich wie ein Stein auf Annas Brust. Langsam ging sie auf eine Bettstatt in der Ecke zu, neben der eine vermummte Frau betend auf einem Schemel hockte. Ein Rosenkranz glitt durch ihre knochigen Finger. Als sie Anna bemerkte, stand sie auf und machte ihr Platz.

Zum ersten Mal seit Jahren sah Anna Evas Gesicht und unterdrückte einen entsetzten Aufschrei. Die Freundin hatte keine Nase und keine Oberlippe mehr; das was von ihrem Gesicht geblieben war, bestand nur noch aus Knoten und Geschwüren: die facies leonis. Augenbrauen, Wimpern und Kopfhaar waren beinahe zur Gänze ausgefallen. Die blinden Augen unter der weißlichen Hornhaut starrten zur Decke.

»Wer ist da?«, fragte Eva mit kaum hörbarer Stimme und drehte den Kopf.

»Ich, die Anna.«

Die Sterbende verzog die Lippen zu einem fratzenhaften Lächeln. »Gut«, flüsterte sie, »gut. Ich wollte dir danke sagen für alles. Du warst der einzige Mensch von all denen dort draußen, der zu mir gehalten hat.« Sie atmete schwer und die Worte kamen stoßweise; das Reden erschöpfte sie sichtlich. Anna widerstand dem Impuls, ihre Hand zu berühren.

»Du musst mir nicht danken, Eva. Ich war gern deine Freundin, und ich will's auch droben im Himmel sein, wenn wir uns dort wieder sehen.«

Eva hielt die Lider lange halb geschlossen. »Glaubst du, ich werd wieder so wie früher sein, dort droben?«

Anna nickte. »Du wirst schön sein, wie eh. Ein wunderschöner Engel. Der Herr gibt dir die Seligkeit im Jenseits, weil du hier auf Erden so viel hast büßen müssen.« Eine Träne lief ihr über die Wange, und sie wischte sie weg.

Ein tiefer Atemzug hob Evas Brust. »Du musst nicht weinen. Ich bin froh, dass ich jetzt gehen darf. Es ist recht so. Nur einen Wunsch hab ich noch«, sie hob mit Mühe die Hand. »Lass mich nicht hier im Siechkobel begraben. Ich möcht so gern auf dem Kirchhof von Sankt Sebald liegen, da wär mir wohl.«

Anna wusste, dass das nicht möglich war. Beerdigungen innerhalb der Stadtmauer waren aus seuchenpolitischen Gründen schon seit einiger Zeit kaum mehr üblich; der Rat ließ nur noch in wenigen Fällen ein Begräbnis auf dem Sebalder oder Lorenzer Kirchhof zu. Der Johannisfriedhof, der außerhalb der Stadtmauer an der Fernhandelsstraße nach Frankfurt war, sollte zur einzigen Begräbnisstätte der Stadt werden. Was Eva da verlangte, war nicht zu erfüllen. Eine, die am Aussatz gestorben war, würde der Rat niemals in der Stadt begraben lassen. Aber Anna konnte den letzten Wunsch der Freundin nicht an deren Totenlager ablehnen.

»Ich versuch alles, was mir möglich ist, Eva, das versprech ich dir.«

Eva sah sie mit blinden Augen an. »Gott segne dich.«

Noch lange stand Anna am Bett der Sterbenden, während Evas Brust sich immer flacher hob und senkte. Ihre Gedanken wanderten zu Philipp. Er hätte an Evas Sterbebett sicher die richtigen Worte gefunden, hätte sie getröstet und ihr Frieden geschenkt. Wie oft war sie früher mit ihm zusammen hierher gekommen, und wie oft hatten sie zu dritt draußen im Hof zusammengesessen. Wieder wurde Anna schmerzlich bewusst, wie sehr er ihr fehlte. Auch sie selber hätte seinen Trost und seine Stärke gebraucht, nun, da sie die Freundin in den Tod begleitete. Irgendwann wurde Evas Atem langsamer und hörte schließlich ganz auf. Anna verbarg das Gesicht in den Händen.

Gegen Abend kam der Barfüßermönch, der die Betreuung des Siechkobels von Philipp übernommen hatte, und sprach den Totensegen. Anna blieb noch so lange, bis zwei der Frauen Evas schmalen Körper in das leinene Leichentuch eingenäht hatten und sie auf einem Eichenbrett aufgebahrt im Flur lag. Dann machte sie sich auf den Heimweg.

Sie beschloss, gleich zum Abendgottesdienst in die Sebalduskirche zu gehen und wegen des Begräbnisses mit dem Pfarrer zu reden. Doch der weigerte sich schlichtweg.

»Was glaubt Ihr, wer Ihr seid, Jungfer, ein solches Ansinnen zu stellen? Eure Freundin war eine von den Gutleuten – so soll sie auch draußen bei denen liegen. Hier auf meinem Kirchhof lasse ich keine Leprösen zu. Außerdem müsste ich vorher den Rat um Genehmigung bitten, und der würde das ohnehin nicht gestatten. Nein, nein, schlagt

Euch das aus dem Kopf. Der liebe Gott nimmt die Tote von hier und von da ins Himmelreich, wenn sie's denn verdient hat.«

Anna nahm diese Antwort bedrückt hin und verließ die Sakristei. Draußen war es schon dunkel, und sie schlug den Heimweg ein. Die Feuerpfannen an den Häusern brannten schlecht, weil es immer noch nieselte und die Holzkohle völlig durchnässt war. Als sie um die Ecke des Chors bog, aus dessen Fenstern bläuliches Licht die Straße sanft erhellte, wurde sie von zwei starken Händen aufgehalten.

»Nicht so eilig, Liebchen. Ich hab dich vorhin bei der Messe gesehen und auf dich gewartet.«

Anna erkannte die Stimme sofort: Es war Konrad Heller, dessen rechte Hand sich jetzt wie ein Schraubstock um ihr Handgelenk legte.

»Du hast geglaubt, du wirst mich so einfach los, was? Sagst einfach ab, wenn ich nach dir schicken lass. Lässt dich verleugnen. Anna, das kannst du nicht mit mir machen.«

Anna wand sich los und sah ihm in die Augen. »Konrad Heller, ich hab Euch von Anfang an gesagt, dass eine Grenze nicht überschritten werden darf. Beim letzten Mal, als ich bei Euch war, haben wir diese Grenze erreicht. Ich will nicht mehr. Sucht euch ein anderes Mädchen.«

»Ich hab dich immer gut bezahlt. Wenn du willst, verdopple ich den Preis.«

Sie schüttelte heftig den Kopf. »Behaltet Euer Geld.«

Heller verlegte sich aufs Bitten. »Anna, ich will keine andere. Und meine Frau hat mich noch nie zufrieden stellen können. Nicht so wie du. Du willst mich doch auch, ich weiß es. Wenn's dir letztes Mal zu viel war ...«

Anna seufzte. »Ihr versteht nicht, Herr. Seid so gut und lasst mich jetzt vorbei.«

Er fing an, Zeit zu schinden. »Dann begleit ich dich wenigstens ein Stück. Es ist ja stockfinster.«

Anna zuckte mit den Schultern, und die beiden gingen wortlos nebeneinander her.

»Was hast du eigentlich drinnen beim Pfarrer gemacht?«, wollte Konrad wissen.

»Eine alte Freundin von mir ist heut am Aussatz gestorben. Ihr letzter Wunsch war, auf dem Sebalder Kirchhof begraben zu werden.«

»Und der Pfarrer hat's nicht erlaubt, stimmts? Höchstens Mitglieder von Patrizierfamilien, die dort eine Grablege haben, können noch in der Stadt beerdigt werden.« Konrad schürzte die Lippen und überlegte. »Und wenn ich deiner toten Freundin zu einem Grab verhelfe? Besuchst du mich dann wieder?«

»Wie wollt Ihr das anstellen?«

Er schmunzelte. »Eine Großtante von mir liegt seit bald dreißig Jahren in einem einzelnen Grab auf dem Sebalder Kirchhof. Sie hat sich aufgehängt, damals, wegen irgendeiner unglücklichen Liebesgeschichte. Die Familie hat Himmel und Hölle in Bewegung gesetzt, damit sie nicht außerhalb der Friedhofsmauern in einem Armesündergrab verscharrt wurde. Aber in der gemeinsamen Familiengruft wollte man sie als gottlose Selbstmörderin doch nicht haben, deshalb liegt sie abseits. Ich könnt mir vorstellen, dass die Gute nichts gegen ein bisschen Gesellschaft hätte. Und der Pfarrer von Sankt Sebald hat neulich in der Gemeinde dringend um Geldgaben aufgerufen, weil das Dach des Hauptschiffs neu gedeckt werden muss.«

Anna kämpfte mit sich. Sie verabscheute Heller aus tiefstem Herzen. Alles in ihr wehrte sich dagegen, ihm wieder zu Diensten zu sein, aber wenn das die einzige Möglichkeit war, Evas letzten Wunsch zu erfüllen … Sie sah Philipps Gesicht vor sich. Seit Monaten, seit dieser verhängnisvollen Nacht im Juni, hatte sie nichts mehr von ihm gehört. So manches Mal hatte sie geglaubt, seine Schritte auf der Treppe zu hören, sein Gesicht mitten in der Menschenmenge auf dem Markt entdeckt zu haben. Aber er war fort. Also hatte er sich entschieden. Es war an der Zeit, sich den Kummer zu verbeißen und ihn zu vergessen. Sie schloss die Augen und holte tief Luft.

»Gut, Konrad Heller. Wenn Ihr der Eva zu einem Grab auf dem Sebalduskirchhof verhelft, so wie sie sich's gewünscht hat, dann komm ich wieder zu Euch, auf mein Wort.«

Heller grinste übers ganze Gesicht. Der Spaß würde ihn ein Sümmchen Geld kosten, aber was machte das schon? Ob er beim Spiel verlor oder das Seinige sonst wie durchbrachte, war ihm letztendlich gleich.

Und immerhin tat er nebenbei noch ein gutes Werk für die Kirche, was seinem guten Ruf und seinem Seelenheil bestimmt nicht abträglich sein würde.

»Also wann?« Er konnte es kaum erwarten.

»Erst wenn die Eva unter der Erde ist.«

»Dann sorg dafür, dass die Leiche morgen nach Sonnenuntergang zum Kirchhof gebracht wird. Alles andere erledige ich.«

Anna war das Herz schwer. »Ich dank Euch, Herr. Danach lasst in Herrgotts Namen wieder nach mir schicken, wenn Ihr wollt.«

»Verlass dich drauf, Anna Schönäugel.« Er zwinkerte ihr spitzbübisch zu. »Bald.«

Als er Anna bis zur Wunderburggasse geleitet hatte und danach heimwärts ging, summte er ein fröhliches Liedchen vor sich hin. Wie sich die Dinge doch immer wieder zum Angenehmen wenden ließen!

Venedig, Anfang November 1506

»Ich hab's.« Nazarenos tastende Finger schlossen sich um das dünne Garn, das entlang der Außenwand der Ca' d'oro herabhing. Er und Niklas saßen in einem kleinen Ruderboot, das dicht am Palazzo angelegt hatte. Yussuf hatte darauf bestanden, ihnen seinen treuen Diener Ettore mitzugeben, der unten Wache halten sollte. Der Vollmond schien aus einem leicht bewölkten Himmel und tauchte den Kanal in milchiges Licht; es war schon empfindlich kalt. Das Boot mit den drei Männern dümpelte im schwarzen Schlagschatten des Palazzos.

»Hier, die Leiter.« Niklas reichte dem Zwerg die zusammengerollte Strickleiter. Nazareno befestigte sie am Ende des festen Fadens, der, wie Dürer berichtet hatte, oben um die Mittelsäule des Fensters herumlief, und dessen anderes Ende jetzt Ettore hielt.

»Jetzt zieh, mein Großer«, flüsterte Nazareno. Ettore holte mit gleichmäßigen Bewegungen das Garn ein, und langsam entrollte sich dabei die Strickleiter, wanderte an der Mauer hoch, um die Säule herum und nach unten, bis sie wieder beim Boot angelangt war. Der Diener band das Ende an einem der Holzpflöcke fest, die neben dem Boot aus dem Wasser ragten. Außer dem Plätschern der Wellen im Kanal war kaum ein Laut zu hören; im Haus blieb alles still. Irgendwo bellte heiser ein Hund.

»Lass mich zuerst«, meinte Nazareno. »Wenn ich oben bin, kommst du nach.«

Behände wie ein Affe erkletterte der Zwerg die Fassade, hielt sich oben an der Fenstersäule fest und schwang die Beine nach innen. Ein Ruck an der Leiter signalisierte Niklas, dass er nachfolgen konnte. Der junge Goldschmied hatte mehr Mühe, die Strickleiter zu erklimmen, konnte er doch die rechte Hand nicht voll belasten. Er biss die Zähne zusammen und zog sich Stück für Stück hoch. Endlich schaffte auch er es bis zum Fenster.

Drinnen hatte Nazareno bereits geräuschlos den Rucksack abgeworfen, den er getragen hatte, und packte nun mehrere dicke Kerzen aus. Geschickt schlug er im Finstern Feuer und zündete zwei der Wachslichter an. Die beiden sahen sich im Raum um. Es war alles so, wie Dürer beschrieben hatte: Der riesige Schreibtisch in der Mitte, an den Wänden Regale mit Büchern und einige große und kleine Truhen. Das flackernde Kerzenlicht warf unruhige Schatten auf Möbel und Wände.

Die zwei Eindringlinge verständigten sich ohne Worte. Niklas übernahm den Schreibtisch, während Nazareno sich an der ersten Truhe zu schaffen machte. Langsam und gründlich arbeiteten sie sich durch Contarinis Unterlagen. Ein Holzwurm tickte unerbittlich die Sekunden, während langsam die Zeit verrann.

»Nichts«, raunte Niklas schließlich dem Zwerg ins Ohr. »Nur Kriminalsachen und Amtsbriefe. Was ist bei dir?«

Nazareno schüttelte den Kopf. »Fehlanzeige. Nimm du die große Truhe da drüben, ich mach dort weiter.«

In diesem Augenblick ertönten draußen auf dem Gang schwere Schritte. Niklas und der Zwerg erstarrten mitten in der Bewegung. Offenbar kontrollierte eine Wache den Flur im obersten Stockwerk.

Die Schritte näherten sich. Niklas blies geistesgegenwärtig die beiden Kerzen aus, dann hielten sie den Atem an. Sie hörten, wie sich der Mann durch die Finger schnäuzte und anschließend ausspuckte. Dann blieb er stehen, direkt vor der Tür zum Kontor. Niklas lief es eiskalt über den Rücken. Etwas juckte ihn entsetzlich an der Nasenspitze, aber er wagte nicht, sich zu kratzen. Der Wächter draußen ging ein kleines Stückchen weiter, blieb wieder stehen. Niklas sah, wie dem Zwerg langsam ein kleines Schweißbächlein übers Gesicht lief. Dann hörten sie ein leises Plätschern: Der Mann draußen schlug in einer Ecke Wasser ab. Endlich, nach einer Ewigkeit, entfernten sich die Schritte, wurden leiser, schließlich war alles wieder still. Nazareno ließ die angehaltene Luft hörbar durch die Nase entweichen und wischte sich mit dem Handrücken den Schweiß von der Stirn. Das Jucken an Niklas' Nase hatte aufgehört, und der junge Goldschmied entspannte sich.

»Das war knapp, dio mio«, flüsterte er. »Jetzt aber weiter, los.«

Auch in den nächsten zwei Truhen fand sich nichts Kompromittierendes. Die beiden Freunde waren tief enttäuscht.

»Es hat keinen Sinn, Niccó. Er bewahrt die Unterlagen der famiglia anderswo auf.« Nazareno schloss leise den Deckel der letzten Truhe und zuckte mutlos mit den Schultern. »Lass uns verschwinden.«

Niklas hätte heulen können vor Wut. Er fluchte lautlos, lehnte sich an eine Ecke des Schreibtisches und ließ ein letztes Mal den Blick durchs Zimmer schweifen. Das konnte, das durfte es doch nicht gewesen sein!

»Was ist dort hinter dem Vorhang, he?« Hinter einem schmalen gepolsterten Lotterbett mit goldenen Löwentatzen, auf dem Contarini wohl seine gemütlichen Mittagsschläfchen hielt, bauschte sich eine Fülle samtenen Stoffes. Niklas kniete sich auf das Polster und raffte den Vorhang beiseite. Dann stieß er hörbar die Luft aus. In der Wand dahinter befand sich eine breite Nische, und in dieser Nische stand – eine metallene Kiste.

»Was haben wir denn da?« Nazareno war schon an Niklas' Seite und zwinkerte ihm mit einem triumphierenden Grinsen zu. Gemeinsam hoben sie das Behältnis heraus und setzten es auf der Liege ab.

»Ganz schön schwer, was? Und mit zwei Schlössern gesichert, während alle anderen Truhen offen waren. Außerdem aus Metall, feuersicher. Da drin wird er wohl nicht sein Lieblingsrezept für Kuttelsuppe aufbewahren!« Niklas frohlockte im Überschwang der Freude ein bisschen zu laut.

»Schscht, ruhig, dio porco.« Der Zwerg spreizte alle zehn Finger und fuchtelte damit vor Niklas' Gesicht herum. »Ich hab keine Lust, Contarinis Nachtwächtern in die Hände zu fallen. Hör zu, es kann nicht mehr lang bis Sonnenaufgang dauern, und die Truhe bekommen wir hier ohne Lärm nicht auf. Ich schlage vor, wir hauen ab und nehmen sie mit.«

»D'accordo.«

Sie holten die Strickleiter ein, banden die Metallkiste am unteren Ende fest und ließen sie langsam und vorsichtig zu Ettore hinunter, der erleichtert war, endlich ihre beiden Köpfe im Schimmer der Kerze über dem Fenstersims auftauchen zu sehen. Dann schafften sie wieder Ordnung in Contarinis Schreibstube – je länger ihr Einbruch unbemerkt blieb, desto mehr Zeit würde ihnen für ihr weiteres Vorgehen bleiben. Kurz bevor sich der erste helle Streifen am östlichen Horizont über dem Lido zeigte, kletterten sie wieder ins Boot hinunter. Ettore rollte die Strickleiter wieder ein, und dann ruderten sie zu dritt, was das Zeug hielt. Nicht einmal zehn Minuten später legten sie an Yussufs Palazzo an. Die Unternehmung war geglückt.

Kaum hatten sie den Palast durch die kleine Wasserpforte betreten, eilte ihnen schon der Herr des Hauses barfuß und in einem grellgrünen Nachtkaftan entgegen. Seine Füße klatschten auf den gefliesten Boden, und mit einem Seufzer der Erleichterung schwenkte er einen dreiflammigen Leuchter.

»Grazie a dio, endlich! Ich hab die ganze Nacht kein Auge zugetan.« Yussuf sah wirklich unausgeschlafen aus, seine schwarzen Augen unter der hellsamtenen Nachthaube waren ganz klein und verquollen. »Kommt, kommt, und erzählt!«

Sie folgten Yussuf in einen der zahllosen salotti, während Ettore die schwere Kiste hinter ihnen her trug. Mit lautem Krachen setzte er die Truhe mitten auf einem von Yussufs kostbaren persischen Teppichen ab.

»Tja«, meinte Niklas lakonisch und ließ sich erschöpft auf einen Hocker fallen, »entweder da ist das drin, was wir suchen, oder alles war umsonst.«

Yussuf machte eine Bewegung mit dem Kinn. »Ettore, hol Werkzeug.«

Den vereinten Kräften Ettores, einer riesigen Zange, eines Hammers und eines Stemmeisens widersetzte sich die Metalltruhe nicht lange, und als die ersten Strahlen der Morgensonne durchs Fenster des Salons schienen, sprang der Deckel mit einem lauten Knirschen auf. Nazareno griff als Erster hinein und holte nacheinander eine ganze Menge Briefe und Schriftsachen heraus, die er auf dem Teppich ausbreitete. Zuunterst kam ein in rotes Leder gebundenes Büchlein zum Vorschein. Alle kauerten sich voller Spannung auf den Boden, während der Zwerg das Bändchen aufschlug. Auf der ersten Seite stand in großen Lettern *»Einnehmen de anno 1497 – …«*. Eine Liste war auf der nächsten Doppelseite zu erkennen:

Santa Fosca, Rippe
Quasim. 1497 – Pancrat. 1497 Sta. Fosca a Torcello
Ass. Mar. 1497 an den Herzog von Urbino umb 800 fl., Monte d. P. Siena, »leone«.

❦

San Giacomo, Stück vom Leichentuch
Circumcis. Dni. 1497 – Pur. Mar. 1497 San Giacomo dell'Orio
Samst. vor Cant. 1497 an Kardinal Orsini umb 680 fl., Monte d. P. Siena, »zanzare«, an Ursolino nach Arezzo.

❦

San Gregorio, Hirnschale
Zwei Tag nach Allerseelen 1497 – Invoc. 1498
Palmar. 1498 an Ser P. Soderini umb 1180 fl., Medici Firenze, »cane«.

Sant' Apollonia, Daumennagel
Barnabe 1498 – Vinc. P. 1498 Chiostro Sant'Apollonia
Nat. Dni. 1498 an Cardinale Luis-Juan de Mila, umb 640 fl., Fugger Roma, »topolino«.

So ging es weiter, Seite um Seite. Der letzte Eintrag datierte auf September 1506. Niklas ließ sich auf dem Teppich nach hinten umfallen und schloss die Augen.

Das war es!

»Das wird ihm das Genick brechen«, frohlockte Nazareno und rieb sich die Hände.

Yussuf saß einfach nur da; unter seiner kohlschwarzen Haut war er leichenblass geworden, sodass seine Stammesnarben bläulich schwarz schimmerten. Er mahlte mit den Kiefern. »Und ich hätte ihm beinahe meine Giulia gegeben. Allah!«, flüsterte er. »Das wird er mir büßen.«

Nazareno erklärte Ettore, der nicht viel verstanden hatte, die Einträge im Buch. »Schau, mein Großer, hier oben zum Beispiel geht es um die Rippe der Heiligen Fosca. Offenbar wurde sie an Quasimodo aus der Kirche Santa Fosca in Torcello geklaut, gefälscht und an Pankrati wieder unbemerkt zurückgebracht. Dann, an Maria Himmelfahrt, hat man die echte Reliquie an den Herzog von Urbino verscherbelt, um 800 Florentiner Gulden. Die Summe wurde unter dem geheimen Stichwort ›leone‹ auf der Sieneser Bank Monte dei Paschi eingezahlt, entweder bar oder als Wechsel. Und der Haken mit dem Datum dahinter heißt vermutlich, dass das Geld zu ebenjenem Zeitpunkt an Contarini oder einen Mittelsmann ausbezahlt wurde. Contarini hat bei seinen Zahlungen alle namhaften Bankhäuser in Italien benutzt, von Venedig bis Neapel. Überall hat er das Geld unter Schlüsselbegriffen einzahlen lassen, die samt und sonders aus der Tierwelt stammen. Und zu seinen

Kunden zählt der europäische Adel und alles was in Kirche und Handel Rang und Würden hat – bis hin zu Seiner Heiligkeit höchstselbst. Es ist geradezu unfassbar!«

Ettore war skeptisch. »Aber wie wollt ihr Contarini mit diesem Buch etwas nachweisen? Der Einzige, der bezeugen kann, dass ihr es aus seiner Schreibstube in der Ca' d'oro habt, bin ich – und wer glaubt schon einem schwarzen Sklaven?«

»Wir brauchen dich gar nicht als Zeugen, Ettore.« Yussuf klopfte mit der Faust auf das rote Leder. »Hier drin, das ist Contarinis eigene Handschrift«, antwortete er, »und die kenne nicht nur ich zur Genüge. Es gibt in der Verwaltung der Serenissima unzählige Schriftstücke, die der Schurke in seiner Eigenschaft als Kriminalrichter persönlich verfasst und geschrieben hat. Ein Vergleich wird ihn eindeutig überführen.«

Niklas hatte derweil in den anderen Schriftsachen gekramt. »Seht nur, was ich noch gefunden habe! Eine Liste mit Namen und Geldbeträgen – alles anscheinend Leute, die von der famiglia Geld für irgendwelche Dienste erhalten haben. Darunter regelmäßig der Friedhofswächter von San Michele – wir müssen uns also nicht mehr fragen, woher der Ersatz für die Hirnschale des Heiligen Gregorio kommen mag, der heute im Reliquiengrab liegt. Sie haben bei Bedarf einfach Tote ausgegraben.«

»Orribile.« Nazareno schüttelte sich, dass seine Löckchen und die Goldohrringe flogen. »Leichenschändung, pfui Teufel. Allein darauf steht schon die Todesstrafe!«

»Und hier.« Niklas hielt eine lange Papierrolle hoch. »Sämtliche Zeitpunkte für öffentliche Reliquienweisungen in der Stadt. Hübsch in alphabetischer Reihenfolge, von San Alvise bis San Zeno. Es war ja für Contarini unabdingbar, zu wissen, wann die falsche Reliquie spätestens wieder an ihrem Platz sein musste.«

Yussuf, der bisher mit gekreuzten Beinen dagesessen hatte, sprang nun auf. »Das genügt, Freunde. Wir dürfen jetzt keine Zeit mehr verlieren. Sobald Contarini entdeckt, dass die Kiste fehlt, wird er die Flucht ergreifen, und die ganze Bande mit ihm. Ich lasse mich sofort zum Dogenpalast rudern. Ettore, nimm die Papiere und die Kiste und komm mit. Jetzt gilt es, schnell zuzuschlagen!« Er war schon zur Türe hinaus.

»Halt, mein Freund.« Niklas war ebenfalls aufgesprungen. »Schick vorher noch einen Boten hiermit zum ›Stör‹.« Er hielt Yussuf einen Zettel hin, den er vorsichtshalber schon am Abend vorher geschrieben hatte:

Es geht los. Nimm Matteo und Pippina und geh sofort zu deiner Schwester nach Mazzorbo. Bleib dort, bis du wieder von mir hörst. Niccó.

Sechs Stunden später waren die Ca' d'Oro und Pierinos Werkstatt von Männern der Stadtwache umstellt. Die Signori della Notte schlugen an beiden Orten gleichzeitig zu. Contarini selber war völlig überrascht und leistete keinerlei Widerstand. Man brachte ihn in einen abgeriegelten Bereich des Dogenpalastes. Bei der Erstürmung der Werkstatt wehrten sich etliche Mitglieder der famiglia erbittert mit Messern und allerlei greifbaren Werkzeugen; es gab etliche Verletzte, einen Toten unter den Signori della Notte und zwei unter den Goldschmieden. Einer der Lehrlinge erlitt entsetzliche Brandwunden, als er bei der Rangelei in die Öffnung des Muffelofens gepresst wurde; man ließ ihn sterbend zurück. Alle anderen, einschließlich Bruno und Pierino, wurden verhaftet und in die Gabbia, das städtische Gefängnis, gebracht.

Brief der Agnes Dürer an ihren Mann, Nürnberg, 2. November 1506

Mein Albrecht,

Gottes Rath und Hülff allezeit und meine Lieb zuvor, bester und fürsorgender Ehmann und Freundt. Dein letzten Brieff hab ich späth erhaltten, weshalb ich nit eher antwortten konnt. Jetzo ist's schon weyt über ein Jar, dass du mich und dein Werckstatt verlaßen hast und ins welsche Landt gezogen bist. Daheim ist alles wohl, deine Brueder laßen dich von Hertzen grüssen. Auch dein Mutter schicket einen Gruß mit, sie ist nit recht gesundt und leidt seit drey Wochen unter der Abweiche, derohalben sie ein Schonköstelein eßen musz, nur trucken Brodt und bittern Aufguss, damit sich das Gederm wiedrum beruhiget.

Hier bei unß ist's kaltt und gar ungemuetlich, vor Tagen ist der erste Schnee gefalln, aber Gott sey Danck nit liegen plieben. Du weißt ja, dass ich mit fünff Stich und zwey Bildern auf der Herbstmess zu Franckfurt war, und alles verkaufft hab. Bist nicht stoltz auf dein tüchtig Weyb? Jetzo sind alle Gemeld verkaufft, die du mir da gelassen hast, nur ein kleyne Zeychnungk ist noch übrig, die Landtschafft mit dem Weyer und den schönen Föhrenbäumen, die wollt noch nyemands haben.

Du hast in deim lezten Brieff nach der Elena Hellerin gefragt, das will wol der Nicklas wissen, gelt? Viel Guts kann ich dir nit berichten. Das Sönlein, das sie an Fastnacht zu früe geborn, weil ir Mann sie die Stiegen hinuntergestürtzet, ist wol und gedeihet. Sie selbsten hat lang gebraucht, bis sie wieder von der Geburth erholet war, aber nun ist sie gentzlich gesundt. Sie hat mir unter viel Thränen ertzelt, dass sie kein Kinder mer haben wird, so saget der Doctor Schedel, und der ist ein weyser Gelerter der Medicin und Artzeney. Der Konrad Heller hat auf ire Beschwerd beim Rat hin geschworn, sie nit mer anzufassen und hat sich wol auch den Sommer üeber dran gehaltten. Aber neulich hat sie mir irn Rückhen gezeyget – gantz gruen und plau, dass es ein Steyn erbarmet. Ich hab ir gerathen, noch einmal zum Rath zu gehen, aber sie ist zu stoltz, sich vor den fürnemen Mennern außzuziehn. Das weyß der Konrad sehr guth, darumb schlegt er sie nit mer ins Gesicht, wo anderß siehts nyemands. Gott sei Danck ist er nunmer immer öfters bey Hof zu Anspach, die Nürnberger zereißen sichs Maul drüber und sagen, er kriechet dem Marggrafen in den fetten Arss. Die Helena sagt, dort drinnen mög er ruhig hocken pleiben biß zum Jüngsten Tag. Er spielet dortten den Edelmann und gibt mer Gelt aus als gut ist, aber es ist ir alls recht, solang er nur fortt bleibt.

Dein gutter Freundt Pirckheimer, den ich gar nit leyden kann, hat letzte Wochen die Stadt verlaßen, die vom Rath haben ihn als Gesant-

ten zum Kayser und zu den andern Reichsstädten geschickt. Er hat mich schön gebethen, dir Grüeß zu bestellen, das thu ich alßo.

Unßer Nachbar hat sich beim Rath beschweret, weill die Sickhergrub unter unßerm Privet gottsjemmerlich stinckt. Er hat wol recht, es würdt Zeitt. Wie lanck haben wir die nit reumen laßen? Ich hab alßo zu den Kehrichtbauern geschickt, dass die kommen und die Grube leern. Wenn du baldt heim kerst, wirds alßo im Hauß nit mer so dufthen wie sonsten.

Wann gedenckst du, Venezien zu verlaßen? Lenger alß bis Pfingsten wird mirs Geldt nit reichen. Hast so gar kein Verlangen nach daheim? Ich wünsch mir senlichst, dass du wieder bey mir werst. Gib bald Nachricht.

Geschrieben am Montag Allerseelen anno 1506 von deim treuen Weyb Agnes Dürerin. Kyrie Eleis Amen.

Nachricht Albrecht Dürers an seine Frau Agnes vom 4. Dezember 1506

Mein Agnes,

Gottes Lieb und Treu zuvor dir, guts Ehweib, nach Nürnbergk. Ich hab besloszen, dasz mein Zeyt in der Stadt Venezia um ist. Die welschen Meister haben mich alß einen der iren angenommen, ich hab die Mäuller all gestillt, die do sagten, im stechen wer ich gut, aber im Maln wüßt ich nit mit Farben umtzugehn. Das Tafelbildt für San Bartollomé hats allen gezeigt. Du wirst dich freun, dasz ich 110 Guldn dafür bekommen hab, ich schick den Wechsel auf den Wegk. Ich geh mit dem nechsten Kauffmanszugk übers Gebirg und verhoff, bis zum Frühjar wiedrum daheim zu sein. Da gibt's dann vil zu ertzeln! Gehab dich wol, hüet mir Hauß und Werckstatt und wartt fein auff die Rückker deins

Albrecht.

Venezia, Donnerstag vor Barbara anno 1506

Venedig, Freitag vor Lucie 1506

Die Piazza San Marco wimmelte vor Menschen, obwohl ein schneidender winterlicher Nordwind durch die Stadt fegte und ungemütlich um die Ecken und über die Dächer pfiff. Doch keiner wollte sich das außergewöhnliche Spektakel entgehen lassen, das heute mit dem Mittagsläuten beginnen würde: Eine Massenhinrichtung, wie sie nur alle paar Jahrzehnte einmal vorkam. Und nicht nur das, nein, einer der höchsten Beamten der Serenissima zählte zu den Todeskandidaten – der für seine Unnachgiebigkeit und Strenge berühmte Kriminalrichter Piero Contarini Zemelli. Jedes Kind kannte ihn. Die Anklage hatte auf Hochverrat gelautet; ein geplantes Attentat auf den Dogen, so hieß es. In letzter Minute habe es verhindert werden können, Dank sei Gott, und nun erwartete die Verschwörer ihre gerechte Strafe.

Die aufgebrachte Menge schrie nach Blut, man wollte die Verräter jämmerlich sterben sehen. Wer den Dogen angriff, der griff die Serenissima selbst an, die glorreiche Republik, auf die noch der letzte Bettler der Stadt stolz war.

Vom Kind bis zum Greis war alles vertreten, was Beine hatte; die Leute rangelten und stritten um die besten Plätze, nur mit Mühe von der Stadtwache zur Ruhe gebracht. Niemand verschwendete heute einen Blick an die kleinen Gauner und zänkischen Weiber, die wie jeden Tag in den engen Käfigen beim Campanile dem Spott der Öffentlichkeit preisgegeben wurden und sonst immer alle Aufmerksamkeit auf sich zogen. Ja, die eingesperrten Übeltäter selber reckten hinter ihren Gittern vergeblich die Hälse, um erkennen zu können, was auf dem Richtplatz vor sich ging. Bewaffnete Signori della Notte hielten unter Aufbietung all ihrer Autorität eine Gasse frei, die vom Dogenpalast bis zu dem abgeriegelten Bereich bei den Zwillingssäulen, den colonne gemelle, führte. Auf dem Balkon des riesigen Mittelfensters, hoch über den herrlichen Arkaden des Palazzo Ducale, saß in seiner besten Amtstracht – einer bestickten Samtrobe in Gold und Weiß – der Doge, hinter ihm standen die Männer aus dem Rat der Zwölf und sämtliche hohen Würdenträger der Republik. Sie alle würden der Hinrichtung beiwohnen und damit den Sieg der Serenissima über ihre Gegner bezeugen und feiern.

Niklas, Nazareno und Yussuf standen auf der Mole in der Nähe der Säulen. Es war der Tag ihres Triumphes. Nazareno war herausgeputzt wie ein Pfau und aufgeregt wie ein kleines Kind; er plapperte in einem fort und hüpfte ständig in die Höhe, um besser sehen zu können. Es fehlte nicht viel und er hätte Yussuf gebeten, ihn auf die Schultern zu nehmen. Der Diamantenhändler dagegen sah an diesem Tag mehr denn je aus wie ein grimmiger Mohrenkönig. Er hatte sich in einen feuerroten Kaftan gehüllt und trug demonstrativ die afrikanischen Insignien seiner Macht, einen Flederwisch aus Pfauenfedern und ein halbmondförmig gekrümmtes Kurzschwert, als müsse er seine Autorität aller Welt und im Speziellen seinem ehemaligen Schwiegersohn-in-spe beweisen. Er würde es auskosten, den Mann sterben zu sehen, der ihn und seine Tochter ins Verderben hatte stürzen wollen. Niklas wiederum stand da und nahm die ganze Szenerie mit gemischten Gefühlen in sich auf. Er war kein Freund blutiger Metzeleien und hatte ernsthaft überlegt, dem Schauspiel fernzubleiben. Doch am Morgen hatte er sich doch noch entschlossen, mitzukommen. Er wollte dem Abschnitt seines Lebens, der mit der famiglia verknüpft war, einen endgültigen Schlusspunkt setzen. Irgendwo in einem Winkel seines Gehirns hatte er das Gefühl, mit eigenen Augen den Untergang der Verbrecherbande sehen zu müssen, um wirklich glauben zu können, dass es endgültig vorbei war.

Endlich ließen die beiden metallenen Mohren auf dem Torre dell'orologio ihre Hämmer sausen und zeigten die volle Stunde an – es war so weit. Trommelwirbel klangen über den Platz, und vom Campanile, dessen goldener Engel auf der Spitze sich wie wild mit dem Wind drehte, erschollen blechern die Trompeten.

An der Pforte des Palazzo Ducale regte sich etwas. Wachleute traten mit aufgepflanzten Piken auf den Platz hinaus und bahnten achtzehn gefesselten, zerlumpten Gestalten einen Weg durch die Gasse. Die Menge begann zu zischen und Flüche auszustoßen; Eier, stinkende Fische und fauliges Gemüse flogen durch die Luft, während die Todgeweihten ihren letzten Weg zur Richtstatt hinwankten und stolperten. Als sie in die Nähe der Zwillingssäulen kamen, erkannte Niklas die meisten von ihnen, allen voran Bruno, der als Einziger hoch erhobenen Hauptes einherging. Doch die Strapazen der Haft und die peinliche Tortur hatten auch ihn gezeichnet: Sein Gesicht war grau, die Wangen eingefallen, und sein Mund ein klaffendes, blutiges Loch. Schwarzes geronnenes Blut klebte an Kinn, Hals und Oberkörper – wie allen anderen, so hatte man auch ihm am Morgen die Zunge herausgerissen, nicht etwa aus besonderer Grausamkeit, sondern um zu verhindern, dass die Männer bei ihrer Hinrichtung ihr eigentliches Verbrechen ausplaudern konnten. Denn, so hatte der Rat der Zwölf in Abrede mit der Geistlichkeit beschlossen, es durfte auf keinen Fall an die Öffentlichkeit gelangen, dass eine Vielzahl der Heiltümer in den Kirchen der Serenissima gefälscht war. Unruhen unter den Gläubigen würden die unvermeidliche Folge sein. Und genauso wenig durfte je eine Menschenseele erfahren, welch illustre Persönlichkeiten in aller Herren Länder in den Besitz der echten Reliquien gelangt waren. Es war letztendlich das Beste, die Dinge auf sich beruhen zu lassen und sich der Übeltäter schnellstmöglich zu entledigen. Und Hochverrat war ein guter Vorwand, um die Hinrichtung der Verbrecherbande den Bürgern der Stadt plausibel zu machen.

Einer allerdings fehlte in den Reihen der Verurteilten: der alte Noddino. Obwohl Niklas und Nazareno sich nach Kräften für ihn eingesetzt hatten, war er wie alle anderen eingesperrt und verhört worden. Doch schon die zweite Woche im Gefängnis und die folgenden peinlichen Befragungen hatte er nicht mehr erleben müssen; ein gnädiger Gott hatte ihm das Schlimmste erspart und ihn am Morgen nach Sankt Martin nicht mehr aus dem Schlaf aufwachen lassen. Niklas wischte sich die Augen, als er an den unglücklichen alten Mann dachte, dem er zusammen mit Nazareno sein Leben verdankte und dem er seine Liebe nicht mehr hatte vergelten können.

Ein Mitglied der famiglia nach dem anderen trat den letzten Weg an. Die einen gingen, wie der junge Natale, stumpf und schicksalsergeben zum Block, die anderen wehrten sich mit all ihrer Kraft und mussten gezwungen und hingezerrt werden. Das Steinpflaster um die Richtstatt schwamm in Blut, und ein süßlicher Geruch, vermischt mit dem von Urin und Exkrementen, begann sich über San Marco auszubreiten. Die Gehilfen befestigten Seile an den Füßen der Leichen und zogen die Körper an einer der beiden Säulen hoch. Es sah aus, als ob San Teodoro, der auf der Säulenspitze thronte, nicht nur das Krokodil zu seinen Füßen, sondern auch die blutenden Rümpfe in Schach hielte.

Nachdem der letzte Kopf gefallen war, stellte der Henker sein bluttriefendes Werkzeug ab und atmete ein paar Mal tief durch. Man sah ihm die Anstrengung an, als er durstig einen Krug Wein hinunterstürzte. Die Zuschauer begannen sich zu den Wasserverkäufern und Bauchladnern hinzudrängen, die nun lautstark einen frischen Trunk oder Gebackenes anpriesen. Niklas, Nazareno und Yussuf hatten weder Durst noch Hunger. Sie blieben stehen und warteten, denn sie wussten: einer kam noch.

Sein Kommen kündigte ein weiterer Trompetenstoß vom Campanile an, und die Menge wandte ihre Aufmerksamkeit wieder begierig der Richtstatt zu. Von den Mercerie her hatten derweil einige Pferdeknechte vier prächtige braune Hengste gebracht, die aufgeregt tänzelten und sich kaum beruhigen ließen.

Nichts an dem Mann, der nun im weißen Totenhemd aus der Pforte des Palazzo Ducale trat, erinnerte mehr an den stolzen, schönen Gentiluomo von einst. Sein Gesicht war eingefallen wie das eines Greises, faltig und leichenblass. Er ging gebeugt und mit unsicheren Schritten, sein Blick flackerte unstet von seinen Bewachern hin zu der unübersehbaren Menschenmenge, die nun in johlendes Spottgeschrei ausbrach. Contarini wankte kurz, bestieg aber sofort den bereitstehenden Schinderkarren. Die Ketten, die er an Händen und Füßen trug, klirrten, als der Karren anzog, und er hielt sich schwankend am Holzgeländer fest. Eine tote Ratte flog durch die Luft und traf ihn seitlich am Kopf, gefolgt von Unrat und allerlei anderem Getier, während das Gefährt langsam durch die freigehaltene Gasse rollte. Ohrenbetäubender Lärm toste über den Platz; die Stimmung der Schaulustigen trieb auf den Höhepunkt zu. Selbst der Doge erhob sich auf seinem Balkon.

Der Henker holte Contarini vom Karren und wartete geduldig, bis der Priester seines Amtes gewaltet hatte. Dann band er sein Opfer an diejenige der beiden Säulen, auf der oben der geflügelte Löwe von San Marco thronte, das Sinnbild der Republik. Jeder verstand, was damit gemeint war: So wie Contarini würde es allen gehen, die sich gegen das Wohl der Serenissima stellten.

Niklas war erstaunt über sich selber. Er hatte erwartet, bei Contarinis Anblick Hass zu spüren. Er hatte geglaubt, dem Mann, der an der Verstümmelung seiner Hand schuld war, der sein Leben zerstört hatte, Wut und Abscheu entgegenzubringen, aber jetzt war sein Zorn, der ihn so manches Mal in den vergangenen Monaten nicht hatte schlafen lassen, plötzlich verraucht, sein Wunsch nach Vergeltung eingeschlafen. Er konnte keine Genugtuung, keinen Triumph empfinden beim Anblick dieses angstgepeitschten Menschen, der da wehrlos an der Säule hing und dem jetzt das Büßerhemd heruntergerissen wurde. Contarinis nackter Körper fing an zu schlottern, die Zähne klapperten hörbar im Hohlraum seines zungenlosen Mundes. Der Henker griff nach einem vorne abgerundeten, messerähnlichen Instrument und näherte sich der Säule. Contarini blickte auf. Er sah den Kahlköpfigen und sein Werkzeug an, ließ seine vor Angst irren Augen über die Menge wandern. Niklas' und seine Blicke trafen sich für einen Sekundenbruchteil, und ein Hauch des Erkennens huschte über Contarinis Gesicht. Spielte da ein Lächeln auf seinen zerbissenen Lippen? Niklas hätte es hinterher nicht mehr sagen können. Schon setzte der Henker sein Instrument an und stieß es tief in Contarinis linkes Auge. Eine kurze Drehung, und der Augapfel platzte aus der Höhle. Die Schreie des Gefolterten gingen in heulendes Gurgeln über, als auch das zweite Auge ausgestochen wurde. Blutige Löcher glotzten aus dem verzerrten Gesicht. Ein kleines Mädchen, das in der Nähe stand, erbrach sich aufs Pflaster, hilfreich von der Mutter gestützt.

Als Contarinis Fesseln gelöst wurden, sackte er zusammen. Die Henkersgehilfen schleppten ihn in die Mitte eines freien Platzes bei den Säulen, den die Stadtwache gerade mit vorgehaltenen Spießen geräumt hatte, und breiteten sorgfältig Arme und Beine des Delinquenten auf dem Boden aus. Während die Signori della Notte vier

Gassen freimachten, band der Henker starke Stricke um Hand- und Fußgelenke Contarinis und befestigte deren Enden an den Geschirren der vier Pferde, die schon schnaubend und stampfend bereitstanden. Contarini röchelte, als sich die Seile spannten. Zwei schnelle Schnitte, und seine Armsehnen waren unter den Achseln durchtrennt, die Beinsehnen folgten. Die Menge murrte – offenkundig wollte der Henker Contarini schonen und die Gliedmaßen schneller abreißen lassen. Das verkürzte die Angelegenheit beträchtlich, und man sah sich um das größte Vergnügen gebracht. Jetzt hob der Glatzkopf die Hand. Die Pferdeknechte gaben ihren Braunen die Peitsche. Einen endlosen Moment lang spannte sich Contarinis Körper; ein nicht mehr menschlicher Schrei entrang sich seiner Kehle, dann hörte man es reißen und bersten. Zwei Pferde galoppierten mit den Armen davon, die beiden anderen rissen Contarinis Rumpf bis zur Brust mitten entzwei. Es war endlich vorbei.

Niklas, Nazareno und Yussuf verließen den Ort schweigend und machten sich auf den Heimweg. Für Niklas stand von diesem Augenblick an fest, dass er nicht in Venedig bleiben würde.

Schreiben der Augsburger Handelsgesellschaft Welser an Yussuf den Mohren, 18. Januar 1507

An Yußuf il Moro, Diamantenhändler zu Venedig, von Anton Welser, Händler und Kaufmann zu Augspurg, Gott zum Gruß und guts Gescheft.

Ich hab am Sambstag Marcelli erhaltten von Euch:
Item vier und zwantzig erpsgroße Diamant von reinstem Wasser
drey Säcklein mit je ein Pfundt Stoßperlen für Medicin
zwantzig Rubin, die Farb schönes Taubenbluth
zehn Smaragd, jeder von der Größ einer Haßelnuß
fünf Straußen Eyer

ein Pfundt Koralln, roth und fein
dartzu noch ein Säcklein ½ Pfundt Lapis Latzuli, fein gemaln, für Farb

Der Wechsel gehet, wie sonsten auch, drey Tag später auf den Wegk.

Ir schreibt mir dartzu, mein hochwerther Handelscolleg, dasz ir wöllet ein Factor in Teutschland ansiedeln, der sey ein Mann eures Vertrauns und möcht in Zuckunft die Gescheft nördlich der Alpen für Euch fürn. Wiewol wir uns gefreuet haben, bishero die eintzig Gesellschaft zu sein, die mit Euch in Teutschlandt Handel getrieben hat, so sehen wir wol, daß ein solicher Schritt für Euch Sinn und Gewinn ergebet. Jedoch vermeynen wir, dasz es guth sey, dieweiln wir doch Euer wichtigster und gröster Gescheftscolleg im Norden pleiben wolln, wenn Euer Factor bei unß in der Neh säß. Wir schlagn daher vor, er beziehet Sitz und Wonung zu Augspurg, wo wir ime zu eim ansenlichen Hauß verhelffen könnten, das Euch nit zu theuer käm.

Außer deme haben wir verstanden, alß ob dießer Factor, ir nennet in Niccolo Lincko bei Namen, auch der jenige sey, der die Diamanthen so schleyffen könne, daß sie heller leuchtten denn die Stern. Ich hab den Stein gesehn, den Ihr mir gesandt habt. Dergleichen ist mir noch nyemals nit begegnet. Es blendt einem schier die Augn. Dagegen sind die zu Antwerpen geschnittnen Diamantt schiere Stümpperey. Mein Vorstellungk ist nun solcher Artt: Das Handelshauß Welßer würdt ime zu Augspurg ein Schleifferey einrichtten, mit allem, was es brauchet, dafür wir dann ein Zehentheil der alldort geschliffnen Steyn ex clusivo zu eim guthen Preis erhallten und in Teutschlandt verkauffen dürfften. Ein solicher Handel dürfft uns beyden zu guthem Vortheil gereichen. Was ist Euer Meinungk dartzu?

Ich sendt den Bothen mit dießem Brieff eiligk über den Brennerpass, dieweill heuer der Schnee noch nit allzu hoch lieget. In Erwarttung Eurer Antwort bleib ich in Jesu und aller Heyligen Namen

Anton Welser, Handelsherr. Gegeben zu Augspurg den Montag Prisce anno 1507.

Venedig, Februar 1507

Das Schiff kam aus Odessa und hatte Getreide geladen. Zwei Monate war es unterwegs gewesen, bis es an diesem trüben Winternachmittag wieder an den heimischen Zattere anlegte. Feiner Nieselregen durchnässte die Segel, das Meer war so eintönig grau wie der Himmel, nur dass auf den Wellen weiße Schaumkronen tanzten. Es knirschte und knarzte, als der Schiffsrumpf sich gegen die Erlenholzbohlen der Mole drückte. Die ersten Straßenjungen rannten um die Wette los, um dem Eigner die glückliche Rückkehr zu vermelden und die dann übliche großzügige Belohnung einzukassieren. Ein Grüppchen Tagelöhner versammelte sich an der Anlegestelle, um beim Entladen für ein paar Kupfermünzen mithelfen zu dürfen.

Eilig verließen die Seeleute das Schiff, ihre wenige Habe in Seesäcken über der Schulter. Einige von ihnen gingen schnurstracks heim zu ihren Familien, doch die meisten hatten nichts Dringenderes zu tun, als sich ins nächstbeste Bacaro zu stürzen, um erst einmal bei Wein und Weibern gründlich zu feiern. Jede Fahrt übers Meer stellte ein Risiko dar, und eine gesunde Heimkehr war keine Selbstverständlichkeit.

Der Matrose schwankte leicht, als er von der Planke trat. Obwohl es empfindlich kalt war und der Regen ihm schon bis auf die Haut ging, stand ihm der Schweiß auf der Stirn. Schon seit dem vorigen Tag hatte er sich fiebrig und matt gefühlt, aber vorsichtshalber den Mund gehalten. Kein Kranker durfte ein Schiff verlassen, das neu angelegt hatte, das war ehernes Gesetz aller Häfen. Waren mehrere von der Mannschaft erkrankt, hatte ein Kapitän sogar die Pflicht, mit dem Einlaufen zu warten, bis die Natur der Krankheit geklärt war. Aber der Matrose hatte sich eisern zusammengerissen, um niemanden etwas merken zu lassen. Schließlich wollte er genau wie alle anderen unbedingt an Land. Und ein bisschen Fieber war ja schließlich nichts Ernstzunehmendes, das kam und ging.

Jetzt atmete er auf und lenkte seine Schritte in Richtung Arsenal. In der Nähe der Werft lebte noch seine alte Mutter, bei der er wohnte, wenn er nicht gerade auf irgendeinem Schiff angeheuert hatte. Der Weg kam ihm heute länger vor als sonst, und immer wieder blieb er stehen, um zu verschnaufen. Leichter Schwindel befiel ihn, und sein Magen fühlte sich merkwürdig fad an. Wurde Zeit, dass er sich daheim auskurierte.

Als er an der Eingangstür des »Störs« vorbeikam, hielt er inne und atmete tief durch. Jetzt war es nicht mehr weit bis daheim. Ein ordentlicher Schluck Roter würde jetzt wohl nicht schaden, beschloss er, und trat in die Gaststube.

Drinnen war trotz des frühen Zeitpunkts schon Hochbetrieb. Die Werften hatten gerade Feierabend gemacht. Der Matrose quetschte sich auf ein Bänkchen neben dem Tresen und rief nach Wein.

»Hast Glück, marinaio, dass noch welcher da ist!«, versetzte Vanozza fröhlich und reichte ihm einen Krug mit billigem Rotwein. »Im Arsenal liegen vierzehn Schiffe, und heut sind scheint's sämtliche Arbeiter von der Werft direkt zu mir gekommen.«

Der Matrose leerte die Karaffe durstig in einem Zug, ohne dass ihm davon besser wurde. Der Schweiß lief ihm über die Stirn. Etwas kitzelte ihn an der Oberlippe, und als er hinlangte, entdeckte er, dass er aus der Nase blutete. Das Zimmer begann sich um ihn zu drehen.

»Meine Güte, bin ich froh, dass der Tag vorbei ist.« Vanozza stemmte die Hände in die Taille und blies sich eine vorwitzige Strähne ihres roten Haares aus der Stirn. Der letzte Gast war gerade gegangen, sternhagelvoll. Pippina kam aus der Küche und schwenkte einen nassen Lappen.

»Hier ist schon alles sauber, Mammà. Matté bringt gerade den Abfall hinaus.« Die Kleine war hundemüde, hatte aber den ganzen Tag brav geholfen.

»Dann geh ins Bett, piccolina. Den Rest schaff ich mit Matté alleine.«

Vanozza griff sich den Reisigbesen und begann, die Gaststube zu fegen, als sie ein leises Stöhnen hörte. Suchend schaute sie sich um. Tatsächlich, ganz hinten in der Ecke neben dem großen Fass sah sie ein paar Beine hervorlugen. Da wollte doch tatsächlich einer seinen

Rausch hier ausschlafen! Mit dem Besen stieß sie die zusammengesunkene Gestalt an, als wolle sie sie hinauskehren.

»Auf, du Stinktier, rapple dich und geh heim, vai, vai. Es ist geschlossen.«

Der Mann rührte sich nicht. Sein Kopf war zur Seite gesunken, und er atmete schwer. Vanozza beugte sich hinunter, packte ihn bei den Schultern und rüttelte ihn kräftig. Die beiden gelblichen Pusteln auf seiner Stirn sah sie nicht. Der Mann würgte und erbrach sich auf den Boden.

»Herrjemine, auch das noch! Matté!« Vanozza stellte den Besen hin. »Matté-e!«

Matteo jedoch hatte längst beschlossen, dass sein Arbeitstag zu Ende sei, und sich aus dem Staub gemacht, um unter dem Fenster eines ganz bestimmten Mädchens aus der Nachbarschaft den schmachtenden Verehrer zu geben. Vanozza seufzte, packte den Betrunkenen bei den Füßen und zog ihn unter Aufbietung all ihrer Kräfte zur Hintertür hinaus. Als sie ihn draußen mit dem Rücken gegen die Wand lehnte, begann er zu husten. Tröpfchen feinen Speichels netzten ihr Gesicht.

Zehn Tage später hämmerte Matteo atemlos gegen das Tor von Yussufs Palazzo. Drinnen nahm er immer zwei Treppen auf einmal, lief so schnell er konnte durch die Gänge, bis er bei der Werkstatt angekommen war.

»Niccó, du musst kommen, subito. Mammà – sie ist schwer krank. Seit gestern lassen sie keinen mehr aus dem Viertel hinaus, ich bin heimlich unter der Absperrung durchgeschlüpft. Die Leute sagen, es sei ansteckend. Ganz viele haben es schon. Der alte Tonino vom Seilerhaus ist gestorben und seine Tochter.« Er versuchte, nicht zu weinen, aber seine schmalen Schultern bebten.

Niklas legte das Werkzeug zur Seite, mit dem er gerade den Schleifstein bearbeitet hatte. Eine kalte Hand griff nach seiner Brust.

»Nimm am besten diese Reliquie mit dem heilkräftigen Öl mit.« Yussuf war unbemerkt dazugekommen. Seine Stimme war leise, die Stirn gefurcht. »Ich habe es eben auf dem Weinmarkt gehört. Es sind die Pocken.«

Sie rannten den ganzen Weg. In der Nähe des Arsenals kamen sie zur Absperrung, einer soliden Holzbarrikade. Bis an die Zähne bewaffnete Soldaten standen davor und hinderten eine ganze Menschentraube daran, die Absperrung zu durchbrechen. Tatsächlich, man riegelte das Castello-Viertel ab.

»He, was soll das? Seid ihr verrückt? Wo wollt ihr hin? Da drin krepieren sie alle!« Einer der Soldaten stellte sich ihnen in den Weg und versuchte, sie zurückzuhalten, als sie auf die Barrikade zuliefen und darüber hinwegklettern wollten. Niklas stieß ihn zur Seite.

»Noch so ein paar Lebensmüde«, murmelte der Landsknecht achselzuckend und schüttelte den Kopf.

In den Gassen bis zum »Stör« war kaum eine Menschenseele zu sehen. Unnatürlich, beklemmend still schien es Niklas zu sein, nur die Spatzen schimpften von den Dächern wie immer. Zwei Frauen kreuzten ihren Weg, sie hatten Tücher vor Mund und Nase gebunden und wichen ihnen furchtsam aus. An mehreren Ecken loderten Feuer, und aus den Häusern drang der Geruch von Räucherwerk. Die meisten Läden waren geschlossen. Irgendwo spielte jemand auf der Flöte.

Die beiden betraten die leere Wirtschaft. In der Küche standen noch die schmutzigen Töpfe, es brannte kein Feuer und die Stube war nicht gekehrt. Pippina kam ihnen entgegen, einen vollen Eimer Wasser in der Hand. Sie war bleich, und die Angst stand ihr in den Augen.

»Sie muss doch bestimmt nicht sterben, Niccó, oder?« Ihre Stimme zitterte.

Niklas nahm sie stumm in den Arm; dann stieg die Treppe nach oben.

Im Schlafzimmer drang ihm entsetzlicher Gestank nach Eiter und Verwesung entgegen, obwohl in einer Schale auf dem Boden Räucherwerk glomm. Ein schmiedeeisernes Kohlebecken auf drei Füßen verbreitete einen Hauch Wärme, und unter der kleinen geschnitzten Muttergottes in der Wandnische brannte eine Kerze. Niklas sah Vanozza und wusste, dass Menschenhand hier nicht mehr helfen konnte. Körper und Gesicht waren über und über mit wässrigen Blasen und Pusteln bedeckt. Er trat zum Bett, und Vanozza öffnete mühsam die Augen. Sie waren glasig vom Fieber.

»Da. Der Vogel«, flüsterte sie und zeigte mit zitterndem Finger auf einen imaginären Punkt in der Zimmerecke. »Er geht nicht weg.«

Niklas ließ sich neben dem Bett auf die Knie fallen. »Da ist kein Vogel, carina. Du phantasierst.« Er wünschte sich so sehr, sie zu berühren, aber er wusste auch, dass dies sein Tod sein konnte.

»Schwarz und böse«, wisperte sie heiser, und ihr Blick wurde wild, »schwarz und böse! Er glotzt mich an. Geh weg, geh weg!« Sie fuchtelte irr mit den Armen, als wolle sie sich eines Angreifers erwehren.

»Calma, amore, calma.« Niklas versuchte vergeblich, die Fiebernde zu beruhigen. »Ich bin da, Nozzá, ich bin's doch, Niccó ...«

Sie sah ihn an, schüttelte erst verwirrt den Kopf, doch schließlich huschte etwas wie Erkennen über ihr Gesicht. Dann schrie sie wieder. »Hilf mir, Niccó, hilf, hilf. Er hackt seinen Schnabel in mein Herz. Weg, weg!« Schluchzer schüttelten sie, während Niklas vergebens beruhigende Worte murmelte. Er holte das Medaillon aus seinem Umhängebeutel, klappte es auf und nahm die kleine Phiole mit dem Öl heraus.

»Sieh her, Nozzá, hier hab ich das heilkräftige Öl vom Grab der Santa Walpurga. Ein Tropfen davon kann dich gesund machen.«

Vanozza starrte jetzt wieder stumm und ängstlich in die Zimmerecke, wo der imaginäre Todesvogel hockte. Niklas zog den winzigen Korken heraus und träufelte ein Tröpfchen der bräunlichen Flüssigkeit auf die Stirn der Kranken. Dann begann er zu beten.

Die Stunden verstrichen. Noch immer deutete kein Anzeichen auf eine Besserung von Vanozzas Zustand hin. Irgendwann schlief sie ein und wälzte sich in unruhigen Fieberträumen, während Niklas ihr wiederholt kleine Mengen eines bitteren Kräuteraufgusses einflößte, den Pippina gebracht hatte.

Spät am Nachmittag erwachte Vanozza mit klarem Kopf, und Niklas begann wieder zu hoffen. Vielleicht tat das Öl nun doch seine Wirkung. Sie lächelte ihm schwach zu und er lächelte zurück.

»Hast du Schmerzen, cara?«

»Meine Haut ... zerbirst«, murmelte sie. »Alles tut so weh.« Sie unterdrückte ein Husten. »Mio ben, du musst ohne mich in deine Heimat zurück. Ich hätte sie so gern gesehen.«

Niklas schluckte und schüttelte verzweifelt den Kopf. »Nein, Nozzá, du wirst wieder gesund. Das Öl der Heiligen Walburga …«

Als Antwort hob sie leicht das Laken an, das ihren Körper bedeckte. Die Matratze darunter war blutgetränkt. Die Pockenausblühungen hatten sich in diesen wenigen Stunden schwärzlich-rot verfärbt, begannen am Rücken aufzubrechen und ihr blutig-eitriges Sekret abzusondern. Niklas wusste, was das bedeutete: Es waren nicht die einfachen Pocken, die den Menschen meist noch eine Überlebenschance gaben. Es waren die schwarzen Blattern.

Er senkte den Blick, damit sie sein Entsetzen nicht sah. Das Öl hatte versagt.

»Niccó, ich hab solche Angst«, flüsterte Vanozza. Eine Träne lief aus ihrem Augenwinkel. Sie zog eine blutige Spur bis zur Schläfe.

Aller Vernunft zum Trotz griff Niklas nach ihrer Hand und hielt sie fest.

»Die Kinder, caro.« Das Sprechen kostete sie unendliche Anstrengung. »Kümmere dich um die Kinder. Versprich es mir.«

»Nozzá …«

»Versprich's mir.«

Er atmete tief durch und ließ seinen Tränen freien Lauf. »Ich versprech's dir.«

Bis zum Abend blieb er an ihrem Bett, aber sie konnte nicht mehr reden. Irgendwann ging ein Aufatmen durch ihren Körper und ihr Kopf sank zur Seite. Da erst ließ er ihre Hand los und öffnete das Fenster, damit ihre Seele aus dem Raum entweichen und hinauf zum Himmel steigen konnte.

Einen Monat später verließ Niklas mit Matteo und Pippina die Stadt. Bei keinem von ihnen hatten sich Anzeichen der Krankheit gezeigt. Auch im Castello-Viertel hatte sich die Lage inzwischen wieder gebessert, es hatte an die vierhundert Tote gegeben, doch nun schienen die Pocken an Kraft verloren zu haben. Zwar gab es noch Kranke, aber seit einer Woche war niemand mehr gestorben. Der Rat hatte die Quarantäne aufgehoben. Niklas hatte den »Stör« in aller Eile für wenig Geld losgeschlagen – wer wollte schon eine Schänke, in der die Pocken gewütet hatten? Nun waren sämtliche Habseligkeiten der kleinen Familie gepackt, und die drei setzten mit der Fähre zur Terra Ferma über. Die ganze Fahrt über standen sie mit wehenden Haaren an der Reling und blickten nach Venedig zurück. Die schönste Stadt der Welt lag pastellfarben im Morgendunst, irreal wie ein Traumbild, eine Spiegelung phantastischer Baukunst, kolossalen Reichtums und politischer Macht. Ein Ort überschwänglichen Glücks und maßloser Trauer. Niklas fiel es schwer, sich vom Anblick der Serenissima loszureißen, als die Fähre anlegte. So viele Jahre hatte er hier verbracht, und jetzt war diese Zeit zu Ende. Drüben auf der Friedhofsinsel San Michele lag die Frau, mit der er mehr als zehn Jahre gelebt hatte. Was würde in Deutschland auf ihn warten? Er straffte den Rücken und legte seine Arme um Pippina und Matteo. Ein neuer Lebensabschnitt würde für sie alle drei beginnen.

»Hast wohl gedacht, du wirst mich so leicht los, he?«

Die laute, sonore Stimme des Zwerges riss Niklas aus seinen Gedanken. Vor ihm auf der Mole stand der Kleinwüchsige, die Fäuste in die Hüfte gestemmt, einen bepackten Esel neben sich. Seine Ohrringe blitzten, und ein breites Grinsen zog sich über sein Gesicht. »Wird auch Zeit, dass ihr kommt. Ich hab schon gestern Abend die Fähre genommen und hier auf euch gewartet.«

»Nano!« Pippina rannte los und stürzte in Nazarenos Arme. Der hob sie hoch und schwenkte sie lachend herum.

»Wieso hast du dich erst jetzt entschlossen?« Niklas begann, das Reisegepäck auf den wartenden Karren zu verteilen.

»Oh, na ja«, der Zwerg fuchtelte theatralisch mit den Armen in der Luft. »Mir ist plötzlich klar geworden, dass ich schon immer mal eine Vergnügungsreise über die Alpen machen wollte. Immer Venedig, das viele Wasser, die Hitze, jeden Tag Fisch und Oliven! Ich dachte mir, ich brauch mal was anderes. Einmal im Leben will ich Schnee und Eis sehen und meinen Magen mit Bier und Roggengrütze füllen. Außerdem, was soll bloß aus dir werden, wenn keiner mehr auf dich aufpasst? Womöglich ersäufst du im nächsten Kanal!« Nazareno riss die Augen auf und spreizte alle zehn Finger, um seine Befürchtung zu bekräftigen.

»In Augsburg gibt's keine Kanäle«, meinte Niklas achselzuckend und kletterte auf den Bock, während Nazareno betreten auf seine Schuhspitzen sah und Pippina einen enttäuschten Seufzer hören ließ. »... aber, wenn ich's recht bedenke, einen Experten in doppelter Buchführung könnt ich dort schon brauchen ...« Er grinste.

Der Zwerg und das Mädchen stießen gleichzeitig einen Juchzer aus.

»Na, dann steigt alle auf und los. Augsburg wartet. Andiamo.« Niklas schnalzte mit der Zunge, und der Wagen rollte an.

FÜNFTES BUCH

Oberwolkersdorf, August und September 1507

Es war ein reicher Sommer. Auf den gemähten Wiesen standen rund und prall die Heuhaufen der zweiten Ernte, das Korn wogte golden im Wind, und die knorrigen Äste der Apfel- und Zwetschgenbäume bogen sich von der Schwere unreifer Früchte. Überall in der Natur war Wachsen, Reifen und Gedeihen. Es roch nach gemähtem Gras, süß eingemachten Beeren und den bunten Kräutersträußen, die in Häusern und Scheunen zum Trocknen aufgehängt waren. Die Tage waren so heiß, dass die Kühe bis zum Abend nicht aus dem Schatten gingen, und die Nächte mild und lau wie im Süden. Hin und wieder kühlte ein Regenguss das Land, ließ Mensch und Tier aufatmen und die Wiesen neu ergrünen.

Helena sah aus dem Fenster ihrer Schlafkammer im Wasserschlösschen, während sie mit geübten Bewegungen ihr langes Haar zum Zopf flocht. Drunten, dort wo das in Stein gefasste Rinnsal des Schlossbächleins in die Zwiesel floss, spielten die drei größeren Kinder quietschend und kreischend miteinander Fangen. Mina saß mit dem zweieinhalbjährigen Endres unter dem grünen Dach einer ausladenden Trauerweide, die beiden rollten Schusser aus buntbemalten Tonkugeln gegen den rissigen Stamm. Seit fünf Wochen war die kleine Familie nun schon in der Sommerfrische, und bisher war es eine herrliche, ungetrübte Zeit gewesen. Konrad weilte Gott sei Dank beim Markgrafen in Ansbach und gab dort wie immer das Geld mit vollen Händen aus, während Apollonia in Nürnberg geblieben war, um das Haus am Weinmarkt zu hüten.

Helena fühlte sich frei und unbeschwert. Hier auf dem Land brauchte sie sich nicht den strengen Regeln zu unterwerfen, die in der Stadt galten. Keiner achtete darauf, ob sie sich der Kleiderordnung gemäß anzog – zwar unbedingt aufwändig und kostbar, aber andererseits ja kein Pelzchen zu viel, keine Goldborte zu breit, kein Ärmel zu lang –, ob sie sich züchtig und anständig bewegte und den Blick stets sittsam auf den Boden richtete, wie es einer Patrizierin ziemte. Sie trug luftige, helle Kleider mit weiter Taille und kurzen Ärmeln, die in der Hitze nicht einengten, ging ohne den störenden schweren Schmuck, und – was sie am meisten genoss – ohne die massiven Hauben und Gebinde, mit denen sie sonst Haar und Stirn verbergen musste. Nur sonntags, wenn sie mit Mina und den Kindern den Pferdewagen bestieg und zum Kirchgang ins nahe Schwabach fuhr, machte sie eine Ausnahme, zog eines der schweren, bestickten Gewänder an, trug ihren Schmuck und verhüllte das Haar. Auch die Kinder genossen es, den ganzen Tag nur in Hemd und langen Strümpfen herumzutollen. Am meisten aber waren sie erleichtert darüber, dass der Vater nicht in Wolkersdorf dabei war. Daheim litten sie unter der ständig gespannten Atmosphäre zwischen ihren Eltern, rechneten täglich mit Gewaltausbrüchen, fürchteten sich vor Schlägen und harten Worten. Vor allem die vierjährige Margarethe lebte in ständiger Angst vor ihrem Vater und getraute sich zu Hause kaum etwas zu sagen. Hier lachte und sang die Kleine von früh bis spät und steckte ihren ruhigeren Zwillingsbruder mit ihrem Übermut an. Sogar Konrad, der Älteste, legte seine übliche Zurückhaltung ab und blühte richtiggehend auf. Helena hatte ihn mit einer kleinen, stämmigen Stute überrascht, auf der er nun unter Anleitung des jungen Schlossvogts begeistert das Reiten lernte. Jetzt sah der Achtjährige zu Helena hinauf und sie winkte ihm lachend zu.

Noch während sie das braune Samtband um ihr Zopfende schlang, klopfte es. Maria, die hochschwangere junge Frau des Schlossvogts, trat schüchtern ins Zimmer, Schürze und Hände voller lilaschwarzer Flecke vom Schwarzbeereinkochen.

»Euer Liebwürden, da ist ein feiner Herr am Tor, der will zu Euch. Ich hab ihm schon gesagt, dass Ihr keine Fremden empfangt, aber er lässt sich nicht abhalten.«

Helena war überrascht. Der Einzige, der sie hin und wieder im Schloss besuchte, war der feiste alte Schwabacher Dekan, den sie noch aus ihrer Kinderzeit kannte, denn er war Abkömmling einer reichen Kaufmannsfamilie, die schon mit Helenas Vater freundschaftliche Beziehungen gepflegt hatte. Meist kam er just zur Mittagessenszeit, um sich gründlich den Bauch mit Bauernbrot und Leberwürsten voll zu schlagen, während er salbungsvolle Worte predigte. Wer sonst konnte etwas von ihr wollen? Hastig rollte Helena ihren Zopf hoch und stopfte ihn unter eine leichte weiße Bänderhaube.

»Bitt den Herrn schön herein, Maria, und bring ihn herauf in den Wohnsaal.«

Ganz sittsame Hausfrau, setzte sie sich auf den ledergepolsterten Lehnstuhl neben dem Handarbeitstischchen am Westfenster, nahm ihr Stickzeug zur Hand und begann, an einem seidenen Kragen weiterzuarbeiten.

Ein Mann trat ein. Hochgewachsen, schlank, breitschultrig, das schwarze Haar im Nacken gefasst. Er war fein gekleidet wie ein wohlhabender Kaufmann, hatte jedoch etwas Fremdartiges, Ausländisches an sich. An seinem rechten Ohr blitzte abenteuerlich ein kleiner silberner Ring. Helena sah auf. Ihr Blick traf auf ein Paar dunkler Augen, und ihr war, als würde der Boden unter ihren Füßen schwanken. Sie ließ das Nähzeug achtlos fallen.

»Lene?« Sie kannte die Stimme.

Ein paar Schritte, und sie standen einander gegenüber, stumm, verlegen und ungläubig. Vorsichtig nahm er ihre Hände.

»In Nürnberg hat es geheißen, du seist auf dem Land, da hab ich mich an Oberwolkersdorf erinnert und bin auf gut Glück hergeritten.«

Helena konnte kein Wort sagen. War dies der Augenblick, auf den sie all die Jahre gewartet hatte? Den sie in so vielen Träumen kaum gewagt hatte, sich auszumalen? Und jetzt stand sie da, nachlässig gekleidet, das Gesicht wie ein Bauernmädchen von der Sonne gebräunt, Haarsträhnen hingen ihr lose aus dem Gebinde! Und die Hände, die er hielt, waren rau und zerstochen vom Brombeerpflücken.

»Niklas!« Jetzt endlich kam ihr ein Wort über die Lippen. »Du!«

Sie liefen gemeinsam durch die Felder und Wiesen, erzählten sich die vergangenen Jahre. Immer wieder sah sie ihn an, als könne sie es nicht glauben. Ein schlaksiger, unreifer Jüngling hatte sie damals verlassen, ein erwachsener Mann war zurückgekehrt – so vieles an ihm war neu, und doch vertraut. Neu die Art, wie er sicher und fest seine Schritte setzte, wie er selbstbewusst den Rücken straffte, der tiefe Klang seiner Stimme, und wie er sprach – mit diesem leichten Akzent, einem rollenden Zungenschlag, einer fremden Betonung. Neu das Temperament: Wie er mit den Händen redete, mit den Augen rollte, wenn er erzählte. Dafür vertraut sein Lachen, so wie früher, fröhlich und ansteckend, mit blitzenden Augen. Vertraut auch die Bewegung, der Schwung seiner Hüften, dieses kleine, nervöse Zupfen am Ohr, wie er es schon als Kind immer getan hatte. Oh, wie viel sie noch von ihm kannte!

Als sie an der verfallenen Hütte am Pfaffensteig vorbeikamen, in der sie als Kinder so oft Verstecken gespielt hatten, nahm er ihre Hand, als sei es das Selbstverständlichste auf der Welt. Sie ließ es zu. Und später, nachdem sie lange so gegangen waren, wortlos, um den Zauber nicht zu zerstören, blieben sie unter dem alten Birnbaum am Ende des Hügels stehen. Er küsste sie, vorsichtig und langsam, um ihr Gelegenheit zu geben, ihn abzuwehren. Aber sie wehrte sich nicht. Sie weigerte sich zu denken. Seine Lippen glitten über ihr Gesicht, ihren Hals. Mit leichten Fingern löste er ihre Haube, und sie schüttelte ihr Haar aus, bis es lose über ihren Rücken fiel. Dann zog er sie hinunter ins hohe Gras.

Was hätte sie dagegen tun können? All die Jahre hatte sie nur ihm gehört, die ganze lange Zeit hatte sie nur auf die Berührung seiner Hände gewartet. Und sie erkannten und erfühlten sich wieder. Ihre Körper erinnerten sich aneinander, als ob ihre Kinderliebe erst gestern gewesen wäre. Nur, dass Helena mit jeder Liebkosung, jedem Streicheln seiner Fingerspitzen über ihre Haut bewusst wurde, dass nicht mehr der ungeschickte Junge von damals bei ihr lag, sondern ein stürmisch-zärtlicher, kundiger Liebhaber, der einen Rausch in ihr entfachte, der neu war und atemlos. Angenehm klingende Wortfetzen drangen an ihr Ohr, als er ihr in seiner fremden Sprache Liebesworte zuflüsterte, vieni carissima, vieni mio cuore, ti voglio mio tesoro, mia stella. Als er in sie eindrang, zog er sie mit hinab in ein ganzes Meer nie gekannter, perlender Lust. Und sie ließ sich forttragen, immer tiefer und tiefer, bis zum tiefsten, klarsten, köstlichsten Grund.

Hinterher lagen sie im zerdrückten Gras und versuchten, in den schnell ziehenden Wolken Tiere und Gesichter zu erkennen, wie sie das oft als Kinder getan hatten. Seine rechte Hand ruhte immer noch besitzergreifend auf ihrem Schenkel. Sie nahm sie und berührte unendlich vorsichtig seine verkrüppelten Finger. Er vergrub sein Gesicht in ihrer Halsbeuge und schnupperte.

»Du riechst immer noch so wie früher«, lächelte er. »Veilchen, Mandeln und Bratapfel. Ich hab diesen Duft nie vergessen.«

Sie strich über eine schmale Narbe, die sich ein Stück über seine Schulter zog. »Die war früher noch nicht da …«

Er schüttelte den Kopf. »Ist bei der Arbeit passiert, da bin ich mit der spitzen Feile abgerutscht. War nicht schlimm. Komm.« Er stand auf und half ihr hoch. »Lass uns zum Bach hinuntergehen.«

Sie zogen sich an und wanderten den Weg abwärts am Wald entlang.

»Warum bist du zurückgekommen?«

Er hob einen trockenen Kiefernzapfen auf und warf ihn in hohem Bogen weg.

»Ich wusste nicht, ob du mich überhaupt sehen wolltest, nach deinem letzten Brief. Aber ich musste einfach kommen. Darum.« Aus dem ledernen Zugbeutel, den er um den Hals trug, holte er das Perlenmedaillon und hielt es ihr in der offenen Hand hin. »Ich wollte es dir zurückgeben.«

Sie nahm es ihm aus der Hand, staunend und ehrfürchtig. »Meine Reliquie.« Sanft fuhr sie die Ornamente auf dem Fläschchen mit dem Zeigefinger nach. »Sie hat dich wieder zu mir geführt.«

Er legte ihr das Fläschchen mit der Kette um den Hals. »Sie hat einem Pilger gehört, der durch Venedig gezogen ist. Als ich sie in der Werkstatt auf den Tisch bekam, wusste ich, dass ich zurückkommen würde. Jetzt bin ich hier, aber du bist genauso unerreichbar für mich wie damals …«

Helena nickte, und ihre Augen verdunkelten sich. Dann legte sie

Niklas zärtlich eine Hand auf die Wange. »Lass. Sprich jetzt nicht davon. Wir sind hier, das allein zählt.« Sie breitete die Arme aus und drehte sich im Kreis. »Ach, Niklas, lass uns die Zeit genießen, die wir haben. Ich will nicht an morgen denken, jetzt noch nicht. Jetzt will ich glücklich sein, und wenn's nur einmal im Leben ist!«

Sie fasste ihn bei der Hand, und gemeinsam rannten sie ins Tal.

Am Abend liebten sie sich in Helenas Schlafkammer und redeten bis zum Morgen. Helena wünschte, die Nacht würde nie zu Ende gehen. Sie verfielen einander mit Haut und Haar. Niklas war überwältigt von der neuen Weiblichkeit, die er an ihr noch nicht gekannt hatte, und von der Leidenschaft, mit der sie seine Berührungen genoss. Und Helena fühlte sich hingerissen von diesem exotische Kraft ausstrahlenden Mann, der bei der Liebe italienische Worte flüsterte und der ihr die Zärtlichkeit gab, die sie bisher nie bekommen hatte. Immer wieder tastete sie nach dem Medaillon um ihren Hals, wie um sich zu vergewissern, dass es wirklich noch da war. Würde mit der Reliquie das Glück zu ihr zurückkehren? Würde es eine Zukunft mit Niklas geben? Sie wusste nicht, was sie denken sollte, vor lauter Seligkeit und Verwirrung. Ihr Traum hatte sich erfüllt: Niklas war wieder da, sie liebten sich und waren zusammen. Jedesmal, wenn sie ihn ansah, wenn er ihr zulächelte, konnte sie es kaum fassen. Immer wieder musste sie ihn berühren, ihn streicheln, seine Hand nehmen, um wirklich glauben zu können, dass er neben ihr lag. Lieber Gott, lass es ewig dauern, dachte sie. Egal, was kommen würde – diese Nacht würde sie nie mehr im Leben vergessen. Auch wenn … sie zwang sich, nicht weiter nachzudenken. Gemeinsam sahen sie durchs offene Fenster die Sonne über dem Tal aufgehen und die Wiesen und Wälder in rosafarbenes Licht tauchen. Lieber Gott, dachte sie, gib mir die nächsten Wochen, nur diese kurze Zeit, bis ich wieder nach Nürnberg zurück muss, dann will ich nichts mehr für mich verlangen.

Sie lebten, als ob sie die verlorenen Jahre in wenigen Tagen aufholen wollten, atemlos, wild, bis zur Erschöpfung glücklich, ohne Gedanken an ein Morgen. Alle Liebe, alle Hingabe, alle Gefühle, zu denen sie fähig waren, legten sie in diese kurze Zeit. Es war wie ein Rausch. Bis eine Nachricht aus Nürnberg kam. Konrads Befehl war unmissverständlich.

»Wie soll ich's verstehn, dass mein Weib mitsambt der Kinder jeds Jar lenger zu Oberwolckersdorff pleibet? Die Leut reden schon, dieweil der Monat Augußt schon lengst vorbey! Versieh dich nun, dein Zeugk zu packen und heimzukehrn, bevor ich euch alle holn komm. In fünf Tagen ist Lamberti, da will ich euch daheim haben, alßo sput dich wol. Konrad.«

Einen ganzen Tag lang erzählte Helena Niklas nichts von dem Brief. Sie brachte es einfach nicht übers Herz, alles zu zerstören. Dann ließ sie ihn die wenigen Sätze lesen.

»Ich muss zurück«, flüsterte sie mit Tränen in den Augen. »Ach, Niklas, wie soll's bloß weitergehn?«

Er wusste nicht, was er erwidern sollte. Auf einmal brach das wirkliche Leben wieder in ihr Glück ein. Sie hatten beide gewusst, dass es so kommen würde. Es gab keine Möglichkeit des Zusammenlebens für sie beide. Ehebruch war ein Verbrechen und wurde als solches von Kirche und Obrigkeit hart bestraft. Ginge Helena mit Niklas nach Augsburg, so würde Konrad sie beim Nürnberger Rat anzeigen, ihre Bestrafung auf dem Fuß folgen. Die eheliche Zuchtgewalt des Mannes ging ja sogar so weit, dass er seine Ehefrau ungestraft umbringen konnte, wenn er sie mit einem anderen Mann ertappte. Würde Helena wegen Niklas ihren Ehemann verlassen, wäre sie dessen Rache wehrlos ausgeliefert. Und die Kinder gehörten nach Recht und Herkommen ohnehin dem Vater, nicht der Mutter. Helena konnte und wollte sie nicht verlassen. Es war hoffnungslos.

Die nächsten Tage vergingen in trüber Stimmung. Helena sprach lange und eindringlich mit den drei großen Kindern, bis es schließlich Konrad zu dumm wurde und er sich an die Stirn tippte.

»Glaubst du, wir verraten dich dem Vater? Dass er dich wieder mit dem Riemen schlägt, und uns dazu? Ich wollt, er würde uns alle in Ruh lassen. Hier war's so schön, und du warst noch nie so lustig!«

Mina, die treue Seele, würde niemandem ein Sterbenswörtchen erzählen. »Und ich pass auch auf die Kinder auf«, meinte sie beim Packen, ohne dass Helena sie darum gebeten hätte, »dass sie sich nicht verplappern. Keine Sorge, Hausfrau, es geht schon gut.«

Helena hatte dennoch Angst. Wenn Konrad erfuhr, was in Oberwolkersdorf gewesen war, würde er ihr die Hölle auf Erden bereiten.

In der letzten Nacht liebten sich Niklas und Helena heftig und verzweifelt. Ein zweites Mal war ihre Zeit war zu Ende, und am Morgen kam der Abschied. Es war schwer zu ertragen, genauso schwer wie damals, als sie achtzehn waren. Helenas Augen waren rot vom Weinen und Niklas war blass unter seiner gebräunten Haut. Der Wagen wartete fertig beladen im Hof, die Kinder und Mina saßen schon auf ihren Plätzen. Die Liebenden umarmten sich ein letztes Mal, dann nestelte Helena die Kette mit dem Medaillon auf, die sie vom ersten Moment an Tag und Nacht um den Hals getragen hatte.

»Ich bete darum, dass wir uns zu besserer Zeit wiedersehen, Niklas. Vielleicht hat der liebe Gott irgendwann ein Einsehen mit uns. Daran glaub ich ganz fest. Nimm sie. Sie hat dich mir einmal zurückgebracht.« Sie drückte die Reliquie in seine gesunde Hand. »Gib sie mir wieder, wenn ich frei bin.«

Sie riss sich los und stieg ein, die Pferde zogen an. Niklas stand beim Tor und sah dem Reisewagen nach, wie er holpernd und knarrend auf dem Weg davonrollte. Seine verkrüppelte Hand ballte sich so fest um das goldene Fläschchen, dass die Knöchel weiß hervortraten. Dann stieg auch er auf sein Pferd und galoppierte in Richtung Augsburg, als sei der Teufel hinter ihm her.

Brief der Helena Hellerin an Niklas Linck, Kaufmann und Diamantschleifer zu Augsburg, Nürnberg, 7. Dezember 1507

Der liebe Herrgott sei mit dir, mein Hertz, und schütz dich allezeit. Jetzo sind beinah drey Monat vergangen, seit wir unß zu Oberwol-

ckersdorff verlaßen haben müssen, und ich kanns nit mer außhaltten, ich musz dir schreyben. Jeden Tag denck ich an unßer schöne Zeytt und hader mit meinem Leben und aller Weltt, dasz sie vorbey ist. Manchmal mein ich, ich müßt vergehn vor Sensuchtt. Dann drück ich meine Kinder gantz fest, und denck mir, dasz ich nur für sie dableyb. Wärn die Kleinen nit, ich hett mich lengst zu dir geflücht, gantz einerley, welche Straff ich damit auf mich zieh.

Der Konrad ist zu mir wie eh und je. Er weiß nichts von unß, die Mina und die Kinder haben zu unß gehaltten, wie sie's versprochen. Er kommt nit oft in mein Bett, aber wenn ers thut, dann kann ichs kaum ertragn. Mir ist, alß ob ich dich betrüeg, und nit anderß herum. Aber ist nit unsre Lieb das eintzig Echte, und diese erkauffte Eh ein Unrecht?

Die gantze Zeitt sinn ich drüber nach, wie's möglich wär, den unertreglichen Bundt zu lösen. Einmal hab ichs ja schon versucht, aber der Rath wollt dem nit zustimmen. Vielleicht würden die erbarn Herren anderst entscheyden, wenn mich der Konrad noch einmal bös schlegt. Ich müßt in nur reitzen, er würds bestimbt wieder thun. Aber dann müßt ich ime immer noch die Kinder laßen, und das kann ich nit. Neulich ist er mit Fieber und Katarh darnieder gelegen und ich hab kaltt an seinem Bett gestanden und mir gewünscht, er stürb, Gott vergeb mirs. Aber der Konrad ist krefftig und zähe, und wirdt bestimbt hundert Jar alt.

Vor drey Tag war ich mit den Kindern in unßerm kleyn Obst Gartten vor der Stadt und hab Barbara Zweyg geschnitten. Da haben sie nach dir gefragt und wollten wißen, ob du sie zu Weynacht besuchen kemst. Ach wie leyd hats mir gethan, inen zu sagen, dasz es nit geht und dasz sie daheim nit von dir reden dürffen. Ich hab inen dann versprochen, ein schöns Weynachts Fest zu feyern, mit eim hängenden Christbäumlein in der Zimmereck, süßen Schrumpelepfeln, Nüssen, Papir Blumen und Zuckerspringerle daran. Sie wollten am libsten gleich anfangen Lebkuchen und Honigplätzlein mit mir zu backen. Weißt du noch, mein Liebster, wie herlich der Advent und die Weynachts Zeit früher bei unß warn? Alß wir zwey in den Klopfnechten umbgangen sind von Hauß zu Hauß, mit unßern Reimen und Sprüchlein süße Sachen zu heischen? Und alß du mit deim neu geschenkten Pfeyl und Bogn gleich am ersten Weynachts Tag die Amßel erwischt hast und ich derhalben bitterlich geweint hab und dir arg bös war?

Mein Niklas, ich wünsch dir ein recht glücklichs Weynachts Feßt, und auch deinen beidn welschen Kindern und dem Natzareno, von dem du mir so vil erzelt hast. Denck an mich, wenn du in der Heyligen Nacht die Messe hörst.

Ich lass den Brieff wiedrum von meiner Freundin Agnes zu dir schicken. Ir und irem Mann hab ich von unß ertzelt. Der Albrecht leßt dich schön grüeßen, und auch den Zwergk. Ich bitt dich, schreyb mir bald wieder, ich kann dein Brieff dann bei der Agnes lesen und hintterher verprennen. Behalt mich lieb und theuer, genauso wie ich dich. Und gib die Hoffnung nit auf, dasz unß ein guts End beschieden ist.

Deine eintzige Lene

Geschriben am Tag nach Nickolaus anno 1507.

Brief des Niklas Linck an Helena Hellerin nach Nürnberg, Augsburg, 6. Januar 1508.

Lene, carissima, mög der Heyland allzeit seine Händ über dich haltten. Dein Brieff hat mirs Christ Feßt erst schön gemacht, ich hab in tags vorher bekomen und wol hundert mal geleßen.

Hier zu Augspurg ist hartter Frost mit vil Schnee und Eiß. Die Kinder und der Nazzareno friern gar schröcklich, und ich auch, bin ich doch den teutschen Winter nit mer gewont. Wie herlich wars da bei dir zu Wolckersdorff, alß wir gantze Necht haben draußen verbracht und die Sonn unß mit irer Wärm verwönet. Mein rechte Handt, die dich zu dißer Zeit gestreychelt und libkost hat, ist nun vor Kält gantz steyff und die Finger schmertzen. Die Pipina schmiert sie jedn Tag mit Kreutter Öl und Genßfett ein, das hülft ein kleyn wenigk.

Vor ein par Tag sind wir alle Augspurger worden, ich hab unß das Bürgerrecht umb etlich Gulden erkauffet. Die Handelsherrn Welßer haben unß bey unßerm Wonhaus eine Schleifferey eingericht, die ist gar grosz und mit zwey Schleiffscheiben ausgerüßt, so können wir recht fein arbeyten. Dieweil meine Handt nit gut greyffen kann, muss der Matteo vil Arbeit machen, aber er ist im Schleiffen bald besser alß ich, und so schaffen wir zwey Diamantt am Tag. Trotzdem kommen wir kaum nach, weil die Welßer bald sovil Steyn verkauffen könnten wie Stern am Himmel stehn. Keiner in Teutschland oder anderß wo kann die Diamant so gleichmessig als Roßetten schleiffen, das macht unß und auch die Welßer reich.

Der Nazzareno hat unßerm Christ Feßt mit seinen Spässn beinah die Heyligkeit verdorben, wir haben so vil gelacht wie langk nit mer. Vor allem der Pipina hats gut gethan, traurt sie doch immer noch arg irer Mutter nach, die fehlt ir ser. Ich und der Matte haben ir ein hüpsche Docken gebastelt, ein gar liebs Püppleyn mit echte Haar und eim venetzianisch Kleid. Die nimbt sie nunmer mit in ir Bett.

Mein liebste Lene, ich denck jeden Tagk an dich und noch vil mer. Wenn du schreybst, dasz dein Mann in dein Bett kombt und sich sein Recht nimbt, so könnt ich vor Zorn schreyn. Ich will der eintzige seyn, der dich besitzen darff, jetzo und immer. Auch möcht ich dich so gern beschüetzen vor dießem Ruffian und kann doch nit. Mach ich die Augn zu, so kann ich dich immer noch spürn, und dein Hautt und Haar riechen, auch wenn der Sommer schon weyt ist. Mein Leyb sehnet sich nach dir, und meine Seel.

Ich hab vil über unß nachdacht seit ich wiedrum in Augspurg bin. Was meinst du, ob der Konrad dich aufgeben tät für ein guts Gescheft? Ich könnt ime Gelds gnug anbietten, dafür dasz er unß in Ruh läßt, oder ein Theil vom Diamantt Handel. Er hat dich für Geld genommen, vielleycht gibt er dich für Geld wieder her? Darfst mich nit falsch verstehn, cuore mio, ich will dich nit kauffen, aber vielleycht ists ein Weg, dasz wir zusammen kommen können? Aber ich weiß ja, da sindt immer noch die Kinder. Es ist zum vertzweiffeln. Aber ich geb dennoch die Hoffnungk nit auff, jetzo, da du mir wiedrum vom Himmel geschenckt worden bist. Schon offt ist meine Sach aussichtsloß gestanden, und doch hab ich immer ein Auswegk gefunden.

Mein Lieb, biß nach der Fastenzeyt muss ich noch allhier pleyben, aber dann reis ich so schnell ich kan in Gescheften nach Nürnbergk. Dort wohn ich in der Faktorei der Welßer und geh nit eher wieder wegk alß bis wir unß gesehn haben. Ich lass dir Nachricht zukomen, wenn ich dortten bin. Grüeß mein gutten Freund Albrecht von mir, ich besuch in dann auch.

Mia carissima, vergiß mich nit bis wir unß wiedrum sehn. Mein Hertz ist immer bey dir, leb wol. Nicklas.

Geschriben zu Augspurg am Tag Epiphanie anno 1508.

Nürnberg, März 1508

Die schwarze Kutte lag bereits ordentlich gefaltet auf dem Bett, Naht auf Naht, ein großer, dunkler Fleck auf den weißen Laken. Auf dem Boden davor standen säuberlich nebeneinander die einfachen Wintersandalen, die sich die Barfüßer in den kalten Monaten zu tragen erlaubten. Es klopfte.

»Deine Kleider ... Bruder.« Der junge Novize, der mit einem Bündel in der Tür stand, wusste nicht recht, wie er Philipp noch anreden sollte, und errötete. Philipp nahm ihm die Sachen ab und dankte ihm mit einem Lächeln. Langsam löste er den Knoten und holte heraus, was er in Zukunft an Kleidung brauchen würde: Ein weiches, leinenes Hemd, ein meerblaues, mit Tiermotiven besticktes Wams aus festem Wollstoff, eine kurze Unterhose mit Gürtel, eine braune, enge Überhose, die bis zu den Knöcheln reichte, ein paar gestrickte Strümpfe, ein blauer, mit Biberpelz gesäumter Umhang, ein paar Ziegenlederstiefel, ein breiter Gürtel mit silbernem Beschlag, eine Kappe aus blauem Samt. Die Sachen, die er vor so vielen Jahren am Leib getragen hatte, als er ins Kloster eingetreten war! Philipp erinnerte sich – sein Vater hatte die Annahme der Kleider seines Sohnes damals wutentbrannt verweigert, als man sie heimgeschickt hatte, und so war der Überbringer unverrichteter Dinge wieder zurückgekehrt. Ob der alte Brandauer jetzt glücklich über die Entscheidung seines

Sohnes sein würde? Philipp wagte es zu bezweifeln. Mit einem entschlossenen Ruck zog er das einfache Unterkleid aus, das die Mönche im Winter unter der Kutte trugen, und legte es sorgfältig zusammen. Sein Beschluss stand fest. Noch heute, in der nächsten Stunde, würde er das Kloster verlassen. Das Jahr in Bamberg hatte ihn der Kirche nicht zurückbringen können. Oh, er hatte es versucht, hatte sich bemüht, gebetet, gefastet. Wie oft hatte er Gott und die Heiligen um Hilfe angefleht, um Verzeihung gebeten für seine Verfehlung. Aber so sehr er sich mühte, er konnte die Stimme nicht mehr hören, die früher in seinem Inneren ertönt war, die ihn ins Kloster gezogen hatte. Wie sollte er auch, wenn doch die einzigen Worte, die ihm immer nicht aus dem Kopf gingen, diejenigen waren, die Anna zum Abschied gesprochen hatte – ich wart auf dich. Sie schlichen sich in jedes Gebet ein, durchbrachen jedes Rezitativ, zogen sich durch seinen Tag von der Prim bis zur Nachtmesse. Annas Stimme klang mit den Kirchenliedern in seinen Ohren, schwang mit in den Predigten, übertönte das Dröhnen der Glocken. Am Tag konnte er seine Zweifel und seine Aufgewühltheit noch kontrollieren, konnte sich ablenken mit all den Aufgaben, die man ihm im Mutterhaus übertragen hatte. Aber in der Nacht, wenn alles ruhig war und er sich schlaflos auf seinem Lager wälzte, wanderten seine Gedanken nach Nürnberg, und die Sehnsucht nahm von ihm Besitz. Und dann kamen die Träume, die er fürchtete und doch herbeiwünschte. Manchmal versuchte er, Anna die Schuld daran zu geben, dass er an seinem Glauben, seinem Leben verzweifelte. Er versuchte, sie zu hassen, weil er hoffte, dadurch würde alles wieder wie vorher. Doch es gelang ihm nicht. Es war nicht Annas Schuld, nein, er hatte von Anfang an den falschen Weg gewählt. So tief und sehnsüchtig er glaubte, so war ein Leben als Mönch doch nicht das Richtige für ihn. Er fühlte sich wie durch die Mitte gespalten, zerrissen. Wie lange würde Gott dulden, dass er ihm nicht wirklich mit ganzem Herzen diente? Wie lange würde er selber diesen Zustand ertragen? Die Monate vergingen, und seine Gefühle für Anna wurden nicht weniger, seine fleischliche Begierde erkaltete nicht, ganz gleich was er auch versuchte. Lange bevor sich sein Bamberger Jahr dem Ende zuneigte, war Philipp bewusst, dass er sich und seinen Gott nicht länger betrügen konnte. Das Kloster war nicht mehr seine Welt, nicht mehr sein Weg. Auch wenn Anna ihn vielleicht gar nicht mehr wollte – das hätte er sogar verstehen können, schließlich war so viel Zeit vergangen, und er hatte sie schmählich im Stich gelassen –, sein Entschluss stand fest.

Als er dem Bamberger Abt seine Entscheidung mitteilte, erntete er Missbilligung und schweren Tadel.

»Wie du das mit unserem Herrgott ausmachen willst, weiß ich nicht«, hatte der Abt zu ihm gesagt, »ich jedenfalls mag dich nicht so einfach von deinem Gelübde entbinden. Wenn du gehen willst, kann ich dich nicht halten, das wissen wir beide. Aber bevor du die Kutte ausziehst, erlege ich dir als Sühne auf, zum Grab des Heiligen Franziskus zu pilgern. Bitte unseren Ordensgründer um Vergebung für deinen Austritt aus der Gemeinschaft, vielleicht gibt er dir Gnade zu deinem Weg – ich kann dir diese Gnade nicht erteilen.«

So war Philipp aufgebrochen und hatte die lange Reise nach Assisi angetreten. Staunend und ehrfürchtig war er in der herrlichen Doppelkirche des Heiligen gestanden, hatte mit Tränen in den Augen die wunderbaren Fresken der Oberkirche und den tiefblau gehaltenen Sternenhimmel der unteren Kirche betrachtet. In der Krypta betete er inbrünstig und küsste den Schrein, der die sterblichen Überreste des Heiligen Franz barg, aber immer noch wartete er auf ein Zeichen. Schließlich machte er sich auf den Weg zur Portiuncula-Kapelle außerhalb der Stadt. Voller Demut kniete er ununterbrochen drei Tage und drei Nächte in dem Kirchlein am Hügel, das der Heilige vor Jahrhunderten selber ausgebaut hatte. Und als am Morgen des dritten Tages die ersten Sonnenstrahlen durch das Glasfenster über dem Altar schienen und bunte Muster auf die steinernen Fliesen malten, wurde ihm mit einem Mal leicht ums Herz und er wusste, dass seine Entscheidung richtig war. Ein uralter Mönch half ihm, sich aufzurichten, als ihm beim Aufstehen die Knie versagten, und segnete ihn mit zitternden Händen, bevor er die Kapelle verließ. Draußen sangen die Vögel, der Morgentau glitzerte auf den Blättern und es roch nach Pinienzapfen und wildem Rosmarin. Philipp atmete tief und wie befreit auf. Der Heilige hatte ihm seinen Segen gegeben, dessen war er sich ganz sicher. Freude durchflutete ihn, als er mit energischen Schritten talwärts lief. In spätestens drei Monaten würde er daheim sein.

Jetzt strich er noch einmal beinahe liebevoll über den groben Stoff der Kutte, bevor er in seine alten Kleider schlüpfte. Ungewohnt fühlte es sich an, nicht mehr den weiten Stoff um die Beine zu haben, sondern in zwei schmalen Schläuchen zu stecken, die auch noch unangenehm zwickten, weil die Hose nicht mehr richtig passte. Und die Füße nach so vielen Jahren erstmals wieder in feste Stiefel zu zwängen, war beinahe eine Qual. Er fuhr sich noch einmal über den Kopf, dort wo er die Tonsur seit Assisi nicht mehr rasiert hatte und zentimeterkurz die braunen Haare sprossen. Dann verließ er seine Kammer, ging langsam durch die Gänge des Barfüßerklosters und trat schließlich durch die Almosenpforte in den hellen Tag hinaus.

Anna war erst spät aufgestanden. Wenn sie abends noch lange Kunden da gehabt hatte, verschlief sie meistens das gemeinsame Morgenessen mit Cilli und Linhart, so auch heute. Als sie nach unten in die Küche kam, saß Linhart mit dem Kater vor dem warmen Herd, während Cilli am Tisch ein paar Forellen ausnahm. Anna goss sich ein Schüsselchen voll Milch, griff sich einen Kanten Brot und brockte große Stücke ein.

»Meiner Seel, wenn bloß endlich die Fastenzeit herum ist, mach ich drei Kreuze«, jammerte Cilli. »Der ewige Fisch hängt mir zum Hals hinaus. Ich weiß schon gar nicht mehr, was ich für deine Kunden noch kochen soll. Heut mach ich Forellenpastetchen und Zwiebelwecklein, morgen gibt's dann Karpfenplätzchen. Ein schönes Stück Speck, das wär jetzt was! Herrgottsakrament!« Sie hatte sich geschnitten und lutschte das Blut vom Daumen.

Anna lachte und drohte der Freundin scherzhaft mit dem Finger. »Reg dich bloß nicht auf. Du weißt doch, dass jeder Fluch mindestens hundert Jahre Fegefeuer kostet. Und wenn man dazu noch mit den Fastenregeln hadert, kommen noch einmal fünfzig drauf!«

»Ja, und wer morgens zu lang schläft und dann gleich andere Leut ärgert, dem rammt der Teufel in der Hölle jeden Tag fünfmal einen

Spieß in den Hintern!« Cilli grinste und trug die Fische zum Spülstein. »Linhart, es ist wieder kein Wasser da, du fauler Strick. Sollst du nicht jeden Früh zum Brunnen gehen, hm?« Sie stemmte die Fäuste in die breiten Hüften und schüttelte den Kopf. »Sitzt da, hält Maulaffen feil und stiehlt dem lieben Gott den Tag weg!«

Linhart gab keine Antwort. Er war völlig versunken in sein Spiel mit dem Kater, den er immer wieder nach einem Faden krallen ließ. Cilli seufzte. Wenn der kindliche Riese nicht wollte, war nichts zu machen.

Anna stand auf. »Lass nur, ich geh schon. Die paar Schritte zum Brunnen machen mich munter.«

Sie schlang sich ihr Tuch um die Schultern und griff nach dem irdenen Wasserkrug.

Draußen war es noch recht kühl, aber die Sonne hatte sich nach fast drei Wochen Regenwetter endlich wieder blicken lassen. Anna lief mit dem Krug unter dem Arm die Wunderburggasse hinauf in Richtung Judengasse, wo der nächste öffentliche Schöpfbrunnen lag. Vor ihr schlenderten, unschwer an den kostbaren Stoffen ihrer Mäntel und Hauben zu erkennen, zwei Patrizierinnen, jede ein Kleiderbündel unter dem Arm. Offensichtlich kamen sie gerade aus einer der vornehmen Badstuben und waren auf dem Heimweg. Anna bewunderte die herrlichen Blumenstickereien auf den Umhängen der Damen, als sich rechter Hand im ersten Stock ein Fenster öffnete. Die Schwester des Gürtlers beugte sich hinaus und schüttelte mit Hingabe ihr Flohpelzchen aus. Beide Frauen vor Anna machten einen wenig vornehmen Sprung zur Seite.

»Hast du das gesehen?«, zischte die eine Patrizierin der anderen zu, »die trägt ein Flohfleck aus Eichhörnchenfell!«

»Unerhört«, meinte die andere, »wo kommen wir bloß hin, wenn jedes Schneiderweib sich heut schon edlen Pelz um den Hals hängt? Feh steht nur unsereinem zu. Obwohl ich selber ja auf Marder schwör.«

Die Erste sah erstaunt hoch. »Marder, ach? Ich für mein Teil nehm immer Iltis, der zieht die Flöh an wie Honig die Ameisen. Außerdem ist das Fell weicher.«

Anna hörte zu, wie die beiden weiter über Flohflecke fachsimpelten, während sie hinterherging. Sie selbst benutzte wie die meisten Leute ein Stück Katzen- oder Hasenfell, das tat seinen Zweck, solange man es nur oft genug ausschüttelte.

Am Brunnen angekommen, musste sie erst einmal warten, bis sie an der Reihe war. Langsam ließ sie den hölzernen Daubeneimer an der Haspel hinunter und füllte ihren Krug. Ein kurzes Schwätzchen mit der Magd des Lammwirts noch, dann hob Anna den Krug auf ihre Schulter und ging vorsichtig heimwärts, um nichts zu verschütten.

Als sie sich ihrem Haus näherte, nahm sie gegen die Sonne von weitem einen Mann wahr, der langsam auf sie zukam. Irgendetwas an seinem Gang kam ihr seltsam bekannt vor. Sie blieb stehen und beschattete mit einer Hand ihre Augen, um besser zu sehen; dann fiel der Krug von ihrer Schulter und zerplatzte krachend auf dem Pflaster. Aber da rannte sie schon, und auch Philipp fing an zu laufen. Mitten auf der Gasse hielten sie inne, blieben dicht voreinander stehen und sahen sich an. Sein Blick war unsicher, ja ängstlich – würde sie ihn noch haben wollen? Er brachte kein Wort heraus, aber sie las die Frage in seinen Augen. »Ja«, sagte sie nur, »ja.«

Sie fielen sich in die Arme, hielten sich, wiegten sich im Takt einer Melodie, die nur sie hörten. Sie vergaßen die Welt um sich herum, die Leute, die sich kopfschüttelnd in der engen Gasse an ihnen vorbeidrängten, waren ihnen gleichgültig. Erst als die Gassenbuben anfingen, johlend um sie herumzutanzen, gingen sie Hand in Hand ins Haus.

Nürnberg, April 1508

Auf dem Zettel, den ihr Mina nach dem Marktgang zusteckte, stand nur ein einziges Wort: »Komm.«

Sie wusste, wohin. Beinahe wöchentlich hatten sie und Niklas sich den Winter über geschrieben, hatten sich ihr bevorstehendes Wiedersehen ausgemalt und Pläne geschmiedet. Helena war ein ständiger Gast im Hause Dürer gewesen, wo Niklas' Briefe in einem Kästchen aufbewahrt lagen, stets bewacht von den Argusaugen der eifrigen Agnes.

»Falls dein Konrad daheim ist, sagst du ihm, du besuchst mich, wenn du zu deinem Niklas gehst«, hatte sie der Freundin angeboten. »Ihr könnt euch auch bei uns treffen, wenn ihr wollt. Der Albrecht weiß Bescheid, er hilft natürlich mit, dass alles gut geht.«

Helena hatte dankend abgelehnt. Sie und Niklas wollten die Freunde nicht noch tiefer mit hineinziehen als unbedingt nötig. Wer wusste schon, was passierte, falls Konrad dahinterkam? Es war besser, sich auf neutralem Boden zu treffen. Niklas würde nicht in der Welser Faktorei, sondern im »Gläsernen Himmel« im Lorenzer Viertel wohnen, einem Gasthaus der gehobenen Klasse, das von wohlhabenden Kaufleuten und Reisenden gerne besucht wurde. Die Faktorei hatte dort ein Zimmer auf Dauer gemietet, um hochrangige Kunden oder Lieferanten unterzubringen. Dort, so befanden Niklas und Helena, würden sie am ehesten sicher und ungestört sein.

Zwei Stunden nach dem Mittagsläuten machte sich Helena auf den Weg. Sie wusste, es war riskant, tagsüber zu ihm zu gehen, aber es war ihr gleichgültig, sie wollte nur zu ihm. Es regnete in dicken Tropfen, und der Matsch in den Gassen war so tief, dass sie mit ihren Trippen immer wieder stecken blieb, aber sie hätte am liebsten laut gesungen, so glücklich war sie darüber, dass Niklas endlich in Nürnberg angekommen war. Noch unbeschwerter machte sie die Tatsache, dass Konrad vor einigen Tagen einem Ruf an den Hof des Ansbacher Markgrafen freudig Folge geleistet und seine Rückkehr erst für den Montag nach Jubilate angekündigt hatte. Ihnen blieben also fast vier Wochen – vier lange Wochen, in denen sie ohne Angst zusammenkommen konnten, vielleicht sogar jeden Tag! Nur vor der alten Apollonia mussten sie sich in Acht nehmen, die durfte nichts merken, und natürlich das restliche Hausgesinde auch, bis auf die treue Mina. Helena musste sich beherrschen, um nicht zu rennen – es wäre ein recht ungewöhnlicher Anblick gewesen, hätten die Leute eine gut gekleidete Dame von Stand wie eine eilige Magd durch den Regen laufen sehen. Eine Patrizierin ging würdevoll und gesetzten Schrittes durch die Stadt! So überquerte sie ohne sichtbare Hast den Hauptmarkt, betrat an dessen Südseite die Pegnitzbrücke und das Lorenzer Viertel und zog kurz darauf am Geläut, das neben dem Seiteneingang des »Gläsernen Himmels« an der Hauswand hing.

»Zum Kaufmann Linck, wenn's möglich ist.«

Der junge Hausdiener, ein Knabe von kaum vierzehn Jahren, machte einen Diener und ließ sie ein. Es war nicht ungewöhnlich, dass die reichen Herren, die im »Himmel« abstiegen, Frauenbesuch bekamen. Gleichgültig deutete er zur Treppe.

»Oben, im zweiten Stock, die große Dachkammer mit dem roten Zeichen an der Tür. Der Herr hat schon gesagt, dass er Besuch erwartet.«

»Dank dir schön.« Sie schenkte dem Jungen ihr freundlichstes Lächeln und ging nach oben.

Noch bevor sie an der Tür mit dem roten Kreuz klopfen konnte, wurde diese von innen geöffnet, und zwei kräftige Arme umfingen sie und zogen sie ins Zimmer. Sie sah Niklas' Lachen, seine leuchtenden Augen, und fiel ihm mit einem glücklichen Aufseufzen um den Hals.

»Endlich«, flüsterte er heiser zwischen atemlosen Küssen. »Ich hab's kaum noch ausgehalten.« Seine Finger strichen über ihren Hals, nestelten den Knoten der Schnabelhaube unter ihrem Kinn los und öffneten den Kettenverschluss ihres nassen Umhangs. Gebinde und Mantel fielen zu Boden, während sie Trippen und Schuhe von den Füßen schüttelte. Dann hob er sie hoch und trug sie zum Bett.

Später lagen sie eng aneinander geschmiegt unter den dicken Winterbetten, redeten und tranken dabei roten Wein aus gläsernen Tulpenbechern.

»Wie lang kannst du in Nürnberg bleiben?« Helena strich Niklas eine dunkle Haarsträhne aus den Augen, während der spielerisch mit den Lippen nach ihrem Finger schnappte.

»Die Zeit eilt nicht.« Er stützte sich auf den Ellbogen und begann, Helena mit Nüssen zu füttern. »Daheim in Augsburg kümmert sich

Nazareno ums Geschäft, Pippina führt den Haushalt und Matté sitzt von früh bis spät an der Schleifscheibe. Ich bin ihm seit dem Winter mit meinen steifen Fingern sowieso kaum eine Hilfe mehr. Ab morgen will ich mich in der Welser Faktorei mit einigen Abnehmern aus Böhmen und dem ferneren Osten treffen. Das sind wichtige Verhandlungen, die schon zwei, drei Wochen dauern können ...«

Helena schluckte ihre Nuss hinunter und setzte sich auf. »Der Konrad ist bis Jubilate in Ansbach. Wir haben fast vier Wochen ungestört, denk nur, wie herrlich! Jetzt muss ich keine Angst haben, dass er uns entdeckt.«

Niklas sah sie mit besorgtem Blick an. »Wir müssen trotzdem sehr vorsichtig sein, Lene. Die Leute reden schnell. Du solltest nicht in deinen feinen Kleidern herkommen, das fällt auf. Vielleicht kannst du dir einfache Sachen von der Mina borgen. Wir müssen unter allen Umständen vermeiden, dass deinem Mann etwas zu Ohren kommt. Wenn dir meinetwegen etwas zustieße, das könnt ich nicht ertragen.«

Sie nickte betrübt. »Du hast Recht, Lieber. Es wird auch besser sein, wenn ich nicht mehr am Tag hierher komme. Nachts, nach Einbruch der Dunkelheit, kann ich mich ungesehen durch die Stadt schleichen, und die Dienerschaft daheim ist auch schon zu Bett. Die Mina schaut nach den Kindern, falls eines aufwacht, und solang ich vor Sonnenaufgang wieder zurück bin, wird niemand etwas merken.«

Er küsste sie, dann stand er auf und holte etwas aus seinem Mantelsack.

»Mach die Augen zu.« Helena spürte, wie er ihr etwas in die Hand drückte.

»Jetzt darfst du's anschauen.«

Sie öffnete die Augen und sah das Medaillon in ihrer Hand. Statt der Perle in der Mitte des Fläschchens und der, die im Stöpsel eingearbeitet war, funkelten zwei große, zur Rose geschliffene Diamanten. Bläulich-weiße Strahlen brachen sich im Schein der Kerzen, glitzerten wie Feenzauber, sprühten Lichtpunkte wie ein Feuerwerk.

»Ist das schön!« Helena betrachtete eine Weile versunken die herrlichen Steine, drehte und wendete das Fläschchen, um alle Helligkeit des Kerzenlichts einzufangen. Liebevoll sah sie Niklas an. »Ich dank dir. Das ist ein wunderbares Geschenk, wie ein Stück von dir.« Sie legte sich die Kette mit dem Medaillon um den Hals. »Ich werd's tragen, solang der Konrad nicht da ist. Wenn ich es unterm Kleid behalte, merkt's niemand.«

Er zog sie an sich und vergrub die Lippen in ihrem Haar. »Lene, so können wir's für ein paar Wochen lassen, aber in dieser Zeit müssen wir uns entscheiden, wie es weitergeht. Dieser Zustand kann nicht von Dauer sein, das weißt du so gut wie ich. Du hast mir geschrieben, dass dein Mann vielleicht dich, aber niemals die Kinder für Geld hergeben würde, das glaub ich dir gern. Und dass du die Kleinen nie verlassen würdest, weiß ich wohl. Ich könnt das auch nie von dir verlangen. Aber ich will auch nicht mehr ohne dich sein.«

»Ach, Niklas, mir geht's doch genauso.« Helena seufzte auf. »Ich wollt, wir könnten einfach weglaufen, irgendwohin, wo uns keiner findet. Für die Kinder wär es eh besser, und von mir aus könnte der Konrad das ganze Brandauersche Vermögen haben, das wär mir alles egal.«

Er küsste sie auf Stirn und Augen. »Uns wird eine Lösung einfallen, Lene, ganz bestimmt.«

»Es muss uns einfach eine einfallen«, flüsterte Niklas vor sich hin, noch lange, nachdem Helena wieder gegangen war.

In der nächsten Woche trafen sie sich fast jeden Abend in der Dachkammer des »Gläsernen Himmels«. Helena wartete, bis die Kinder eingeschlafen waren und das Gesinde in den Betten lag, dann zog sie einen einfachen Rock mit Hemd und Mieder an, schlang einen dunklen Umhang um die Schultern und lief durch die nachtschwarzen Gassen der Stadt. Um die Feuerpfannen, die an etlichen Ecken loderten und Häuser und Straßen in flackerndes rötliches Licht tauchten, machte sie einen großen Bogen. Mehr als einmal wich sie dem Nachtwächter aus, der mit Stock und Laterne seine Runden machte, und einmal hörte sie gerade noch rechtzeitig die Schritte der Stadtwache und flüchtete in einen dunklen Torbogen. Mehr als einmal sank ihr der Mut. Ich muss verrückt sein, dachte sie dann, mich und Niklas dieser Gefahr auszusetzen, was ist nur in mich gefahren?

Sie hatte sich vorsichtig erkundigt, was an juristischer Strafe zu erwarten war, wenn sie mit den Kindern zu Niklas nach Augsburg floh. Der junge Lazarus Spengler, seit einiger Zeit Vorderster Ratsschreiber und angesehenster Jurist der Reichsstadt, war die richtige Adresse dafür gewesen. Sie wusste, dass er täglich nach dem Abendvesper einen kleinen Spaziergang zur Pegnitz hinunter machte und richtete es so ein, dass sie sich an den Uferauen trafen. Als sie das Gespräch geschickt in die richtige Richtung lenkte, erhielt sie die vernichtende Auskunft. »Wenn ein Mann, ein einheimischer oder auswärtiger, einem Nürnberger Bürger die Ehefrau entführt«, hatte Spengler mit gerunzelten Augenbrauen doziert, »– wobei es nicht von Bedeutung ist, ob diese vielleicht freiwillig mit ihm gegangen ist –, so soll er mit dem Schwert gerichtet werden. Die Frau soll man auf den Pranger setzen, ihr die Backen brennen und sie mit Ruten aus der Stadt stäupen. Kommt sie wieder zurück, so soll man sie lebendig begraben. Das sagt uns die gültige Rechtsordnung. Wieso wollt Ihr das wissen, Hellerin?«

Helena hatte mit einer fadenscheinigen Ausrede geantwortet. Was sie bisher nur geahnt und befürchtet hatte, war nun zur schlimmen Gewissheit geworden: Mit ihrer Liebschaft riskierten sie beide letztendlich das Leben; ihr Weg verlief auf brüchigen Bohlen über dem Abgrund. Dennoch konnten sie nicht voneinander lassen. Als sie Niklas von ihrem Gespräch mit Spengler erzählte, hob er nur resigniert die Schultern.

»Ach, Lene. Dass ich als Ehebrecher mein Leben auf Spiel setze, weiß ich schon lang. Ich hab mich zu Augsburg längst kundig gemacht. Was mir mehr Sorgen macht, ist die Gefahr, in der du schwebst. Nach dem Gesetz kannst du mit Pranger, leichten Leibstrafen, aber auch dem Tod bestraft werden. Noch vor hundert Jahren hat man Menschen wie uns gemeinsam gepfählt. Ich mache mir die schlimmsten Vorwürfe. Es ist alles meine Schuld. Wäre ich nicht zu dir zurückgekommen …«

Sie legte ihm den Finger auf die Lippen. »Schscht, Liebster. Wärst du nicht zu mir zurückgekommen, hätte ich niemals gewusst, was es heißt, glücklich zu sein.« Mit einem Seufzer schmiegte sie sich an seine Brust. »Bis jetzt ist doch alles gut gegangen. Der da droben muss doch ein Einsehen mit uns haben. Wir müssen nur ganz fest daran glauben.«

»Nein, Lene«, entgegnete Niklas mit plötzlicher Entschlossenheit, »wir müssen handeln. Es gibt nur einen Weg: Wir müssen alle zusammen irgendwohin fliehen, wo uns niemand finden oder zurückholen kann.«

»Aber dein Leben in Augsburg, deine Werkstatt, dein Geschäft ...«

Niklas zuckte mit den Schultern. »Es lassen sich auch anderswo Diamanten schleifen und verkaufen.« Er packte Helena bei den Schultern. »Ich hab mich entschieden. Morgen red ich mit Jakob Welser in der Faktorei. Er und sein Bruder werden zwar nicht gerade froh darüber sein, aber es muss eine Möglichkeit geben, nach Spanien zu gehen, oder England, Portugal, was weiß ich.«

Sie küsste ihn sanft. »Ich würde überall mit dir hingehen, ganz egal, wohin. Mein Platz ist bei dir.«

Nürnberg, Mai 1508

»Du siehst schon richtig.« Philipp breitete die Arme aus und drehte sich einmal im Kreis. »Ich bin's.«

Helena schaute den Bruder immer noch ungläubig an. »Lieber Himmel, Philipp, was ist passiert? Erst hören wir über ein Jahr lang nichts von dir, und jetzt stehst du ohne deine Kutte da! Komm herein und erzähl!«

Sie zog ihn in den Flur. »Apollonia! Bring uns Wein und ein paar von den Schmalzkrapfen in die gute Stube!«

Die Alte, die schon neugierig durch die halb geöffnete Küchentür gespäht hatte, murmelte etwas und machte sich auf den Weg zur Speisekammer.

»Also«, meinte Helena, als sie sich vor dem Kachelofen gegenübersaßen, »nun sag mir, was dich dazu gebracht hat, dem Kloster den Rücken zu kehren.«

Philipp nahm einen Schluck aus dem Weinpokal. Es war doch nicht so einfach, die richtigen Worte zu finden. »Lene, ich will ganz ehrlich zu dir sein, auch wenn du vielleicht nicht gutheißt, was ich getan hab. Seit zwei Monaten bin ich kein Mönch mehr. Nicht nur, weil ich inzwischen festgestellt habe, dass meine Berufung nicht stark genug ist, sondern vor allem, weil …« Er atmete einmal tief durch. »Ich … ich liebe eine Frau. Ihretwegen hab ich letztendlich die Gemeinschaft verlassen.«

Er sah Helena forschend an, wartete auf eine Reaktion. Schließlich schüttelte sie lächelnd den Kopf. »Wenn du wüsstest, wie gut ich dich verstehen kann, Bruder. Gegen die Liebe kann sich nur ein Heiliger wehren, wir Menschen sind machtlos gegen ihre Kraft.«

»Du wirst vielleicht anders urteilen, wenn du hörst, wer die Frau meiner Wahl ist.«

Sie sah ihn fragend an.

»Sie ist … war … eine von den freien Töchtern.« Er vermied es, das Wort »Hure« zu gebrauchen.

Helena schlug in einem ersten Reflex die Hand vor den Mund, doch dann kam ihr in den Sinn, dass auch sie in den Augen der Leute nichts anderes als eine Hure war. Sie suchte nach Worten.

»Ich weiß nicht, was ich sagen soll, Philipp. Du wirst wissen, was du tust – es ist dein Leben, und ich wünsch dir, dass du glücklich bist. Mir steht's nicht zu, über andere zu richten. Aber das muss eine ganz besondere Frau sein, wenn du sie trotzdem liebst.«

Er atmete auf. »Das ist sie wohl, meine Anna. Du kennst sie übrigens. Sie hat es mir erzählt. Dein Mann gehörte zu ihren … Kunden.«

Helena hob die Brauen. »Die Anna aus der Wunderburggasse, mit den verschiedenfarbenen Augen?«

Philipp nickte. »Ich wohne jetzt bei ihr. Sie … arbeitet nicht mehr.«

Helena erinnerte sich an jede einzelne ihrer Begegnungen mit der Hübschlerin. Sie erzählte ihrem Bruder von dem wortlosen Zusammentreffen damals vor dem Kloster, als sie in der Pestzeit dort ihr Kind zur Welt hatte bringen sollen, von dem Hochzeitstanz im Rathaussaal, und von dem letzten Gespräch vor fast zwei Jahren, als Anna ihr den Diebstahl des Medaillons gestanden hatte. »Du wirst deine Gründe haben, für diese Frau dein Leben zu ändern«, schloss sie, »und ich glaub fast, ich kann dich verstehen. Sie ist nicht gewöhnlich.« Mit einem Lächeln nahm sie Philipps Hände. »Sagt nicht die Kirche, dass jedem, der eine Hübschlerin heiratet und sie damit auf den rechten Weg zurückführt, all seine Sünden vergeben werden?«

Philipp lachte. »Stimmt schon, Schwester. Aber ehrlich gesagt, ich glaube, dass einer für die Vergebung seiner Sünden schon mehr tun muss, als bloß zu heiraten. Wenn ich die Anna nehm, dann nicht aus diesem Grund.«

»Meinen Segen habt ihr jedenfalls, Philipp. Ich wünsch euch Glück. Was allerdings unser Vater zu dieser Nachricht sagen wird, wage ich mir nicht auszudenken. Er ist zwar in den letzten Jahren nachsichtiger und weniger aufbrausend geworden, aber freuen wird den alten Bären das nicht.«

Philipp seufzte. »Deshalb bin ich ja zuerst zu dir gekommen. Und auch, weil ich dir gleich zu Anfang sagen wollte, dass du nichts von mir zu befürchten hast, was das Familienerbe betrifft. Ich will nichts davon haben. Mit meiner Entscheidung für das Kloster hab ich damals meine Ansprüche aufgegeben und ich erheb sie nicht wieder. Sei also unbesorgt.«

»Wovon willst du ... wollt ihr dann aber leben?«

Er winkte ab. »Du brauchst dir keine Sorgen zu machen. Ich unterrichte seit kurzem wohlhabende Bürgerkinder in Lesen, Schreiben, Grammatik und Latein. Das tun manche, die früher in kirchlichen Diensten standen. Die vier Lateinschulen der Stadt sind übervoll, da bleibt für Leute wie mich viel zu tun.«

Helena wusste das. Ihr ältester Sohn besuchte die renommierte Lateinschule von Sankt Sebald – nicht zuletzt aufgrund der Spendenfreudigkeit seines Vaters –, aber einige seiner Freunde waren aus Platzgründen abgewiesen worden und gingen nun zu Privatlehrern.

»Wenn du damit glücklich und zufrieden bist, soll's mir recht sein,

Bruder. Falls du es dir anders überlegen solltest – ich will nichts haben, was mir nicht zusteht. Zwischen mir und unserm Vater gibt es eine Erbabrede, die meinen Kindern das Vermögen zuspricht. Alles, was ich möchte, ist, dass sie ohne Sorgen in die Zukunft gehen können. Aber letztendlich bist du der Sohn, und das Erbe gehört rechtmäßig dir. Weißt du, ich denke, das Brandauersche Vermögen reicht für uns alle. Sag ein Wort, und wir werden uns einig.« Sie sah ihren Bruder einen Augenblick lang forschend an. Dann beschloss sie, ihm reinen Wein einzuschenken. »Hör zu, Philipp, es kann ohnehin sein, dass sich in der nächsten Zeit für mich und die Kinder alles ändert. Dann ist es für Vater vielleicht ein Segen, dass du aus dem Kloster zurückgekehrt bist … Der Niklas ist wieder da.« Und sie redete sich ihr Geheimnis vom Herzen.

Philipp hörte ihr schweigend zu; die steile Furche zwischen seinen Augenbrauen wurde dabei immer tiefer. »Um aller Heiligen willen, Lene, was ihr da tut, ist Wahnsinn.«

»Ich weiß.« Ruhig hielt sie seinen Blick aus. »Aber es wird bald vorbei sein. Ich und die Kinder, wir werden mit Niklas weggehen. Weit weg, dorthin, wo uns keiner mehr finden oder bestrafen kann.«

Philipp versuchte es noch einmal mit vernünftigen Argumenten, aber bald erkannte er, dass hier gutes Zureden zwecklos war. »Tut, was ihr tun müsst, Lene, aber gib um Gottes willen Acht auf dich. Wenn ich euch irgendwie helfen kann, sag ein Wort.«

Sie lächelte ihn dankbar an. »Bete für uns, Bruder. Wir haben es nötig.«

Am Nachmittag kam Philipp noch einmal vorbei. Helenas Geständnis hatte ihm keine Ruhe gelassen. Er holte ein Bündel unter seinem weiten Umhang hervor und drückte es der Schwester in die Hand.

»Das schickt dir die Anna.«

Helena faltete den roten Wollstoff auf – es war Annas Hurentuch.

»Du sollst es tragen, sagt sie, wenn du nachts durch die Stadt gehst. Damit wird dich die Stadtwache nicht anhalten. Dann ist zumindest diese Gefahr gebannt.«

Helena begriff. In den nächtlichen Gassen waren immer wieder

Hübschlerinnen zu Hausbesuchen unterwegs. Der Rat tolerierte diese Praxis, und weder die Stadtpolizei noch die Nachtwächter machten den Frauen Schwierigkeiten, sie drückten einfach beide Augen zu. Das Tuch würde ihr Sicherheit geben. Sie trug es noch am gleichen Abend, als sie beim Zehn-Uhr-Läuten aus dem Haus huschte.

Von einem der Fenster im oberen Stock verfolgte ein Augenpaar ihre dunkle Gestalt, bis die Schwärze der Nacht sie verschluckt hatte.

Nürnberg, Freitag vor Jubilate, 12. Mai 1508

Sevilla. Das Wort klang in Helenas Ohren nach, als sie, das Hurentuch um die Schultern, heimwärts lief. Sevilla, das war ab heute der Name ihres Traums. Verheißungsvoll und exotisch schmolz das Wort auf ihrer Zunge, während sie es wieder und wieder vor sich hin murmelte. Die Stadt im fernen Spanien beherbergte einen der wichtigsten ausländischen Handelsstützpunkte der Welser, und man hörte überall von ihrem Reichtum und der märchenhaften Schönheit ihrer maurischen Paläste. Jacob Welser, jüngerer Bruder des Familienoberhaupts Anton und Leiter der Nürnberger Faktorei, hatte Niklas am Morgen mitgeteilt, dass die Handelsgesellschaft damit einverstanden war, die Schleiferei nach Sevilla zu verlegen. Die Welser-Brüder zeigten sich zwar wenig erbaut von dieser Entwicklung, wollten sich aber keinesfalls die neuartige Erfindung der Diamantschleiferei durch die Lappen gehen lassen, genauso wenig wie den guten Kontakt zu ihrem langjährigen Lieferanten in Venedig, Yussuf dem Mohren. Ihnen war schnell klar geworden, dass Niklas nicht von seinem Vorhaben abzubringen sein würde, und so hatten sie schließlich in den Umzug eingewilligt.

Von Helena und Niklas war an diesem Abend eine Last abgefallen. Endlich bot sich ein Weg, und sie würden ihn gehen. Die halbe Nacht hatten sie geredet, Pläne geschmiedet, dabei gelacht und übermütig herumgealbert wie die Kinder. Die Anspannung der letzten Wochen war wenigstens für kurze Zeit verflogen. Jetzt galt es nur noch, die Vorbereitungen perfekt zu treffen.

»Wie soll ich's bloß aushalten, wenn du morgen zurück nach Augsburg fährst?« Helena ließ sich mit ausgebreiteten Armen rücklings aufs Bett fallen.

»Es dauert nicht lang.« Niklas setzte sich zu ihr und spielte mit einem ihrer Zöpfe. »Höchstens zwei, drei Wochen, dann ist alles erledigt, das Kontor aufgelöst, die Papiere verpackt, die Schleiferei auf Wagen verladen. Außerdem brauchst du ja auch Zeit, um hier alles in die Wege zu leiten.«

Sie seufzte. »Du hast ja Recht. Komm. Nimm mich noch einmal in den Arm und halt mich ganz fest. Ich muss jetzt gehen, in zwei Stunden wird es hell. Noch zwei Tage, und der Konrad wird zurück sein. Bis dahin will ich das meiste geregelt haben.« Sie lächelte ihn an, glücklich in der Vorfreude auf die gemeinsame Flucht nach Spanien.

Der Abschied wurde ihnen diesmal leichter als im September, waren sie doch sicher, dass es ein baldiges Wiedersehen und danach eine gemeinsame Zukunft geben würde. Leichtfüßig lief Helena die Stufen hinunter und auf die Straße hinaus. Obwohl Niklas sie in der Dunkelheit nicht würde sehen können, warf sie noch eine Kusshand nach oben zu seinem Fenster. Dann zog sie das Hurentuch tief in die Stirn und eilte durch die nächtlichen Gassen heim.

Im Haus am Weinmarkt war es still, als Helena leise die Haustür aufsperrte, alles lag noch in tiefem Schlaf. Sie huschte die Treppe zu ihrer Schlafkammer hoch und zog lautlos die Tür hinter sich zu. Auf der großen Truhe lagen wie immer die Utensilien zum Feuermachen neben dem Kerzenleuchter. Mit geübten Griffen drückte Helena im Dunkeln den Zunderschwamm zu einem Häufchen und schlug dann den Schlagring zwei, dreimal hart gegen das dreieckige Stückchen Feuerstein. Ein Fünkchen sprang, und sie fing es mit dem Zunder auf, pustete es an, bis es aufflackerte, und hielt die Wachskerze daran. Dann drehte sie sich um und erstarrte zu Stein. Ihr Herzschlag setzte einen Moment lang aus.

Auf dem geschnitzten Lehnstuhl in der Zimmerecke saß Konrad, noch in Reisekleidung und über und über mit Staub bedeckt. Seine linke Hand spielte mit der ledernen Reitpeitsche. Jetzt stand er auf, ein böses Lächeln auf den Lippen, und ging langsam auf sie zu. Mit dem Griff der Peitsche hob er einen Zipfel des roten Tuches an, das sie immer noch um die Schultern trug.

»Wie ich immer sag – einmal Hure, immer Hure, was?« Sein Atem und der Weinkrug, der auf dem Fenstersims stand, verrieten, dass er getrunken hatte. Mit einer knappen Bewegung ließ er die Peitsche auf und ab schnellen.

Helena brachte kein Wort heraus. Alles ist aus. Das war das Einzige, was sie in diesem Augenblick denken konnte. Aus. Vorbei. Verloren. Ihre Augen waren vor Angst weit geöffnet.

»Wenn die Katz aus dem Haus ist, tanzen die Mäus', ist's nicht so?« Konrads Stimme war leise, wie immer, wenn er gefährlich wurde. Er hatte einen Zungenschlag vom Wein und schwankte leicht. »Wo hast du also getanzt, mein schönes Liebchen, und mit wem, hm?«

Helena hob abwehrend die Hände. Ihr Hals war immer noch wie zugeschnürt.

»Hund und Sau! Sag's!«, donnerte er. »Ich bring das Schwein um, ich schwör's, und dich dazu!«

»Konrad, es ist nicht, wie du denkst. Ich … ich komm von der Agnes, sie hat die trockene fliegende Hitz, und …«

Mit einem feinen Zischen fuhr die Peitsche durch die Luft und hinterließ einen roten Striemen auf Helenas rechter Gesichtshälfte.

»Einen Dreck!«, brüllte Konrad. Er packte Helena am Kinn und brachte sein Gesicht ganz nahe an ihres. »Das Fieber hat sie schon seit drei Wochen jede Nacht, deine saubere Freundin, was?« Er wurde wieder leise. »Wag es nicht, mich zu belügen, du Miststück! Ich weiß genug über deine nächtlichen Ausflüge, elendes Luder, genug um dich dein Leben lang büßen zu lassen! Nur eins noch: Wer ist es? In wessen Bett kriechst du, seit ich fort bin? Welchen geilen Bock darf ich zur Hölle schicken? Oder sind's gar mehrere? Red!«

Helena riss sich los und wich bis zur Wand zurück. In ihr begann eine unendliche, verzweifelte Wut zu kochen, Wut auf den Menschen, der im Begriff war, ihr ganzes Glück zu zerstören. Sie schrie ihn an.

»Das wirst du von mir nie erfahren, nie, niemals! Und wenn du mich auf der Stelle umbringst, ich sag's dir nicht. Ja, du hast Recht, Konrad, ich geh jede Nacht zu einem andern Mann. Ganz Nürnberg hat mich schon gehabt! Und stell dir vor, jedes Mal hab ich's genossen, dass nicht du es warst, der bei mir gelegen ist!«

Die Peitsche sauste auf Helenas Kopf und Oberkörper nieder, immer und immer wieder. Konrad war so außer sich, dass er nicht einmal mehr richtig zielte und kaum traf. Irgendwann hielt er inne. Schwer atmend stand er da, das Gesicht zur wilden Grimasse verzerrt.

Helena ließ die Arme sinken, die sie schützend vors Gesicht geschlagen hatte. Striemen zogen sich über ihren Hals und die Unterarme. Sie wusste, dass vom Hausgesinde keine Hilfe zu erwarten war – die Knechte und Mägde waren die häufigen Streitigkeiten der Herrschaft seit jeher gewohnt, keiner von ihnen würde kommen und sich einmischen. Seit Konrad einmal den Stubenheizer mit dem Schürhaken halb tot geprügelt hatte, als er schlichtend eingreifen wollte, wagten sie sich nicht einmal in die Nähe der Schlafkammer.

»Wenn du mich jetzt gleich erschlagen willst, dann tu's.« Helena wusste, das sie nichts mehr zu verlieren hatte, und setzte alles auf eine Karte. Ihre Stimme klang ruhig, nur ein leichtes Zittern verriet ihre Angst. »Aber eins sollst du vorher noch wissen. Wenn ich tot bin, siehst du vom Brandauerschen Erbe keinen Gulden. Mein Vater hat ein Testament aufgesetzt: Falls ich sterbe, bekommen alles die Buben. Du gehst leer aus. Und du weißt genau, das kannst du dir nicht leisten.« Sie strich sich die wirren Haare aus der Stirn und wischte einen Blutstropfen von der Schläfe. »Überleg's dir genau, Konrad. Denn wenn du mich jetzt nicht umbringst, dann werd ich dich verlassen. Du kannst mich einsperren, ja, aber irgendwann, irgendeines Tages wirst du feststellen, dass ich fort bin.«

Sie sah, wie es hinter Konrads Stirn arbeitete. »Lass mich und die Kinder gehn, Konrad. Meinetwegen sag allen, du hättest mich verstoßen, weil ich dir nicht mehr gut genug bin, aber lass mich gehn. Das mit dem Geld wird sich finden, es soll dein Schaden nicht sein.«

Er starrte sie an. »Niemals!« Seine Stimme überschlug sich.

In diesem Augenblick ging die Tür auf, und der kleine Rupprecht stand verschlafen im Nachthemdchen auf der Schwelle, den Daumen im Mund und einen fetten Hasen aus buntem Wollstoff unter dem Arm. Mit großen Augen sah er seine Eltern an. Konrad reagierte sofort. Er packte den Jungen hart am Handgelenk und zog ihn mit einem Ruck zu sich.

»Nirgends wirst du hingehen, Helena, nirgends, hörst du?«, geiferte er. »Du bleibst, und du sagst deinem Liebhaber ab. Denn wenn ich dich schon nicht umbringen kann, ohne an den Bettelstab zu kommen – dann halt ich mich an deine Kinder.«

Helena rang nach Luft. »Bei der heiligen Muttergottes, Konrad, es sind auch deine Kinder. Dein eigen Fleisch und Blut!«

Er legte den Kopf in den Nacken und lachte irr. Helena hatte zum ersten Mal seit sie ihn kannte das Gefühl, er sei nicht mehr richtig im Kopf beisammen. »Wer's glaubt!«, schrie er und sah den kleinen Rupprecht plötzlich mit seltsam verzerrtem Grinsen an. »Der da«, meinte er und deutete mit dem Finger auf den völlig verschüchterten Buben, »der ist sowieso nicht von mir.«

Helena überlief es heiß und kalt, als ahnte sie, was kommen würde. »Um Gottes willen, Konrad, ich schwör dir bei allem, was mir heilig ist …«

»Ein Bankert ist er, ein untergeschobenes Balg!« Seine Augen traten fast aus den Höhlen. »Du glaubst nicht, dass es mir ernst ist, ja? Ich werd's dir beweisen!«

»Zu Hilfe! Herrgott im Himmel, Konrad, lass ab!« Helenas Schrei gellte durch das nachtstille Haus. Sie stürzte auf Rupprecht zu, um ihn wegzureißen, aber es war schon zu spät. Konrad hatte sich den vor Angst starren Buben unter den Arm geklemmt und mit einer Hand das Fenster zum Hof aufgerissen. Dann warf er das Kind hinaus wie einen Sack Lumpen.

Sie flog die Treppen hinunter, während überall im Haus die Lichter angezündet wurden. Heilige Maria Muttergottes, betete sie, lass ihn am Leben sein, lass es nicht zu, dass ein unschuldiges Kind büßt. Unten im Hof rannte ihr der Lagerknecht mit einer Laterne entgegen und versuchte, sie aufzuhalten. Sie stieß ihn zur Seite. Und dann sah sie ihren Sohn.

Unter dem Fenster der Schlafkammer stand noch der Wagen, der am Nachmittag eine Ladung Drahtrollen, Messer und Nadeln gebracht hatte. Rupprechts kleiner Körper hing rücklings über der Deichsel, das Rückgrat gebrochen, die blinden Augen halb offen und schräg hinauf zum Himmel gerichtet. Mit einer Hand hielt er immer noch den dicken Stoffhasen.

Helena hörte jemanden schreien, mit rauer, wilder Stimme, ein klagendes Heulen beinahe wie von einem Tier. Sie sah sich um und erkannte die entsetzten Gesichter des Hausgesindes, die sie anstarrten. Dann merkte sie, dass sie selber es war, die da schrie, und wurde stumm. Mit hölzernen, steifen Schritten ging sie zum Wagen, hob ihr totes Kind von der Deichsel. Wie leicht Rupprecht doch war, und noch so klein und zart. Sanft legte sie ihn auf den Boden und zog sein Hemd um den Hals zurecht, als könne er noch frieren. Mechanisch strich sie ihm, wie sie es so oft getan hatte, die widerspenstigen schwarzen Locken aus der Stirn. Dann stand sie auf. Fuß vor Fuß setzte sie, lief über den Hof, ohne dabei den Boden unter sich zu spüren. Die Dienerschaft machte stumm eine Gasse und ließ sie durch; keiner wagte sie anzusprechen. In ihr war nichts als Leere und Kälte, eisige Kälte. Und Hass. Unbändiger, tiefster, grauenvoller Hass, der mit nie gekannter Wucht Besitz von ihr ergriff und keine andere Empfindung mehr zuließ. Sie kam an dem großen Stapel Brennholz vorbei, der in der Hofecke neben der inneren Haustür geschichtet war. Auf dem Hackstock sah sie das Beil liegen, die Schneide glänzte rot im Licht der Fackeln. Ohne stehen zu bleiben griff sie danach und ging wieder nach oben.

In der Schlafkammer saß Konrad auf dem Bett und wandte ihr den Rücken zu. Er musste gehört haben, wie sie ins Zimmer kam, hielt es aber nicht für nötig, sich umzudrehen. Helena blieb stehen, sah den Mann an, der im Begriff war, ihr Leben zu zerstören. Das ihres Sohnes hatte er schon auf dem Gewissen. Und Gott hatte das geduldet. Der Himmel hatte sich nicht geöffnet, kein Racheengel war herabgeschwebt, kein Blitz hatte den Mörder getroffen. Wenn Gott nicht strafte, wer hatte dann mehr Recht dazu als sie? Konrad rülpste. Er hob den Weinkrug vom Boden auf und setzte gerade zu einem Schluck an, als ihn die Axt zwischen Hals und Schulter traf. Mit einem leisen Laut des Erstaunens ließ er den Krug fallen, fuhr sich mit der Hand an die tiefe Wunde, aus der das Blut quoll, und drehte sich um.

Helena stand vor ihm, Wahnsinn in den Augen. Sie war bleich wie ein Geist, das Beil gesenkt. Von der Schneide tropfte es rot auf die Holzdielen. Konrads Gesicht verzog sich zu einer ungläubigen Grimasse, in seiner Miene spiegelte sich ein beinahe amüsiertes Staunen. Warum tat er nichts, wehrte sich nicht? Es war, als ob die Zeit angehalten würde. Langsam, ganz langsam hob Helena die Axt ein zweites Mal, hob sie mit beiden Händen hoch über ihren Kopf. Sie sah, wie sich Konrads Lippen zu einem verzerrten Grinsen formten, hörte, wie er mit einem merkwürdigen Pfeifen Atem holte. Dann hieb sie ihm das Beil mit aller Kraft mitten in die Stirn.

Fragstück des Wenzel Hufer, Knecht, vom 13. Mai 1508

Gehalten am Sambstag vor Jubilate anno 1508 durch die beyden Fragherrn Peter Grolandt und Michel Pömer vom Rath, auffgeschriben von Lazarus Spenglern, Stadtschreiber.

Fraghern: *Wie und wann er des nachts von Freytag auf Sambstag auffgewacht.*

Hufer: *Er hab Geschrey auß der Herrschafft Schlaffkammer gehört, das sey weit nach Mitternacht gewesen. Er sey aber nit auffgestanden, weil das schon des öfftern vorgekomen und der Herr den Knechtn bey Androhungk von Leipstraff verbotten hett, sich in soliche Streittsach einzumischen.*

Fraghern: *Wann er denn wol aufgestanden?*

Hufer:	*Alß er die Hausfrau zu Hilf rufen gehört, da hab er die Nachtlatern genomen und sey in den Hoff gerennt. Er hett zuerst das arme todte Rupprechtlein gesehn und dann die Haußfrau. Dann sey das Gesindt zusammengelauffen.*
Fragherrn:	*Ob er gesehen, wie die Hellerin ihrn Mann mit der Axt überlauffen.*
Hufer:	*Das hett er nit.*
Fragherrn:	*Er sey aber in die Schlafkammer gerennt.*
Hufer	*Jawohl. Alß er gehört, wie die Apolonie Mordio schrie, sei er hinaufgeloffen. Da hab er die Haußfrau mit blutige Händ und rotbeflecktem Gewandt neben irm todten Mann auff dem Boden sitzen sehn. Auch die andern vom Gesind seien dann hereingekomen. Die Hellerin hab nit ein Wortt gesagt und keine Trän vergoßen.*
Fraghern:	*Wer denn den Hausherrn seyner Meinungk nach umbracht hett?*
Hufer:	*Das wisse er nit.*
Fragherrn:	*Er mög bey der Warheit pleyben.*
Hufer:	*Es hett schon so ausgeschaut, alß ob's die Hellerin gewesen sey. Die andern vom Gesind hetten gemeynt, der Teuffel (bekreutziget sich) sey gantz bestimbt in die Hellerin gefahrn, alß sie ir tots Sönlein da liegen hab sehn. Der altt Stubenheitzer Melchior hett hinterher ertzält, er hab ein plutrothen Lichtstral vom Himmel herab in die Hellerin fahrn sehn. Ob das stimme, könn er aber nit sagen, denn der Melchior sey offt recht wunderlich. Aber der Hausherr hett auch vil Feindt gehabt und auch welche, denen er Geldt geschuldet.*
Fragherrn:	*Ob er das Beiel kenn, mit dem des Haußherrn Schedel gespalten worden?*
Hufer:	*Ja, er kenn's. Es sey das selbige Beil, mit dem er selbsten am Tag vorher im Hoff Holtz gehackt und Scheitlein gespalten hab.*
Fragherrn:	*Wo den dies Beil aufbewaret würdt?*
Hufer:	*Zumeist in der Werckzeug Kammer, doch an dem Tag*

	hett er's im Hackstockh stecken lassen. Er mach sich die schlimmsten Vorwürff derhalben.
Fragherrn:	*Ob er denn gesehn, wie jemandt das Beil genommen?*
Hufer:	*Ach lieber Gott, ob er's denn sagen müsst?*
Fragherrn:	*Er mög bedencken, dass der Herrgott die Warheit kennet und die straft, die sie verschweygen wölln.*
Hufer:	*Die Hausfrau hett das Hackbeiel genomen, alß sie beim Hineingehn am Holzstoss vorbeigekommen. Man mög doch Gnad mit ir waltten lassen, sie sey immer ein guther Mensch gewesen.*

Dieß zu Urkundt, Wentzel Huffer, Knecht.

Fragstück der Apollonie Wertzingerin, Hausschafferin, vom 13. Mai 1508

Gehalten am Sambstag vor Jubilate anno 1508 durch die beyden Fragherrn Peter Grolandt und Michel Pömer vom Rath, auffgeschriben von Lazarus Spenglern, Stadtschreiber.

Fragherrn:	*Wie und wann sie des nachts auffgewacht?*
Werzingerin:	*Die Zeitt wisse sie nit, sie sey wegn lautten Geschreys im Hoff auß dem Bett gangen. Sie hett aus dem Fenster gelugt und vil aufgeregte Leutt drunten gesehn.*
Fragherrn:	*Sie mög ertzäln was sich dann zugetragen.*
Wertzingerin:	*Sie hett ein Lichtlein anzündt und sich ein anstendig Gewandt übergeworffen. Dann sey sie in die Schlaffkammer der Herrschafft gangen, um den Herrn wegen des Aufflaufs im Hoff zu wecken. Da hett sie ihn in seinem Plut liegen sehn, das Hackbeil sey ime noch in der Stirn gesteckt. Daneben sey die Mörderin gehockt, voll Pluts.*

Fragherrn:	*Sie mög auffhören zu greinen, das hülff der Warheit nit voran. Wen sie mit Mörderin mein?*
Werzingerin:	*Die Hellerin. Sonst sey ja wol niemands da gewesen.*
Fraghern:	*Ob die Hellerin es etwan zugegeben hett?*
Wertzingerin:	*Sie hett nichts gesagt. Aber sie müss es auch nit zugeben, denn ein jeder wüßt, das sie's gethan. Die Hellerin sey ein gar bößes Weib. Sie hett gantz zu irm Buhlen gehen wollen, mit dem sie jede Nacht gottlose Unzucht treybt. Da sey ir der eigne Mann im Weg gewesen.*
Fragherrn:	*Woher sie das wisse und wer dießer Mann sey?*
Wertzingerin:	*Den Namen wüßt sie nit, aber sie hett jede Nacht beobacht, wie die Hellerin auß dem Haus gangen und erst kurtz vor Anpruch des Tags wieder heimkommen sey. Deshalb hett sie auch zum Herrn nach Anspach geschickt, daß der heimkäm. Außer deme hett sie die Hellerin schon vor Jarn zur Agnes Dürerin sagen hörn, sie wollt irn Mann am liebsten todt sehn. Seit deme hett sie, die Wertzingerin, Angst um den Haußhernn gehegt.*
Fraghern:	*Was sie glaub, warumb das Büblein auß dem Fenster gestürtzet und ob sie von steten Streithändeln zwischen der Herrschaft wisse?*
Werzingerin:	*Von Streithendeln wisse sie nit. Der Haußherr sey ein anstendiger Mensch gewest und hett nit verdient, das man ime Hörner aufsetzt. Das Büblein hett, so sey ir Meinungk, die Hellerin wol selbst hinabgestürtzet. Die Haußfrau sey dem Mordwahn verfallen, das hett jeder sehn können. Sey zu befürchtten, das sie die andern Kinder auch noch ermordt hett, wenn das Gesindt nit zur Stell gewesen wär. Dann wär sie gentzlich frey für ir teuflisch Liebschafft gewesen. So könnt man sehn, was plinde Hurerey aus einem Weib macht.*

Zu Urkund, AW.

Fragstück der Mina Gotthelfin, Hausmagd, vom 13. Mai 1508

Gehalten am Sambstag vor Jubilate anno 1508 durch die beyden Fragherrn Peter Grolandt und Michel Pömer vom Rath, auffgeschriben von Lazarus Spenglern, Stadtschreiber.

Fraghern: *Wohin sie in der Nacht zum Sambstag zuerst gerannt?*
Gothelfin: *Sie sei auf den Hoff gelaufen und hab dort das arme Wurm mit eim Leintuch zugedeckt.*
Fragherrn: *Sie mög mit Weynen auffhörn, es sey nit mer zu endern. Was sie darnach gethan?*
Gothelfin: *Sie sey in die Schlaffkammer der Herschafft geloffen, weil die Applonia Zeter und Mordio geschrien. Da hab sie den Herrn erschlagen da liegen und die Herrin dabey sitzen sehn.*
Fragherrn: *Sie mög mit Weinen auffhörn. Ob sie vermein, die Hellerin sei's gewesen?*
Gotthelfin. *Schüttelt den Kopf und greint.*
Fraghern: *Ob sie etwas von einer Bulschaft der Hellerin wisse?*
Gotthelffin: *Schüttelt den Kopf und greint immer mer.*
Fraghern: *Ob sie wisse, dass wer die Warheit nit sagt, in den Stock käm?*
Gotthelfin: *Greint.*
Fragherrn: *Woher das rothe Hurn Tuch käm, das man in der Schlaffkammer gefunden? Sie mög endlich den Mundt aufmachen.*
Gotthelfin: *Ja, die Herrin sey einem andern Mann gut gewesen, aber doch nur, weiln der Haußherr sie stets geslagen und gar gräulich behandelt hett. Das Tuch kenn sie nit.*
Fragherrn: *Ob die Hellerin in dießer Nacht vorher bei irem Liephaber gewesen sey?*
Gotthelfin: *Greint und nickt.*
Fragherrn: *Welches der Name des Buhlen sey?*

Gotthelfin:	*Den könnt sie nit sagen. Hat Weinkrempf und kann nit mer vernünfftig antwortten.*

Zu Urkund: M. G.

Fragstück der Agnes Dürerin vom 13. Mai 1508

Gehalten am Sambstag vor Jubilate anno 1508 durch die beyden Fragherrn Peter Grolandt und Michel Pömer vom Rath, auffgeschriben von Lazarus Spenglern, Stadtschreiber.

Fragherrn:	*Ob sie mit der Elena Hellerin gut Freund gewesen sei?*
Dürerin:	*Ja, das sey sie, und immer noch.*
Fragherrn:	*Ob sie denn wisse, dass die Hellerin angeclaget, irn Mann erschlagen zu haben?*
Dürerin:	*Sie hett's schon gehört, aber sie glaub's nit.*
Fragherrn:	*Ob sie sich erinner, dass die Hellerin zu ir gesagt hett, ir wär am liebsten, ir Mann sey todt?*
Dürerin:	*Sie wüst das nit.*
Fragherrn:	*Eine Lüg hat kurtze Bein. Die Dürerin mög bedencken, dass falsche Aussag bestrafft werden könnt. Es gäb wen, der hett's gehört.*
Dürerin:	*Ja, es mög seyn, dass die Hellerin so oder ähnlich geredt hett, aber wer könnt's ir verdencken, so wie ir Mann zu ihr geweßen sei. Grün und blau hett er sie immer wieder geschlagen, gequelt sey sie von ime worden, das wisse jedermann. Man mög doch nur den Doctorn Schedel fragen. Der Heller sei schuldt daran, dass das letzte Sönlein zu früh kommen, weil er sein Weib in hochschwangern Zustenden die Treppen hinabgestoßen. Sie, die Dürerin, sey nit bös drüber, dass dies Ungeheur nun nit mer Schaden thun kann.*

Fragherrn:	*Ir Meynungk sey nit gefragt. Ob ir bekannt sei, dass die Hellerin eine Buhlschaft unterhielt, mit der sie hett auff und davon wollen.*
Dürerin:	*Das könn sie nit sagen.*
Fragherrn:	*Andere wüßtens und hettens schon ertzelt.*
Dürerin:	*Wer die denn seien?*
Fragherrn:	*Die Appolonia Wertzingerin sei eine davon.*
Dürerin:	*Die Aplonia sey ein alts, garstigs und unguts Weib, das sein Leben lang immer nur Böses rede und ir Haußfrau seit je her mit Mißgunst verfolge. Das wüßt die gantze Stadt.*
Fraghern:	*Darüber stünd ir kein Urtheil zu, sie mög ir Zungen im Zaum haltten.*
Dürerin:	*Ob sie die drei unschuldigen Kindtlein zu sich holn könnt, die im Hauß am Weinmarkt wol nun schlecht aufgehoben seien?*
Fragherrn:	*Das soll ir gestattet seyn, biß der Rath über ihrn Verbleyb anderst entscheidet.*

Zu Urkundt: Agnes Dürerin

Nachricht von Agnes und Albrecht Dürer an Niklas Linck zu Augsburg, 13. Mai 1508

Nicklas, ein Furchtbars ist geschehn. Die Helena hat irn Mann mit dem Peihel erschlagen. Sie ist verhaft und ins Lochgefengniß verbracht worden. Die Sach steht aussichtsloß. Eil dich, wenn du sie noch lebendt sehn willst. Die endtliche Gerichtsverhandtlung wirdt zum spättesten in fünff Tagen statt finden. Wir schickhen dieß Schreiben mit eim besondern Boten, der versprochen hat, eher sein Pferdt zu Schanden zu reitten alß zu spätt bei dir zu sein. Mit Gott.

Geschriben von Agnes und Albrecht Dürer am Sambstag vor Jubilate.

Nürnberg, 17. und 18. Mai 1508

Der Himmel hatte seine Schleusen geöffnet; seit dem frühen Morgen schüttete es unaufhörlich. Von den Dächern schoss das Wasser und lief in Sturzbächen die Gassen des Burgbergs hinunter, Schmutz und Abfall mit sich reißend. Wer es sich erlauben konnte, blieb zu Hause; nur wenige Menschen ließen sich im Freien sehen. Nicht einmal die allgegenwärtigen Schweine, die sich sonst bei Regenwetter gern in den Drecklöchern suhlten, verließen ihre Unterschlüpfe.

Drinnen in den Stuben wurde es den ganzen Tag nicht hell, sodass Dürer irgendwann ärgerlich den Pinsel hinwarf. »Ohne Licht kann ich nicht arbeiten«, fluchte er leise vor sich hin – doch die Wahrheit war, dass er ohnehin seit Tagen nichts Rechtes auf die Leinwand brachte. Er hatte den Kopf nicht frei, und die stete Unruhe seiner Frau, die mit rot geweinten Augen im Haus umherlief, ließ auch ihn nicht kalt. Viel Schlaf hatten beide in den letzten Nächten nicht bekommen. Allein der Anblick von Helenas verstörten Kindern, die Agnes vor drei Tagen in der Dachkammer einquartiert hatte, konnte einen Stein erweichen.

Seit dem Öffnen der Stadttore am Morgen rechnete der Maler stündlich mit Niklas' Ankunft. Als es schließlich eine Stunde nach Mittag an die Tür des Hauses unter der Veste hämmerte, öffnete Dürer mit einem Stoßseufzer selbst. Der Freund stand schwankend auf der Schwelle, totenbleich und völlig durchnässt, aus den wirren Haaren troff das Wasser. Er sah ihn mit flehenden Augen an.

»Heiliger Himmel, Albrecht, sag mir, dass ich nicht zu spät komme!«

Albrecht zog ihn in den Flur. »Sie lebt noch, Niklas, der Gerichtstag ist erst übermorgen. Agnes!«

Die Dürerin hatte sich nicht einmal die Zeit genommen, ihre Haube unter dem Kinn zu binden. Sie stürzte auf Niklas zu und umarmte ihn.

»Gott sei Dank, dass du da bist. Wir haben schon befürchtet, du schaffst es nicht mehr.«

»Was können wir tun?« Niklas ließ sich, nass wie er war, auf der Sitzbank nieder. Er war von seinem Gewaltritt nach Nürnberg völlig erschöpft.

Albrecht schüttelte niedergeschlagen die langen Locken. »Wenig, fürchte ich.« Er legte Niklas eine Hand auf die Schulter. »Ich wollt, ich hätt bessere Nachrichten für dich, mein Freund, aber die Sache steht schlecht. Helena hat ihren Mann mit der Axt erschlagen, offenbar, nachdem er den kleinen Rupprecht aus dem Fenster geworfen hat. Der Junge war tot, und da hat sie wohl den Kopf verloren. Es gibt mehrere Zeugen dafür.«

»Barmherziger Gott.« Niklas schloss die Augen und lehnte den Kopf gegen den gewirkten Wandteppich.

Agnes kam mit trockenen Sachen aus der Wäschekammer. »Hier, da sind frische Kleider. Geh nach oben und zieh das nasse Zeug aus. Wir schicken derweil nach Lenes Bruder und ihrem Fürsprech, Martin Glück. Dann können wir gemeinsam beratschlagen.«

Eine halbe Stunde später saßen sie mit dem Juristen um den Tisch in der guten Stube. Glück war ein hagerer, schmalbrüstiger Mittdreißiger mit wässrigblauen Augen, spitzen Lippen und schütterem Haar, das an den Schläfen schon grau wurde. Sein Ruf als Rechtsexperte war ausgezeichnet, doch auch er zuckte auf Niklas' verzweifelte Fragen nur hilflos die Schultern.

»Unsere Rechtsordnung sieht in Malefizsachen keine Gnadenfälle vor«, erklärte er. »Auch wenn manche der Schöffen, mit denen ich gesprochen habe, durchaus Verständnis für Helenas geistigen Zustand nach dem Tod ihres Sohnes aufbringen, so gibt es doch keine rechtliche Möglichkeit, deshalb aus Gnade die Strafe abzumildern. Und ihre Schuld steht außer Zweifel – schließlich wurde sie so gut wie bei handhafter Tat ertappt. Außerdem haben wir keinen Beweis dafür, dass Konrad Heller den Buben tatsächlich aus dem Fenster geworfen hat. Er könne ja auch von selber hinausgestürzt sein, was bei Kindern zuweilen vorkäme. Einer der Schöffen führt an, die Hellerin könnte in dieser Sache auch lügen, um zu vertuschen, dass sie ihren Sohn womöglich selber umgebracht hat. Beim Inneren Rat, der die hohe Jurisdiktion in Malefizsachen ausübt, hat ihr sehr geschadet, dass sie – mit

Verlaub – ein Liebesverhältnis mit einem anderen Mann hat.« Dabei sah er Niklas durchdringend an. »Man hält es immerhin für möglich, dass sie den Mord an ihrem Gatten kalt geplant hat.« Glück zog ein makelloses weißes Fazenettlein aus der Hosentasche und tupfte sich damit die Stirn.

»Wie kann ich helfen?« Niklas rang um Fassung.

Glück winkte erschrocken ab. »Um Gottes willen, bitte unternehmt nichts! Wenn Ihr als Helenas Liebhaber – und der seid Ihr wohl, nehme ich an? – öffentlich auftretet, wird ihr das eher schaden als nützen. Nein, nein, verhaltet Euch ruhig und unauffällig, das ist das Beste.«

In diesem Augenblick ging die Tür auf, und Philipp trat ein, Hand in Hand mit Anna und tiefe Sorgenfalten auf der Stirn. Niklas stand auf und machte ein paar Schritte auf ihn zu. Seit Philipps Gang ins Kloster vor so vielen Jahren hatte er Helenas Bruder nicht mehr gesehen, aber er erkannte seinen ernsten, dunkelhaarigen Vetter sofort wieder. Sie umarmten sich schweigend.

»Ich hätte mir gewünscht, dich unter besseren Umständen wiederzusehen.«

Niklas versuchte ein kleines Lächeln. »Ich mir auch, Philipp. Hast du sie gesprochen? Wie geht es ihr?«

»Wir dürfen sie nicht sehen.« Philipps Stimme klang belegt. »Besuche sind streng verboten. Nicht einmal der Fürsprech wird zu ihr gelassen. Anna und ich waren jeden Tag beim Lochgefängnis, vergeblich. Nur ein Geistlicher darf hinunter, und ich bin ja keiner mehr.« Er drückte Annas Hand. Mit einem unsicheren Lächeln wandte er sich schließlich wieder an Niklas. »Ich hab jemanden mitgebracht, den du auch noch von früher kennst.«

Er öffnete die Tür, und Heinrich Brandauer trat über die Schwelle. Niklas erschrak. Er hatte seinen Ziehonkel noch allzu gut als stattlichen, achtunggebietenden Menschen in Erinnerung, vierschrötig und wohlbeleibt, mit selbstbewusstem Blick und stolzer Haltung. Jetzt stand da ein gebrochener, vor der Zeit gealterter Mann, das Gesicht eingefallen und grau vor Kummer. Mit hängenden Schultern sah Brandauer seinen Ziehsohn an, den er vor fast fünfzehn Jahren aus dem Haus gejagt hatte. Eine Zeit lang standen sie einander so gegenüber, dann hob der Alte beinahe flehend die Hände.

»Ich war ein Narr, Niklas. Ins Unglück hab ich die Lene getrieben, durch die Ehe mit diesem Mann. Dir hab ich sie nicht gegönnt, weil ich zu stolz war. Heut bereu ich meine Hoffart. Hart hab ich gegen euch zwei gehandelt, das war ein Fehler. Könnt ich ihn wieder gutmachen, ich würd alles dafür geben. Aber jetzt, jetzt ist es zu spät, und die Lene büßt ...« Er wischte eine Träne fort.

Niklas suchte in seinem Inneren nach dem alten Hass auf Heinrich Brandauer, den er in früheren Jahren einmal empfunden hatte. Doch da war nichts mehr. Es gab nichts mehr zu ändern, nichts mehr zu hadern. Beinahe fühlte er etwas wie Mitleid mit dem Alten, der sich nun die Schuld am Unglück seiner Tochter gab und mit dieser Last weiterleben musste.

»Lass gut sein, Onkel«, sagte er bitter. »Was war, das war. Die Vergangenheit ist nicht mehr zu ändern. Niemand gibt dir die Schuld an dem, was jetzt geschehen ist. Und ich bin der Letzte, dem ein Urteil über dich zusteht.« Die Stimme versagte ihm. Es ist alles meine Schuld, hatte er noch sagen wollen, du solltest mich hassen. Auf welch furchtbare Weise bin ich zu Lenes Unglück geworden! Aber die Verzweiflung schnürte ihm die Kehle zu, und er stand stumm.

Brandauer lehnte seinen Gehstock an die Wand und ließ sich schwerfällig auf einen Stuhl fallen. »Ich hab heute Morgen ein Gnadengesuch an den Inneren Rat aufgesetzt und dem Spengler gebracht. Er hat mir nicht viel Hoffnung gemacht.«

Glück, der Anwalt, nickte. »Das glaub ich wohl. Ich war bei der letzten Sitzung des Gerichts dabei. Elf von dreizehn Schöffen haben auf schuldig plädiert.«

»Lässt sich mit Geld oder Handsalben etwas erreichen?« Niklas suchte nach dem letzten Fünkchen Hoffnung, aber der alte Brandauer winkte nur resigniert ab.

»Das hab ich natürlich auch schon versucht. Ganz vorsichtig hab ich bei einem der Alten Bürgermeister, die im Inneren Rat sitzen, angedeutet, dass Geld keine Rolle spielt, und angeboten, der Stadt ein neues Hospital zu stiften. Der Mann war zu Tode beleidigt. Nur aus alter Freundschaft, hat er zu mir gesagt, würde er mein Ansinnen sofort vergessen. Die Nürnberger Justiz sei nicht käuflich, und wer solches versuche, setze sich selber der Gerichtsbarkeit aus. Keiner der Schöffen, mit denen ich sonst noch geredet habe, hat sich anders geäußert.«

»Flucht?«

»Denk gar nicht erst dran.« Dürer, der bisher nur zugehört hatte, mischte sich jetzt ein. »Noch nie ist einer aus den Lochgefängnissen entkommen. Helena bleibt dort drunten bis zum endlichen Gerichtstag, und sobald sie herauskommt, ist sie von Wachen umgeben. Wir sind alle keine Kämpfer, Niklas, du auch nicht. Es bräuchte schon eine Horde Landsknechte, um sie am Tag der Hinrichtung herauszuholen und aus der Stadt zu bringen, und die Zeit, solche anzuwerben, haben wir nicht mehr.«

Niklas' Kiefer mahlten. »Das soll heißen, uns bleibt nichts anderes als zuzuschauen, wie sie Helena zur Richtstatt führen?« Er sah einem nach dem anderen seiner Tischgenossen in die Augen.

Keiner gab ihm Antwort.

In dieser Nacht fand Niklas trotz aller Erschöpfung keinen Schlaf. Sobald der Morgen graute, stand er auf und verließ leise das Haus. Es hatte aufgehört zu regnen, und grauer Dunst hing über den Dächern der Stadt. Das Pflaster war nass und schlüpfrig; Niklas glitt auf seinem Weg den steilen Burgberg hinunter mehrmals aus. Dort, wo nicht gepflastert war, wechselten sich Pfützen mit tiefem Morast ab. Es roch nach modriger Nässe, Schmutz und Unrat, aber auch nach Wachstum und Frühling. Die Büsche und Bäume in den Hinterhöfen trugen die ersten grünen Spitzen, die Tauber stolzierten gurrend mit aufgeblasenen Hälsen umher und die Spatzen keckerten aufgeregt von den hölzernen Dachrinnen. Niklas sah und hörte nichts von all dem.

Die Lochgefängnisse lagen im Untergeschoss des Rathauskomplexes. Dies war nicht nur in Nürnberg so, sondern in vielen anderen Städten auch, denn die Rathäuser dienten überall auch als Gerichtsort. Ungewöhnlich war allerdings die Größe des Nürnberger Gefängniskellers: Er umfasste ein finsteres Labyrinth aus 21 lichtlosen Räumen,

15 davon Arrestkammern. Das »Loch« diente seit jeher hauptsächlich als Untersuchungsgefängnis; nur in Ausnahmefällen verbüßten Verurteilte hier ihre Strafen – dafür benutzte die Stadt meist alte Stadtmauertürme, die nicht mehr zu anderen Zwecken gebraucht wurden. Lediglich wenn es dort voll war, ließ man unter dem Rathaus auch Zänker, Trunkenbolde und Nachtraben für kurze Zeit in den besseren Zellen schmoren. Allgewaltiger Aufseher über den Gefängniskeller war der Lochwirt Urban Hießling, ein gutmütiger Bär mit fleischigem Doppelkinn, Stiernacken und einem Bauch wie ein Weinfass. Die Nürnberger nannten ihn scherzhaft den »Wirt zum grünen Frosch«.

Hießling saß gerade bei der Morgensuppe, einem undefinierbaren Gebräu aus Graupen, Grünzeug und brauner Brühe, als Niklas in der Wächterstube anklopfte.

»Herein, sei's Kaiser oder Beelzebub!« Hießling schlürfte noch schnell seinen Holzlöffel leer, rülpste und wischte sich dann mit der Hand die Suppentropfen aus dem Stoppelbart. »Ah, und wer seid wohl Ihr, zu so früher Stund?«

»Niklas Linck ist mein Name, Kaufmann und Diamantschleifer aus Augsburg. Ich bin ein Vetter der Helena Heller, die sich in Eurer Obhut befindet, und hergereist, um meiner Base beizustehen in ihrer schweren Not.«

»So, so.« Der Lochwirt kratzte sich am Kopf. »Und was wollt Ihr nun von mir, Herr?«

Niklas zog den Kopf ein und trat durch die viel zu niedrige Tür in die enge Stube. »Ich hab mir gedacht, es muss doch möglich sein, die Delinquentin vor dem Urteil noch zu sehen …«

Betrübt schüttelte der Lochwirt den Kopf. »Da muss ich Euch enttäuschen, guter Herr. Besuche sind hier nicht gestattet. Ihr werdet schon warten müssen, bis Eure Base morgen aus dem Loch herauskommt.«

»Gibt es denn vorher gar keine Möglichkeit?« Niklas holte einen prall gefüllten Beutel unter seinem Regenumhang hervor und spielte damit wie in Gedanken.

»So viel Geld wär's Euch wert?« Hießling lächelte mitleidig und entblößte dabei eine Reihe fauliger Zahnstummel. »Nur, um sie noch einmal allein zu sehen, Eure … Base?« Er legte eine Betonung auf das letzte Wort.

Niklas setzte alles auf eine Karte. »Das, und noch viel mehr, falls heut Nacht zufällig eine Tür aufsteht … Ihr hättet für's Leben ausgesorgt, Meister Hießling. Die Helena Hellerin hat den Tod nicht verdient.«

Der Lochwirt hieb seinem Besucher freundlich die Pranke auf die Schulter. »Lass gut sein, mein Junge, das hat doch keinen Sinn. Wenn du wüsstest, wie viele das schon versucht haben. Mich kann nicht Tod noch Teufel kaufen! Ich sag immer allen: Vertraut auf Gott und das Gericht! Wenn die Hellerin den Tod nicht verdient hat, wie du sagst, so wird das im Himmel und im Rat entschieden, und nicht von mir oder dir.«

»Habt Mitleid, Hießling, mit mir und mit dieser Frau.« Niklas legte bittend seine Hand auf den Unterarm des Lochwirts. »Gibt es niemanden, den Ihr liebt und für den Ihr alles auf der Welt tun würdet?«

Der Bär schnaufte tief durch und sah Niklas mit triefäugigem Blick an. »Nichts, was mich an den Galgen bringen würde, mein junger Freund. Und jetzt habt die Freundlichkeit und geht nach Hause, seid vernünftig. Ihr werdet mich nicht umstimmen, glaubt mir, nicht in hundert kalten Wintern. Geld bedeutet Urban Hießling nichts.« Sanft nahm er Niklas' Finger von seinem Arm.

»Aber vielleicht Schutz und Hilfe der Heiligen?« Niklas zog das Medaillon aus der Innentasche seines Wamses. Helena hatte es in der Nacht ihrer Verhaftung noch der kleinen Margarethe in die Hand drücken können, und in deren Schürzentasche hatte es Agnes gefunden. Jetzt würde es vielleicht die verschlossene Pforte öffnen helfen.

Hießling schielte schräg auf das glitzernde Fläschchen, und Niklas bemerkte das Begehren in seinem Blick.

»Dies ist eine Reliquie mit dem wundertätigen Öl der Heiligen Walburga, Meister Hießling. Sie gehört Euch, wenn Ihr mich nur hinunter lasst …«

Der Lochwirt kämpfte mit sich. Die meisten kleinen Leute, so wie er einer war, hatten noch nie einen solch heiligen Gegenstand auch nur aus der Nähe gesehen. Eine Reliquie gar zu besitzen war für sie ein unerreichbarer Lebenstraum, bedeutete es doch Glück und Gesundheit im Diesseits und die sichere Eintrittskarte ins Paradies. Eine solche Gelegenheit würde nie wiederkehren, das war dem Lochwirt klar. Er runzelte die Stirn.

»Ist die auch wirklich echt?«

»Natürlich.«

»Schwört Ihr?«

»Bei meiner Seele und dem Andenken meiner Mutter.«

Hießling nickte bedächtig. »Den Schutz der Heiligen kann wohl ein jeder gut gebrauchen, hm? Schließlich sind wir alle nur arme Sünder im Angesicht des Herrn.« Er kniff die Augen zusammen. »Ihr seid ein guter Überredungskünstler, Niklas Linck aus Augsburg. Wohlan, so sollt Ihr Euern Willen haben. Nur jetzt noch nicht. Kommt heut Abend nach Einbruch der Dunkelheit wieder. Die Hellerin wird beim sechsten Glockenschlag ins Armesünderstüblein verlegt, hinterher gehn die von der Wache heim. Da gebt Ihr mir die Reliquie und ich will Euch einlassen.«

Den ganzen Tag über sprachen Niklas, Philipp und der alte Brandauer einzeln und gemeinsam bei den einzelnen Schöffen vor. Ohne Erfolg. Die Rechtslage war eindeutig und Helenas Täterschaft so klar, dass der Rat nicht einmal die von Glück beantragte Bahrprobe angeordnet hatte – Konrads Leiche war zusammen mit dem kleinen Rupprecht schon vor zwei Tagen mit düsterem Pomp beerdigt worden. Halb Nürnberg war dabei gewesen, als man Vater und Sohn in der Hellerschen Familiengruft beigesetzt hatte.

Beim Fünf-Uhr-Läuten trafen sich alle in der Schreibstube des Anwalts, die in der Nähe des Rathauses lag. Sie waren entmutigt und abgespannt und erhofften sich wenigstens jetzt gute Nachrichten. Doch auch Glück musste sie enttäuschen. Viel Zeit nahm er sich nicht für die Begrüßung. Bleich, mit zusammengekniffenen Lippen und gerunzelten Brauen hielt er ihnen ein Schriftstück hin.

»Lest, Ihr Herren. Das hat mir heute Morgen der Gerichtsbote überbracht. Nun sind alle unsere Bemühungen ohnehin hinfällig. Sie hat sich selbst bezichtigt.«

Niklas war, als ob der Boden unter seinen Füßen schwankte. Jetzt war alles aus, die letzte Hoffnung dahin. Philipp stützte seinen Vater, der sich atemringend ans Herz gegriffen hatte. Er führte ihn zu dem einfachen Besucherstuhl, der vor Glücks Schreibtisch stand, und half ihm, sich hinzusetzen. Mechanisch griff der alte Brandauer schließlich nach der Abschrift von Helenas Geständnis und las.

Urgicht der Elena Hellerin vom 14. Mai 1508,

so erhaltten im Loch Gefengknis am Dienstag nach Jubilate anno 1508 durch die beyden Schöffen Ulrich Groß und Hans Holzschuher vom Innern Rath, auffgeschriben von Hermann Teumer, Lochschreiber.

Schöffen: *Bisher sey sie noch in eim Zustandt der Dumpfheyt gewesen und hett nit redn können noch wolln. Ob sie nunmer fähig und in der Lag sey, auff die Fragen zu anttworten.*

Hellerin: *Ja, heut sei sie bereitt.*

Schöffen: *Sie mög der Warheit getreu ertzeln, was sich in der Nacht zum Sambstag zugetragen.*

Hellerin: *Bittet umb den Beystand eines Fürsprechs oder Rechtsgelerten.*

Schöffen: *Der sey ir zum Gerichtstag vor dem Innern Rath gewährt.*

Hellerin: *Sagt, sie wöll mit Verlaub erst dann auf die Fragen Antwortt geben, wenn sie mit dem Beystand gesprochen, dieweiln sie nur ein Weib und in Rechts Sachen nit bewandert.*

Schöffen: *Das sey nit möglich. Man wisse von Zeugen, dass sie irn Mann mit der Axt überlauffen hett. Sie müss schon jetzt der Wahrheyt die Ehr geben. Weiger sie sich und sey sie verstockt, so würd dieße wol unter der peinlichen Befragungk anß Licht kommen. Ob man ir drüben in der Capelln die Instrumentt weisen solle?*

Hellerin: *Nein, umb der Liebe Gottes willen, nur das nit. Das mög man ir gnediglich ersparn. Ir Mann sey in der Nacht zum Sambstag mit ir in Streyt gerathen, und hett sie mit der Gertten geslagen. Darüber sei wol der kleine Ruprecht auffgewacht und in die Schlaffkammer gelauffen. Da sei ir Mann in weißglühender Wuth auff das unschuldig Kindtlein losgangen und hett es zum Fenster hinauß geworffen, daß Gott's erbarm. Alß sie nun gesehn, dass ir Söhnlein todt darniederlag, sei sie von Schmertz und Gram faßt wahnsinnig worden. Sie hätt nit mer dencken können, und alß sie mit dem Beiel in der Handt vor dem Gatten stand, da hett sie's wol gegen ihn erhoben.*

Schöffen: *Wie sie zu dem Peil kommen sey?*

Hellerin: *Das wisse sie nit, sie sei ausser sich gewesen.*

Schöffen: *Warumb sie mit irm Mann in dießer Nacht Streitt gehabt?*

Hellerin: *Er hett schon seit jeher Gründ genug gefunden, mit ir zu streiten und ir dabey Schleg anzuthun.*

Schöffen: *Sie mög mit der Sprach herauß rücken und die Geduldt der Fragherrn nit reitzen. Man wisse, dass sie ein Buhlen hett, von dem sie in der Nacht heim kommen sey. Ob das denn wahr sey?*

Hellerin: *Ach lieber Gott, wenn sie's denn sagen müßt, ja es stimbt.*

Schöffen: *Ob sie die That mit ihrm Liebhabern im Vorauß geplant hett, um ihrn Mann loß zu sein?*

Hellerin: *Bei allen Heiligen, niemalß. Sie hett wol mit den Kindern zu irm Bulen flüchtten wolln, aber nit irn Gatten tödten. Das hett sie auß schierem Entsetzen und grossem Leyd wegen des armen Ruprechtlein gethan, sie schwörs bei allem was ir heylig sey. Der andre Mann hett damit nichts zu thun.*

Schöffen: *Den Namen des andern Manns.*

Hellerin: *Und wenn man sie folttern würdt, den würd sie niemalß preiß geben. Man mög umb der Lieb Gottes willn nit mehr in sie dringen.*

Schöffen: *Man wöll jetzo nit weitter insistirn. Sie geb also nochmalß zu, irn Mann umbracht zu haben?*

Hellerin: *Nickt mit dem Kopff. Sie bitt das hochachtbare und ehrwürdige Gerichtt, Gnade waltten zu laßen. Sie hetts nit auß Nidertrachtt gethan sondern auß Schmertz und Leid umb ir Sönlein. Sie sey nit bey sich gewesen. Die heylige Ma-*

ria Muttergottes mög ir beystehn, die irn Sohn auch geliebt und hab sterben sehn müssen. Sie alleyn wisse, wie schwer das sey. Sie empfehl sich der Gnad und Weysheit des Innern Rats, der bedencken mög, das sie auch mit dem Todt des Sönleins fürß Leben gestraffet sey.

Schöffen: *Ob sie denn ir That bereu?*

Hellerin: *Sie könn zwar die Weltt, nit aber sich selbsten und Gott belüegen. Nein, es thet ir nit leyd. Der Unmensch hett den Todt verdient.*

Schöffen: *Es stünd ir nit zu, zu richten. Das sey Gottes Sach allein und die des Halßgerichts, vor das sie bald käm. Dort stünd ir Reuhe gut zu Gesicht.*

Hellerin: *Sie bitt dennoch um Nachsichtt und die Gewärung eins milden Urtheils, auch zu bedencken das Altter und die Verdienst ihres armen Vaters und ire drey Kindlein, die ir Mutter bräuchten. Sie sey keine niedertrechtige Mörderin.*

Schöffen: *So sindt wir denn am End.*

Zu Urkund: Elena Hellerin, Jesus Maria Amen.

»Warum hat sie bloß nicht geleugnet oder einfach erzählt, sie könne sich an nichts mehr erinnern?« Brandauer fuhr sich über die feuchten Augen, als er die letzten Sätze seiner Tochter las. »Dann hätten wir vielleicht noch eine kleine Möglichkeit gehabt, sie herauszuholen. Ohne Geständnis können sie einen nicht hinrichten. Das musste sie doch wissen.«

Glück rollte das Dokument wieder zusammen. »Habt Ihr schon einmal darüber nachgedacht, Brandauer, warum die meisten Delinquenten Geständnisse ablegen? Natürlich könnten sie leugnen, doch dann wird in jedem Fall torquiert. Es ist die Angst vor dem Schmerz.«

Philipp nickte finster. In seiner Zeit als geistlicher Betreuer der Lochinsassen hatte er mehrfach bei peinlichen Befragungen anwesend sein müssen.

»Ihr meint, Helena habe von vornherein gestanden, weil sie sich die Folter ersparen wollte?«

»Natürlich. Das tun sie fast alle.« Glück hob resigniert die Schultern. »Es ist doch so: Selbst wenn sie unschuldig sind, unter der Folter gestehen sie ja doch. Und die wenigen, die alle Grade der Folter aushalten und dann gemäß der Halsgerichtsordnung freigelassen werden müssen, bleiben Krüppel für immer: Gerissene Sehnen, gebrochene Knochen und Gelenke, schwärende Wunden. Keiner von denen kann wieder in sein altes Leben zurück, kann arbeiten, seine Familie versorgen. Den meisten bleibt nur der Bettelstab. Da ziehen selbst viele Unschuldige den schnellen Tod auf der Richtstatt vor. Und wir wollen uns doch nichts vormachen: Eure Tochter ist nicht unschuldig. Sie hat die Tat begangen, da gibt es keinen Zweifel. Sie wusste, sie würde die Folter nicht durchstehen. Außerdem glaube ich, hatte sie noch einen Grund, gleich zu gestehen.«

Alle sahen den Anwalt fragend an.

»Ich denke, sie wollte Euch schützen.« Glück deutete mit dem Kinn auf Niklas. »Sie befürchtete, unter der peinlichen Befragung Euren Namen preiszugeben. Und sie wusste, das würde auch Euren Tod bedeuten. In diesem schweren Fall käme das Gericht gar nicht umhin, Euch als Ehebrecher mit der schlimmsten Strafe zu belegen.«

Niklas stöhnte auf und vergrub das Gesicht in den Händen. Glück beugte sich hinter seinem Schreibtisch vor und fixierte ihn ernst.

»Ihr lebt gefährlich, mein Freund. So wie ich es sehe, hat man im Rat wenig Interesse, den Ehebruch weiter aufzurollen. Man befürchtet insgeheim, so vermute ich, dass der unbekannte Liebhaber in höchsten Nürnberger Kreisen zu finden ist. Da will man einen womöglichen Stich ins Wespennest vermeiden. Die Schöffen haben ihre Mörderin, und das genügt ihnen, über alles andere deckt man den Mantel des Schweigens. Aber seid auf der Hut und bleibt im Hintergrund! Noch hält man Euch nur für den Vetter aus Augsburg. Wenn alles andere herauskommt, ist Euer Leben keinen Pfifferling mehr wert.«

Müde winkte Niklas ab. War ihm ein Leben ohne Helena überhaupt noch etwas wert? Er zweifelte daran.

Der alte Brandauer stützte sich schwer auf seinen Stock, als er aufstand. »Werdet Ihr morgen beim Gerichtstag überhaupt noch für meine Tochter sprechen, Glück?«

»Selbstverständlich plädiere ich«, entgegnete der Anwalt ruhig. »Aber ich werde ihr das Todesurteil nicht ersparen können, das wisst Ihr so gut wie ich. Macht Euch auf das Schlimmste gefasst.«

Brandauer sackte noch ein Stück tiefer über seinem Stock zusammen. Dann straffte er den Rücken und ging hinaus. Die anderen beiden folgten ihm wortlos und mit gesenkten Köpfen. Sie wussten, nur noch göttliches Eingreifen würde Helena retten können. Und an Wunder glaubte keiner von ihnen mehr.

Nürnberg, die Nacht vom 18. auf den 19. Mai 1508

ier drunten ist mein Reich, da bin ich König vieler braver Untertanen, hihi. Kommt, mein Herr, ich lass Euch ein – und das Licht immer schön hoch halten.«

Der Lochwirt machte eine übertrieben einladende Bewegung mit der Laterne und stieg vor Niklas die steile Treppe zur unteren Wachkammer hinab. Unten angekommen, folgte ihm Niklas hinaus in den schmalen Gang, der von einigen flackernden Öllämpchen in kleinen Wandnischen nur notdürftig erhellt wurde. Kälte und Feuchtigkeit schlugen den beiden entgegen. Es roch scharf nach einer Mischung aus Urin und Moder. Von der Decke tropfte es.

»Einer hat mal zu mir gesagt, hier sei's wie in den Gedärmen eines Ungeheuers«, grinste Hießling und stapfte durch die Dunkelheit voran, vorbei an einer Reihe schmaler Türen. Zwei davon waren offen, und das Licht fiel hinein. Niklas sah rohes Mauerwerk; auf dem mit Holzdielen belegten Boden stand jeweils ein Stock mit Fuß-, Hals- und Armlöchern.

»Schaut, das hier sind besondere Zellen.« Der Lochwirt blieb stehen und wies mit der Lampe auf zwei weitere, diesmal verschlossene Eingänge. »Hier hinein steck ich immer die Brandstifter, und daneben hocken die Verleumder. Ordnung muss sein.« Stolz wies er auf die beiden Symbole über den Türen: einen roten Hahn über der ersten, eine schwarze Katze über der zweiten. »Hab ich selber gemalt. Und das da«, er öffnete eine weitere Tür, »ist der Mittelpunkt meines Königreichs: die Kapelle. Die ist Eurer Base zu ihrem Glück erspart geblieben.«

Niklas warf einen Blick in die Folterkammer und schauderte. Unter einem gemauerten Rundbogen standen drei Hocker, eine Truhe und ein roh gezimmerter Tisch, an dem Metallfesseln angebracht waren; dahinter Leiter, Rollenzug und steinerne Gewichte zum Aufziehen der Delinquenten. An den Wänden hingen die verschiedenen Instrumente: Halseisen, Zangen, Daumen-, Zehen- und Beinschrauben, die eiserne Birne, spanische Stiefel, dazu Seile, Schnüre, Haken und mehrere Kienspäne zum Brennen. Der Boden bestand aus rohen Steinfliesen, an manchen Stellen schwarz vom Brand und von geronnenem Blut. Hießling stieß Niklas mit dem Ellbogen an. »Die Tür lass ich immer offen, wenn torquiert wird. Das macht die anderen mürb, wenn sie die Schreie hören.«

Er schlurfte weiter. Von irgendwoher war dumpfes Singen zu hören.

»Das ist der närrische Florian aus dem Kannengässlein«, meinte der Lochwirt und sperrte eine Zelle auf, »mein bester Stammgast.« Eine zusammengekauerte Lumpengestalt saß auf dem nackten Boden, sang eine alte Landsknechtsweise und schlug mit einem hölzernen Becher den Takt dazu. Als der Schein der Laterne auf das Gesicht des Mannes fiel, sah Niklas, dass Haare und Bart grau von Läusen waren. Selbst in Wimpern und Brauen wimmelte es.

»Heda, Florian, sing schön weiter. Noch bis zum Sonntag, dann hast du's überstanden!« Der Lochwirt schlug die Tür wieder zu und drehte den Schlüssel im Schloss. »Am liebsten hab ich's, wenn's hier drunten richtig voll ist. Dann ist den ganzen Tag was zu tun. Aber grad zur Zeit ist nicht einmal die Hälfte der Keuchen belegt. Naja.«

Endlich standen sie vor der hintersten Zelle, dem Armesünderstüblein, in dem alle Gefangenen ihre letzte Nacht vor der Hinrichtung verbrachten.

»Da drin ist sie.« Der Lochwirt sortierte seine Schlüssel. »Ich hab ihr noch nichts gesagt – hätte ja sein können, dass Ihr Euch's anders überlegt, und dann wär sie bloß enttäuscht gewesen. Ihr könnt drinnen bleiben bis kurz vor Sonnenaufgang; falls Ihr eher wieder heraus wollt, braucht ihr nur zu klopfen. Ich mach mir's mit meinem Spieß vor der Tür gemütlich, damit Ihr's wisst – bloß für den Fall, dass Ihr auf dumme Gedanken kommt.«

Ächzend stellte Hießling die Laterne auf den Boden neben den Schweinespieß, der schon an der Wand lehnte, und sperrte auf. Niklas machte einen Schritt hinein, und die Tür fiel hinter ihm ins Schloss.

Der fensterlose Raum war mannslang und ebenso breit. Auf dem Boden lag eine dicke Schicht Stroh gegen die Kälte; einziges Mobiliar war ein dreibeiniger Hocker, auf dem ein angeschlagener Wasserkrug stand. Auf einem Wandvorsprung in der hinteren Ecke züngelte das Flämmchen eines Talglichts und warf tanzende Schatten an die roh aus dem Felsen geschlagene Decke.

Dann sah er sie.

Helena saß mit dem Rücken an die Wand gelehnt, den Kopf gesenkt, die Hände um die Knie geschlungen. Das blonde Haar hing ihr offen über die Stirn und fiel in stumpfen Strähnen bis auf das schmutzige Stroh.

»Lene …« Seine Stimme bebte.

Langsam und ungläubig sah sie auf; dann war Niklas schon auf den Knien bei ihr. Mit einem tiefen Aufseufzen kam Helena in seine Arme. Eine endlose Zeit blieben sie so, hielten sich aneinander fest wie zwei Ertrinkende. Niklas spürte die unbändige, verzweifelte Kraft, mit der sie sich an ihn klammerte.

Irgendwann lösten sie sich voneinander, und sie sah ihn an.

»Ich hab ihn erschlagen, Niklas«, sagte sie einfach. Er nickte und strich ihr die Haare aus dem Gesicht. Um ihre Augen entdeckte er tiefe Falten, die vorher noch nicht da gewesen waren. Sie trug noch dasselbe von Mina geliehene Kleid, in dem sie ihn vor einer Woche – oder war es eine Ewigkeit? – zum letzten Mal besucht hatte. Überall auf dem hellgrauen Stoff waren dunkel geronnene Flecken von Konrads Blut.

»Es tut mir nicht Leid, Niklas.« Sie forschte in seinen Augen. »Er hat den Rupprecht vor meinen Augen umgebracht. Dann war da dieses Beil. Ich hab nicht anders gekonnt. Und ich bin froh drum, auch wenn's mich die ewige Seligkeit kostet …«

»Still, still.« Er wiegte sie in seinen Armen. Eine Ratte huschte an der Wand entlang, hielt inne und beobachtete die beiden eine Zeit lang mit zitternden Schnurrhaaren, bevor sie sich mit einem Rascheln im Stroh eingrub, bis nur noch der lange Schwanz zu sehen war. Helena hustete; die Tage und Nächte in der feuchten Kälte hatten sie angegriffen.

»Morgen ist's vorbei mit mir«, flüsterte sie. »da muss ich vor den ewigen Richter, und der schickt mich in die Hölle. Ach Niklas, Niklas, ich hab so Angst vor dem Sterben …« Ihre Finger gruben sich in seinen Rücken.

Was konnte er ihr sagen, wie sie trösten? Niklas wusste es nicht. Die Kehle wurde ihm eng. »Wir halten alle zu dir, dein Bruder, dein Vater, die Agnes und der Albrecht …«

Sie lächelte, und eine Träne löste sich von ihren Wimpern. »Was wird aus den Kindern?«

»Der Philipp lässt dir sagen, er will sie mit der Anna aufziehen als seien es seine eigenen. Du sollst dir um sie keine Sorgen machen.«

Helena nickte. »Das macht's mir leichter. Gott wird's ihm vergelten, ich kann's nun nicht mehr. Wie gern wär ich bei euch geblieben – bei dir. Ach Niklas, wir waren so nah am Glück …«

Er presste sie an sich. Seine Lippen bewegten sich lautlos. Bleib bei mir, bleib doch bei mir, bettelten sie. Noch nie in seinem Leben hatte er solche Ohnmacht, solche Hilflosigkeit, solch endgültige Trauer empfunden. Er glaubte, jeden Augenblick aus diesem Albtraum erwachen zu müssen, und wusste doch, dass dieser Traum die furchtbare Wirklichkeit war. Ihnen blieb nur noch diese eine Nacht.

Sein Leben lang würde er sich an die Stunden erinnern, die nun folgten. Liebe und Verzweiflung flossen wie eins ineinander, schufen eine Nähe zwischen ihnen, die sie das dunkle Verlies, den Schmutz und die Kälte vergessen ließ. Eng aneinander geschmiegt erzählten sie sich leise Geschichten, lachten, weinten, suchten einer den andern mit der Seele. Es war, als legten sie ihr ganzes Leben in diese letzte Nacht, füllten sie mit allem Glück, tranken allen Schmerz bis zur Neige. Die Zeit verschwamm, löste sich auf, verlor ihre Bedeutung, wurde unmessbar, unfassbar, ein winziger, unwiederbringlicher Wimpernschlag Ewigkeit.

Dann kroch draußen unerbittlich das erste matte Grau des Morgens über die Dächer der Stadt. Urban Hießling, der die ganze Nacht vor der Armesünderkeuche gewacht hatte, stieg hinauf aus seinen Katakomben, um die Stunde zu schätzen. Grimmig starrte er in den Himmel und brummte dabei die übelsten Flüche in sich hinein, die er kannte – und ihm fielen eine ganze Menge davon ein. Zum ersten Mal in seiner Amtszeit machte ihm der Gedanke an eine Hinrichtung zu schaffen – eine Situation, die er bisher immer hatte glücklich vermeiden können. Doch diesmal war er in der Stille der Nacht zum Zeugen der Gespräche zwischen Helena und Niklas geworden, und sie hatten ihn mehr angerührt, als er vor sich selber zugeben wollte. Als er so auf der Gasse vor dem Rathaus stand und die frische, kühle Frühluft schnupperte, überkam ihn eine ungekannte Melancholie. Ach ja, manchmal war es nicht einfach, die Wege des Herrn zu verstehen! Grunzend erleichterte er sich an der Ecke zum Hauptmarkt, dabei immer aufmerksam nach Osten schielend. Über dem Laufer Tor war schon ein rosa Schimmer zu erkennen; es wurde gefährlich, noch länger zu warten. Der Lochwirt spuckte aus und wischte sich die Mundwinkel mit dem Ärmel ab. In seinem Alter sollte man sich langsam keine aufreibenden Dinge mehr zumuten. Zeit, dass er sich einen Nachfolger suchte. Er zog die Hose hoch, zurrte den Gürtel fest und ging mit schweren Schritten in den Keller hinab.

»Tag wird's!« Mit diesen Worten sperrte er die Tür zu Helenas Zelle auf. »Eilt Euch, Herr, es ist höchste Zeit!«

Lene sprang als Erste hoch und zog den widerstrebenden Niklas aus dem Stroh. »Geh, um der Liebe Gottes willen. Sie fassen dich sonst.«

Niklas hielt Helena fest, stumm und verzweifelt.

»Schnell, schnell!« Die Stimme des Lochwirts wurde schrill. »Sonst gehört ihr alle zwei der Katz, und ich dazu!«

»Sag ein Wort, und ich bleib bei dir.« Niklas vergrub das Gesicht in Helenas Halsbeuge. Sie schüttelte den Kopf und versuchte, sich von ihm zu lösen.

»Geh, um Himmels willen, geh, ich bitt dich! Es ist keine Zeit mehr. Wir sehen uns in einer anderen Welt, wenn der Herrgott gnädig ist.« Beschwörend sprach sie auf ihn ein; die Tränen liefen ihr dabei übers Gesicht. »Lass nicht zu, dass man mich wie einen gottlosen Verbrecher hinter dem Rabenstein verscharrt. Ich will da liegen, wo wir zusammen glücklich waren, du weißt wo: Unter dem Birnbaum am Pfaffensteig. Dort find ich meine Ruh. Mein Medaillon gib mir mit ins Grab, dann bin ich's zufrieden. Wenn die Heilige Walburga für mich bittet, macht mir der liebe Gott vielleicht doch das Tor zum Paradies auf …«

Hießling trennte ihre letzte Umarmung mit Macht und zwang Niklas durch die Tür hinaus. Der Schlüssel drehte sich zwei Mal, und Helena war allein. Niklas stolperte willenlos vor dem Lochwirt her, bis ihn dieser ans Tageslicht brachte.

»Macht Euch von hinnen, Niklas Linck. In zwei Stunden tagt das Gericht. Fasst Euch bis dahin, es wird noch schwer genug.« Der Lochwirt schob ihn auf die Gasse hinaus.

Niklas fühlte sich wie betäubt. Er spürte, wie ihm Hießling etwas in die Hand drückte. »Nehmt's zurück, ich will's doch nicht«, grollte der Lochwirt mit rauer Stimme. »Macht damit, was Ihr wollt, meinetwegen soll's in der Erde verrotten.«

Er versetzte Niklas noch einen unsanften Stoß, dann verschwand er in der Wächterstube. Niklas stand noch eine Weile da, ohne zu einer Bewegung fähig zu sein. Dann fing er an, langsam Fuß vor Fuß zu setzen. Als er am Dürerschen Haus unter der Veste ankam, schob sich die Sonne im Osten über die Zinnen der Stadtmauer.

Nürnberg, 19. Mai 1508

Die dreizehn Schöffen vom Inneren Rat hatten zusammen mit dem Stadtrichter auf der langen Bank Platz genommen, die man an der Stirnseite des Großen Ratssaals aufgestellt hatte. Lauter ehrbare Männer, Achtung gebietende Gestalten in ihren dunklen Amtsroben und samtbesetzten Mützen, deren ernste Mienen dem Anlass des Tages entsprachen. An seinem Stehpult vor dem Fenster wartete mit gespitzter Feder der Gerichtsschreiber, rührte konzentriert seine Tinte auf und prüfte die Schärfe des Messerchens zum Auskratzen von Fehlern. Der Saal war bis auf den letzten Platz gefüllt; obwohl man die Bankreihen enger gestellt hatte, musste der Büttel immer noch Leute abweisen und schließlich die Tür zum Saal mit Gewalt schließen. Einen solchen Prozess sah die Stadt nicht alle Tage.

Niklas, Philipp und Heinrich Brandauer saßen zusammen mit Martin Glück ganz vorne, hinter ihnen Agnes und Albrecht Dürer, Anna und all diejenigen, die sich noch zu Helenas Freunden zählten. Stumm warteten sie auf den Beginn der Verhandlung, die eigentlich keine war. Denn das Urteil war in vorheriger Beratung längst gefällt, der endliche Gerichtstag nichts anderes als ein Ritual, ein öffentlicher Spruch, der nach bestimmten zeremoniellen Maßgaben bekannt gemacht wurde. Und wie dieser Spruch lauten würde, wussten alle im Saal.

Als der Büttel mit seinem Stab aufklopfte, erstarb das Stimmengewirr. Alle Blicke richteten sich auf die kleine Seitenpforte, die in die Ratsstube führte – hier endete ein schmaler Gang von den Lochgefängnissen herauf, durch den die Delinquenten in den Ratssaal gebracht werden konnten. Knarrend ging das Türlein auf. Zwei Geistliche betraten den Raum mit ernsten Gesichtern, dann ein Wächter und der Lochwirt. Nach ihnen kam Helena. Ein Raunen ging durch die Menge. Sie war nach altem Herkommen in ein blaues Gewand gekleidet, und man hatte sie gewaschen und gekämmt. Aufrechten Ganges trat sie vor die Bank und blinzelte ins Licht, das sie nun schon eine Woche lang nicht mehr gesehen hatte. Der Büttel, ein junger Rotschopf, dem noch die Pickel im Gesicht sprossen, warf sich in die Brust und wandte sich an die Menge. Die Spitzen seines exakt gezwirbelten Barts bewegten sich auf und ab, als er mit hoher Stimme zu sprechen begann.

»Anklag und endlicher Gerichtstag soll jetzo gehalten werden gegen die allhier stehende Helena Hellerin wegen schnöden Mords an ihrem Gatten, dem Kaufmann Konrad Heller ...«

Die Worte klangen in Niklas' Ohren. Er hörte den Stadtrichter nach einem Leibzeichen des Toten verlangen, wie es seit jeher der Brauch war. Man brachte auf einem Brettchen Konrads abgeschnittenen kleinen Finger, ein weiches, schrumpliggraues Ding, das von den Schöffen ausgiebig befühlt und betrachtet und dann für alle sichtbar auf ein kleines Tischchen gelegt wurde. Es folgte die Klageerhebung durch einen der Schöffen und die Verlesung der Zeugenaussagen. Helena stand die ganze Zeit dem Gericht zugewandt, sodass Niklas ihr Gesicht nicht sehen konnte. Schließlich verlas der Stadtrichter, ein behäbiger Graukopf mit weißem Bart und dichten Brauen, höchstpersönlich Helenas Urgicht, langsam und deutlich, damit alle Anwesenden dem Geständnis folgen konnten.

»Hellerin, so Ihr nun vor dem hohen Gericht steht und dieses Euer Bekenntnis hört, erkennt Ihr es an und stellt fest, dass Ihr es freiwillig gegeben habt?«

Helena hob den Kopf. »Ja.«

»Ist einer im Saal, der für die Angeklagte sprechen wollt?« Die Augen des Richters schweiften über die Menge.

Glück erhob sich. »Ich, Euer Achtbarkeit, Martin Glück, Doktor der Jurisprudenz.«

»So tretet vor.«

Der Advocatus hielt seine Rede mit Geschick und Pathos, wanderte vor der Schöffenbank auf und ab, gestikulierte, hob und senkte die Stimme. Er machte seine Sache gut. Doch das alles konnte nicht darüber hinwegtäuschen, dass es nichts mehr zu verteidigen gab. Selbst ohne Helenas Geständnis wäre Glück aufgrund der erdrückenden Beweislast auf verlorenem Posten gestanden, jetzt blieb ihm nur noch die gut formulierte Bitte um Gnade. »Und so mög das Gericht mit Wohlwollen bedenken, dass die Helena Hellerin sich ihr Leben lang nichts zu Schulden hat kommen lassen, dass sie allseits geachtet und beliebt war. Die Messe hat sie mit steter Regelmäßigkeit besucht, ein gottesfürchtiges und gottgefälliges Leben geführt immerdar. Großzügig hat sie den Bedürftigen gegeben, wie der Bettelvogt dem Gericht jederzeit bestätigen kann, und ein jedermann weiß, dass zwei der ewigen Almosenschüsseln mit Fleisch und Brot, die jeden Sonntag nach der Kirche an die Stadtarmen verteilt werden, von ihr gestiftet sind. An guten Werken und Reinheit des Gewissens hat es der Hellerin nie gemangelt. Vier Kinder hat sie ihrem Mann als gutes und pflichtbewusstes Eheweib geboren, und alle hat sie im christlichen Glauben unterwiesen und ohne Fehl und Tadel aufgezogen. Ihr Mann dagegen, mög er durch Gottes Gnad in die ewige Seligkeit eingehen, hat ihr dies schlecht vergolten. Nie hätt sie sich's anmerken lassen, und doch hat's alle Welt gewusst: Der Heller hat sie seit Jahrn schändlich und hart behandelt, hat sie geschlagen und grausam vexiert, dass sie Schaden an Körper und auch Seele genommen hat. Denn was kann schlimmer sein für ein Weib als ein Ehemann, der sie in hochschwangerm Zustand die Stiege hinunterstürzt, ihren und des Kindes Tod kalt in Kauf nehmend?«

Glück machte eine Pause und tupfte sich den Schweiß von der Stirn. »Der gelehrte Doktor der Arznei und Medizin, Doktor Hermann Schedel, wird dem Gericht allzeit gern erklären, dass die Hellerin und ihr jüngstes Söhnlein bei dieser Sache nur knapp dem Tod entronnen sind, und dass sie danach nicht mehr gebären konnt. Dies und noch viel mehr hat ihr Mann ihr angetan. Sie hat alles erduldet ohne Klage, über Jahre hinweg. Aber als sie schließlich mit ansehen hat müssen, wie der fühllose Gatte den eignen Sohn mordet, ja, befürchten musste, dass er die andern Kinder auch noch meuchelt, ist es da nicht begreifbar, dass sie in einen Zustand geriet, der außerhalb jeder vernünftigen Beherrschung lag? Ihr Schöffen, denkt an die Muttergottes, die Schmerzensmutter, wie sie unterm Kreuz steht. Die Qual steckt wie ein Schwert in ihrer Brust.«

»Aber die Muttergottes hat keinen umgebracht!«, rief jemand erbost.

Glück fuhr herum. »Nein. Sie hat die unendliche Trauer ertragen. Sie war auserwählt, gesegnet unter den Weibern und die geheiligte

Mutter Christi. Wollt Ihr im Ernst von einem Weib aus Fleisch und Blut erwarten, dass sie sei wie die Jungfrau Maria? Ist das nicht zu viel verlangt? Da wäre sie ja eine Heilige mitten unter uns! Nein, so stark wie die Muttergottes war Helena Heller nicht. Seht sie an! Da steht eine liebende Mutter, die den Verlust ihres Kindes nicht hat ertragen können. Halb wahnsinnig vor Schmerz hat sie den Mörder gestraft. Ehrwürdiges Gericht, bedenkt die Qual einer Mutter, bedenkt, dass den Konrad Heller durch ihre Tat nur eine gerechte Strafe ereilt hat. Und lasst Gnade walten mit der armen Sünderin, die vor euch steht.«

Glück atmete tief durch, verbeugte sich vor der Richterbank und setzte sich. Die Schöffen steckten die Köpfe zusammen und beratschlagten leise, und die Zuschauer tuschelten. Ein Funke Hoffnung keimte in Niklas auf.

Der Stadtrichter erhob sich schließlich. »Helena Hellerin, habt Ihr dem noch etwas hinzuzufügen?«

Helena, die Glücks Rede ruhig und mit erhobenem Kopf angehört hatte, richtete sich hoch auf und sprach mit leiser, aber fester Stimme. »Euer Rechtschaffenheit und Weisheit, ich bitt Euch, mir Gnade zu erweisen. Ja, ich hab den Mörder meines Sohnes gestraft, wenn's ich nicht getan hätte, hätt's der Herrgott tun müssen. Ich war sein Werkzeug, und ich glaube, er hat meine Hand gelenkt. Wenn ich nun dafür gestraft werden soll, so muss ich's wohl auf mich nehmen. Ihr Herren vom Gericht, ich bin in Eurer Hand; seid, wenn Ihr könnt, milde mit mir. Die Muttergottes soll mein Fürsprech sein – ich hab keine Tränen mehr, Euch zu erweichen. Lasst Euer Urteil barmherzig sein. Amen.«

Die Leute im Saal raunten. Man hatte eine Verzweifelte erwartet, und dort stand nun eine Frau, die aufrecht und ruhig für sich selbst sprach, ohne weinend zusammenzubrechen. Stark war sie, diese Helena Heller, und selbst so mancher von Konrads Freunden, die mit im Raum saßen, konnte ihr seine Achtung in diesem Augenblick nicht verweigern.

Das Gesicht des Richters blieb ausdruckslos. Noch ein kurzer Wortwechsel mit den Schöffen, dann wandte er sich an die Menge. »Im Namen Gottes und der Heiligen Dreieinigkeit, auch für die Stadt

Nürnberg und dieses Gericht verkünde ich folgendes Urteil: Die Schöffen haben für Recht befunden, dass die hier anwesende Helena Hellerin des Gattenmords schuldig ist. Selbst wenn es so wäre, dass sie im Augenblick der Tat außer sich war, so ist die Tat doch geschehen und kann nicht wieder gutgemacht werden. Darum kann die Entscheidung nur auf schuldig lauten.«

Er ging zwei Schritte auf Helena zu. Es wurde mucksmäuschenstill. Dann hob er den dünnen Richterstab hoch über ihren Kopf, um sein Verdikt zu besiegeln. Das Holz brach mit leisem Knacken. Ein paar Bröckchen rieselten auf Helenas Haar.

»Helena Hellerin, der Nachrichter wird dich am Mittag zur Richtstatt führen und dort bis zum Halse eingraben, dass du vom Leben zum Tode gelangst.«

Helena schwankte, und Niklas sprang auf.

Jetzt endlich trafen sich ihre Blicke. Im nächsten Augenblick griffen zwei Bewaffnete der Stadtwache Helena unter den Armen und führten sie hinaus. Im Saal war für einen Augenblick Totenstille. Dann erhob sich alles und drängte zur Tür.

Hans Peck war noch nicht lange Henker. Erst vor einem Jahr hatte ihn der Rat bestallt, und seitdem verrichtete er seine Arbeit ohne Fehl und Makel. Peck entstammte einer Scharfrichterdynastie aus dem Schwäbischen und war lange Jahre bei seinem Onkel in die Lehre gegangen, bevor er so weit war, das schwere Amt selbst zu übernehmen. Menschen vom Leben zum Tod zu befördern, das war für ihn kein Beruf wie jeder andere, wie Schmied, Bäcker oder Weber – es war eine Kunst, die nur wenige perfekt beherrschten. Peck hatte den Ehrgeiz, sauber und schnell zu arbeiten – sei es bei der Folter, wo es darum ging, möglichst wenig Blut zu vergießen und die Qual so dosiert zu steigern, dass der Malträtierte stets bei Bewusstsein blieb, oder sei es beim Köpfen und Hängen. Ebenso wichtig war ihm tadellose Arbeit beim Behandeln von Knochenbrüchen, ausgekugelten Gelenken oder Sehnenverletzungen. Letzteres machte einen Großteil seines Tagwerks aus: Nur wer selber schon bei der Folter Gelenke zerstört oder ganze Körper gevierteilt hatte, der wusste, wie die Knochen und

Sehnen zusammengehörten, wo Adern verliefen und Organe saßen, da machte jeder Henker den studierten Ärzten etwas vor. Die medizinischen Behandlungen waren es auch, die einen Scharfrichter zu Wohlstand gelangen ließen, und natürlich der – heimliche – Handel mit Knochen, Fingernägeln, Haaren, Fett und allerlei anderen Leichenteilen von Hingerichteten, die so mancher Mirakelgläubige für Beschwörungen, Liebeszauber oder die Herstellung magischer Salben verwendete.

Die Aufgabe, die heute auf den Nachrichter wartete, war eine der leichtesten. Für Frauen sah die gültige Rechtsordnung in der Reichsstadt nur zwei Hinrichtungsarten vor: zum einen das Ertränken, zum andern das Lebendigbegraben. Beides ging normalerweise ohne große Probleme vonstatten, im Gegensatz zum Richten mit dem Schwert, wo schon einmal ein Schlag daneben gehen konnte. Schlecht zu treffen, das war der Albtraum eines jeden Scharfrichters. Ein Vetter Pecks, der zu Magdeburg arbeitete, war vor Jahren von der aufgebrachten Menge beinahe totgeprügelt worden, weil er sechs Hiebe mit der Axt gebraucht hatte, um den Kopf irgendeines Totschlägers vom Rumpf zu trennen. Solche Dinge kamen vor. Peck war deshalb zuversichtlich, was die heutige Hinrichtung betraf.

Wie die Ruhe selbst stand er da, in den blutigroten Umhang gehüllt, aus der sein Kopf auf dünnem Hals wie der eines Geiers ragte, und wartete vor dem Rathaustor auf seine Schutzbefohlene. Um ihn herum drängelte und schob sich eine riesige Menge Schaulustiger. Seit Tagen sprach die Stadt von nichts anderem mehr als der bevorstehenden Hinrichtung. Helena war überall in Nürnberg bekannt; alle wollten nun die reiche Patrizierin sehen, die die Hand gegen ihren eigenen Gatten erhoben hatte und nun ihrer gerechten Strafe entgegenging. Brezelverkäufer priesen ihre Ware an, Süßbäcker boten Kringel feil, Kellnerjungen pflügten sich durch die Massen und zapften Bier aus kleinen Umhängefässchen in die daran angeketteten Zinnbecher. Ein paar Weiber stritten sich lautstark mit einem Heiltumsverkäufer, der an einer Stange ein Sammelsurium angeblich in Rom geweihter Amulette hochhielt. Endlich ging das Tor auf.

Die zwei Geistlichen, die der Delinquentin drinnen noch die letzte

Beichte abgenommen hatten, waren die Ersten, die auf den Platz vor dem Rathaus traten. Der jüngere von beiden schlenkerte mit geübten Bewegungen ein messingnes Kesselchen mit Räucherwerk, dem weihrauchduftende Schwaden entstiegen. Ihnen folgte der Lochwirt. Seine Aufgabe war es, gemäß der alten Sitte den Krug mit dem letzten Trunk zur Richtstatt vorauszutragen. Hinter ihm ging mit unsicheren Schritten die frisch Verurteilte; ihr Gesicht war wie versteinert, nur ihr Blick flackerte rastlos und irrte immer wieder über die Menge. Einige Frauen zischten, Beschimpfungen wurden laut und irgendjemand warf einen alten Krautskopf ohne zu treffen, dann brachte der ältere Priester die Menge mit Gesten schnell zur Ruhe. Peck hoffte, dass sich die Hellerin ihre nach außen hin ruhige Haltung bis zum Schluss bewahren würde – nichts war unangenehmer als ein Todeskandidat, der vor Angst tobte.

Der Nachrichter trat nun vor und hob die Schere, die er unter seinem Gewand bereitgehalten hatte. Rasch und geschickt wickelte er eine Strähne von Helenas rotblonden Haaren nach der anderen um sein Handgelenk und schnitt ab. Helena stand mit geschlossenen Augen, bis er fertig war. Am Ende blieben nur noch wirre Haarbüschel auf ihrem Kopf, die ihr Gesicht schmal und zerbrechlich aussehen ließen. Dann nahm der Henker von seinem Gehilfen, dem Löwen, den Armesündermantel in Empfang, einen langen weißen Umhang, der bis zum Boden reichte, und warf ihn Helena über. Irgendwo schrie jemand Halleluja.

Der Zug setzte sich stockend in Bewegung. Er überquerte die Pegnitz auf der Barfüßerbrücke, passierte das Klarakloster, den Plobenhof, den Holzmarkt, die große Waage. Die Priester stimmten fromme Gesänge an, in die alle pflichtgemäß einfielen. Immer wieder kam die Menge zum Stehen, weil der Lochwirt innehielt und Helena einen Trunk aus seinem Krug anbot. Nach einem kurzen Gespräch mit Doktor Schedel vor dem Rathaus, bei dem ein Gulden und ein kleines Fläschchen den Besitzer gewechselt hatten, hatte er dem Wein ein gutes Quantum Mohnsaft beigemengt. Helena begann die Wirkung zu spüren, noch bevor die Hinrichtungsprozession das Frauentor erreicht hatte;

Schedel, der nebenher lief, bemerkte erleichtert, wie sich ihr Blick verschleierte. Wenigstens diesen Dienst hatte er ihr noch erweisen können.

Der alte Brandauer ging neben Philipp und Anna an der Spitze der Menge. Mit zusammengebissenen Zähnen und erhobenem Kopf bewahrte er Haltung, wie es einem Patrizier der Reichsstadt anstand. Keiner würde ihn weinen sehen. In all seiner Trauer war er stolz auf seine Tochter, die sich in ihrer schlimmsten Stunde keine Blöße gegeben hatte. Anders Philipp und Anna, denen man unschwer ansehen konnte, wie nah ihnen alles ging. Sie waren sich gegenseitig Stütze und Trost. Von Zeit zu Zeit warf Philipp einen besorgten Blick hinter sich, wo Niklas neben Dürer herlief. Auch er hielt sich aufrecht, und Philipp sah, welche Anstrengung es ihn kostete. Er hatte tiefe Schatten unter den Augen; sein Blick hing ohne Unterlass an Helena, die langsamen Schritts ihrem Ende entgegenging.

Die Richtstatt lag eine kurze Strecke vom Frauentor entfernt. Man sah und roch sie gleichzeitig; ein süßlich-fauliger Hauch von Verwesung lag in der Luft, den der Wind an manchen Tagen bis in die Stadt trug. Der Galgen, zusammengesetzt aus mehreren Stütz- und Querbalken, stand auf einem runden Steinsockel und bot Platz für bis zu acht Gehenkte, war also mehrschläfrig, wie es die Leute nannten. Zwei stark verweste Leichen mit grotesk schief gelegten Köpfen baumelten daran; das Fleisch hing ihnen in Fetzen von den Knochen, übersät mit schwarzen Fliegen. Der unvermeidliche Schwarm Raben hockte über ihnen, einige der Totenvögel hüpften geschäftig unter den Leichen auf dem Boden umher und stritten sich um herabgefallene Kadaverstücke. Erst vor dem nächsten Hängen würde der Löwe mit dem Totengräber das abnehmen, was noch von den Körpern übrig geblieben war, und ein Stück vom Galgen entfernt verscharren. Bis dahin sollte jedermann sehen können, dass zu Nürnberg Recht und Ordnung herrschten und man Verbrecher ohne Erbarmen bestrafte, wie es das Gesetz verlangte.

Neben dem Galgen stand der Rabenstein, auf dem mit dem Schwert geköpft wurde, ein rötlicher Sandsteinblock, dunkel gefärbt vom Blut.

Nicht weit davon ragte der hölzerne Pfosten mit dem Rad gen Himmel, um dessen Speichen sich die zertrümmerten Glieder so manches Verurteilten gewunden hatten. In einigem Abstand davon waren an einer ebenen Stelle drei Erdhaufen um eine tiefe Grube aufgeworfen worden; dorthin dirigierte der Henker den inzwischen auf mehrere hundert Menschen angewachsenen Zug.

Als Niklas das frisch gegrabene Erdloch sah, lief es ihm kalt den Rücken hinunter. Ein Blick auf Helena sagte ihm, dass sie kaum mehr etwas wahrnahm. Er wusste nicht, was mit ihr geschehen war, aber man hatte schon oft gehört, dass barmherzige Henker ihre Opfer mit Kräutertränken und Ähnlichem zur Ruhe brachten. Im Stillen sprach er ein Dankgebet. Das machte es auch ihm leichter. Er hörte die Worte des Nachrichters, mit denen dieser nach altem Brauch die Todeskandidatin um Verzeihung bat. Helena brachte ein Nicken zustande. Dann nahmen er und der Löwe sie unter den Achseln und ließen sie in die Grube hinunter. Unter den lauten Gebeten der Geistlichen begannen sie, eilig zu schaufeln. Dunkle, feuchte Erdbrocken fielen in die Grube, deckten Helenas Füße, dann die Knie, schließlich die Oberschenkel. Helena schien von all dem nichts zu begreifen, ihre Lider flatterten, das Opium hatte sie in eine andere Welt versetzt. Niklas stand angespannt neben dem Erdloch. Seine Hand schloss sich um das Medaillon, das er in der Hosentasche trug, und er wartete.

Von irgendwoher klang eine schnarrende Stimme. Ein Wanderprediger, der kürzlich erst von Ulm her in die Stadt gekommen war, hob die knochigen Arme zum Himmel. »Nur keine Hemmungen, schaut gut hin, ihr Weiber, kostet ja nichts. Bis euch die Augen übergehen! Auge um Auge, Zahn um Zahn – so geht's allen, die die Hand frevlerisch gegen ihre Männer erheben. Recht soll ihnen geschehen, die sie die göttliche Ordnung …«

»Halt's Maul, du stinkender Furz aus dem Hintern Gottes.« Cilli baute sich in ihrer ganzen Breite vor dem Mönch auf, die Hände in die Hüften gestützt. »Wir brauchen hier keine Geiferer, verschwind!«, fauchte sie.

Der Schwarzgewandete fing an zu keifen und zu zetern, bis Linhart ihn auf ein Zeichen von Anna hin packte und kurzerhand in den Siechbach warf.

Die Arbeit des Henkers war ins Stocken geraten, aber nun wurde wieder Schaufel um Schaufel in das Loch geworfen, immer höher türmte sich die Erde um Helenas bewegungslosen Körper. Als die Brust erreicht war, löste sich Niklas aus der Menge und stürzte auf Helena zu. Noch bevor die Wache reagieren konnte, war er bei ihr und legte ihr hastig die Reliquie um den Hals. Sie hob den Kopf; in ihrem Blick leuchtete etwas wie Erkennen auf. Ihre Lippen bewegten sich, aber sie konnte nicht mehr sprechen. Da zerrten schon zwei Bewaffnete Niklas wütend und unter Beschimpfungen fort. Als er wieder hinsah, waren Helenas Augen schon wieder verschleiert. Dann ragte nur noch ihr Kopf aus der Erde.

Die ersten Leute wandten sich zum Gehen, enttäuscht darüber, dass sie kein Spektakel hatten erleben können. Nur der Nachrichter und eine Mannschaft der Stadtwache blieben noch. Helenas Familie und Freunde knieten Psalmen und Gebete murmelnd auf der nackten Erde; sie würden bleiben bis zum Ende, um die Raben zu vertreiben. Niklas konnte nicht beten. Warum ließ Gott dies alles zu? Er spürte eine Leere, die den Schmerz beinahe verdrängte. Nichts mehr war zu ändern. Die Stunden vergingen unendlich langsam. Irgendwann ging der Tag zur Neige, die Kälte kam und biss sich in alle Glieder. Als die Turmuhr zum Feierabend schlug und die Stadttore geschlossen wurden, hörten sie ein Geräusch: Es war Helena, die mit den Zähnen klapperte, aber immer noch in ihrem Dämmerzustand verweilte.

»Die kalte Erde lässt es schneller zu Ende gehen«, drang Schedels Stimme an Niklas' Ohr. »Irgendwann schlägt das Herz immer schwächer und der Blutfluss hört auf. Sie wird nicht spüren, was geschieht, der Mohnsaft wirkt bis zum Morgen. Ich hab ihn doppelt stark brauen lassen.« Niklas griff dankbar nach der Hand des Arztes, und Schedel erwiderte den Druck. »Gott gibt Trost«, meinte er.

Niklas schüttelte den Kopf. »Nein«, sagte er, und Bitterkeit verhärtete seinen Blick. »Gott sitzt irgendwo da droben und hält sich fein raus, mein Freund.«

Der Scharfrichter zündete die Fackeln an. Gespenstisch tanzten die Schatten auf dem glatten Stück Erde, aus dem Helenas Kopf ragte. Außer Niklas, Philipp und Anna und dem alten Brandauer waren jetzt nur noch wenige Freunde da, darunter Hartmann Schedel und die Dürers. Sie saßen so nahe bei der Richtstatt, wie es die Stadtwache zugelassen hatte, dösten abwechselnd, redeten leise miteinander, erzählten sich Geschichten, trösteten sich gegenseitig, alles unter den aufmerksamen Blicken der Wächter. Irgendwann stöhnte Helena leise, ihr Kopf neigte sich seitwärts. Der Henker ging zu ihr, um ihr eine Feder vor Nase und Mund zu halten. Kaum sichtbar flatterten die flaumigen Härchen im Hauch ihres Atems. »Noch nicht«, sagte Peck und zog fröstelnd seinen wollenen Umhang fester um die Schultern. In regelmäßigen Abständen machte er diesen Kontrollgang, die ganze Nacht über. Doch erst als das Morgenlicht den Himmel rötete, blieb die Feder still und unbewegt. Der Tod war endlich gekommen, sanft und auf leisen Sohlen. Keiner hatte ihn bemerkt.

»Amen«, sagte der Henker und fiel in das Vaterunser ein, das Philipp angestimmt hatte. Der alte Brandauer weinte. Niklas konnte nicht beten. Er schloss die Augen, rief sich Helenas Gesicht in Erinnerung, lachend und glücklich. Eine Träne löste sich aus seinen Wimpern und rollte langsam bis zum Kinn.

Danach gingen Peck, der Löwe und die Wachen. Alles Weitere war nicht mehr ihre Sache. Als Philipp und Dürer zu den bereitliegenden Schaufeln greifen wollten, hielt Niklas die beiden zurück.

»Lasst mich das tun. Und lasst mich dabei allein sein. Es ist der letzte Dienst, den ich ihr erweisen kann. Kommt später mit einem Wagen.«

Nur Anna blieb und wartete in einigem Abstand mit dem Leichentuch, das sie mitgebracht hatte. Sie sah zu, wie Niklas Helenas Körper ausgrub und sie am Ende aus dem Loch hob. Wie eine zerbrochene Puppe hing sie über seinen Armen; die Leichenstarre hatte noch nicht eingesetzt. Vorsichtig, als ob er sie nicht wecken wollte, trug Niklas sie hinüber zu Anna und legte sie behutsam auf das ausgebreitete Leintuch. Zu zweit richteten sie Helenas Glieder gerade und falteten ihre

Hände über dem Medaillon, das auf ihrer Brust ruhte. Dann schlug Anna den Körper ins Laken ein und nähte es zu.

Später brachte Philipp den Wagen, und sie hoben Helena hinauf.

»Wohin willst du mit ihr?« Philipp legte die Zügel in Niklas' Hand. Er wusste, dass Niklas alles Weitere allein tun wollte. Es war seine Art des Abschieds.

»Nach Oberwolkersdorf, wie sie sich's gewünscht hat.«

Er stieg auf den Bock und ließ die Zügel auf den Rücken der Rösser klatschen. Langsam zogen die Tiere an und der Wagen rollte holpernd zur Straße hin.

Noch lange standen Philipp und Anna in enger Umarmung und sahen dem Gefährt nach, bis es schließlich im Süden hinter einem Hügel verschwand. Dann gingen auch sie heim.

Brief des Kaufmanns Philipp Brandauer an Niklas Linck, Edelsteinhändler zu Augsburg, vom 21. Juli 1512

Gottes Gruß zuvor, lieber Vetter, auch Schirm und Schutz der Heiligen über dich und die Deinen. Mehr als vier Jahr sind's nun, dass wir uns das lezte Mal gesehn, an dem unseligen Tag, da unsre gute Lene zu frühe den Todt gefunden hat. Viell ist seit deme geschehn, und die Zeyt hat so manche Wunde wol geheylet, wenn auch nit alle. Unser Vater hat den Verlust und die Schandt nit lang ertragen können; drei Wochen nach dem endtlichen Gerichtstagk hat ihn ein Schlagfluss getroffen, der ihm in der lincken Seitten stecken plieben ist. Seit deme hat er die Bettstatt nit mer verlassen und man hat ime alles thun müssen wie eim kleyn Kindt. Die Anna und ich sind darumb ins Haus am Obstmarkt getzogen, mitsambt den Kindern, und ich hab Geschäfft und Handel übernommen, auch wenn das Kaufmannsleben nit mein grösztes Glückh ist.

So sind die Zeitläufte ins Landt gangen. Jeden Tag danck ich Gott, dass er mir und der Anna so viel Glück gönnet. Lenes Kinder sind un-

ser Ein und Alles, und haben längst wiedrum Lachen und Frölichsein gelernt. Aber das größte Geschenk, das uns der Himmel gemacht hat, ist unser eigens kleins Töchterlein, das kurz nach Fastnacht auf die Welt kommen ist. Wir habens nach der Lene genannt, und sie hat die Augen ihrer Mutter, eins blau, eins braun.

Doch für das neue Leben hat uns jetzo der Herrgott ein altes genommen: Der Vater ist vor fünf Tagen von allem Leyden undt Ungemach erlöset worden. Dies ist auch der Grund für mein Schreiben, dieweiln er mir auf dem Sterbebett Wichtiges ertzält hat, was dich und die Lene angehet. Die Sach mit Euerm Kindlein, das die Lene vor so vielen Jahrn im Klarißenkloster zur Weltt gebracht hat ihm keine Ruh gelassen; er hat tieff bereuet, dass er der Lene nie gesagt hat, was aus ime worden ist. Nun wollt er nit sterben, ohne seine Seel von dem Geheymnis erleichttert zu haben.

Das Kindtlein, ein Mädchen, so hat er mir ertzälet, hat er damals genommen und ins Chorfrauenstifft zu den Augustinerinnen nach Pillenreuth gebracht. Die Äbtissin dort hat's als Findelkind angenommen und nach der Heiligen Klara getaufft. Das Mädchen ist gesundt im Kloster auffgewachsen, und vor drey Jahrn als Novitzin eingetreten. Dieses Frühjar hat sie den Schleier genommen. Der Vater hat jedes Jahr einen Besuch in Pillenreuth gemacht und sie gesehn; sie sei ein kluges, hüpsches Dingk, gottsfürchtig und sanft. Und sie hett dein dunckles Haar, aber Lenes Art.

Notabene ich weiß nit, ob's recht und gut ist, dir das zu schreiben, denn ich will nit deinen Frieden störn. Aber es war des Vaters letzter Wunsch, und den muss ich umb der Liebe Gottes willn erfülln. Wie man hört, bist du zu Augsburg ein angesehner Mann worden und der Erste im teutschen Edelsteinhandel, das freut mich und die Anna gar sehr. Dein Ziehsohn – Mattias Mostja heißet er wohl – ist ebenfalls schon weithin berühmt als Demantschleiffer. Und es gehet auch die Kunde von eim welschen Zwerck, der dir die Büecher füret, redt wie ein Waßerfall und gar lustig hinter den Röckhen der Augspurger Bürgerstöchter herlauffet. Auch haben wir hier zu Nürnberg vernommen, dass du im letzten Jar dein welsches Mündel geheyrat hast, das ist gut und recht so. Item wir beten und verhoffen, dass du mit ir den Frieden und das Glückh findst, das dir mit der Lene nit vergönnt war. Sie hätt's dir auch gewünscht, des bin ich gewiss.

Von Albrecht Türern und seiner Frau soll ich dich grüeßen. Der Albrecht hat sich ein grosses Hauß in der Zisselgaß beim Thiergärtner Tor gekaufft, in dem er jetzt wohnet und arbeittet, und er beschäftigt Schüler und Geselln. Außer deme ist er intzwischen Genannter des Größern Rats, und er arbeit sogar für den Kaiser! Mehr Ruhm alß er kann wol kein Maler und Stecher auff der Welt haben. Die Agnes ist immer an seiner Seitte; sie hat sich, so denck ich, mit der Zeit abgefunden, dass sie kein Kinder mer haben wird. Sie und die Anna verstehn sich gut, und die Agnes besucht uns und die Kinder, an denen sie recht hänget, so offt sie kann.

Noch bevor der Herbst ins Landt kommt, wöllen wir allsamt, die Anna, ich und die Kinder, nach Oberwolckersdorff ins Schlosz ziehn. Ich hab ein Faktor gefunden und auch zum Teyllhaber gemacht, der mir die Geschefft fast allein füret, so daß ich nit stendig in Nürnbergk sein musz. Und die Anna ziehets schon langk wieder zurück aufs Landt, von wo sie ja herkommet. Sie wirdt immer noch von vielen in der Stadt scheel angesehn, obwohl sie mein rechtmässigs Weyb ist, und das thuet ir doch mehr weh als sie offt zeygt. Und weiln sie ohne die Cilli und den Linhart nit sein will, gehen die zwei auch mit uns. Mir soll's recht sein, die Küch kann ich mir ohne die Cilli auch nit dencken, und der Linhart wird auf dem Landt schon auch sein Auffgab und Zeitvertreyb finden. Die Kinder freun sich über die Massen, warn sie doch zu Wolckersdorff immer froh und glücklich. Ich mein, es wär nun auch an der Zeitt, daß sie das Grab ihrer Mutter sehn.

Was du nun, guter Vetter, mit dem Wissen über deine Tochter thust, bleibet dir überlassen. Ich und die Anna, wir grüeßen dich von Hertzen und wünschen dir, gleich was kommen mag, Glück und Frieden allezeit.

Geschriben am Mitwoch Praxedis anno 1512 von Philipp Brandauer, Kaufmann zu Nürnbergk.

Oberwolkersdorf, Mai 1513

Der weißhaarige Greis, der die kleine Ziegenherde der Schlossherrschaft über den Pfaffensteig trieb, schnaufte hinter den meckernden Tieren den Weg hoch. Wie jeden Tag hatte er die Tiere aus ihrem weidenumzäunten Pferch neben der Zehntscheune geholt, um sie den Hügel hinauf zu den sattgrünen Weidewiesen zu treiben, die auf der Hochfläche zwischen Oberwolkersdorf und Raubershof lagen. Im Weingarten am Hang begannen die Reben gerade auszuschlagen; der Alte fasste seinen Stecken fester und passte auf wie ein Schießhund, damit ja kein Böcklein an den jungen Trieben knabberte. Der Schlossvogt würde ihm sonst trotz seines ehrwürdigen Alters gewaltig das Fell gerben lassen.

Es war ein angenehmer Tag; die letzten Frostnächte hatten mit der Kalten Sophie ihren Abschluss gefunden und die Natur tat ihr Bestes, um den harten Winter vergessen zu machen. Überall grünte und blühte es, der Duft von Maiglöckchen und frisch sprießenden Kräutern hing süß über den Wiesen. Die Ziegen spürten, dass es mit dem Winter nun wohl endgültig vorbei war. Übermütig sprangen sie den Hang hinauf und taten so aufgeregt, als ob sie den Weg nicht schon seit Jahren kennten. Zwei junge Böcke trugen unter den blühenden Kirschbäumen des alten Obstgartens ein ungeschicktes Übungsgefecht aus, spöttisch beäugt von den alten Geißen, die sich von solchen Kinderspielchen nicht beeindrucken ließen. Auch der alte Ziegenhirt fühlte es in seinen Knochen, dass nun die gute Jahreszeit anbrach, denn sein Zipperlein plagte ihn heute weniger als sonst. Als der Weg eine Strecke lang eben dahinlief, hatte er sogar Luft genug, um ein Liedchen anzustimmen. Er sang mit brüchiger, hoher Greisenstimme, die beinahe genauso klang wie das Meckern seiner Ziegen.

Der Alte tastete nach der blechernen Feldflasche und dem Leinensäckcken mit Brot und Käse, die an seinem Schulterriemen hingen. Am Rand der Hochfläche, dort wo der Obstgarten aufhörte und die Wiesen begannen, würde er wie immer die erste kleine Rast einlegen, die Ziegen grasen lassen und dabei ein Schläfchen machen. Doch heute war der Platz unterm Birnbaum nicht frei, und der Greis hielt in einiger Entfernung inne. Droben stand ein Reisewagen, ein vornehmer sogar, mit zwei Pferden im Geschirr und einem Kutscher auf dem Bock. Ihm entstiegen gerade zwei Gestalten. Der Ziegenhirt kniff die Augen zusammen, um besser sehen zu können.

Es waren ein Mann und eine Frau, der Mann edel gekleidet wie ein Städter, mit offenen dunklen Haaren bis auf die Schulter, die Frau schlank und hoch gewachsen; sie trug das schwarze Habit der Augustinernonnen. Mit langsamen Schritten näherten sich die beiden dem steinernen Grabkreuz, das seit einigen Jahren unter dem Birnbaum stand. Der Alte kannte das Grab, und er hatte auch noch die gekannt, die dort ihre letzte Ruhe gefunden hatte. Obwohl die Leute die Stelle mieden und raunten, dass es ein Mördergrab sei, hatte er seinen Rastplatz nicht gewechselt. Er glaubte nicht an Flüche, Geister und Wiedergänger, auch wenn er mit dieser Einstellung der Einzige im Dorf war. Wer wohl die beiden sein mochten, die jetzt andächtig den Stein betrachteten? Besser, wenn man sie nicht störte, dachte der Ziegenhirt und gab seinen Tieren das Zeichen, Halt zu machen. Auf seinen langen Stock gestützt beobachtete er die Szene, die sich beim Birnbaum abspielte.

Eine geraume Zeit lang blieben der Mann und die Frau nebeneinander vor dem Grab stehen, die Köpfe gesenkt. Dann sprach die Nonne ein Gebet; der Wind trug leise Wortfetzen davon herüber. Schließlich – die Ziegen wurden schon unruhig – nahm der Mann den Arm der Nonne, und sie nickte ihm leicht zu. Die beiden gingen zu dem wartenden Wagen zurück, stiegen ein, und der Kutscher ließ die Pferde anziehen. Die Räder wirbelten Staubwölkchen auf, als sich das Gefährt auf dem holprigen Weg entfernte, der drüben in die große Straße mündete, die an Oberwolkersdorf vorbei von Nürnberg nach Schwabach führte.

Der Ziegenhirt erhob sich von dem Baumstumpf, auf dem er sich inzwischen niedergelassen und sein karges Mahl verzehrt hatte, und pfiff leise seine Tiere wieder zusammen. Dann führte er die Herde am Birnbaum und dem Grab vorbei auf die grüne Hochfläche.

Schwabach, August 2004

Möbius fuhr aus seinem Nickerchen hoch, als eine Formation von vier Transporthubschraubern der Bundeswehr über seinem Kopf vorbeibrummte. Er sah auf die Uhr und stellte fest, das er wohl kaum zehn Minuten geschlafen hatte, obwohl er sich herrlich ausgeruht fühlte. Er streckte sich genüsslich und schnippte eine Ameise von seinem Hemdsärmel. Und jetzt wusste er auch endlich, wo er noch nach einem Hinweis auf dieses merkwürdige Medaillon suchen konnte, das ihn hierher zum alten Wolkersdorfer Schloss geführt hatte. Tja, dachte er, den Seinen gibt's der Herr tatsächlich im Schlaf.

Er stand auf, klopfte sich den Staub von der Hose und beschloss, noch einmal nach Schwabach zurückzufahren. Zeit genug war noch, schlimmstenfalls würde sein freitägliches Genussbad ausfallen und durch eine kurze Katzenwäsche ersetzt werden müssen. Mit langen Schritten durchquerte er den kleinen Barockgarten auf der Südseite des Schlösschens, der wohl aus dem späten siebzehnten Jahrhundert stammen mochte. Sorgfältig schloss er das Tor hinter sich und stieg in den Wagen.

Zehn Minuten später stapfte Möbius die Treppen zum Büro des evangelischen Dekanats hinauf. Er wusste, dass Gerlinde Raab, eine der Sekretärinnen des Dekans, freitags länger arbeitete, um dafür hin und wieder Zeitausgleich nehmen zu können.

»Hallo, Frau Raab. Ist Ihr Boss vielleicht noch da?«, fragte er die mollige junge Frau, die ihm mit einem Lächeln öffnete. Sie grinste über diese respektlose Bezeichnung des obersten Schwabacher Geistlichen, schüttelte aber bedauernd den Kopf. »Freitagnachmittags nie, Herr Möbius. Kann ich Ihnen was helfen?«

»Haben Sie den Schlüssel zum Dekanatsarchiv? Ich müsste da mal was nachlesen, wegen der Sachen, die der Dekan heute im Museum vorbeigebracht hat.«

Gerlinde Raab nickte. »Schlimme Geschichte, gell? Wir sind alle ganz entsetzt. Stellen Sie sich bloß vor, wenn das Feuer übergegriffen hätte! Auf den Hochaltar! Nicht auszudenken! Ich möchte bloß mal wissen, wer so was macht!«

Möbius pflichtete ihr bei. »Die Welt ist schlecht«, meinte er mit einem trübseligen Blick aus seinen wasserblauen Augen. »Äh, was ist jetzt mit dem Schlüssel?« Er hatte die Hoffnung auf sein Bad noch nicht ganz aufgegeben.

»Oh, der! Ja, den hab ich. Ich kann sie gern ins Archiv hineinlassen, aber in einer Stunde mache ich Schluss, bis dahin müssten Sie fertig sein.«

Das passte Möbius gut, dann würde er spätestens um fünf Uhr daheim sein. Er folgte der Sekretärin durch die Diensträume bis in ein schmales Nebenzimmer, das auf zwei Seiten mit alten Schränken voll gestellt war.

»Was brauchen Sie denn?«, wollte Gerlinde Raab wissen und steckte den Schlüssel wieder in ihre Rocktasche.

»Wissen Sie, ich suche nach Aufzeichnungen über eine private Schenkung, die der Kirche vermutlich im Jahr 1647 gemacht wurde. Es wurde doch sicherlich irgendwo aufgezeichnet, wenn jemand zum Beispiel einen Kelch stiftete oder ein Altartuch …«

»Natürlich. Dafür gibt's Schenkungsverzeichnisse und Inventare. Die sind alle hier drin, soweit ich weiß.« Sie wies auf einen wurmstichigen Bauernschrank aus dem 19. Jahrhundert, der rechts hinter der Tür stand. »Na dann, viel Spaß beim Suchen. Wenn Sie was brauchen, ich bin draußen.«

Möbius lugte in den Schrank, in dem es nach trockenem Schimmel und uraltem Leder roch. Auf dem obersten Regal sah er eine ganze Anzahl breiter Buchrücken, auf die in vergleichsweise moderner Schrift – er vermutete achtzehntes Jahrhundert – jemand das Wort »Schenkungen« und die dazugehörigen Jahreszahlen geschrieben hatte. Möbius griff sich den Band mit der Bezeichnung 1639–1692, setzte sich damit an ein kleines Tischchen vor dem Fenster und begann, nach den Eintragungen aus dem Jahr 1647 zu suchen. Die Schrift war einigermaßen gut lesbar, und Möbius war bald bei den Einträgen angelangt, die aus der Zeit vor dem Dreißigjährigen Krieg stammten. Zumeist handelte es sich um Geldschenkungen, die dem von der Kirche verwalteten Schwabacher Spital zugute kommen sollten, Beträge zwischen fünfzig und hundert Gulden, was damals eine beträchtliche Summe gewesen sein musste. Dazwischen immer wieder einmal Sachspenden wie Altarkerzen, Messwein, geklöppelte Zierborten aus leonischem Golddraht für Priestergewänder, sogar ein Glockenseil. Jedes Mal hatte der Schreiber, sicherlich einer der Schwabacher Geistlichen, zunächst das Eingangsdatum, die Spende selbst und den Namen des Spenders vermerkt. Danach folgten etliche Betrachtungen über den Umfang und Zweck der Schenkung. Möbius fuhr mit dem Finger die Seiten entlang, bis er schließlich an einer Stelle innehielt. Ha! Das musste es sein! Er zog triumphierend sein Notizbuch aus der Hosentasche, zückte den Drehbleistift und schrieb den Text ab:

»23. August 1687. Eine Reliquie in Form eines perlenbesetzten silbernen Fläschleins an einer Kette hängend, dem Inhalt zufolge vermutlich der Hl. Walburga von Eichstätt zugehörig. In der Mitte und auf dem Verschluss jeweils ein kostbarer Diamant. Eingehändigt von dem edlen Herrn Herrn Christoph VI. Fürer von Haimendorf zu Oberwolkersdorff. Man möge dafür jährlich eine Seelmesse halten für eine Ahnfrau seiner Gattin, der dies Stück mit ins Grab gelegt worden sei.

Die Reliquie sei kürzlich entdeckt worden, als der alte Obstgarten am Pfaffensteig gerodet wurde, um dort diese kaum geschmackvolle, aber für die einfachen Leuthe nahrhafte Frucht aus der neuen Welt anzupflanzen, die man gemeinhin Tartuffel nennt. Dabei sei auch ein uraltes Grabkreuz entfernt worden, unter dem man menschliche Gebeine entdeckt habe. Zwischen diesen Gebeinen, ja gar direkt in die Fingerknöchelchen verschlungen, habe die Kette mit der Reliquie gelegen.

Als man ihm das Fläschlein gebracht habe, habe er, der Herr Fürer von Haimendorff, darüber seiner werthen Gattin berichtet, die von mütterlicher Seite weittläufig der Brandauerschen Familie entstammt, welche in früheren Zeiten das Schloss mit seinen Zugehörungen besessen hat. Diese habe sich an eine alte Familienlegende erinnert, die ihr noch ihre selige Frau Großmutter in Kinderzeiten erzählt habe, nämlich dass vor wohl mehr als hundert Jahren dort am Pfaffensteig eine Ahnfrau der Brandauers begraben worden sei. Dieses Weib, deren Name meiner Gattin leider nicht mehr gewärtig ist, soll in damaligen Zeiten aus unglücklicher Liebe zu einem schönen, jungen Vetter ihren Gatten erschlagen haben, weshalb sie dem Scharfrichter anheim gefallen sei. Und dieweil die geweihte Erde eines Friedhofs keine Missethäter aufnehmen darf, soll sie nach ihrem Tode zu Wolkersdorf ihr einfaches Grab gefunden haben. Die Frau Großmutter seiner Gattin habe außerdem zu berichten gewußt, dass die entseelte Unglückliche immer dann im Schloss als Geist erscheine, wenn das gewaltsame Hinscheiden eines Mitglieds der Familie bevorstünde. Dann könne man nächtens lautes Weinen und Wehklagen vernehmen, und ein kalter Windhauch führe jäh durch die Zimmer. Ob an solcher Geschichte allerdings etwas Wahres sei, wisse er nicht. Es sei jedoch der Wunsch seiner Gattin, man möge die Gebeine, die derweil in einer Kiste verwahrt seien, in der Stadtkirche zu Schwabach zur letzten Ruhe betten. Das Grabkreuz aus Sandstein habe er auf Ersuchen seiner Gattin in die Mauer seines neuen Gartens am Schloss einpassen lassen, wo es fürderhin bleiben und an die Vergänglichkeit des Daseins gemahnen solle.«

Erfüllt von der tiefen Zufriedenheit des fündig gewordenen Forschers stellte Möbius den Band wieder an seinen Platz zurück. Eine hingerichtete Mörderin, der man eine Reliquie mit ins Grab gegeben hatte! Welche Tragik verbarg sich doch oft hinter manch kleinen Dingen! Nachdenklich verabschiedete er sich von Gerlinde Raab. Wenn er sich beeilte, konnte er noch einen letzten Abstecher zum Wasserschloss und den Absacker in der Badewanne schaffen. Er sprang ins Auto und fuhr mit quietschenden Reifen los.

Am Ententeich vor dem Schlösschen hatte sich inzwischen eine Gruppe Halbwüchsiger um ein Bänkchen versammelt. Möbius parkte seinen Golf dahinter und stieg aus. Eine riesige dänische Dogge lag zu Füßen eines schlanken, dunkelhaarigen Mädchens und hob interessiert den Kopf, als er an den Jugendlichen vorbei zum Schlosstor lief.

Drinnen ging er, links vom Tor im Uhrzeigersinn beginnend, systematisch die Mauer ab. Zum Glück war sie niemals verputzt worden, registrierte er, und die rohen Steine wiesen sogar noch die runden Vertiefungen auf, die von den Zähnen des Hebekrans stammten, der sie vor Jahrhunderten an ihre Stelle befördert hatte. Es dauerte nicht lange. In der Südwestecke des Barockgartens, hinter einer verwilderten Rosenrabatte, entdeckte er das Grabkreuz. Man hatte es in Augenhöhe eingemauert. Der Sandstein war weniger verwittert, als Möbius befürchtet hatte; im oberen Drittel des Kreuzes war deutlich ein ineinander verschlungenes doppeltes H zu erkennen. Darunter, im Kreuzungspunkt der beiden Balken, war eine Inschrift eingemeißelt. Möbius trat nah an die Mauer heran und kratzte ein paar gelbe Flechten fort, um den Text entziffern zu können:

Mensch,
geh nit vorbey.
Wirff eyn Blickh
auff das Leben, auf den Todt –
und gedenck wer du seist.
Gott hilfft.

Möbius atmete ob der Tristesse dieser Inschrift ein paar Mal tief durch, dann notierte er die Worte in seinem Büchlein. Auf dem Weg zurück zu seinem Auto passierte er wieder die Gruppe am Bänkchen. Inzwischen hatten die Kids einen batteriebetriebenen Ghettoblaster aufgestellt, aus dem in einiger Lautstärke Hiphop-Musik schallte. Möbius, eingefleischter Fan von Sechziger-Jahre-Musik und Kultbands wie Velvet Underground, verzog wie im Schmerz das Gesicht. Der Riesenhund, der sich in der Zwischenzeit unter einen Busch verzogen hatte, galoppierte plötzlich schwerfällig auf ihn zu, bremste einen halben Meter vor ihm abrupt ab und sah ihn mit – so kam es Möbius jedenfalls vor – unverhohlener Gier an. Er blieb stehen.

»Äh, ich fürchte, Euer Hund überlegt gerade, ob ich ihm zum Abendessen schmecken würde«, bemerkte er mit gespielter Fröhlichkeit zu den Kids hin und kratzte sich dabei den exakt gezogenen Mittelscheitel. In Wirklichkeit jagte ihm dieses Kalb einen Heidenrespekt ein. Das dunkelhaarige Mädchen stand auf, griff sich den Hund am

Halsband und sah Möbius spöttisch an. Sie war vielleicht fünfzehn, stellte er fest, hatte violett lackierte Zehennägel und trug ein glitzerndes Steinchen im Nabel. Irgendetwas war mit ihrem Gesicht.

»Keine Angst, der Anton tut Ihnen nix«, meinte sie und grinste. »Der hat heute schon den Briefträger gefressen.«

Die Halbwüchsigen beim Bänkchen prusteten, und Möbius musste unfreiwillig mitlachen. Er stieg ein und fuhr los.

Später lag er zufrieden mit sich und der Welt in seiner Badewanne und schwenkte andächtig ein Glas Single Malt in der Hand. Um ihn herum blubberten buntschillernde Schaumbläschen, und der Duft von Moschus und Vanille erfüllte den Raum. Möbius liebte es, zu baden, bis seine Haut so schrumpelig war wie eine Rosine. Nirgendwo konnte man so entspannt nachdenken. Er schloss wohlig die Augen, paddelte sanft mit den Zehen im Wasser und ließ den Tag Revue passieren. Ob es wirklich stimmte, dass dieses merkwürdige Medaillon, das nun der Museumssafe sicher verwahrte, einer Mörderin mit ins Grab gelegt worden war? Kleine Dinge erzählten manchmal große Geschichten. Schade, dass er nichts Genaueres mehr darüber würde erfahren können. Er nahm einen Schluck Whisky, ließ ihn langsam über die Zunge rollen und genoss das sanfte Brennen beim Hinunterschlucken. Jetzt endlich fiel ihm auch ein, was ihm vorhin an dem Gesicht des Mädchens mit dem Hund seltsam erschienen war. Es waren die Augen gewesen, ganz merkwürdig: eines blau, eines braun …

Nachwort

Die Idee zu diesem Roman entstand schon vor einigen Jahren, als mir während einer Forschungsarbeit über Frauenleben im Mittelalter eine alte Biographie der Nürnberger Patrizierin Dorothea Landauer (vermutl. 1481–1528) in die Hände fiel. Helenas Leben ist in vielen Motiven der Geschichte dieser Frau nachempfunden, die im Jahr 1497 fünfzehnjährig ein »fuchswildes« heimliches Verlöbnis einging, das wieder gelöst werden musste. Gegen eine hohe Mitgift von 3500 (!) Gulden wurde sie später mit einem der reichsten Patrizier Nürnbergs verheiratet, dem jungen, gut aussehenden, aber charakterschwachen Wilhelm Haller. Die Ehe, aus der vier Kinder hervorgingen, wurde ganz offenbar vor allem wegen Wilhelms Brutalität zum Albtraum. Wilhelms Spielsucht und sein hochfahrender Lebensstil führten dazu, dass sich der junge Patrizier trotz seines immensen Reichtums verschuldete und das Vermögen seiner Frau angriff. Tatsächlich änderte Dorotheas Vater sein Testament, um den Zugriff des verschwenderischen Schwiegersohns auf das Landauersche Erbe zu verhindern. Und Dorothea schaltete auch wirklich den Nürnberger Rat ein, der vergeblich versuchte, zwischen den Ehepartnern zu vermitteln. Allerdings hat das Helena-Vorbild Dorothea ihren Mann damals nicht umgebracht. Vielmehr gelang es ihr, im Jahr 1516 mit ihren Kindern gegen den Willen des Nürnberger Rats auf ihr Wasserschloss in Oberwolkersdorf zu fliehen und – ein kleines Wunder – mithilfe eines geistlichen Gerichts die Scheidung durchzusetzen. Nachdem Wolkersdorf im Herrschaftsgebiet der Ansbacher Markgrafen lag, konnte sie sich hier zeitlebens dem Zugriff ihres geschiedenen Mannes entziehen, der immer wieder stur auf die Rückkehr seiner »widerspenstigen Hausfrau« pochte. Sie fand in ihrem Anwalt Martin Glück einen neuen Lebenspartner. Am 29. November 1528 starb sie zu Oberwolkersdorf und wurde vermutlich in der Schwabacher Stadtkirche beigesetzt. Ihr

Ex-Mann Wilhelm Haller starb – eines natürlichen Todes – im Winter 1534/35.

Die Romanfigur Helena schließlich, der ich es herzlich gegönnt habe, ihren Peiniger mit eigener Hand umzubringen, wurde folgerichtig in das Lochgefängnis verbracht (das man heute noch in Nürnberg besichtigen kann) und mit dem Tod bestraft. Damals gab es in der Reichsstadt nur zwei Hinrichtungsarten für Frauen: Das Ertränken und das Lebendigbegraben. Letzteres führt – nach Auskunft einiger Ärzte aus meinem Freundeskreis, die darüber heftig debattierten – letztendlich zum Tod durch Kreislaufversagen, eventuell auch durch Embolien.

Anna und Philipp sind fiktive Figuren. Die Zustände in den Frauenhäusern der Zeit sind inzwischen gut erforscht und wurden im Roman unter Einbezug Nürnberger Quellen wirklichkeitsgetreu wiedergegeben. Prostitution fand damals unter Förderung und Aufsicht der städtischen Obrigkeiten statt, die überall – besonders im süddeutschen Raum – Frauenhäuser errichten ließen und die Frauenwirte quasi als städtische Angestellte auf ihrer Gehaltsliste hatten. Wegen des Männerüberschusses, der großen Zahl an durchreisenden Kaufleuten und der strikten zünftischen Heiratsverbote für Lehrlinge und Gesellen hielt man es für nötig, die ehrbaren Bürgersfrauen vor Nachstellungen zu schützen, indem man den unverheirateten Männern »ander weiblich Fleisch« darbot.

Die im Roman erwähnten Vorschriften und Sittenregeln der Zeit sind ausnahmslos den Quellen und der einschlägigen Fachliteratur entnommen. Sexualität war damals durch Kirche, Justiz und Moralverständnis strengstens reglementiert, erlaubt war nur eine einzige Sexualpraktik, nämlich die, bei der ranggemäß die Frau unten und der Mann oben lag. Alles andere verkehrte die Weltordnung. Natürlich durften verheiratete Männer offiziell kein Frauenhaus betreten, taten es aber doch. Das Gleiche galt für Mitglieder des Klerus – den zeitgenössischen Quellen lässt sich unschwer entnehmen, dass mindestens zehn Prozent der Freier Geistliche waren. Die »Hübschlerinnen« rekrutierten sich, soweit man das nachvollziehen kann, zum großen

Teil aus jungen Mädchen vom Land, die in der Stadt von Schleppern aufgegriffen und in die Bordelle gebracht wurden.

Die Figur des Niklas ist ebenfalls fiktiv, nicht jedoch die Erfindung der Brillantschleiferei um diese Zeit. Diese Erfindung ist meine Interpretation einer bisher nicht ganz geschlossenen Forschungslücke: Angeblich wurde das Schleifverfahren mit Diamantstaub gegen Ende des 15. Jahrhunderts in Brügge entdeckt, doch dies wird in Fachkreisen teilweise angezweifelt zugunsten einer Theorie, die diese Erfindung in Venedig lokalisiert. Der erste in Deutschland nachweisbare Diamantschleifer betrieb jedenfalls in den 30er Jahren des 16. Jahrhunderts eine Werkstatt für die Welser in Augsburg. Sein Name: Matthias Mostja. Tatsächlich lässt sich ein Diamant – wenn man weiß, wo man ansetzen muss – mit dem Fingernagel spalten, konnte aber gegen die Kristallstruktur nicht geschliffen werden. Die teilweise recht eigentümlichen Informationen über Edelsteine, wie sie im »Buch der Steine« wiedergegeben sind, decken sich mit dem Wissensstand der Zeit.

Dass sich Albrecht und Agnes Dürer und die historischen Hallers gekannt haben, ist nicht nur durch schriftliche Quellen belegt. Dürer hat die beiden sogar im Kreise ihrer Familie gemalt – auf dem so genannten »Allerheiligenbild« des Altars in der Kapelle des Nürnberger Zwölfbrüderhauses (1511). Es zeigt Wilhelm als Ritter in goldener Rüstung und Dorothea mit einer eigentümlichen, barettförmigen Haube auf dem mit Goldfäden durchwirkten blonden Haar.

Dürers Italienreisen 1494/95 und 1505/07 haben wirklich stattgefunden, ebenso die geschilderte Pestepidemie von 1494 in Nürnberg. Der virulente Massenausbruch der Syphilis in der Reichsstadt entspricht ebenfalls der historischen Wahrheit; die Geschlechtskrankheit trat in ihren Anfangsjahren in Europa epidemisch auf. Ob die Beziehung Dürers zu dem bekannten Humanisten Willibald Pirckheimer tatsächlich homosexueller Natur war, darüber streiten sich immer noch die Experten. Erotische Bemerkungen auf Griechisch, die Pirckheimer an den Rand einer Dürerzeichnung schrieb, geben zu Spekulationen Anlass.

Einige echte Dürerbilder habe ich in die Geschichte mit eingefügt: So unter anderem seine Aufsehen erregenden Selbstporträts, den berühmten »Hasen«, das »Große Rasenstück«, diverse Landschaftsbilder und schließlich das »Bildnis einer Venezianerin«, das über lange Zeit den alten Fünfmarkschein geziert hat und das Dürer im Roman mit Helenas Zügen versieht.

Die Beschreibungen Venedigs lehnen sich an alte Quellen und Berichte an, ebenso die des Alpenübergangs über den Brenner. Was Nürnberg betrifft – es ist meine Geburtsstadt. Viele historische Details habe ich dem Stadtlexikon Nürnberg entnommen, einem wunderbaren geschichtlichen Nachschlagewerk, dessen Herausgeber und Verfasser sich damit großes Verdienst erworben haben.

Schließlich: Noch heute steht mitten in Wolkersdorf das Wasserschloss der Dorothea Landauer. Und – in dem heutigen Schwabacher Stadtteil, der um das alte Schloss in vielen Jahrhunderten gewachsen ist, gibt es tatsächlich ein hübsches, dunkelhaariges Kind mit verschiedenfarbigen Augen: blau und braun …

Sabine Weigand

Die Markgräfin

Band 15935

Mit zehn ist sie verheiratet. Mit zwölf Witwe. Mit fünfzehn heiratet sie den König von Böhmen. So steht es in den Chroniken. Als sie endlich ihr eigenes Leben führen will, sperren ihre Brüder sie auf der Plassenburg in Franken ein. Ihre Spur verliert sich 1542. Bis in unseren Tagen ein geheimnisvoller Fund das Schicksal der Markgräfin Barbara von Ansbach enthüllt. Die Markgräfin hat es wirklich gegeben. Dies ist ihre Geschichte. Ein mitreißendes Historienepos aus Deutschland im Umbruch vom Mittelalter zur Neuzeit.

»Ungemein spannend.«
3sat

»Eine Geschichte von Machtgier, Intrigen,
Liebe und Verrat – die Geschichte einer Frau,
die tatsächlich gelebt hat:
fesselnd bis zur letzten Seite.«
Gong

NVREMBERGA

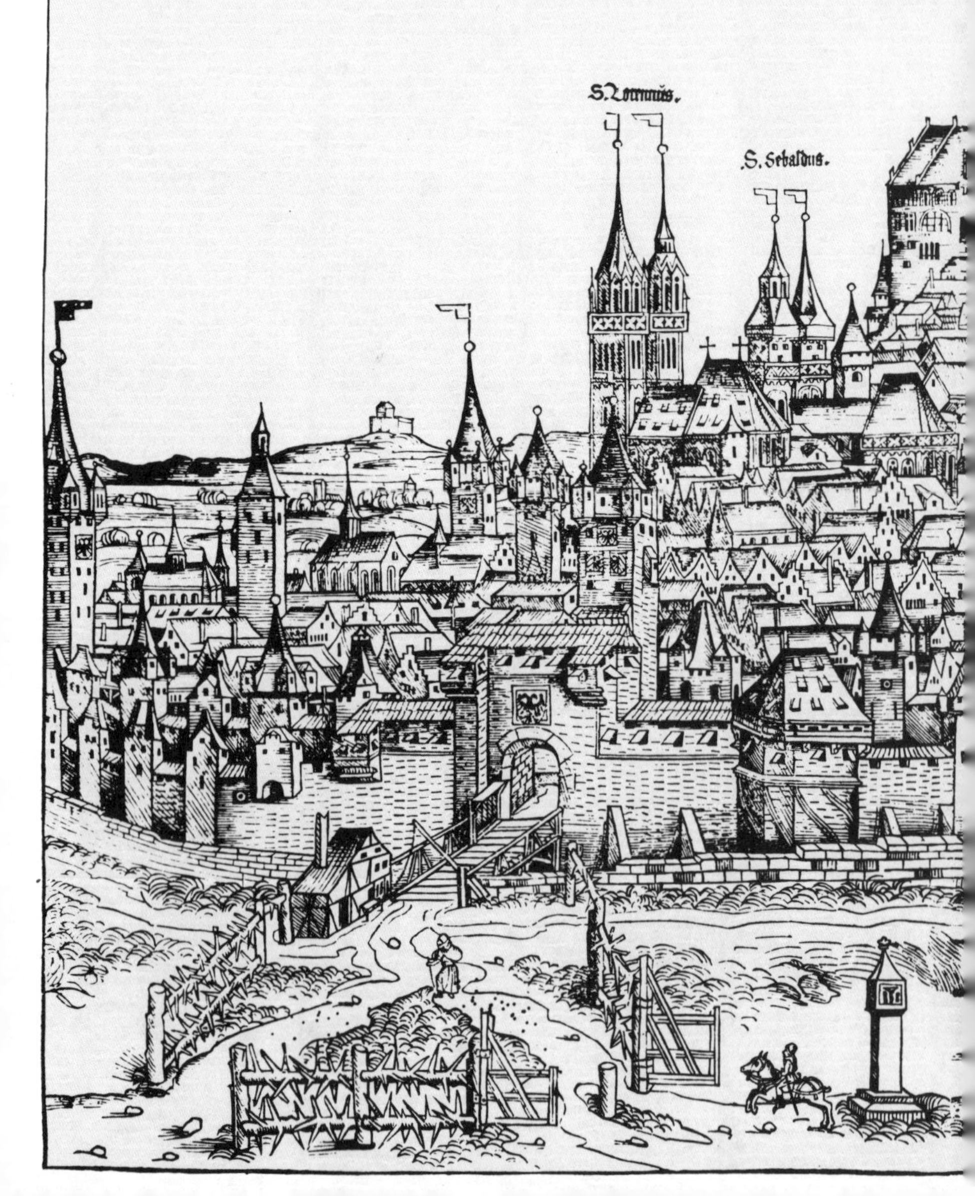